D0271141

CHRONIQUES D'UN AUTRE MONDE

P. C. Cast, alias Phyllis Christine Cast, a grandi entre l'Illinois et l'Oklahoma. Après le lycée, elle s'engage dans l'armée de l'air où elle suit des cours de communication. Elle a coécrit, avec sa fille Kristin Cast, la série *La Maison de la Nuit*, publiée aux éditions Pocket Jeunesse.

Je dédie ce livre à mon éditrice, Monique Patterson,
pour l'enthousiasme que lui inspire cet autre monde,
sa foi en moi et ses formidables compétences
en matière de brainstorming !
Que notre collaboration soit longue et fructueuse.

Illustration de couverture : Nicolas Delort

Ouvrage initialement publié par St. Martin's Press
sous le titre : *Tales of a New World, Moon Chosen*

18, rue Barbès – 92128 Montrouge
ISBN : 978-2-7470-7725-5
Dépôt légal : juin 2018

P.C. CASt

CHRONIQUES D'UN AUTRE MONDE

LES MARCHEURS DE LA TERRE

Traduit de l'anglais (États-Unis)
par Karine Suhard-Guié

bayard

1

Les rires des deux femmes emplirent la tanière ordonnée où régnait une douce chaleur.

– Oh, Mari ! Ça ne ressemble pas au mythe que je t'ai raconté.

La mère de Mari tenait une feuille de papier dans une main et pressait l'autre sur sa bouche, sans réussir à contenir un nouvel éclat de rire.

– Maman, toi, tu racontes des histoires et moi, je les dessine. C'est notre jeu, non ? Notre jeu *préféré*.

– Eh bien, oui, approuva Léda, qui tentait toujours de garder un air sérieux. Mais toi, tu as tendance à dessiner ce que tu *crois* entendre.

– Je ne vois pas où est le problème.

Mari alla se placer près de sa mère et observa avec elle l'esquisse qu'elle venait d'effectuer.

– C'est exactement ce que j'ai imaginé pendant que tu me parlais de Narcisse et Écho.

– Mari, ton Narcisse ressemble à un jeune homme qui se transforme en fleur ! D'une drôle de façon, en plus. L'une de ses mains est une feuille, alors que l'autre a conservé sa forme normale. Pareil pour…

Léda se retint de glousser, puis reprit :

– Pareil pour d'autres parties de son anatomie. En plus, il a une moustache et l'air idiot, même si je reconnais que tu possèdes un talent extraordinaire : tu es capable de donner vie à un sujet mi-homme mi-fleur à l'allure ridicule.

Léda désigna ensuite la nymphe fantomatique qui assistait à la transformation de Narcisse. Mari lui avait donné une expression d'agacement et d'ennui.

– Tu as dessiné Écho comme si elle..., hésita Léda, cherchant les mots justes.

– ... comme si elle en avait assez de Narcisse et de son ego ? compléta Mari.

Léda renonça à faire semblant de réprimander sa fille et rit tout haut.

– Précisément. Dans mon récit, elle n'est pas comme ça.

– Eh bien, Léda...

Mari regarda sa mère en haussant les sourcils.

– Quand je t'écoutais en dessinant, j'ai décidé qu'il manquait quelque chose à la fin de ton histoire.

– Ah oui ? s'étonna Léda, avant de donner un petit coup d'épaule à sa fille. Et arrête de m'appeler Léda.

– Mais c'est ton prénom.

– Pour le reste du monde. Pour toi, c'est mère.

– *Mère* ? Vraiment ? C'est si...

– Respectueux et traditionnel ? suggéra Léda, en tentant à son tour de deviner les pensées de sa fille.

– Plutôt vieux et fade, rectifia celle-ci, les yeux brillants, tandis qu'elle attendait la prévisible réaction de sa mère.

– Est-ce que tu viens de m'accuser d'être vieille et fade ?

– Jamais de la vie, maman, jamais ! se défendit Mari en gloussant, les mains levées en signe de reddition.

– Bien. Dans ce cas, j'accepte « maman ». C'est toujours mieux que Léda.

– Maman, ça fait dix-huit hivers qu'on a cette discussion, commenta Mari avec un large sourire.

– Mari, ma fille chérie, même si tu as connu dix-huit hivers, tu n'as heureusement pas été capable de *parler* pendant tout ce temps ! J'ai pu profiter d'un répit de deux hivers avant que tu commences, pour ne plus jamais t'arrêter.

– Maman ! Tu m'as dit que tu m'avais *encouragée* à parler avant que je ne connaisse deux hivers ! protesta Mari d'un air faussement surpris.

Elle saisit la petite branche de fusain aiguisée avec laquelle elle avait réalisé son croquis, puis reprit la feuille de papier à sa mère.

– C'est vrai, et je n'ai jamais prétendu avoir été parfaite. Je n'étais qu'une jeune mère qui voulait faire de son mieux, précisa Léda d'un ton théâtral.

– Tu étais très, *très* jeune, n'est-ce pas ? fit Mari, qui se mit à compléter par de rapides coups de fusain son dessin, tout en le cachant à sa mère.

– Absolument, confirma Léda en essayant de voir par-dessus le bras de sa fille. J'avais un hiver de moins que toi quand j'ai rencontré ton merveilleux père, et...

Léda fut interrompue par les gloussements irrépressibles de sa fille, qu'elle considéra en fronçant les sourcils.

– Voilà, j'ai rectifié ! s'exclama Mari, en levant son esquisse à hauteur des yeux de Léda.

– Mari, Narcisse louche !

– Ton histoire m'a suggéré qu'il n'était pas très futé.

– Tu as bien su rendre ton impression ! s'exclama Léda.

Les deux femmes éclatèrent de rire à nouveau.

Léda s'essuya les yeux et serra brièvement Mari dans ses bras en déclarant :

– Je retire tout ce que j'ai dit. Ton illustration est parfaite.

– Merci, *mère*, répondit Mari, les yeux pétillant de bonheur.

Elle prit une nouvelle feuille de papier et tint son fusain prêt. Elle adorait les récits anciens que sa mère partageait avec elle depuis sa petite enfance. Léda y incorporait de la sagesse et de l'aventure, du malheur et de l'amour aussi habilement que les talentueuses femmes du Clan des Tisserands faisaient des paniers, des vêtements et des tapisseries qu'elles échangeaient avec le Clan des Pêcheurs, le Clan des Meuniers et le Clan des Bois.

– Encore une histoire ! réclama Mari. S'il te plaît ! Tu es si douée pour les raconter !

– La flatterie ne te fera pas obtenir une autre histoire… mais peut-être un panier de myrtilles.

– Des myrtilles ? C'est vrai, maman ? Ce serait formidable. J'adore la couleur de l'encre que je fabrique avec. Ça change du colorant noir à base de noix.

Léda adressa un sourire tendre à sa fille et lui dit :

– Il n'y a que toi qui puisses être plus excitée à l'idée de peindre avec des myrtilles que de les manger.

– Non, je ne suis pas la seule, maman. Toi aussi, tu aimes la teinture que tu élabores à partir de ces baies.

– Tu as raison. D'ailleurs, comme le printemps est là, j'ai hâte de te teindre une nouvelle cape, mais j'admets volontiers que je préférerais déguster une tarte aux myrtilles !

– Une tarte aux myrtilles ?! C'est très tentant ! Comme une autre histoire de Léda, d'ailleurs. Au fait, maman, peut-on prendre un moment pour discuter de ton prénom ? *Léda*, vraiment ? Je suppose que ta mère connaissait cette histoire-là, plaisanta Mari.

Mais, bon, étant donné qu'elle s'appelait Cassandre, je mets parfois en doute son aptitude à trouver des prénoms sensés.

– Tu sais très bien que les Femmes Lune donnent toujours à leurs filles les noms qui leur sont murmurés dans le vent par la Sublime Terre Mère. Ma mère, Cassandre, a reçu son prénom de la sienne, Pénélope. Moi, j'ai entendu ton joli prénom chuchoté par notre Terre Mère lors de la pleine lune qui a précédé ta naissance.

– Mon nom est fade, soupira Mari. Cela veut-il dire que la Terre Mère me trouve fade ?

– Non, cela signifie que la Terre Mère pense qu'on devrait inventer une histoire pour aller avec ton prénom ; une histoire rien qu'à toi.

– C'est ce que tu répètes depuis que je suis née ; sauf que je n'ai toujours pas ma propre histoire, constata Mari.

– Tu l'auras le moment venu, promit Léda.

Elle toucha la joue lisse de sa fille et sourit d'un air triste.

– Mari, mon ange, je ne peux pas te raconter d'autre histoire ce soir, je le regrette. Le soleil va bientôt se coucher, et cette nuit, la lune sera pleine et brillante. Les besoins du Clan seront importants.

Mari ouvrit la bouche pour supplier Léda de rester ne fût-ce que quelques instants de plus avec elle, de faire passer *ses* besoins avant ceux du Clan. Mais, avant qu'elle eût pu exprimer son petit désir égoïste, le corps de sa mère commença à s'agiter de spasmes irréguliers, sa tête à être secouée douloureusement et de manière incontrôlable, ses épaules se mirent à trembler. Bien que Léda eût déjà tourné le dos à sa fille, tentant comme d'habitude de la protéger du changement que la nuit apportait, Mari ne savait que trop bien ce qui se passait.

Son humeur taquine s'envola ; elle lâcha la feuille de papier et le fusain, et rejoignit sa mère. Elle lui prit la main, qu'elle tint entre ses deux paumes. Elle détestait la sentir si froide à présent, de même qu'elle détestait la pâle teinte gris argenté qui recouvrait progressivement sa peau. Et elle regrettait – comme toujours – de ne pouvoir soulager la douleur qui gagnait sa mère au coucher du soleil, chaque soir de sa vie.

– Je suis désolée, maman. J'ai perdu la notion du temps. Je ne voulais pas te retarder.

Mari garda un ton léger, car elle ne voulait pas laisser partir sa mère bien-aimée vers l'obscurité et le danger en ajoutant à ses soucis habituels.

– On inventera mon histoire une autre fois, dit-elle. De toute façon, il faut que je travaille pendant ton absence. J'ai besoin de parfaire la perspective d'un dessin que j'essaie de terminer.

– Je peux le voir ? demanda sa mère.

– Il n'est pas fini, et tu sais bien que j'ai horreur que tu voies mes dessins avant qu'ils soient complètement aboutis.

Lorsque le corps de Léda fut parcouru par un nouveau tremblement, Mari resserra automatiquement sa main autour de la sienne, dans un geste de soutien, de compréhension, d'amour.

– Mais je vais faire une exception ce soir, précisa-t-elle en se forçant à sourire. D'autant plus que tu es mon modèle préféré, et que j'aime te faire plaisir.

– Eh bien, je pense qu'on peut affirmer sans trop s'avancer que tu m'aimes plus que Narcisse, plaisanta Léda.

Mari s'approcha de la table en bois toute simple disposée dans un coin de la pièce principale de la petite tanière, semblable à une caverne, qu'elle partageait avec sa mère depuis sa naissance.

La table était nichée entre les parois les plus densément recouvertes de mousse phosphorescente, là où pendaient du plafond les plus grosses et les plus brillantes grappes de champis-luisants, tels des lustres organiques. Lorsqu'elle se tourna vers Léda, tenant une épaisse feuille de papier fait maison, par un méticuleux travail sur de la pulpe de plante, Mari avait retrouvé un sourire naturel.

– Chaque fois que je vois comment on a fait pousser les champis-luisants et placé la mousse phosphorescente, ça me rappelle tes histoires de lutins.

– Tu as toujours tellement aimé les récits transmis par les Femmes Lune, pour éduquer et amuser leurs filles, bien qu'aucun ne soit plus réel que le mythe de Narcisse et sa malheureuse Écho !

– Quand je dessine une histoire, pour moi, elle est réelle, affirma Mari.

– C'est ce que tu dis toujours, mais…

Léda s'interrompit quand elle découvrit le croquis de sa fille.

– Oh, Mari ! C'est magnifique ! s'exclama-t-elle.

Elle prit la feuille et l'observa de plus près.

– C'est l'un des plus beaux dessins que tu aies jamais faits.

Émerveillée, elle suivit délicatement du bout du doigt son portrait assise à sa place habituelle près du feu. Elle avait sur les genoux un panier partiellement tissé, mais ne le regardait pas. Elle souriait tendrement à l'artiste.

Mari reprit la main de sa mère entre ses paumes et la caressa.

– Je suis contente qu'il te plaise, mais tes mains sont bien plus belles en vrai que sur mon croquis.

Posant sa paume sur la joue de sa fille, Léda déclara :

– Tu pourras peaufiner ça. Comme toujours.

Elle déposa un léger baiser sur le front de Mari et ajouta :

– J'ai confectionné quelque chose pour toi, ma chérie.

– Ah bon ? C'est un cadeau ?

– Absolument, confirma Léda avec un sourire. Attends ici et ferme les yeux.

Elle alla dans la pièce située à l'arrière de la tanière, qui lui servait de chambre et de séchoir pour ses herbes aromatiques. Puis elle revint rapidement devant sa fille, les mains dans le dos.

– C'est assez petit pour que tu puisses le cacher derrière toi ! C'est quoi ? Une plume d'oie toute neuve ?

– Mari, je t'avais demandé de ne pas regarder ! la gronda Léda.

Un sourire aux lèvres, Mari serra fort les paupières avant de répliquer d'un ton suffisant :

– Je ne regarde pas ! Je suis intelligente, c'est tout, comme ma maman.

– Et très belle, comme ton père, renchérit Léda en plaçant son cadeau sur la tête de sa fille.

– Oh, maman ! Tu m'as fait une Couronne de Demoiselle Lune ! devina Mari, avant de rouvrir les yeux et de saisir l'ornement.

En entrelaçant finement du lierre et du saule, agrémentés de fleurs jaune vif, Léda avait créé une parure ravissante.

– C'était donc ça que tu fabriquais avec tous ces pissenlits ! Je croyais que tu faisais du vin.

– J'ai effectivement fait du vin, se justifia Léda en riant. Et en plus, je t'ai confectionné une Couronne de Demoiselle Lune.

La joie de Mari diminua soudainement.

– J'avais oublié que cette nuit, ce sera la première pleine lune du printemps, dit-elle. Je suis sûre que la célébration du Clan sera très gaie.

Léda secoua la tête d'un air triste.

– J'aimerais que oui, mais je crains que cette lune ne soit pas fêtée aussi joyeusement que d'habitude... après qu'un si grand nombre de Marcheurs de la Terre ont été récemment capturés par les Compagnons. La Terre Mère me semble anormalement agitée, comme si des changements désagréables allaient survenir. Nos femmes sont remplies d'une plus grande tristesse que d'habitude, et nos hommes... eh bien, on connaît la colère que la Fièvre Nocturne fait monter en eux.

– Ils ne seront pas juste furieux, cette nuit, ils seront dangereux. Maudits Creuseurs !

– Mari, n'appelle pas ton peuple comme ça. On croirait que tu parles de monstres.

– Ce n'est que la moitié de mon peuple, mère ; en plus, la nuit, ses membres se transforment bel et bien en monstres. Les hommes, du moins. Que se passerait-il si tu ne les purifiais pas de la Fièvre Nocturne tous les trois jours ? Attends, je sais ce qui arriverait. Voilà pourquoi la tanière d'une Femme Lune doit toujours rester secrète, même pour son propre Clan.

Mari prononça ces dures paroles à cause de sa frustration et de sa peur, mais elle les regretta en voyant les yeux de sa mère se remplir de peine.

– Mari, tu ne dois jamais oublier que, la nuit, même moi, je possède au plus profond de mon être cette capacité de me transformer en monstre.

– Je ne parlais pas de toi ! Jamais je n'oserais !

– Pourtant, la lune est la seule chose qui m'empêche de le devenir. Malheureusement, notre peuple n'est pas capable de l'invoquer comme moi ; je dois donc le faire au moins une fois toutes les trois nuits. Ce soir, c'est une Troisième Nuit. Notre Clan se rassemblera, et je purifierai tous ses membres afin que leurs vies puissent être ouvertes à l'amour et à la joie au lieu d'être engluées dans la mélancolie et la colère. Tu connais ces choses-là, Mari. Qu'est-ce qui t'ennuie ?

La jeune femme secoua la tête. Comment aurait-elle pu confier à sa mère – sa gentille, amusante et brillante mère, la seule personne dans ce monde effroyable qui savait ce que Mari était réellement et l'aimait malgré tout – qu'elle avait commencé à désirer ardemment connaître *plus* de choses ?

Jamais elle ne pourrait le lui avouer, tout comme Léda ne permettrait jamais que la vérité sur sa fille soit révélée.

– Rien, répondit Mari. C'est sans doute juste la pleine lune. Je la sens, même ici dans la tanière, alors qu'elle ne s'est pas encore levée.

Léda sourit avec fierté.

– Tu possèdes mon pouvoir, et plus encore. Mari, viens avec moi ce soir. Mets ta Couronne de Demoiselle Lune. Joins-toi à la cérémonie du Clan. C'est plus facile d'invoquer le pouvoir de la lune quand elle est pleine, et, cette nuit, elle sera aussi spectaculairement pleine que le soleil a été éclatant aujourd'hui.

– Oh, maman, pas ce soir. J'en ai assez d'échouer, et je n'ai vraiment pas envie de me ridiculiser devant une foule de gens.

– Fais confiance à ta mère, insista Léda, sans se départir de son sourire. Ton pouvoir est encore plus grand que le mien. C'est cela qui rend ta formation difficile.

– Difficile ? répéta Mari en soupirant. Tu veux dire impossible.

– Ah, tout de suite, les grands mots ! Tu es vivante, en bonne santé et *saine d'esprit*. Le jour comme la nuit, qu'il pleuve ou qu'il vente, que la lune soit visible ou pas, tu ne montres aucun signe de folie ou de douleur. Sois convaincue que le reste viendra à force d'entraînement et de patience.

– Tu es sûre qu'il n'y a pas de moyen plus facile ?

– Tout à fait sûre. C'est comparable à la façon dont tu t'es entraînée à transformer un simple croquis en un dessin qui semble vivre et respirer.

– Mais dessiner, c'est tellement plus facile !

– Pour toi, seulement, nuança Léda avec un petit rire, avant de redevenir sérieuse. Mari, tu sais que je devrai bientôt choisir une apprentie. Je ne peux plus faire patienter les femmes du Clan très longtemps.

– Je ne suis pas encore assez douée, maman.

– Raison de plus pour te joindre à moi ce soir. Tu t'entraîneras à appeler le pouvoir de la lune, et, pendant ce temps, je montrerai aux femmes de notre Clan qu'elles peuvent être rassurées. Même si je ne t'ai pas encore désignée comme mon héritière officielle, j'ai commencé ta formation.

– Tu as *commencé* ma formation ? répéta Mari en faisant la moue. Léda, tu me formes depuis aussi loin que je m'en souvienne !

– Tu as toujours été une bonne élève. Et arrête de m'appeler Léda.

– Il y a une différence entre bonne et lente, *mère*.

– J'en suis parfaitement consciente. Tu n'es pas lente, Mari. Tu es complexe. Ton esprit, tes talents, ton pouvoir sont complexes. Un jour, tu feras une excellente Femme Lune.

Puis, observant sa fille de ses yeux gris pleins de sagesse, Léda ajouta :

– À moins que tu ne désires aucunement être une Femme Lune.

– Je ne veux pas te décevoir, maman.

– Tu ne me décevras jamais, quelle que soit la voie que tu choisis de suivre.

Léda marqua une pause et grimaça tandis qu'un nouveau tremblement douloureux parcourait son corps. La teinte argentée qui avait commencé à apparaître sur ses mains gracieuses s'étendit à ses bras.

– D'accord, maman ! Je vais t'accompagner, s'empressa d'accepter Mari, récompensée par un sourire radieux de sa mère.

– Oh, Mari, je suis si contente !

Oubliant temporairement sa douleur, Léda se précipita dans sa chambre et Mari l'entendit entrechoquer à grand bruit les casseroles, les paniers et les précieux bocaux en verre qui contenaient sa vaste collection d'herbes, de teintures et de cataplasmes.

– Ah, le voici ! s'écria Léda, avant de reparaître avec un bol en bois familier. Laisse-moi retoucher ton visage. On va bientôt devoir reteindre tes cheveux, mais ça ira pour ce soir.

Mari réprima un soupir et leva le menton afin que sa mère lui applique la mixture boueuse grâce à laquelle elles conservaient leur secret.

En silence, Léda épaissit les sourcils de sa fille, aplatit ses pommettes saillantes, puis, en dernier lieu, elle lui étala la substance sale, collante et argileuse sur le cou et les bras. Lorsqu'elle eut terminé, elle observa Mari très attentivement et, lui effleurant la joue, dit :

– Va vérifier ce que ça donne à la fenêtre.

Mari hocha la tête d'un air sombre. Elle traversa la pièce principale de la tanière et monta les marches en pierre qui menaient à une niche découpée méticuleusement dans les couches de roche et de terre. Elle fit glisser une longue pierre rectangulaire. De l'air chaud entra par l'ouverture en tourbillonnant et caressa sa joue. Par le trou, la jeune femme regarda le monde du dessus et le ciel à l'est déjà empreint des couleurs pâles, délavées, que la nuit peignait sur le jour éclatant. Elle leva un bras dans la lumière blafarde de l'extérieur. Puis elle se retourna vers sa mère, qui l'avait suivie.

Sous la pleine lune, comme ceux de Léda, les yeux gris de Mari brillaient d'un éclat argenté.

Comme celle de sa mère, la peau de Mari luisait quand elle se prélassait sous le ciel éclairé par la froide lumière de l'astre.

Tout en pensant avec envie à la lune et à son pouvoir, Mari tendit la main à travers le trou, comme pour l'atteindre. Mais à la place des délicats rayons, les bouts de ses doigts rencontrèrent la lumière jaune du soleil déclinant. Sa main trembla devant cet afflux de chaleur soudain, et Mari la retira vivement. Elle écarta les doigts et observa l'élégant motif en filigrane qu'une brève exposition au soleil suffisait à faire apparaître sur sa peau. Elle pressa sa main contre sa poitrine pendant que le dessin se dissipait tel un rêve au réveil.

Elle était si différente de sa mère.

– Ce n'est pas grave, ma chérie, la réconforta celle-ci. Prends ta cape d'été. Tu n'auras pas trop chaud, car elle est assez légère, mais...

– Mais les manches me couvriront les bras et les mains jusqu'à ce que le soleil soit complètement couché, compléta Mari.

Elle redescendit à pas lents de la fenêtre et s'approcha du panier où elle rangeait ses capes.

– Je regrette que tu aies besoin de te cacher ; j'aimerais qu'il en soit autrement, dit sa mère d'une voix douce et triste.

– Moi aussi, maman.

– Je suis tellement désolée, Mari. Tu sais, je...

– Tout va bien, maman. Vraiment. Je suis habituée.

Mari s'efforça d'afficher une expression insouciante avant de se tourner vers sa mère.

– Et il se peut que ça me passe avec le temps, ajouta-t-elle.

– Non, mon ange. Le sang de ton père coule autant dans tes veines que le mien, et je ne voudrais changer cela pour rien au monde. Quel que soit le prix à payer.

2

Mari et Léda parvinrent ensemble au sommet de la petite colline rocheuse et contemplèrent le Site de Rassemblement en contrebas. À première vue, l'endroit paraissait identique à n'importe quelle autre clairière de la forêt marécageuse du sud. Un ruisseau serpentait entre des saules, de l'aubépine, du houx et des fougères. Ce cours d'eau et les branches des arbres et des arbustes ondulant doucement attiraient le regard. Il fallait observer ce paysage plus attentivement – du moins, à cette distance – pour découvrir la vérité astucieusement dissimulée sous le feuillage. Du kale précoce, de la chicorée frisée, de grosses têtes de laitue et de l'ail poussaient en jolis bouquets, grâce aux bons soins des femmes du Clan.

Léda respira profondément. Elle avait l'air satisfait.

– Merci, Terre Mère, dit-elle, comme si la déesse se tenait près d'elle. Merci d'avoir offert à tes Marcheurs de la Terre le don d'extraire, à force de soins et de patience, des choses vivantes de tes entrailles fertiles.

À son tour, Mari inspira à fond et sourit, habituée à la façon intime dont sa mère parlait avec sa déesse.

– Je sens l'huile de lavande d'ici, remarqua-t-elle.

– Les femmes du Clan ont bien préparé le Site de Rassemblement, se réjouit Léda en hochant la tête. Aucune araignée-loup ne s'en approchera, ajouta-t-elle en désignant les feux de camp soigneusement disposés.

Il y en avait un seul au centre du Site. Les autres, près desquels étaient plantés des flambeaux, étaient placés de manière stratégique sur toute la circonférence du lieu.

– Et les allumoirs sont prêts, au cas où une colonie d'insectes serait quand même attirée par l'affluence de membres du Clan au même endroit, constata Léda.

– Je sais que les feux sont là pour nous protéger, mais éclairée comme ça, la clairière a un air très joyeux, commenta Mari.

– Je suis d'accord.

– J'espère qu'on pourra bientôt récolter le kale violet, dit Mari tandis qu'elles commençaient à descendre avec précaution vers le Site de Rassemblement. Il sera délicieux, avec nos câpres au vinaigre.

– Les premiers jours du printemps ont été assez chauds, rappela Léda. Je ne serais pas surprise si certains choux frisés étaient mûrs dès ce soir.

– Rien que pour ça, j'ai bien fait de venir !

– Mari, je ne t'ai pas forcée à m'accompagner, répliqua Léda en adressant à sa fille un regard pénétrant.

– Je sais, maman. Je regrette de t'avoir donné cette impression.

– Ne sois pas nerveuse, lui conseilla Léda en lui pressant la main. Fais-toi confiance.

Mari hochait la tête lorsqu'une jeune fille, arrivée telle une tornade, se jeta dans ses bras en la serrant fort et faillit la faire tomber.

– Mari ! Mari ! Je suis tellement, tellement contente que tu sois là ! Tu dois être en forme, alors.

Mari sourit.

– Oui, je vais bien, Jenna. Moi aussi, je suis heureuse d'être là.

Elle toucha la Couronne de Demoiselle Lune qui ceignait la tête brune de Jenna. Celle-ci était magnifiquement tressée avec de la lavande et du lierre.

– Ta couronne est très jolie. C'est ton père qui te l'a faite ?

Jenna gloussa. On lui aurait donné plutôt six ans que seize.

– Père ? Non ! Il a les doigts comme des moignons et dit qu'ils se transforment tous en pouces quand il essaie de tisser. C'est moi qui l'ai fabriquée.

– Bravo, Jenna ! la félicita affectueusement Léda, en souriant à l'amie de sa fille. Tu as merveilleusement réussi à entrelacer la lavande dans le motif central. Tu possèdes un réel talent.

Les joues de Jenna prirent une adorable teinte rose.

– Merci, Femme Lune, dit-elle, un sourire jovial aux lèvres.

Elle s'inclina avec solennité devant Léda, les bras baissés, écartés, et les paumes tournées vers le haut afin de montrer qu'elle n'avait ni arme ni mauvaise intention.

– Oh, Jenna ! Tu n'as pas besoin de faire tant de cérémonies, lui dit Mari. C'est juste maman.

– C'est juste *ta* maman. Mais c'est *ma* Femme Lune, rétorqua la jeune fille avec une gentille insolence.

– Qui est aussi ton amie, précisa Léda. Par quelle sorte de tissage es-tu le plus attirée ? L'ouvrage à l'aiguille ou quelque chose de moins complexe ?

– Je… j'aimerais tisser des paysages splendides, comme la tapisserie de la Terre Mère qui est accrochée dans la tanière d'accouchement.

– L'ouvrage à l'aiguille, donc, conclut Léda. Ce soir, je parlerai à Rachel afin de m'assurer que tu fasses le bon apprentissage.

– Merci, Femme Lune, s'empressa de répondre Jenna, émue aux larmes.

Léda prit le visage de la jeune fille entre ses mains, l'embrassa et déclara :

– Ta mère aurait fait la même chose pour ma Mari si je m'étais éteinte et si j'étais retournée à notre Terre Mère avant elle.

Mari passa un bras sous celui de son amie.

– Il n'y a que moi qui sois aussi nulle en tissage que ton père, et ça aurait sidéré ta mère, admit-elle.

– Mais toi, tu peux dessiner n'importe quoi ! la flatta Jenna.

– Femme Lune ! Notre Femme Lune est là ! s'écria une puissante voix masculine depuis le Site de Rassemblement.

Léda sourit et répondit par un joyeux geste de la main.

– Comme d'habitude, ton père est le premier homme du Clan à me voir, dit-elle à Jenna.

– Père sera toujours le premier à te voir, le premier à être purifié par toi. C'est parce qu'il m'aime énormément, affirma Jenna avec fierté.

– Ça, pour t'aimer, il t'aime ! confirma Léda.

– Xander est un très bon père, approuva Mari, en souriant à son amie.

Cependant, en son for intérieur, elle songea : « Heureusement pour Jenna que Xander va voir maman chaque Troisième Nuit sans exception. S'il ne le faisait pas, elle serait pire qu'une orpheline. Elle serait élevée par un monstre. »

– Notre Femme Lune est là ! Allumez les flambeaux ! Réunissez le Clan !

Les femmes du Clan répétèrent cette annonce et le Site de Rassemblement se transforma en une véritable ruche. Elles arrivèrent de toutes les directions pour prendre leurs places. Leurs mouvements étaient rodés, et bien qu'elles ne fussent pas parfaitement synchronisées, elles zigzaguaient parmi les arbres, les plantations de légumes et le feuillage avec une grâce naturelle qui rappelait à Mari l'eau d'une rivière coulant sur un caillou.

Le Clan forma un demi-cercle pour accueillir sa Femme Lune. Les femmes âgées s'avancèrent les premières ; elles furent suivies par les jeunes mères accompagnées de leurs enfants, puis par les filles en âge de se mettre en couple, toutes coiffées de couronnes tressées aux couleurs vives, et, enfin, par les hommes, qui, torches à la main, se positionnèrent sur le pourtour de la clairière afin de protéger l'assemblée. Mari sentait leur force menaçante, tout juste maîtrisée, dont elle imaginait déjà le déferlement sur le Clan en cas de perte de contrôle.

Elle ne put s'empêcher de lancer des regards nerveux aux hommes. Depuis que, petite fille, elle avait compris pour la première fois les changements que la Fièvre Nocturne apportait dans le Clan – la mélancolie mortelle chez les femmes, la folie dangereuse chez les hommes –, elle surveillait avec méfiance les membres masculins du Clan, surtout à l'approche du coucher du soleil.

– Ne les fixe pas, lui chuchota Léda. C'est la Troisième Nuit. On va les purifier et tout ira bien.

Mari hocha vigoureusement la tête.

– Passe devant, maman. Jenna et moi, on te suit.

Léda avança d'un pas, puis s'arrêta. Tendant la main à Mari, elle dit :

– Je préférerais que tu sois à côté de moi, afin que tout le monde te voie.

Mari perçut l'excitation de Jenna, mais elle hésita avant de prendre la main de sa mère. Elle chercha du réconfort dans ses yeux gris.

– Fais-moi confiance, ma chérie ; tu sais que je te défendrai toujours.

Mari laissa alors échapper un long souffle qu'elle n'avait même pas eu conscience de retenir.

– Je te ferai toujours confiance, maman, affirma-t-elle en saisissant la main de Léda.

Près d'elle, Jenna lui murmura :

– Tu es déjà presque une Femme Lune !

Avant que Mari eût le temps de répondre, elle s'inclina de nouveau avec respect – devant Léda *et* Mari, cette fois –, puis elle alla se placer derrière elles.

– Tu es prête ? demanda Léda à sa fille.

– Oui, du moment que je suis avec toi, maman.

Léda pressa la main de Mari et avança à grands pas assurés, la tête haute, le buste bien droit, avec un large sourire radieux pour son peuple.

– Clan des Tisserands, ma fille et moi te saluons, et souhaitons que la première pleine lune du printemps t'apporte une abondance triple !

Mari sentit peser sur elle les regards curieux des membres du Clan et entendit leurs murmures étouffés. Elle adopta la posture de sa mère. Tandis qu'elle s'efforçait de considérer tout le monde et personne en particulier, son regard fut attiré par une autre paire d'yeux gris. Ceux-là étaient plus bleus que ceux de Léda et de Mari, mais néanmoins remarquables, indéniablement la marque d'une ancêtre Femme Lune.

– Salutations, Femme Lune, dit la jeune fille.

Elle s'inclina bien bas devant Léda, et la position de son corps indiquait de manière claire qu'elle saluait *uniquement* celle-ci. Lorsqu'elle se releva, elle rejeta sa crinière brune en arrière. Les plumes et les perles qui pendaient de sa Couronne de Demoiselle Lune voletèrent autour de son visage, donnant l'impression qu'elle portait un voile doué de vie. Après avoir adressé un bref regard dédaigneux à Mari, elle ajouta :

– Je ne savais pas que tu viendrais saluer les candidates au titre de Femme Lune, ce soir.

– Bonsoir, Sora, répondit Léda avec un sourire serein. En fait, je profite de cette célébration pour manifester publiquement la fierté que m'inspire ma fille.

Sur ce, elle leva la main qui tenait celle de Mari afin que le Clan la vît bien.

– Et, si je suis fière d'elle, c'est en partie parce que ses yeux gris font d'elle une candidate au titre de Femme Lune.

– Pareil pour moi, affirma Sora.

Mari, agacée, se retint de soupirer et intervint avant que sa mère ait le temps de répondre :

– Oui, mais, en général, tu es si occupée à battre des cils à l'intention des hommes du Clan qu'on en oublie parfois la couleur de tes yeux.

– Bien sûr que je leur prête attention ! C'est normal de montrer à nos protecteurs qu'on les apprécie. Mari, la jalousie n'est pas séduisante, encore moins chez quelqu'un qui accorde si peu d'importance à son apparence.

– Les disputes entre femmes du Clan sont inacceptables, trancha Léda d'un ton sec.

Sora et Mari échangèrent un regard mécontent à peine dissimulé, puis baissèrent la tête avec respect.

– Tu as raison, admit Sora. Je te présente mes excuses, Femme Lune.

– Ce n'est pas à moi que tu dois les présenter, répliqua Léda.

Sora se tourna vers Mari en lui adressant un sourire doux, mais son regard demeura dur.

– Pardon, Mari, dit-elle.

Devant le silence de sa fille, Léda intervint :

– Mari ?

– Pardon, Sora.

– Bien, conclut Léda, avant de tendre son autre main vers la jeune fille. Et tu as raison, Sora : la couleur de tes yeux te désigne en effet comme une possible apprentie Femme Lune. Je te prie de me rejoindre.

Sora s'empressa de prendre la main de Léda, qui, avant de s'avancer au milieu du Clan, appela :

– Que toutes les jeunes filles aux yeux gris se présentent à leur Femme Lune !

Il y eut des bruissements dans les rangs de devant, et une jeune fille se détacha du groupe.

– Mari ? souffla discrètement Léda.

L'intéressée adressa un sourire à sa mère, puis tendit la main vers la première volontaire en disant :

– Bonjour, Danita.

Celle-ci s'approchait en souriant timidement à Mari et en jetant des coups d'œil nerveux à Léda lorsqu'un éclat de lumière attira le regard de Mari. Elle s'aperçut que la manche de sa cape s'était repliée vers le haut ; par conséquent, son avant-bras était éclairé par un rayon du soleil déclinant et un motif en filigrane, une fronde de fougère, étincelait à travers l'argile destinée à masquer sa peau.

D'un geste rapide, Mari ôta sa main de celle de sa mère, tira sur ses manches et entoura son buste de ses bras ainsi emmaillotés.

– Qu'y a-t-il, ma chérie ? s'enquit Léda en se plaçant en vitesse entre sa fille et le Clan afin de la cacher.

– Mes... mes maux de ventre reviennent.

Mari vit que Léda s'efforçait de dissimuler sa déception, mais son sourire mélancolique n'effaça pas la tristesse de son regard.

– Jenna, s'il te plaît..., commença Léda. Peux-tu emmener Mari près du feu et demander à l'une des mères de lui préparer une infusion de camomille ? Apparemment, elle n'est pas aussi en forme qu'on l'espérait.

– Bien sûr, Léda ! Ne t'inquiète de rien. Je vais m'occuper de notre Mari.

Jenna passa son bras sous celui de son amie et la conduisit à travers la foule. Mari vit d'abord Danita, puis une deuxième fille aux yeux gris, et une troisième prendre sa place aux côtés de sa mère avec Sora.

– Ne sois pas triste, lui chuchota Jenna. Une bonne camomille, ça va te requinquer. Ensuite, on pourra critiquer les plumes ridicules de la couronne de Sora pendant que ta maman purifiera le Clan.

Jenna désigna une bûche non loin du feu de camp central.

– Installe-toi là-bas et repose-toi, reprit-elle. Je vais te chercher ta tisane, je reviens tout de suite !

– Merci, Jenna, dit Mari, en s'asseyant sur la bûche tandis que la jeune fille s'en allait à la hâte.

Sentant sur elle les regards pleins de pitié des autres femmes, elle afficha l'expression impassible qu'elle réservait aux membres du Clan, ne leur montrant jamais combien cela la blessait d'être tenue à l'écart, ni combien il lui était difficile de leur cacher la vérité.

Elle regarda sa mère se diriger vers le centre du Site de Rassemblement. Léda s'arrêta devant l'idole solitaire qui décorait la clairière. Elle lâcha les mains des jeunes filles qui l'accompagnaient et s'inclina bien bas devant la figure de la déesse de la Terre, qui paraissait émerger du sol de la forêt.

Son visage était un caillou lissé et sculpté par l'eau d'une rivière, d'un blanc crémeux et tacheté de cristaux de quartz, si bien que lorsque la lumière du soleil, ou celle, plus douce et froide, de la lune l'éclairait, il scintillait comme si l'idole était formée de rêveries et de souhaits. Sa peau était une mousse épaisse et soyeuse. Ses cheveux étaient une fougère verdoyante que l'on avait entretenue avec amour jusqu'à ce qu'elle tombe en cascade sur ses épaules rondes et le long de la courbe de son dos.

– Je t'accueille, Sublime Mère, de la même façon que le Clan m'accueille, moi, ta Femme Lune, ta servante, avec amour, gratitude et respect, dit Léda avec déférence.

Puis elle se redressa et, faisant face aux membres du Clan, qui tous la regardaient, elle lança :

– Hommes du Clan des Tisserands, présentez-vous à moi !

Tandis que les intéressés s'avançaient, Jenna vint donner à Mari une coupe en bois remplie d'une camomille odorante et s'assit près d'elle sur la bûche.

– Oh, regarde, mon père est là, dit Jenna en souriant et en faisant un signe de la main à un homme.

L'individu solidement charpenté qui menait les autres lui répondit par un signe de tête. Mari remarqua que son visage était contracté par la douleur et qu'il plissait les yeux pour lutter contre la colère qui bouillait en lui au moment où le soleil se couchait.

Cette colère déborderait si sa Femme Lune ne le purifiait pas de la Fièvre Nocturne.

Imité par les autres hommes du Clan, Xander tomba à genoux devant Léda, à l'instant même où le soleil disparaissait sous le lointain horizon, à l'ouest. Mari vit sa mère lever les bras, comme si elle voulait les passer délicatement autour de la pleine lune, qui n'était pas encore visible au reste du Clan, mais qu'une Femme Lune était toujours capable de trouver – et d'invoquer – dès le coucher du soleil.

La teinte grise qui avait commencé à envahir les bras de Léda s'estompa, avant de disparaître complètement. Et la Femme Lune affichait un sourire radieux lorsqu'elle renversa la tête afin d'exposer son visage et ses bras au ciel qui s'assombrissait. Sa respiration devint plus profonde et plus rythmée. Automatiquement, celle de Mari s'amplifia aussi tandis qu'elle pratiquait l'exercice d'ancrage précédant le rituel d'invocation. Léda remuait les lèvres en communiant intérieurement avec sa déesse.

Le regard de Mari se posa ensuite sur les membres du Clan rassemblés en demi-cercle autour de sa mère. La jeune fille dénombra vingt-deux femmes, dix enfants et sept hommes. Lorsqu'elles retourneraient dans leur tanière, elle répéterait ce décompte à Léda, qui l'inscrirait dans son journal.

Mari fronça les sourcils quand ses yeux se posèrent sur Sora. « Incroyable ! fulmina-t-elle en silence. Tout le monde est en train de prier et de se préparer avec maman, sauf cette fille. » En effet, au lieu d'observer Léda, comme était censée le faire n'importe quelle candidate au titre de Femme Lune, Sora souriait à l'un des jeunes hommes agenouillés. Mari tendit le cou et vit que le garçon en question, Jaxom, ne cessait de lancer à Sora des coups d'œil furtifs, exprimant une chaleur qui paraissait bien loin de la Fièvre Nocturne.

Mari éprouva une pointe de jalousie. C'était si facile pour Sora ! Elle était hardie, sûre d'elle et belle. « Qu'est-ce que ça ferait d'être elle, juste pour une journée, ou même une heure ? Et qu'un garçon me regarde avec un feu et un désir pareils ? Ce serait merveilleux, songea Mari. Vraiment merveilleux. »

Dans un silence total, sa mère prit la parole d'une voix douce, forte et assurée, et les membres du Clan des Tisserands levèrent la tête vers elle.

Femme Lune je proclame que je suis.
Avec mes grands dons, je me présente à toi.
Terre Mère, de ta vue magique aide-moi
Sous la pleine lune, ta force donne-moi.
Lumièr' d'argent, remplis-moi plus qu'entièr'ment
Ainsi ta guérison, les miens connaîtront.

Pendant qu'elle prononçait l'invocation, son corps commença à briller. Pas de la lueur grise glauque de la Fièvre Nocturne, mais de la sublime lumière argentée du pouvoir pur et glacial de la lune. Même si Mari avait regardé sa mère invoquer la lune un nombre incalculable de fois, cela continuait de la transporter. Et, bien que la Terre Mère de Léda ne lui eût jamais murmuré un seul mot, elle imaginait que si la déesse devait réellement s'élever de la terre, elle ressemblerait trait pour trait à sa mère.

En vertu de mon sang et de ma naissance
Je te prie de vers moi canaliser
Le don de la déesse – ma destinée !

En formulant les dernières paroles qui tirèrent du ciel les invisibles rayons de ce pouvoir que seules les Femmes Lune pouvaient invoquer, Léda alla vers chaque homme lui toucher la tête. Mari compara alors sa mère à un pinceau vivant qui, par son simple contact, ajoutait des touches de clair de lune et de magie au tableau que formait le Clan, de sorte que, l'un après l'autre, les hommes émirent une lueur d'argent pendant un instant. Même de sa place, Mari perçut leurs soupirs de soulagement lorsque leur Femme Lune les purifia de la souffrance et de la folie causées par la Fièvre Nocturne.

Lorsqu'elle remarqua le frisson qui parcourut la mince silhouette de Jenna assise près d'elle, Mari se rappela le rôle qu'elle devait jouer en public. Elle finit son infusion, puis serra encore plus ses bras autour d'elle, simulant des douleurs qu'elle n'avait jamais ressenties.

– Ça va aller, Mari, la rassura Jenna. Léda a presque fini.

Mari ouvrit la bouche pour répondre quelque chose d'amusant, mais le spectacle de Sora qui se déplaçait aux côtés de Léda et adressait un sourire charmeur à chacun des hommes fraîchement purifiés, avant qu'ils regagnent leurs postes d'observation autour du Site, la fit grincer des dents.

Jenna suivit son regard et dit en grognant de façon peu délicate :

– Ce qu'elle est culottée, celle-là ! Je suis surprise que Léda la laisse faire.

Mari ne répondit rien. Elle savait, hélas, pourquoi sa mère ne mettait pas un terme à l'impudeur de Sora. « Le Clan a besoin que sa Femme Lune désigne une héritière, pensa Mari, et la choisisse comme apprentie officielle, et cette apprentie ne peut pas avoir une peau mutante qui luit au soleil. Oui, Sora est arrogante et agaçante, mais elle est également populaire dans le Clan et visiblement déterminée à être la prochaine Femme Lune. »

La mère de Mari s'arrêta devant elle et Jenna en leur souriant avec tendresse. Sa fille leva la tête et Léda posa les mains sur la Couronne de Demoiselle Lune. Bien qu'elle prononçât des paroles destinées au Clan, elle plongea les yeux dans ceux de Mari :

– Je vous purifie de toute tristesse et vous offre l'amour de notre Sublime Terre Mère.

– Merci, Femme Lune, murmura Mari avec le reste du Clan, avant d'échanger un sourire discret avec sa mère.

Léda lui toucha le sommet du crâne, se pencha et l'embrassa sur le front avant de passer aux femmes qui attendaient.

Mari avait très envie de suivre sa mère, pour montrer au Clan qu'elle n'était pas maladive, qu'elle pouvait aider leur Femme Lune et qu'un jour, peut-être, elle pourrait *être* leur Femme Lune.

– Tu devrais rester assise. Il ne faudrait pas que tes maux de ventre empirent.

Mari leva les yeux et vit Sora. Même si la jeune fille n'avait rien dit de mal, Mari perçut la moquerie sous son air poli. Elle eut envie de se lever d'un bond et de crier qu'elle n'avait pas mal au ventre, en réalité ! Cependant, elle ne pouvait rien dire sans compromettre sa sécurité et, plus important encore, celle de sa mère.

– Tu devrais te dépêcher de rattraper Léda, se contenta-t-elle de répondre. Il ne faudrait pas qu'une autre fille aux yeux gris prenne ta place.

Sora lui décocha un regard noir, puis tourna le dos à Mari et courut après Léda.

– On ne peut pas trop s'amuser, avec elle, commenta Jenna.

– Les hommes du Clan ne sont pas de cet avis, rétorqua Mari avec malice.

Jenna plaqua une main sur sa bouche pour étouffer un gloussement. L'air malicieux, Mari se pencha vers elle, prête à railler l'allure d'oiseau de Sora, avec sa couronne à plumes, quand elle sentit les yeux de sa mère sur elle. Léda articula en silence un mot au-dessus des têtes des membres du Clan : *gentillesse*.

Mari lui adressa un bref sourire d'excuses. Tandis que Léda passait des demoiselles et des enfants aux mères et aux femmes âgées, Mari soupira. Sa mère avait raison, bien sûr. Une Femme Lune était la matriarche du Clan. En tant que telle, elle était leur Guérisseuse, leur conseillère, leur chef et leur mère à tous. Léda ne faisait pas semblant d'être gentille, elle *l'était véritablement*.

Mais était-ce le cas de Mari ? La jeune femme l'ignorait. Elle faisait de son mieux pour que sa mère soit fière d'elle. Elle essayait de faire ce qu'il fallait, mais en dépit de ses efforts, elle avait toujours l'impression d'être inadaptée. Peut-être ce terme n'était-il pas exact. Simplement son état, inconnu des autres membres du Clan, sa mère y comprise, l'empêchait de se sentir appartenir au groupe. Elle observait sa mère avec une envie douce-amère. Si seulement elle pouvait être aussi bien dans sa peau que Léda, Sora, et le reste du Clan !

Machinalement, et bien que le soleil eût disparu, Mari tira sur les manches de sa cape. Se rendant compte de ce qu'elle faisait, elle arrêta de bouger les mains et une vague de tristesse lui coupa le souffle.

« Qu'est-ce que je fais ici ? Je n'ai pas ma place dans le Clan. À cause de moi, maman paraît faible et indécise. Je n'aurais pas dû venir. »

– Mari ? Ça va ? s'enquit Jenna.

Mari comprit alors que, depuis quelques minutes, son amie lui expliquait comment elle avait aidé les femmes des tanières voisines à préparer le Site de Rassemblement pour la célébration.

– Désolée, Jenna. Non, je ne me sens pas mieux. Je vais rentrer dans ma tanière avant qu'il fasse nuit noire. Tu voudras bien dire à maman que je suis partie parce que mes maux de ventre me fatiguaient et que j'avais besoin de me reposer ?

– Bien sûr ! Hé, au fait, j'ai découvert un bosquet d'iris violets en pleine floraison. Tu ne m'as pas dit qu'ils donnaient une teinture superbe ?

– Absolument, confirma Mari.

– Tu veux venir en cueillir avec moi, demain ?

Mari avait envie d'accepter la proposition de son amie. Elle avait envie de rire, de papoter, d'échanger des commérages avec elle, au lieu d'être constamment sur ses gardes, à craindre que le soleil ne trahît son secret.

Mais la peur lui était salutaire. Elle ne pouvait pas contrôler la réaction de sa peau au soleil. Et si, le lendemain, le ciel était aussi clair que les derniers jours, elle risquait la catastrophe.

– Je ne sais pas si je me sentirai assez bien, Jenna. Mais j'aimerais t'accompagner, sincèrement.

– Ne t'inquiète pas, Mari. Ce n'est pas grave. Je viendrai ici à midi. Si tu es en forme, rejoins-moi, d'accord ?

– J'essaierai, répondit Mari en hochant la tête.

Elle serra Jenna dans ses bras, en priant silencieusement pour que le lendemain soit couvert, puis elle ajouta :

– Jenna, merci d'être mon amie, même si on ne passe pas autant de temps ensemble que je le souhaiterais.

Jenna rendit son étreinte à Mari, avant de reculer et d'ajouter, la mine réjouie et espiègle :

– L'important, ce n'est pas combien de temps on passe ensemble, mais si on s'amuse quand on se voit. Et on s'amuse beaucoup ! On appartient au même Clan, Mari. C'est la seule chose qui compte vraiment. Je serai toujours ton amie.

Mari sourit à travers ses larmes et répondit :

– Je vais essayer de venir demain.

Avant de s'en aller, elle lança un coup d'œil furtif à Léda. Entourée des Marcheurs de la Terre, sa mère baignait le Clan du pouvoir guérisseur de la lune, sans s'apercevoir que sa fille s'était éclipsée dans la forêt de plus en plus sombre, seule, une fois de plus.

3

Loin au nord-ouest, juste au-delà des ruines de la Ville, Œil Mort prit une décision qui allait changer l'ordre du monde. Ces derniers temps, son agitation avait atteint un niveau presque insupportable. Il savait pourquoi. Il répugnait à faire semblant que sa divinité, la Faucheuse du Peuple, était vivante. Il avait compris qu'elle n'était qu'une coquille vide lorsque la Gardienne les avait présentés.

Ce jour-là, Œil Mort était aussi surexcité que tous les autres jeunes ayant survécu aux seize hivers nécessaires pour être proclamés membres du Peuple. Il avait jeûné, prié et apporté vivante sa victime. Nus, lui et ses camarades étaient entrés dans son temple au cœur de la Ville et avaient gravi les nombreuses marches menant à la Chambre des Observatrices.

L'endroit était rempli de la fumée âcre du bois de cèdre. Les os des Autres qui avaient été sacrifiés pour le Peuple s'entassaient contre les murs de la vaste pièce : des décorations complexes destinées à montrer que le Peuple appréciait la générosité de sa divinité. Des paillasses s'intercalaient avec des bassins en métal contenant du bois odorant qui brûlait en permanence, et des murs de plantes faisaient office de rideaux. On les avait fait pousser, à force de soins patients, dans les lézardes du plafond du temple.

Ensuite, les Observatrices avaient introduit des jeunes femmes, ainsi que les vieilles harpies qui choisissaient de finir leurs jours au service de la Faucheuse. Œil Mort se souvint que le jour où on l'avait présenté à la divinité, de nombreuses paillasses étaient occupées par de jeunes Observatrices, qui acceptaient activement l'hommage charnel que de jeunes hommes virils rendaient, à travers elles, à la Faucheuse.

– Concentre-toi sur la divinité. Si elle accepte ton sacrifice et répond à ta question, tu auras le temps de prendre du plaisir plus tard, lui avait rappelé sa Gardienne, voyant que son regard s'attardait sur l'un des couples les plus bruyants.

– Oui, Gardienne, avait-il répondu, détournant aussitôt les yeux et fixant de nouveau son attention sur ses pensées.

Même à cette époque – aussi jeune fût-il –, Œil Mort pensait que la divinité avait un plan pour lui. Il le savait. N'en avait jamais douté. Oui, le Peuple souffrait. Non, Œil Mort ne comprenait pas pourquoi la Faucheuse, la divinité du Peuple, belle et féroce, laissait la maladie et la mort les toucher, lui et ses semblables. Il ne saisissait pas pourquoi elle leur demandait de dépouiller les Autres vivants afin d'absorber leur pouvoir et de guérir leur propre peau. Ni pourquoi les membres du Peuple continuaient de tomber malades, de voir leur peau se détacher et de mourir.

Or, ce jour-là, Œil Mort avait prévu d'obtenir des explications.

La divinité accepterait son sacrifice ; ensuite, elle lui répondrait et il serait éternellement à son service.

Ce jour-là, donc, un jeune était passé devant lui en courant et en sanglotant, une minuscule bête éviscérée pressée sur son torse nu.

– Son sacrifice n'a pas été accepté ! La divinité n'est pas contente ! avait crié de sa voix aiguë la Commandante des Observatrices, depuis le balcon.

Œil Mort avait sursauté et s'était rendu compte qu'il était seul dans la Chambre. Il avait regardé vers le balcon en tenant délicatement contre lui la victime de son sacrifice, priant pour que son instinct l'eût bien conseillé. Avait-il bien fait de passer des journées entières à prendre des animaux au piège et à les relâcher tous, avant de se décider pour le pigeon blanc pur qui reposait dans ses mains ?

– Gardienne, présente le jeune suivant !

La Commandante des Observatrices était entrée dans la chambre et s'était placée devant les immenses fenêtres dépourvues de vitres qui la séparaient du balcon, sur lequel se dressait la statue monumentale de la Faucheuse.

– Je présente Œil Mort, avait annoncé sa Gardienne, qui s'était écartée pour le laisser avancer seul au bout de la Chambre.

Il avait rejoint la Commandante des Observatrices, puis ils avaient marché ensemble jusqu'au balcon sacré.

Bien qu'il sût à présent que la divinité était une coquille vide, Œil Mort se souviendrait à jamais de la première fois qu'il avait approché la Faucheuse. Comme toujours, les pots métalliques disposés en demi-cercle autour d'elle étaient remplis de feu, l'illuminant, la réchauffant. Œil Mort avait levé les yeux vers elle, et avait été saisi par la splendeur de sa présence.

Elle avait tout d'une divinité : elle était forte, terrifiante, magnifique, la plus sublime de toutes les femmes qu'Œil Mort eût jamais vues. Sa peau immortelle était d'un métal qui miroitait à la lueur du feu. Elle était plus grande que dix hommes. Agenouillée au-dessus de l'entrée de son temple, d'une main tendue, elle appelait son peuple à la rejoindre. De l'autre, elle tenait bien haut un trident : le couteau à écorcher meurtrier qu'elle offrait à son peuple après le Temps du Feu.

– Quel sacrifice as-tu apporté à notre divinité ? lui avait demandé la Commandante des Observatrices.

Œil Mort lui avait donné la réponse qu'il avait préparée :

– J'offre l'esprit de cette créature à notre divinité, la Faucheuse, et son corps à ses servantes élues, les Observatrices.

Conformément au rite, Œil Mort avait tendu le pigeon blanc à la vieille femme, devant qui il s'était incliné bien bas.

– Bon, cela conviendra peut-être. Viens au brasero.

La Commandante des Observatrices lui avait fait signe de la suivre jusqu'au plus grand bassin métallique rempli de feu. Celui-ci était placé juste en face de la divinité. D'autres Observatrices, de vieilles harpies agitées, à l'air vorace et aux yeux chassieux, rôdaient autour en se léchant les lèvres et en chuchotant entre elles.

Œil Mort frissonna au souvenir de l'odeur de renfermé qu'elles dégageaient.

La vieille femme avait soulevé le trident de cérémonie et incisé, des cuisses au cou, l'oiseau qui se débattait, de sorte qu'une superbe fleur écarlate avait paru s'épanouir sur son corps. Le sang avait giclé si haut et si violemment que quelques gouttes avaient éclaboussé la statue.

– Ah ! La divinité est satisfaite ! s'était exclamée la vieille d'une voix rauque, tenant en l'air l'oiseau ensanglanté pris de mouvements convulsifs. Quel rôle souhaites-tu jouer parmi le Peuple ?

– Je porterai sa marque et je serai un Moissonneur, avait déclaré Œil Mort.

Il se souvint avec une grande satisfaction que sa voix ne s'était pas brisée. Il s'était tenu fièrement face aux vieilles femmes et à la statue aux dimensions écrasantes.

– Soit ! avait approuvé l'Observatrice en adressant un signe de tête aux autres femmes.

Celles-ci s'étaient précipitées vers lui et l'avaient attrapé par les bras. Avec une force surprenante, elles l'avaient soulevé et cloué au sol du balcon, les bras en croix. Ensuite, la harpie avait retiré une petite fourche du brasero de la divinité. Le métal de son arme meurtrière brillait tel du sang frais. Avec un grand geste, l'Observatrice l'avait brandie, avait demandé la bénédiction de leur divinité, puis s'était agenouillée près d'Œil Mort.

– D'une grande douleur vient un grand savoir, avait-elle déclaré. Puisque tu es accepté au service de la Faucheuse, tu as le droit de lui poser une question. La divinité te répondra.

Sur ces mots, elle avait pressé les tranchants brûlants sur l'avant-bras d'Œil Mort.

Il n'avait pas crié. Ni même tressailli. Il avait simplement dévisagé la divinité avec impatience et posé son unique question.

« Que dois-je faire pour rendre sa force au Peuple ? »

Tandis que le film de ces évènements continuait de se dérouler dans sa mémoire, Œil Mort passa les doigts sur sa cicatrice boursouflée en forme de trident et la caressa.

Rien.

La divinité n'avait rien répondu.

Ignorant la vive douleur dans son bras, Œil Mort était resté étendu là, à attendre que la puissante voix de la divinité remplisse son esprit.

– Elle répond à Œil Mort ! avait crié la vieille mégère en se relevant, le trident couvert de son sang et de sa peau brûlée à la main. Elle l'accepte !

– Je l'ai entendue parler ! Elle l'accepte ! avait répété une autre vieille.

– Elle a parlé ! Elle l'a accepté ! avait renchéri une troisième.

– Regardez ! avait crié l'Observatrice, brandissant toujours le trident fumant. Ce n'est plus un jeune ! C'est Œil Mort, l'un des Moissonneurs de la divinité !

Les femmes avaient voulu le mettre debout, mais il avait repoussé leurs mains squelettiques. Flageolant sur ses jambes, il s'était relevé et avait scruté le visage de la divinité, à la recherche du moindre signe prouvant qu'elle avait parlé.

Tout ce qu'il avait vu, c'était une statue sans vie entourée de vieilles femmes mourantes.

Il avait alors demandé à la Commandante des Observatrices :

– La divinité t'a parlé ?

– Oui, ainsi qu'à toutes les Observatrices et à toi-même, bien qu'il soit difficile de l'entendre si l'on n'a pas les oreilles d'une Observatrice, avait-elle répondu. Tu n'as rien entendu, jeune Moissonneur ?

– Non, rien.

– N'aie crainte, elle s'exprime par l'intermédiaire de ses Observatrices, et nous serons toujours là pour guider le Peuple, afin qu'il agisse selon sa volonté.

Œil Mort avait reporté son attention sur les autres harpies, qui, à l'aide de bâtons affûtés, fouillaient le corps du pigeon, arrachaient ses entrailles fumantes et les fourraient dans leurs bouches voraces en riant.

Il avait une fois de plus levé les yeux vers la divinité, et réellement vu la statue pour la première fois. C'est à ce moment que cela s'était produit. Il avait croisé le regard métallique de la divinité, et, avec toute la force de son esprit, il avait hurlé à l'adresse de la Faucheuse.

« Si tu étais vivante, tu ne tolérerais pas ces vieilles femmes exécrables. Si tu étais vivante, tu rendrais sa force à ton Peuple. Il n'y a pas de Faucheuse. Il n'y a pas de divinité. Tu es morte. »

Espérant toutefois se tromper, Œil Mort se souvint qu'il était resté planté là, au risque d'être foudroyé sur-le-champ par la divinité en punition de son blasphème.

Elle n'en avait rien fait.

Œil Mort avait alors tourné le dos à la statue, provoquant des cris de stupéfaction et de colère parmi les Observatrices qui n'étaient pas occupées à sucer les os de la victime ou à donner du plaisir aux hommes. Il les avait ignorées et avait quitté à grands pas le balcon, la chambre et le temple, se promettant de n'y revenir que lorsqu'il aurait une réponse. Et, puisque sa divinité était morte, il était déterminé à trouver cette réponse tout seul.

Voilà pourquoi, cinq hivers plus tard, Œil Mort se retrouvait à l'entrée de cette forêt qui appartenait aux Autres, et qui terrifiait son Peuple.

Cette très vieille pinède l'attirait comme la lune attire la marée. Elle le fascinait depuis longtemps. Depuis qu'il avait découvert que leur divinité était morte, il en était venu à croire que la forêt ne renfermait pas seulement des ennemis et la mort.

Il était difficile, cependant, de s'y orienter seul. Il n'y avait pas de murs lisses en verre et en métal, pas de labyrinthe d'allées entre des bâtiments qui abritaient autant de sanctuaires que d'issues de secours. Il n'y avait que le ciel implacable, les arbres et les Autres.

Œil Mort passa machinalement la main sur sa cicatrice en forme de trident. Il examina la peau de son avant-bras. Les crevasses qui s'étaient formées dans les plis de ses poignets et de ses coudes rendaient ses articulations douloureuses. Une léthargie terriblement familière s'était peu à peu infiltrée dans ses muscles. Il serra les dents pour ne pas y céder.

– Je ne succomberai pas, cracha Œil Mort, la mâchoire contractée. Ma vie ne se résumera pas à ce cycle interminable de maladie et de mort. Puisque les Autres ne viennent pas à la Ville, c'est moi qui vais à la forêt. Il y a forcément une solution, et si la divinité est morte, je dois inventer les réponses moi-même. Je trouverai mon propre signe, mon propre sacrifice.

Œil Mort s'agenouilla, la tête penchée.

– Oui, il y aura un signe, et alors, j'annoncerai la nouvelle au Peuple, reprit-il.

Autour de lui, la pinède devint complètement silencieuse. Tout à coup, un cerf sortit avec majesté du sous-bois devant lui.

Sans hésiter une seconde, Œil Mort se rua sur lui et l'attrapa. Tandis que l'animal bondissait en arrière pour tenter de lui échapper, il entoura le cou du cerf de ses bras et enfonça ses talons dans le sol humide. La bête voulut se cabrer et le frapper de ses sabots fendus, mais Œil Mort saisit sa ramure et, utilisant toute la force de ses bras, il tourna sa tête, la tirant en arrière jusqu'à ce que l'animal perde l'équilibre et chute lourdement sur le flanc. Il resta étendu, hors d'haleine et tout tremblant.

Aussitôt, Œil Mort enfonça son genou entre la tête et le cou du cerf, le clouant au sol. Il sortit le poignard à trois pointes de la gaine fixée à sa ceinture et le leva, prêt à le planter dans la colonne vertébrale, afin de paralyser sa proie. Mais avant qu'Œil Mort ne lui assène ce coup, l'œil noir de la bête se plongea dans ses yeux. Œil Mort y vit son reflet avec autant de netteté que dans un miroir. D'une main levée vers le ciel, il tenait le trident. De l'autre, il faisait signe au cerf de venir à lui. Dans ce reflet, Œil Mort ne se vit pas seulement lui ; il distingua aussi l'image de la Faucheuse, la divinité morte.

Il ressentit cette révélation jusque dans son corps, qui fut parcouru de chaudes ondes excitantes.

Le signe était clair. Œil Mort était devenu la divinité ! Et il savait ce qu'il devait faire.

– Je suis un Moissonneur ! J'assouvirai mes désirs, mais je ne tuerai pas. Je moissonnerai mais je n'abattrai pas. Voilà comment je rendrai sa force au Peuple. Alors, la Moisson pourra se répandre au-delà de la Ville – au-delà du Peuple – jusqu'au monde entier.

Il rengaina son poignard, sortit un bout de corde du sac qu'il portait en bandoulière et attacha les jambes antérieures et postérieures du cerf par les chevilles. Il entoura ensuite le cou d'une seconde corde, dont il passa l'extrémité autour de la branche basse d'un jeune pin. Il tira la bête vers le haut afin qu'elle s'évertue davantage à respirer qu'à s'échapper.

Œil Mort dégaina de nouveau son trident. Mais au lieu de dépouiller le cerf, il pressa les trois tranchants contre les crevasses à son bras, afin que le sang s'en écoule. À ce moment-là seulement, il se mit à découper en filets le cerf vivant.

Il travaillait rapidement et efficacement. Il accueillit les hurlements de l'animal, les buvant comme un homme assoiffé. Il chérit chaque parcelle de sa chair, enduisant les plaies à vif de la bête de ses propres larmes avant d'introduire avec soin chaque lambeau de la peau ensanglantée du sacrifié dans sa peau crevassée. Bien que chaude et vivante, sa chair paraissait froide au contact des blessures d'Œil Mort. Elle apaisa sa douleur et son inflammation presque aussitôt.

Le cerf arriva au Lieu Sacré qui marquait la limite entre la vie et la mort beaucoup plus vite qu'Œil Mort ne l'avait imaginé, mais les signes étaient incontestables. Encore un filet de peau arraché et l'animal franchirait cette ligne. Œil Mort inclina la tête en avant et appuya sa main en sang sur la cicatrice en trident de son avant-bras.

– Je te remercie, mon cerf, de m'avoir fait cadeau de ta vie. Je l'absorbe avec gratitude.

Mais avant qu'il eût pu découper un ultime ruban écarlate, son regard fut de nouveau attiré par celui du cerf, qui lui renvoyait son reflet. Œil Mort marqua une pause, comme hypnotisé par son image puissante de divinité.

Lentement, il commença à comprendre.

Qu'attendrait-il de sa divinité ? La vérité, une colère justifiée, de la compassion ? Dans l'œil du cerf, il trouva la réponse.

« Je suis un Moissonneur, pas une Faucheuse. Je dois me priver du coup final. Je dois libérer mon messager afin qu'il accomplisse le destin que je lui ai assigné en partageant ma vie et mes blessures avec lui. »

Œil Mort donna deux coups de poignard, le premier pour couper le nœud coulant autour du cou du cerf, le second pour sectionner la corde autour de ses chevilles. Ensuite, il recula et observa l'animal se relever à grand-peine. Ses yeux lançant des éclairs blancs et sa peau laissant sur son passage une traînée de larmes écarlates, la bête s'éloigna en chancelant.

Le regard d'Œil Mort fut ensuite attiré, au loin, par les pins à sucre qui atteignaient une hauteur colossale. Ces immenses sentinelles semblaient monter la garde afin de préserver le mystère et la magie qui régnaient parmi les Autres, par-delà la Ville morte.

Alors Œil Mort sourit.

4

Il fallait monter une côte ardue pour accéder à la tanière de Mari, mais la jeune femme était habituée à fournir cet effort pour rentrer chez elle. En parvenant au premier fourré d'orties, elle relâcha légèrement la vigilance constante que l'on devait maintenir dans la forêt, la nuit, afin de rester en vie. Au lieu de contourner les buissons coupants, Mari pénétra hardiment dans son domaine, progressant avec aisance parmi les touffes de plus en plus épaisses de plantes piquantes. Elle ne s'arrêta que lorsqu'elle parvint devant un mur d'épines. Elle se baissa et ramassa l'un des deux bâtons de marche dissimulés sous les broussailles. Elle s'en servit pour écarter de grosses tiges d'orties collantes, qu'elle relâcha aussitôt pour qu'elles reforment leur mur protecteur.

Sa progression se fit alors plus lente. Les sentiers cachés dans le hallier d'orties constituaient un vrai dédale, mais Mari en connaissait les secrets. Ce petit bois avait été conçu, planté et entretenu par des générations de Femmes Lune dans le but de dissimuler leur tanière.

Les Marcheurs de la Terre habitaient tous dans des endroits cachés, difficiles d'accès. Les femmes avaient tendance à regrouper leurs habitations. Les hommes, même ceux qui étaient en couple, vivaient séparés des femmes, car la Fièvre Nocturne rendait la cohabitation aussi dangereuse que délicate. Mais les membres du Clan ne se cachaient pas les uns des autres. Les femmes s'occupaient de la vie quotidienne : elles élevaient les enfants, cultivaient la terre, tissaient, conseillaient et légiféraient. Les hommes chassaient et exerçaient un rôle de protecteurs.

Dans ce système matriarcal, la Femme Lune était le chef suprême de chaque Clan. Elle n'avait pas seulement le pouvoir de purifier ses membres de la Fièvre Nocturne ; elle était aussi sa Guérisseuse. La légende disait même que la Femme Lune veillait sur le véritable Esprit du Clan ; tant qu'elle se portait bien, le Clan était florissant.

À mesure qu'elle s'enfonçait dans le dédale d'orties, Mari avait le sentiment que le bosquet l'étreignait, la cachait et la protégeait, au même titre que sa mère. Doucement, elle souleva la dernière grosse tige et franchit une entrée au sol tapissé de mousse. Elle précédait la grande voûte encadrant la porte en bois massive de sa tanière. Dans cette voûte était sculptée la ravissante image de la Terre Mère. Ses contours étaient lissés et rendus brillants par les touchers révérencieux des générations de Femmes Lune qui avaient vécu heureuses et en sécurité dans cette tanière.

– Et c'est pour ça que personne, excepté une Femme Lune et ses filles, ne doit connaître l'emplacement de la tanière d'une Femme Lune, dit Mari à la sculpture silencieuse. L'Esprit du Clan doit être conservé dans un lieu secret et sûr pour que le Clan puisse continuer de prospérer.

Devant la porte, reproduisant les gestes de sa mère, elle toucha ses lèvres avec ses doigts, qu'elle appuya ensuite sur la face de la Terre Mère.

– Je t'en prie, veille sur maman et permets-lui de revenir à la maison saine et sauve, chuchota-t-elle.

Retrouvant avec joie l'intérieur de sa tanière, son décor et ses odeurs familières, Mari se débarrassa de sa cape d'un haussement d'épaules et alla aussitôt au seau pour se laver. Elle plongea les mains dans l'eau froide et s'en aspergea le visage et les bras. Elle enleva en frottant l'argile durcie et la terre qui servaient à dissimuler ses traits, ce masque inconfortable qu'elle était obligée de porter quotidiennement. Ensuite, elle se sécha et décida de ne pas prêter attention à ses cheveux emmêlés.

– Je regrette…, commença-t-elle à marmonner en allant s'asseoir à son bureau.

Elle prit son esquisse de Léda et lui adressa les paroles qu'elle n'aurait jamais la cruauté d'adresser directement à sa mère :

– Maman, je regrette que tu l'aies rencontré. J'aurais préféré que tu aimes un homme du Clan. J'aurais préféré être comme tout le monde. Alors, je pourrais me tenir à tes côtés en me montrant telle que je suis réellement, sans que ça nous condamne au bannissement, ou à pire.

La jeune femme s'interrompit, avant de formuler à voix basse la pensée qui n'était jamais loin de son esprit quand sa mère partait, chaque Troisième Nuit :

– Je hais les Creuseurs. Ils se servent d'elle sans limites. Un jour, ils vont l'user totalement.

« Ma chérie, ne hais pas ton Clan. Mon cœur est à toi, mais moi, je détiens l'Esprit du Clan. Mon souhait le plus cher est que toi aussi, à l'avenir, tu puisses le conserver. »

La réprimande de sa mère flottant dans son esprit, Mari se força à avoir des pensées plus légères et se concentra sur la seule chose qui lui procurait infailliblement de la joie : dessiner. De son œil d'artiste, elle étudia son esquisse de sa mère.

Le rendu de ses mains ne respectait pas la perspective, mais serait facile à rattraper. En revanche, elle avait reproduit à la perfection le visage de Léda. Malgré son statut, sa mère avait une apparence presque aussi ordinaire que la plupart des membres du Clan. Elle avait des sourcils épais, un nez large et des lèvres minces. Sur le dessin de Mari, celles-ci étaient étirées vers le haut en un sourire éclatant, en harmonie avec l'unique trait de Léda qui la distinguait des autres : ses yeux.

Par réflexe, elle se tourna vers le petit miroir ovale placé sur son bureau, près des pots d'encre, des plumes d'oie et des fusains.

Hormis ses grands yeux gris argenté, la jeune femme fraîchement débarbouillée qui la regardait n'avait pas le visage de sa mère. Mari toucha ses cheveux, sentant leur dureté familière causée par l'épaisse teinture que sa mère leur appliquait une fois par semaine, afin de leur donner une couleur brune, pareille à de l'eau saumâtre.

Son geste fit bouger ses cheveux. Dans la faible lueur émise par la mousse phosphorescente et les champis-luisants, elle remarqua, grâce à l'excellente vision nocturne qu'elle avait héritée de sa mère, un rai de lumière claire. Fixant la surface réfléchissante, Mari tira une longue boucle solitaire de sous sa crinière emmêlée. Elle l'enroula autour de son doigt, se délectant de sa douceur.

Mari examina son reflet de plus près. Bien lui en prit ! Ses sourcils chatoyaient de leur véritable couleur blonde.

– Maman avait raison, comme d'habitude. Il est temps que je refasse une teinture.

Non pas que ce fût si important. Lorsqu'elle sortirait le lendemain, *si* elle sortait, *si* le soleil était suffisamment caché par les nuages, Mari veillerait à bien camoufler son visage et ses sourcils avec la pâte boueuse qu'elle et sa mère avaient passé dix-huit hivers à parfaire. Elle épaissirait ses traits et se transformerait en ce qu'elle n'était pas : une Marcheuse de la Terre de sang pur.

Du doigt, elle suivit les contours de ses sourcils fins et gracieux, descendit sur ses pommettes hautes et saillantes, puis sur son petit nez droit.

– Je te vois, père, chuchota-t-elle au miroir. C'est la seule manière dont je te verrai jamais, d'ailleurs. Je te vois en moi, et je connais l'histoire. Maman n'oubliera pas. Moi non plus. Comment serait-ce possible ? Chaque jour, mes différences me font penser à toi.

Mari reposa le miroir et se mit à trier ce que sa mère prenait pour une pile d'ébauches, mais qu'elle ne regarderait jamais sans son autorisation. Elle sortit une feuille de sous le tas.

Elle avait réalisé cette esquisse avec une encre noire qu'elle avait obtenue en faisant bouillir des noix. Elle n'avait utilisé que ses plumes les mieux aiguisées afin de tracer les lignes complexes qui donnaient vie à la scène. Celle-ci représentait un homme de grande taille aux traits semblables à ceux de Mari, excepté les yeux. Debout près d'une cascade, il souriait à une jeune femme au physique banal qui le contemplait avec adoration. La mère de Mari tenait dans ses bras un nouveau-né emmailloté dans les frondes épaisses et douces d'une Plante Mère. Aux pieds de l'homme, un grand canin à la forme grossière montait la garde.

– Vous vous êtes rencontrés par accident, déclara Mari doucement, en passant le doigt sur l'esquisse de son père. Elle n'aurait pas dû t'autoriser à la voir, pourtant elle l'a fait. Elle n'aurait pas dû t'aimer, pourtant elle l'a fait. Elle affirme avoir su ce qu'il y avait dans ton cœur à la seconde où elle a posé les yeux sur ton visage, car elle y a vu une grande bonté.

Mari marqua une pause ; elle leva le doigt de son dessin pour toucher de nouveau sa propre figure.

– Elle dit aussi qu'elle te voit dans mes traits. Mais on est obligées de se cacher, de cacher ce qui a existé entre vous car les Compagnons et les Marcheurs de la Terre ne peuvent pas être ensemble, encore moins s'aimer.

Elle lissa avec précaution la feuille de sa main, comme si elle voulait toucher ce père qu'elle ne rencontrerait jamais. Ensuite, elle choisit sa plume préférée, la plongea dans l'encre et se mit à dessiner sur la peau de son père les motifs élégants qui luisaient sous la sienne quand elle absorbait la lumière du soleil. Cette lumière grâce à laquelle les Compagnons étaient capables de transformer l'élément qui autrefois avait détruit le monde et créé un nouvel ordre mondial.

Les motifs qui brillaient sous la peau de Mari ne brilleraient jamais sous celle de Léda, ni d'aucun autre Marcheur de la Terre.

Penchée au-dessus de sa feuille, Mari passa toute la nuit à peaufiner son dessin et à penser à l'histoire que sa mère lui avait racontée maintes fois. Léda et cet homme qui aurait dû la capturer, la réduire en esclavage et qu'elle aurait dû repousser, s'étaient aimés en secret. Mari était née de leur union, et ils avaient prévu de s'enfuir ensemble pour établir leur propre lignée très loin, dans les profondeurs d'une autre forêt où n'auraient vécu aucun Compagnon ni Marcheur de la Terre.

– Oh, et toi aussi, fit Mari en effleurant l'ébauche du canin. Je connais ton histoire, Orion. Mais je ne peux que t'imaginer.

De toute sa vie, Mari n'avait aperçu des canins que quatre fois, et de si loin qu'elle avait vu uniquement leur silhouette.

Elle murmura l'avertissement que tous les Marcheurs de la Terre connaissaient :

– *Crains les canins, fuis les félins ; réfugie-toi dans la terre ou tu seras découvert.* Mais l'histoire ne s'arrête pas là, ajouta-t-elle d'un air songeur, en ombrant le pelage d'Orion.

Léda lui avait expliqué que les Compagnons étaient assortis à leurs canins : les Bergers Guides étaient nobles et courageux, les Terriers Chasseurs, intelligents et bons. Et lorsque ces canins choisissaient la personne à laquelle ils seraient liés pour la vie, celle-ci possédait les mêmes traits de caractère.

– Alors, pourquoi les Compagnons nous réduisent-ils en esclavage et nous traitent-ils comme si nous étions des animaux ?

Mari soupira, regrettant de ne pas obtenir de véritables réponses à ses questions. Sa mère lui avait seulement dit que le canin de son père était un Berger puissant ; une bête loyale et affectueuse, à l'image de son Compagnon.

– Maman affirme que ton pelage était plus épais que celui d'un lapin et plus doux que celui d'un faon. J'aurais aimé te connaître. Et pouvoir terminer mon dessin.

Mari s'ébroua, comme si elle venait de remonter à la surface de l'eau après un plongeon en profondeur. Ces souhaits étaient impossibles.

– Ils vous ont tués avant qu'on puisse s'enfuir, continua Mari en s'adressant au canin. Toi et mon père.

Son regard se posa sur le nouveau-né emmailloté dans les frondes de la Plante Mère qui allaient bouleverser son existence.

– Ils t'ont surpris en train de cueillir pour moi les frondes de la Plante Mère, et ils t'ont tué parce que tu as refusé de nous livrer à eux.

Mari ferma les yeux. Elle regrettait pour une fois d'avoir cette imagination si vive, qui lui permettait de se représenter mentalement la scène avec autant de réalisme. Bien que dix-huit hivers se fussent écoulés depuis le drame, Léda était incapable de l'évoquer sans pleurer.

« Ils l'ont suivi jusqu'à notre point de rendez-vous pour essayer de nous piéger, toi et moi, ma chérie. Mais ton père m'avait conseillé de rester cachée jusqu'à ce qu'il m'appelle. Ce jour funeste, il a dû pressentir que quelque chose clochait, car il n'a pas crié mon nom. J'attendais en silence avec toi, souriant et pensant qu'il me mettait à l'épreuve, certaine qu'on était toutes les deux en sécurité. Mais ce n'était pas un test. Le Guerrier s'est jeté sur lui et a voulu le forcer à nous livrer à eux. Mon Galen, ton noble père, a refusé. Pour cela, Orion et lui sont morts. »

– Tu ne nous as pas trahies, mais tu nous as abandonnées à cette vie que l'on passe à se cacher, précisa Mari en écartant ses cheveux emmêlés de son visage. Je sais que ce n'était pas ta faute. Et maman fait de son mieux. Depuis tout ce temps, elle me protège, elle m'aime – c'est ma meilleure amie –, elle m'a donné une vie, même si elle continue de te pleurer chaque jour.

Mari sourit tristement à l'homme qu'elle avait dessiné, se demandant pour la millionième fois comment ses parents avaient pu croire qu'on les laisserait vivre ensemble.

– Pas dans ce monde, leur répondit-elle.

Mari dessina encore un moment, puis elle reposa sa plume et étudia son dessin d'un œil critique, en attendant qu'il sèche. Le montrerait-elle à sa mère ?

Probablement pas. Elle avait connu à peine plus de neuf hivers lorsqu'elle avait essayé de dessiner son père pour la première fois. Fière de la scène qu'elle avait créée à partir des histoires que sa mère lui avait racontées, elle avait montré son œuvre achevée à Léda. Cette dernière l'avait trouvée merveilleuse. Le portrait de Galen lui avait paru extraordinairement ressemblant.

Cependant, elle avait pâli en découvrant le dessin, et sa main avait tremblé si fort que Mari avait dû tenir la feuille. Pendant de nombreux jours ensuite, la jeune femme avait entendu des sanglots étouffés s'échapper de la chambre de sa mère, tels des rêves perdus.

Constatant que les cheveux de Léda nécessitaient plus de nuances, Mari se pencha de nouveau sur son travail. Elle s'attacha à donner davantage de vie à la version plus jeune et pleine d'espoir de sa mère, tout en regrettant de devoir vivre dans le mensonge et toujours, toujours dans la peur.

« Et j'aimerais enfin écrire ma propre histoire... », songea-t-elle.

En trouvant sa réponse, Œil Mort était devenu une divinité. Il le savait grâce à la force qui pulsait dans son corps lorsqu'il avait commencé à perdre sa peau ! Cela aurait dû être impossible. Le cerf n'était pas un Autre. Absorber sa chair vivante n'aurait pas dû donner de résultat. Même l'absorption de la chair vivante des Autres pendant les vingt et un hivers que comptait la vie d'Œil Mort n'avait pas suffi. Qu'importait le nombre d'Autres que le Peuple prenait au piège et fauchait, nul n'avait jamais véritablement guéri. Les gens tombaient malades en l'espace d'une saison. Leurs peaux se crevassaient, vieillissaient, tombaient, et ils finissaient par mourir.

Mais plus maintenant.

Œil Mort tendit ses bras puissants en bandant ses muscles et en riant. Il avait demandé un signe, et le cerf lui en avait donné un. Que les vieillards, s'ils y tenaient, parcourent encore et toujours la Ville d'une manière furtive en suppliant la Faucheuse de faire durer leur peau plus longtemps. Ou, en dernier recours, d'attirer plus d'Autres dans la Ville pour qu'ils les dépouillent, afin que leurs pitoyables vies puissent continuer.

Mais, lui, Œil Mort, ne quémanderait pas ces choses-là à une divinité morte. Et si les membres du Peuple voulaient vivre, en bonne santé de surcroît, ils cesseraient de rendre un culte à une statue en métal et reconnaîtraient la divinité qui marchait parmi eux, et dont la nature était aussi manifeste aux yeux de l'extérieur que sa puissance l'était pour lui-même.

Il devait commencer par expliquer la situation au Peuple. Il avait beaucoup réfléchi à la manière de l'approcher. Bien qu'il eût très envie de proclamer la vérité, il savait que le Peuple ne serait pas prêt à l'entendre. Il ne serait pas prêt pour accueillir une nouvelle divinité, mais peut-être le serait-il pour un nouveau Champion.

De vieilles femmes incompétentes parlaient au nom d'une divinité morte depuis des générations. Serait-il plus facile pour un Champion de parler au nom de LA divinité, la seule et l'unique ?

Tandis que la nuit tombait, Œil Mort se dirigea vers le Temple de la Faucheuse. En arrivant sur place, il commença par se réjouir de voir tant de membres du Peuple rassemblés autour des feux de joie qui encombraient l'entrée du temple pavée de grandes briques cassées. Mais il remarqua ensuite que la plupart étaient âgés, avaient des plaies ouvertes et un regard morne, éteint. Ils ressemblaient à des animaux maltraités, qui attendaient bêtement d'être abattus.

Il s'avança, puis se tourna face au Peuple.

– Aucun de vous ne va-t-il s'approcher d'elle ? Allez-vous tous vous contenter de mourir dans l'ombre de son temple ? demanda-t-il au groupe.

Sa voix se répercuta sur les murs massifs du temple qui tombait en ruines derrière lui.

– C'est d'ici que nous adorons la Faucheuse, lui répondit un homme aux cheveux blancs, nu, si l'on ne prenait pas en compte les morceaux irréguliers de mousse appliqués sur sa peau suintante.

– Homme-Tortue, alors qu'elle te fait signe de la rejoindre, tu préfères la vénérer à distance ? rétorqua Œil Mort en jetant un regard mauvais à son interlocuteur.

– C'est à ses Observatrices qu'elle fait signe, et elles sont avec elle, se justifia Homme-Tortue en grattant une plaie sur son bras. Comme les Observatrices nous le demandent, nous attendons ici le prochain groupe qu'elle va attirer à la Ville. Si nous prions et faisons assez de sacrifices, ils viendront.

– D'après moi, elle exige plus que ça ! Je pense que les Observatrices ont tort. Notre Faucheuse en a assez des vieilles femmes ; c'est son Champion qu'elle appelle !

Des cris indignés fusèrent de la foule. D'un geste théâtral, Œil Mort se débarrassa de sa cape en loques et se présenta torse nu devant elle. Il vit la stupéfaction du Peuple qui observait sa peau en train de muer, couverte des bandes de chair du cerf qu'il avait coupées et introduites dans les plaies de ses bras et de son torse. Complètement guéries à présent, ces dernières avaient disparu sous une chair toute neuve, rose et saine. Elle se refermait sur celle du cerf à mesure que le corps d'Œil Mort absorbait et assimilait la force de l'animal. Avec une grâce plus propre au cerf qu'à l'homme, il bondit sur le côté du temple, attrapa l'une des épaisses lianes qui tombaient en cascade du perchoir de la Faucheuse et s'en servit pour escalader le mur extérieur, recouvert de tuiles vertes glissantes. Parvenu au balcon, il sauta sans difficulté par-dessus le rebord et tomba à genoux devant l'immense statue.

– Bien qu'elle soit mécontente de ta brusque apparition sur son balcon, la Faucheuse reconnaît son Moissonneur, déclara la

Commandante des Observatrices de sa voix fluette. Présente-moi le sacrifice que tu lui offres.

Toujours agenouillé, Œil Mort sortit le gros rongeur du sac qu'il portait en bandoulière sur son épaule nue. Retrouvant un peu de liberté, l'animal se débattit.

Au lieu de remettre son offrande à l'Observatrice, Œil Mort se releva en brandissant le poignard à triple pointe qu'il venait d'extraire de la gaine fixée à sa taille. Alors que les Observatrices hoquetaient d'horreur, il courba le rongeur vers l'arrière. Le corps de la bête s'arqua péniblement, et d'un geste habile, il lui trancha la gorge. Son sang écarlate gicla en décrivant une sorte de demi-cercle, si haut qu'il éclaboussa le visage de la Faucheuse.

– La divinité pleure ! Le sacrifice d'Œil Mort l'a fait pleurer !

Les Observatrices se bousculèrent pour examiner la statue de plus près.

– Pourquoi ? Pourquoi as-tu fait pleurer la divinité ? le questionnèrent craintivement plusieurs vieilles.

– Ne pouvez-vous pas répondre à cette question vous-mêmes ? répliqua Œil Mort d'une voix pleine de dégoût. Ne parle-t-elle pas par votre intermédiaire ?

La Commandante des Observatrices le considéra en plissant les yeux :

– Est-ce que tu oses mettre en cause la légitimité des Observatrices de la divinité ?

Œil Mort jeta le corps encore chaud du rongeur dans l'un des nombreux braseros. Il ignora la Commandante des Observatrices. Frappées de mutisme, ses subordonnées le dévisageaient, horrifiées, pendant que d'autres fourraient des bâtons dans le feu afin d'en retirer les entrailles du rongeur en flammes, qu'elles suçaient ensuite à grand bruit. Elles étaient répugnantes. Qu'étaient-elles, sinon de peureuses vieillardes à la peau malade et sillonnée de rides, qui avaient depuis longtemps passé l'âge de la fécondité, de la moisson, de la vie même ? Œil Mort sauta avec agilité sur le rebord du piédestal de la Faucheuse et regarda le Peuple en contrebas.

En proie à une agitation nerveuse, les gens tournaient en rond et répétaient la phrase des Observatrices :

– Elle pleure ! Elle pleure !

Ils observaient Œil Mort, et leurs yeux, dans lesquels se reflétait la lueur dansante du feu, brillaient tels des vers luisants dans une mer de visages livides.

– Elle pleure de joie parce que son Champion est enfin venu ! claironna Œil Mort d'une voix qui fit taire le Peuple. J'ai prié pour recevoir de la force. J'ai prié pour recevoir des conseils. Mes prières ont été exaucées !

L'Observatrice la plus âgée s'approcha de lui. Son visage cireux à la peau pendante affichait un air de désapprobation prononcée.

– Seules les Observatrices sont habilitées à dire si la divinité a parlé, déclara-t-elle, d'une voix si stridente qu'Œil Mort eut l'impression d'en être transpercé. Maintenant, va-t'en ! Si la divinité a besoin d'un Champion, il sera choisi de la même manière que tout est choisi pour le Peuple : par notre lecture des entrailles du sacrifié.

– Par ce que vous décrétez, plutôt ! Et vous radotez les mêmes choses depuis des générations ! Le Peuple se porte-t-il mieux grâce à vos paroles, ou seuls quelques privilégiés, tels que vous, en tirent-ils profit ?

– Blasphème ! Blasphème ! Blasphème ! scandèrent les intéressées de leurs vieilles voix pitoyables.

– Je suis d'accord ! On a blasphémé contre la Faucheuse ; heureusement, son Champion redressera ce tort qui dure depuis beaucoup trop longtemps, assura Œil Mort.

Sa voix grave et puissante fendit la foule des femmes chuchotantes aussi facilement que son trident avait découpé la chair vivante.

– Regardez-moi ! Regardez ma peau ! Je ne suis pas resté assis à attendre qu'un Autre erre assez près de la Ville pour qu'on l'attrape. J'ai moissonné un cerf et notre divinité m'a récompensé. Je l'ai assimilé. Je suis le cerf, exactement comme le cerf est devenu moi !

Il étendit les bras pour que les Observatrices voient sa peau.

– Déshabillez-vous et prouvez que notre Faucheuse vous accorde un traitement de faveur, à vous aussi.

La doyenne des Observatrices agita ses longs doigts squelettiques de façon dédaigneuse et répondit :

– Je suis une Observatrice de la divinité. Toi, tu es un simple Moissonneur. Je n'ai pas besoin de te montrer quoi que ce soit.

– Tu ne m'as pas entendu ? Je suis son Champion !

Sans hésiter une seconde, Œil Mort bondit en avant. Il souleva la vieille femme par sa taille maigre et, la lançant violemment en l'air, l'empala sur la lance à trois pointes que la statue tenait au-dessus d'eux. Tandis qu'elle agonisait en hurlant, Œil Mort se rapprocha des autres Observatrices. Paniquées, elles tentèrent de s'enfuir, mais il les rattrapa sans mal et les jeta du balcon.

Sûr de sa puissance et de son droit, Œil Mort bondit de nouveau sur le rebord, et alla se lover tout contre le bras tendu de la Faucheuse, comme si elle l'étreignait.

– Y a-t-il quelqu'un d'autre qui conteste mon droit d'être Champion ?

Les membres du Peuple, dispersés autour des corps brisés des Observatrices agonisantes, tombèrent à genoux. Œil Mort mémorisa chaque visage, notant qui restait et qui disparaissait dans les ombres de la Ville enveloppée par la nuit. Il fut heureux de constater que les plus jeunes n'avaient pas déserté. Et tout aussi heureux qu'Homme-Tortue et les autres vieux eussent fui.

Bien. Il n'avait pas besoin des faibles et des mourants.

– Nous ne le contestons pas ! clama une première voix.

– Nous ne le contestons pas ! Nous ne le contestons pas ! répéta le Peuple présent.

Avec un sourire béat, Œil Mort savoura le culte qu'il lui rendait déjà, tandis que son esprit bruissait des possibilités illimitées que l'avenir lui réservait.

5

Très haut au-dessus du sol de la forêt, la femelle bougea. Elle s'étira en s'écartant de son dernier camarade de portée, le seul autre jeune canin qui devait encore choisir un Compagnon. Elle le renifla, aspirant les odeurs familières et réconfortantes de leur nid de mise bas, de leur mère et du lapin cru dont ils s'étaient tous deux nourris récemment. L'imposant jeune mâle soupira, bâilla et roula un peu vers elle avant de poser sa patte sur son museau et de se rendormir. Pendant quelques instants, la femelle faillit elle aussi céder au sommeil, mais l'*appel* résonna de nouveau dans tout son corps, avec plus d'insistance, cette fois.

Il ne fallait pas qu'elle dorme. La jeune canine devait trouver la personne qui deviendrait son partenaire, son Compagnon, à vie.

La porte du nid de mise bas était fermée pour empêcher la fraîcheur vespérale d'entrer. Elle s'assit devant et aboya à deux reprises, par éclats perçants, très différents des jappements de jeune canin qu'elle avait naturellement poussés jusque-là. Dans un coin douillet près de l'ouverture, l'homme qui somnolait se réveilla aussitôt, tout comme le grand Berger couché en rond à ses côtés.

– Enfin ! s'exclama le Gardien avec joie en flattant brièvement la tête de son propre canin.

Il dénoua et écarta le rideau en peau qui faisait office de porte. Par la simple expression de son visage, il communiqua son excitation à la jeune canine. Elle l'observait, le corps tremblant d'impatience. L'homme lui sourit et lui donna l'ordre le plus important de sa courte vie :

– *Cherche !*

Sans hésiter une seconde, la femelle bondit du nid et se mit à courir sur l'étroite passerelle extérieure. Suivi de près par son canin, le Gardien cria :

– Le moment est venu !

La Tribu se demandait souvent ce qui poussait un jeune canin à trouver son Compagnon. Était-ce quelque chose dans l'apparence d'un individu ? Une caractéristique unique de son odeur ? Ou était-ce le hasard, mêlé, peut-être avec magie, au destin ? Si la Tribu avait pu partager avec le jeune canin les moments précédant son choix, elle aurait été surprise d'apprendre que ces deux dernières suppositions étaient à la fois justes et fausses.

– Dégagez la passerelle ! Dégagez la passerelle ! La femelle est en train de choisir !

Les mains en porte-voix, le Gardien interpellait les gens qui rejoignaient leurs nids en flânant. Ils semblaient davantage absorbés par la beauté du jour déclinant et par les arômes des repas en train de mijoter que par la jeune canine, qui courait en silence sur les passerelles sinueuses, motivée par un unique but.

– C'est la femelle ! Elle va choisir ! répéta quelqu'un.

Les membres de la Tribu sortirent en masse de leurs nids douillets, regardant avec enthousiasme la femelle qui avait encore pressé l'allure.

– Allumez les torches ! Il ne faudrait pas qu'elle glisse d'une passerelle avant d'avoir fait son choix ! tonna une autre personne.

Les flambeaux fleurirent dans l'obscurité de plus en plus dense.

Pendant que la canine filait comme une flèche sur le vaste réseau circulaire des passerelles reliant les habitations, les membres de la Tribu la suivaient du regard. On voyait des sourires entendus sur les visages de ceux qui étaient accompagnés de leur propre canin, et des regards impatients, pleins d'espoir, chez ceux qui vivaient encore sans Compagnon.

Quelques instants plus tard, de la musique anima la quête de la jeune femelle Berger. Dans un premier temps, seuls les tambours graves et sonores retentirent, comme pour aiguillonner les pattes de la canine qui tapaient sur les planches en bois. Bientôt s'ajoutèrent une flûte et des cordes et, pour finir, de magnifiques voix de femmes cristallines.

Verdoyantes vous poussez – verdoyants nous grandissons
Perpétuellement
Des secrets vous connaissez – des secrets nous connaissons
Perpétuellement…

Sur les accords mélodieux de la musique la plus sacrée de la Tribu, la jeune canine arriva à un pont basculant, devant lequel elle s'assit sur son arrière-train. Impatiente, elle leva les pattes avant et aboya en mesure, sans discontinuer, comme pour accélérer le tempo de la musique et presser les personnes qui actionnaient le pont. Puis elle prit de l'élan et sauta du pont qui n'était pas encore complètement baissé.

– Elle n'attend même pas l'ascenseur ! cria le Gardien, qui avait tenté, en vain, d'attraper la femelle par la peau du cou.

Des soupirs de soulagement s'élevèrent à l'unisson lorsque, quinze mètres plus bas, la jeune canine s'agrippa avec ses pattes avant sur la partie opposée du pont et continua à toute vitesse sur la large et solide plate-forme.

Soudain, la musique et les chants se turent. Onze des douze femmes de différents âges qui entretenaient les Plantes Mères avec amour se tournèrent pour saluer la canine, suivie par une file d'hommes et de femmes enthousiastes de la Tribu. Celles qui avaient des canins auprès d'elles regardèrent la scène avec attendrissement, en caressant machinalement le pelage de leur Compagnon. Quatre n'en avaient pas. Elles avaient connu à peine dix-huit hivers et observèrent la femelle avec des expressions pleines d'espoir.

La canine les ignora et se dirigea vers la seule femme qui ne la regardait pas.

À mesure qu'elle s'en approchait, elle se calma et ralentit. Elle se déplaçait à présent avec une majesté étonnante pour ses cinq mois et demi. La femme sur laquelle elle fixait son attention était assise en tailleur devant une énorme Plante Mère qui semblait tout près d'éclore. Sa tête était baissée. La canine leva le museau et lui toucha la nuque. Ses épais cheveux, dorés à l'exception de quelques mèches grises, étaient attachés en un chignon lâche, mais soigné.

Au contact de la truffe de la canine, les épaules de la femme commencèrent à trembler, puis elle enfouit le visage dans ses mains.

– Je... je ne pense pas être capable de supporter ça, dit-elle d'une voix étouffée par les sanglots. Pas une nouvelle fois. Mon cœur risque de se briser.

La femelle se colla contre elle et compatit à sa détresse en gémissant doucement.

– Ton cœur *pourrait* se briser si tu décidais d'accepter cette jeune canine, confirma le Gardien, qui se tenait derrière la femelle. Mais, si tu la rejettes, son cœur à elle se brisera *à coup sûr*. Ça, tu pourrais le supporter, Maeve ?

La femme tourna la tête vers le Gardien. Son visage était encore magnifique, bien que ridé par l'âge, les pertes et le regret.

– Tu sais bien que personne ne comprend pourquoi certains d'entre nous sont choisis plus d'une fois, mais c'est une bénédiction, Maeve, reprit l'homme.

– Reviens me parler de cette bénédiction quand ton Alala sera partie, rétorqua la femme d'un ton plus triste que furieux.

– Je redoute ce jour, admit le Gardien.

Sa main chercha par réflexe la tête du grand Berger qui n'était jamais loin de lui.

– Pourtant, je ne changerais pas un seul moment de ma vie avec Alala, reprit-il. Souviens-toi de l'amour que tu éprouvais pour Taryn, et des jours heureux qu'elle a passés à tes côtés ; honore-la, mais ne laisse pas ton deuil t'empêcher de vivre.

Ses sanglots cessèrent et ses épaules s'apaisèrent, mais Maeve persista à ne pas regarder la canine.

– Il est temps que d'autres assument le rôle de Guide, déclara-t-elle.

Le Gardien gloussa gentiment :

– Les Plantes Mères s'épanouissent grâce à tes bons soins. Ta voix est aussi juste et cristalline qu'il y a vingt ans, et aujourd'hui, cette jeune femelle est venue te trouver, *toi*, alors qu'elle aurait pu choisir n'importe quel autre membre de la Tribu. Réfléchis, Maeve ! Le petit d'un Berger Guide te désigne comme sa Compagnonne, et un tel choix n'est jamais erroné. Il ne peut jamais être annulé et la relation qu'il induit ne pourra jamais être rompue.

– Jusqu'à ce que la mort survienne, nuança Maeve.

Sa voix se cassa tandis qu'elle tentait de réprimer un nouveau sanglot.

– C'est vrai, confirma le Gardien avec solennité. Rappelle-moi : combien d'hivers as-tu passés avec ta Taryn ?

– Vingt-huit hivers, deux mois et douze jours, répondit doucement Maeve.

– Et depuis combien de temps Taryn est-elle morte ?

– Trois hivers et quinze jours.

– Pendant ces trois hivers et ces quinze jours, bien que ta douleur soit encore vive, as-tu jamais regretté que Taryn t'ait choisie ?

– Jamais, déclara Maeve d'un ton ferme.

Ses yeux furieux lançaient des éclairs, comme si le simple fait de lui poser cette question était une insulte.

– Être choisi par un Berger est une chose merveilleuse. Être choisi par deux Bergers relève du miracle. Mais il n'y a que toi qui puisses accepter cette jeune canine. Toi seule peux décider de t'ouvrir au miracle.

Le regard du Gardien se posa sur la femelle. Immobile depuis que Maeve s'était retournée, elle la dévisageait avec une intensité suggérant que rien d'autre au monde n'existait à part elles deux.

– Maeve, même si tu n'as pas besoin d'elle, cette jeune femelle a vraiment besoin de toi.

La femme ferma les yeux, et les larmes coulèrent sur ses joues.

– Si, j'ai besoin d'elle, murmura-t-elle.

– Alors, fais ce que nombre d'entre nous ont fait avant toi : puise ta force dans le Compagnon qui croit en toi plus que toi-même.

Le corps de Maeve fut parcouru de frissons. Elle inspira à fond, rouvrit les yeux et, enfin, regarda la jeune canine.

Marron et doux, les yeux de cette dernière lui rappelèrent douloureusement ceux de Taryn. Mais la ressemblance s'arrêtait là. Cette femelle avait un pelage plus brun que celui de Taryn, et de magnifiques rayures mouchetées d'argent sur le poitrail et le cou. Elle était aussi plus grande, à tel point que Maeve en fut surprise. Elle savait que la portée avait déjà six mois, mais elle ignorait que les petits étaient si bien bâtis. Pas une seule fois elle n'avait visité le nid de mise bas, et elle n'était allée voir aucun des Compagnons choisis par les autres petits de la portée.

« Je ne pourrais pas le supporter, pensa Maeve en observant la canine. Jusqu'à maintenant, j'ai évité chaque portée de Bergers nés depuis la mort de Taryn. Le Gardien avait raison : depuis que je l'ai perdue, je ne vis pas vraiment. » Elle s'arma de courage et croisa de nouveau le regard de la canine ; seulement, cette fois, elle abandonna la tristesse qui assombrissait son cœur depuis plus de trois hivers, et s'ouvrit à la possibilité de la joie.

La canine la fixait toujours sans bouger. Soudain, ses émotions envahirent la femme, comblant ce que la mort de Taryn avait cassé, et apaisant son esprit meurtri avec un amour inconditionnel.

– Oh ! souffla Maeve. En pleurant Taryn depuis si longtemps, j'avais oublié l'amour, je ne me souvenais que de la perte, reconnut-elle, s'adressant plus à la canine qu'à elle-même. Pardonne-moi de t'avoir fait attendre.

Ses joues étaient inondées de larmes et sa main tremblait lorsqu'elle la posa avec délicatesse sur la tête de la femelle, tout en articulant silencieusement le serment que les Compagnons prêtaient à leurs canins.

« Je t'accepte et je jure de t'aimer et de prendre soin de toi jusqu'à ce que la mort nous sépare. »

Ni la femme ni la canine ne bougèrent pendant de longues secondes. Puis chaque canin de la Tribu se mit à hurler au moment même où Maeve ouvrit les bras et où la jeune femelle Berger se précipita dans le giron de sa Compagnonne.

– Compagnonne, comment s'appelle-t-elle ? cria le Gardien pour se faire entendre.

Lorsque Maeve leva la tête, elle affichait une expression si joyeuse qu'elle paraissait avoir deux décennies de moins que ses cinquante hivers.

– Fortina ! Elle s'appelle Fortina ! annonça-t-elle en riant à travers ses larmes, tandis que la jeune femelle lui léchait le visage avec enthousiasme.

– Que le Soleil bénisse ton union, Compagnonne, déclara le Gardien d'un ton cérémonieux, en inclinant la tête pour reconnaître leur lien.

Les membres de la Tribu reprirent l'acclamation familière :

– Que le Soleil bénisse ton union, Compagnonne !

Se frayant prudemment un chemin parmi ce chaos festif, un homme de grande taille traversa le pont basculant. À son côté avançait lentement un énorme canin, dont le pelage luisait des mêmes rehauts argentés que la jeune femelle. Les femmes qui s'étaient rassemblées autour de Maeve et Fortina s'éloignèrent avec respect afin de laisser passer le Prêtre du Soleil.

– Bienvenue, Sol, dit le Gardien en s'écartant pour que l'homme et le canin puissent s'approcher de Maeve.

– Ah, Laru ! Ta fille a fait un choix judicieux, dit l'homme en ébouriffant l'épaisse peau du cou de son canin.

Il adressa un sourire gentil à la femme qui tenait la femelle dans ses bras, et lui demanda :

– Quel est son nom, mon amie ?

– Fortina, répondit Maeve, en embrassant la canine sur le museau.

Le sourire du Prêtre du Soleil s'élargit.

– Que le Soleil bénisse ton union avec Fortina.

– Merci, Sol.

– Quel choix providentiel que celui qu'on effectue juste avant le coucher du soleil ! estima Sol.

À travers le branchage dense de l'Arbre Mère le plus proche, Maeve porta son regard sur l'horizon à l'ouest.

– Ah, je ne m'en étais pas rendu compte, dit-elle.

– Viens, Maeve. Je vous invite, toi et ta jeune canine, à recevoir les derniers rayons du soleil avec moi.

Maeve écarquilla les yeux de surprise, mais Fortina avait déjà sauté de ses genoux et lui donnait de petits coups de museau dans les jambes pour l'encourager à se lever. Riant à gorge déployée, elle se mit debout et, accompagnée de sa jeune femelle Berger, elle emboîta le pas à Sol et Laru. Ensemble, ils franchirent à grandes enjambées la large plate-forme et gravirent en hâte les nombreuses marches qui montaient en hélice autour du bouquet d'arbres chargés de Plantes Mères, jusqu'à l'exquis palier qui avait été poli et huilé au point de rendre un lustre ambré. Cette plate-forme, dont la balustrade était ornée de statues de canins hurlants, et sur laquelle reposait une rampe brillante à hauteur de taille, surplombait la canopée de pins anciens.

Maeve embrassa du regard le paysage, redécouvrant la beauté de sa Cité. Sur des plates-formes plus petites, proches et éloignées, des Compagnons flanqués d'un Berger ou d'un Terrier adulte se retournèrent et s'inclinèrent respectueusement pour saluer Sol, avant de se remettre à sonder la terre autour d'eux et sous eux. Maeve sentit un frisson lui effleurer la colonne vertébrale, telle une pluie d'été rafraîchissante. Lorsque Fortina serait assez grande, elle aurait à nouveau le privilège de construire sa propre plate-forme et de faire le guet, elle aussi.

Enthousiasmée par cette perspective, la femme regarda vers l'est, l'endroit lointain que la Tribu appelait la Ferme, cette île fertile qui les maintenait en vie grâce à ses abondants produits.

Du coteau sur lequel la Tribu avait conçu ses foyers aériens, l'île avait l'apparence d'un joyau de verdure, entouré de part et d'autre par le Channel et le fleuve Lumbia. La lumière du soleil jouait sur le cours d'eau le plus proche, le Channel, transformant son eau verte en un flux doré, qui éclairait l'ossature rouillée de l'antique pont, seule voie d'accès à l'île.

– Magnifique, chuchota Maeve à sa canine. J'avais oublié à quel point tout était si magnifique.

Heureuse et comblée, elle observa la Cité qui s'étendait autour d'elle. De grands nids circulaires familiaux ainsi que des nacelles individuelles plus petites étaient regroupés dans les énormes pins, perchés dans leurs branches vigoureuses comme s'ils étaient l'œuvre d'oiseaux géants fantastiques. Fixées aux passerelles en treillis, et pareilles à des bijoux, des lianes de coquillages, de clochettes, d'os, de perles et de verre voletaient au vent. Dans les rayons du soleil couchant, ces guirlandes étincelaient d'une myriade de couleurs parmi les nuances de vert des aiguilles de pin, des orchidées, des mousses et des fougères. Sur les élégantes voies aériennes suspendues sous Maeve, les membres de la Tribu se rassemblèrent, choisissant leurs places près des grands miroirs. Ces derniers avaient été confectionnés avec le plus grand soin et dans un but double : esthétique et fonctionnel, comme tout ce que la Tribu fabriquait. Maeve s'émerveilla devant la grandeur et la force de son peuple. « Quand est-il devenu si nombreux ? Pas étonnant que les Plantes Mères soient hyperfécondes dernièrement. Les bébés naissent les uns après les autres, mais je ne m'étais encore jamais demandé combien nous étions. »

Sol leva les bras, comme pour embrasser le vaste dédale de nids, de passerelles, de plates-formes et de nacelles qui s'étendait au-dessous d'eux.

– Admirez la majesté de la Cité dans les Arbres !

D'abord, les guetteurs imitèrent les gestes du Prêtre du Soleil : ils écartèrent grand les bras et se tournèrent vers l'ouest, face au soleil couchant. Les gens qui se trouvaient plus bas exposèrent alors leurs visages et leurs bras aux reflets du dernier éclat de l'astre diurne, tandis que sa lumière touchait les miroirs idéalement positionnés, avant d'être aussitôt réfléchie et de baigner la Tribu de l'essence lumineuse de la vie.

Les pins antiques oscillèrent doucement, comme s'ils partageaient l'exultation de Maeve, forçant la lumière du soleil à éclairer les lianes de perles, d'os et de cristaux que les artistes avaient accrochées tout autour de ce bouquet d'arbres imposants. Elles donnaient, elles aussi, l'impression de célébrer le renouveau de la vie. Maeve n'avait jamais vu spectacle aussi grandiose.

– Et admirez les derniers rayons de notre lien vital, notre salut, notre soleil ! Que la Tribu des Arbres les absorbe avec moi !

La voix de Sol fut amplifiée par la puissance de l'astre diurne, et, comme un seul homme, tous les membres de la Tribu accueillirent la lumière que les miroirs reflétaient sur eux.

Fascinée, Maeve vit Sol fixer l'orbe déclinant. Lorsque ses yeux captèrent ses derniers rayons, ils changèrent de couleur, passant du vert mousse, caractéristique des yeux des membres de la Tribu, au doré flamboyant. Riant joyeusement, Sol étendit encore les bras et, tandis que la lumière traversait tout son corps, les motifs en filigrane des frondes de la Plante Mère commencèrent à luire sous sa peau dorée.

Maeve se baissa. Elle caressa Fortina, puis porta son regard fasciné vers la lumière et, à son tour, ouvrit les bras pour accueillir le soleil. Elle avait l'habitude de collecter en elle l'énergie vitale de l'astre. Chaque matin et chaque soir, son pouvoir était capté et réfléchi par les miroirs, le verre et les perles, et brillait sur la Cité à l'intérieur de la canopée protectrice. Mais cela faisait plus de trois hivers que Maeve n'était pas montée au-dessus de la cime des arbres pour savourer cette lumière, et elle n'était plus habituée à l'intensité des rayons du soleil directs. Elle eut le souffle coupé par le plaisir lorsqu'une vague de chaleur et d'énergie parcourut son corps. Du fond du cœur, elle adressa une prière au Soleil : « Merci, oh ! merci de m'avoir apporté Fortina ! » Ses yeux se mirent à flamboyer et les motifs gracieux de la Plante Mère s'élevèrent à la surface de sa peau. Maeve jeta un coup d'œil à sa canine et ressentit un autre frisson de plaisir. Les yeux de Fortina rayonnaient du même éclat doré qui émanait des siens. C'était la preuve qu'elle avait été choisie, qu'elles étaient désormais liées à jamais par le soleil et l'amour.

– Mouvement près du Channel ! cria une voix forte. Au sud du pont. À la limite des zones humides.

– Je les vois ! confirma une deuxième voix, plus faible, car plus éloignée que la première. On dirait qu'un grand mâle essaie d'attraper deux femelles.

Perturbée par cette interruption, Maeve regarda Sol, qui donna un unique ordre :

– Arrêtez-les !

Il ne détacha pas les yeux de l'astre couchant. Maeve comprit que ce n'était pas nécessaire. Les guetteurs agiraient selon la formation qu'ils avaient reçue. La Tribu n'en attendait pas moins d'eux. «Tout doit avoir un but. C'est en satisfaisant les besoins de la Tribu que l'on répondra à ceux de l'individu. » Maeve connaissait la vérité de ce dicton au-delà des mots. Elle en ressentait la légitimité dans tout son corps, dans son sang, son cœur et son âme. Ce n'est donc pas parce qu'elle mettait en doute la loyauté des guetteurs qu'elle détourna son regard du soleil, mais parce que la certitude qu'ils accompliraient leur devoir la réjouissait.

Son attention fut attirée par l'agitation qui régnait sur la plateforme située à mi-coteau, à sa droite. Elle sourit en voyant le guetteur lever son arbalète superbement sculptée, l'armer et viser. Elle suivit sa ligne de mire à temps pour voir trois silhouettes émerger du Channel doré. Avec une grâce fluide, le guetteur tira à trois reprises. *Clac ! Clac ! Clac !* D'abord le grand, puis les deux fugitifs plus petits s'effondrèrent dans les herbes touffues en bordure du Channel, comme si, arrivés à la fin d'une magnifique chorégraphie, ils s'allongeaient pour embrasser le sol.

– Trois Creuseurs à terre ! déclara le guetteur. Dois-je aller les chercher ?

– Je ne mettrai pas en danger la vie d'un Compagnon alors qu'il fera bientôt noir, répondit Sol sans tourner la tête. S'ils ne sont pas morts maintenant, ils le seront à coup sûr cette nuit ; que le Soleil rende leur trépas aussi indolore que possible.

Le guetteur salua Sol et se remit à sonder l'horizon.

Maeve se tourna vers l'astre et le prêtre dit doucement :

– Le fait qu'ils s'enfuient montre qu'il est vain d'essayer de les domestiquer.

– Les domestiquer ? répéta Maeve, choquée. Les Creuseurs ? Je n'ai jamais entendu la Tribu parler d'une telle folie.

– La Tribu n'en parle pas, précisa Sol en secouant la tête, mais parfois, je pense aux Creuseurs et aux vies remplies d'horreur qu'ils doivent avoir, et je suis troublé.

Maeve nota avec étonnement qu'il s'exprimait d'une voix triste et lasse.

– Sol, on s'occupe d'eux. On leur donne un but. On les protège, y compris d'eux-mêmes. Cependant, ils sont si vils qu'ils ne cessent de fuir la sécurité et les soins qu'on leur apporte. Ils sont irréfléchis et courent à leur perte. Au coucher du soleil,

6

— Elle a fait son choix ! Elle a fait son choix ! Il y a un nouveau Compagnon !

Nik lâcha le couteau qu'il utilisait pour sculpter des motifs sur la crosse de l'arbalète, manquant de peu se couper le pied.

– Nikolas, concentre-toi ! Peu importe ce qui se passe autour de toi. Quelles que soient les distractions. Tu dois *toujours* rester attentif quand tu tiens une lame. Tu le sais bien, pourtant. Je ne devrais pas avoir à te le rappeler !

Le Sculpteur le regarda en fronçant les sourcils. Le petit canin maigre et nerveux qui n'était jamais loin du vieil homme leva la tête et pointa son museau gris en direction de Nik, lui adressant un regard méprisant.

Le jeune homme ouvrit la bouche pour protester. Le couteau avait juste glissé ; c'était un accident bénin ! Mais son regard fut attiré par la jambe droite du vieil homme, entièrement emmaillotée de bandages. Nik ne savait que trop bien quelles blessures cachaient les cataplasmes, et il se ravisa.

Accident ou pas, le résultat aurait pu être le même pour Nik si sa chair avait été entaillée : la maladie de la rouille, qui ne pardonnait jamais. Détournant les yeux du vieil homme, Nik hocha la tête :

– Oui, maître, tu as raison. Je serai plus prudent, dorénavant.

Le Sculpteur lui répondait en maugréant lorsque O'Bryan passa la tête dans l'embrasure de la porte.

– Cousin ! Qu'est-ce que tu fabriques enfermé ici ? Dehors, c'est l'effervescence !

Le jeune homme surexcité adressa au Sculpteur un regard qui aurait été respectueux s'il n'avait pas été aussi tardif.

– Pardonne-moi pour cette interruption, maître Sculpteur, mais la dernière femelle de la portée a choisi.

– Oui, nous l'avons entendu, dit le vieil homme, avant d'ajouter, d'un ton qui trahit sa curiosité : *qui* est le nouveau Compagnon ?

– Eh bien, c'est une Compagnonne une fois de plus, révéla O'Bryan avec un sourire sarcastique. La jeune canine a choisi Maeve.

– Maeve ! Elle a perdu sa Taryn il y a trois hivers, dit le Sculpteur, qui semblait aussi heureux que surpris. Très bien, très bien. Je suis content pour elle. C'est épouvantable de perdre son Compagnon.

Il baissa la tête vers le canin appuyé contre lui et lui agita affectueusement les oreilles.

Troublé par cette nouvelle, Nik se renfrogna et lança, agacé :

– Maeve ? La femelle Berger a choisi Maeve ? Mais elle est vieille !

– Ce genre de commentaire te fait passer pour un blanc-bec et non pour l'adulte que tu prétends être, rétorqua le Sculpteur d'un ton sec.

– Je ne voulais pas être irrespectueux, maître, dit Nik. Mais je ne serai certainement pas le seul à m'étonner de ce gâchis. Comment se fait-il qu'un Guide choisisse quelqu'un dont la vie est plus qu'à moitié écoulée ?

– Nik ne veut pas dire…, commença O'Bryan avant d'être interrompu par le Sculpteur :

– Je pense que tu devrais laisser Nik expliquer ce qu'il veut dire.

– C'est évident, non ? soutint l'intéressé. Maeve a vu plus de cinquante hivers. Elle est douée pour entretenir les Plantes Mères, et sa voix est toujours juste et cristalline, mais ne devrait-elle pas transmettre ses dons ? Beaucoup de jeunes attendent d'être faits Compagnons et Guides. Or, maintenant qu'une jeune Guide a choisi Maeve, il n'y a aucune chance que ça arrive, aucune chance pour que quiconque prenne sa place pendant une ou deux décennies. En plus, elle mourra sans doute avant sa Compagnonne, ce qui signifie que la Tribu devra gérer la pagaille qu'elle laissera derrière elle.

– Par *pagaille*, fais-tu allusion à sa canine éplorée ? lui demanda le Sculpteur d'un ton faussement cordial.

– Oui, mais aussi aux Plantes Mères et aux accoucheuses de la Tribu. Elles auront perdu une Soigneuse expérimentée qui n'aura pas transmis toutes ses connaissances parce qu'elle assumait toujours activement le rôle de Guide, alors qu'elle aurait dû se retirer et devenir enseignante depuis longtemps.

– Et pourtant, la canine a choisi Maeve.

– Je persiste à croire que c'est du gâchis. Je suis pragmatique.

– Pragmatique ? Nikolas, sais-tu combien de canins m'ont choisi ? demanda abruptement le vieil homme.

– Non.

– Deux ? suggéra O'Bryan avec hésitation.

– Paladin est mon troisième canin.

– Troisième ! s'exclama O'Bryan en contemplant avec un large sourire le Terrier, qui remua la queue comme pour confirmer. C'est impressionnant.

– Oui, mais aucun d'eux n'était un Berger. Ni un Guide, précisa Nik.

– Crois-tu que cela change quelque chose à la profondeur de l'attachement entre un Compagnon et son canin ? demanda le Sculpteur en le transperçant de ses yeux vert mousse. Crois-tu que la vie que je partage avec mes canins a moins de valeur parce que ce ne sont ni des Bergers, ni des Guides ?

La main qui jusque-là était posée avec bienveillance sur la tête de Paladin frappa l'établi avec une telle force que les pièces de bois sculpté tremblèrent.

– Sans les Terriers, nous n'aurions pas de Chasseurs. Sans Chasseurs, les canins Guides et leurs Compagnons mourraient de faim. *Ça*, c'est *pragmatique*.

– «Tout doit avoir un but. C'est en satisfaisant les besoins de la Tribu que l'on répondra à ceux de l'individu», récita O'Bryan avec calme, pour tenter de dissiper la tension grandissante entre le Sculpteur et son cousin, qui était un peu trop franc.

Les deux hommes ne semblèrent pas l'avoir entendu.

– Il ne s'agit pas de ça, dit Nik d'un ton plus frustré que contrit. Je n'ai pas voulu dire que Paladin et toi aviez peu de valeur. C'est juste que je me soucie de ce qui est le mieux pour la Tribu.

– Laru est le deuxième canin à avoir choisi ton père, rappela le vieux.

– Maître Sculpteur, tous les membres de la Tribu le savent.

– Et quel âge avait ton père quand Laru l'a choisi ?

Nik fronça les sourcils lorsqu'il comprit où son interlocuteur voulait en venir.

– Quarante-sept ans. Ça aussi, c'est connu de tous.

– Exact. Et même si je suis un vieil homme à la santé défaillante, je me souviens très bien de ce jour, il y a sept ans, où Laru a fait son choix. Tu t'en étais réjoui avec l'ensemble de la Tribu, n'est-ce pas ?

– Oui, mais c'était différent. Père était notre Prêtre du Soleil. Il l'est toujours, d'ailleurs. La Tribu a besoin de lui, et il n'y a aucune raison qu'il se retire, à moins que…

Nik s'interrompit, réalisant ce que le vieil homme essayait de le forcer à admettre.

– Continue. À moins que quoi ?

Nik inspira à fond. Il n'allait pas laisser ce vieillard malade l'obliger à reconnaître tout haut ce que la Tribu entière murmurait. Que l'unique enfant de leur Sol bien-aimé, qui avait été légitimement préparé à succéder à son père, ne pouvait pas occuper cette fonction de Guide *parce qu'il n'avait pas été choisi comme Compagnon par un Berger. Ni par aucun canin, d'ailleurs.* Par conséquent, la Tribu, et Nik, attendaient que le jeune homme soit choisi, ou que quelqu'un d'autre soit formé par Sol pour le remplacer. Nik termina sa phrase par ces mots :

– Tout ce que je voulais dire, c'est que père a encore de nombreuses années devant lui avant que son successeur, quel qu'il soit, lui permette d'abandonner ses obligations de Guide. Mais tu as peut-être raison, maître. Peut-être ne devrais-je pas juger Maeve si vite à cause de son âge.

Il haussa les épaules nonchalamment, comme pour clore la discussion.

– On ne peut pas reprocher à Nik de trouver son père exceptionnellement fort pour un homme de son âge, déclara O'Bryan, soutenant comme toujours son cousin. On veut tous penser ça de nos pères, et dans ce cas précis, Nik a raison ! ajouta-t-il avec un grand sourire.

Le Sculpteur ignora cette intervention et continua à observer Nik.

– Fils de Sol, rappelle-moi : combien d'hivers as-tu connus ? fit-il.

Nik considéra l'homme en plissant les yeux, étonné de ce changement soudain de sujet. Peut-être devrait-il avoir pitié de lui. Son regard se porta de nouveau sur sa jambe blessée. Son esprit peut-être commençait lui aussi à se délabrer.

– J'ai connu vingt-trois hivers, maître, répondit-il, en s'efforçant d'employer un ton respectueux.

– Et rappelle-moi aussi quel âge ont la grande majorité des Compagnons quand ils sont choisis par un canin ?

Nik eut l'impression d'avoir reçu un coup de poing dans le ventre. Il veilla néanmoins à ne rien laisser paraître de ses émotions lorsqu'il répéta ce que tous les membres de la Tribu des Arbres savaient :

– La plupart des canins choisissent des Compagnons qui ont connu entre dix-huit et vingt et un hivers.

– En effet, confirma le vieil homme en transperçant Nik du regard. Et toi, le fils du Prêtre du Soleil, Sol, Compagnon du géniteur des six dernières portées de Bergers de la Tribu, tu as passé vingt-trois hivers sans avoir été choisi.

– Personne ne sait pourquoi les canins choisissent telle ou telle personne, répliqua Nik, qui s'en voulait de paraître sur la défensive et désespéré.

– Exact, nous ne savons pas pourquoi les canins choisissent telle ou telle personne ; en revanche, nous savons très bien pourquoi ils ne choisissent pas quelqu'un.

– Pas toujours ! contesta Nik, qui faisait de gros efforts pour contrôler sa colère. Ma mère était l'artiste la plus talentueuse de la Tribu. Elle était belle, intelligente et aimée de tous ; pourtant, elle n'a *jamais* été faite Compagnonne.

– Ah, mais cela tourmentait-il son esprit autant que cela tourmente le tien ?

– Maitre Sculpteur, tu étais son enseignant préféré. Tu connais la réponse aussi bien que moi. Si ma mère était là, elle dirait que cette question est indigne de toi.

– Je n'en doute pas une seconde. Je suis également persuadé qu'elle aurait quelques reproches à te faire, à toi aussi. Des reproches que tu n'aurais pas très envie d'écouter.

Comme si leur échange l'avait fatigué, le vieil homme se laissa tomber lourdement sur sa chaise. Il caressa d'un geste lent le Terrier, qui grimpa avec raideur sur ses genoux.

– Ne fais pas attention aux réflexions d'un vieillard, Paladin. Nikolas, tu es libre de participer à la célébration de la Tribu.

– Nik, allons-y ! Le soleil est presque couché. On va manquer les derniers rayons. Il y aura un monde fou à la fête. Il faut qu'on arrive au Rassemblement avant que les meilleurs perchoirs soient pris.

O'Bryan inclina la tête et s'adressa au Sculpteur :

– Maître, as-tu besoin d'aide pour aller au Rassemblement ?

– Non, mon garçon. Paladin me suffit. On vous suivra, lentement, mais sûrement. Nikolas, je n'ai pas besoin de te voir demain.

Fronçant les sourcils, Nik effleura du bout des doigts le motif complexe qu'il avait commencé à sculpter sur l'arbalète.

– Maître, la crosse n'est pas terminée.

– Elle attendra.

– Je reviendrai après-demain, donc ?

– Peut-être. Peut-être pas. Attends que je t'appelle. Quand je t'estimerai prêt à reprendre ta formation, j'enverrai Paladin te chercher.

Nik sentit le rouge lui monter aux joues.

– Tu veux que je reste à attendre que tu m'appelles ? Comme si j'étais un novice et non un artisan qualifié ?

– Je veux que tu fasses ce qu'on te demande, Nikolas. Et personne n'oserait mettre en cause tes compétences d'artisan, car elles sont aussi vastes que ton talent d'archer. Ce sont uniquement tes qualités humaines que je mets en doute. Une pause dans ta formation te permettra peut-être de découvrir un moyen de les développer.

Nik ferma les poings, en proie à une rage impuissante. Si le Sculpteur n'avait pas eu le quadruple de son âge et un pied dans la tombe, il lui aurait fait regretter ses paroles.

– Cousin, il est grand temps qu'on parte, insista O'Bryan.

– Tu as raison, approuva Nik en tournant le dos au vieil homme et à son Terrier. Je suis plus que prêt à m'en aller.

Pour Nik, l'excitation familière qui animait la Tribu après un choix était douce-amère. Une Guide avait été choisie, démontrant une fois de plus que la Tribu continuait de prospérer. Cinq Bergers étaient nés, tous viables, et avaient dépassé six mois, et ils étaient sevrés. À présent, quatre d'entre eux avaient choisi un Compagnon. Laru, le canin du père de Nik, engendrait des petits forts et intelligents, preuve que le Soleil bénissait la Tribu des Arbres. Cela rassurait Nik sur la puissance de son peuple. Cependant, le jeune homme allait sur son vingt-quatrième hiver et aucun petit – Guide ou Chasseur – ne lui avait seulement jeté un coup d'œil.

– Le vieil homme a raison.

– Hein ? fit O'Bryan au-dessus des rires et de la musique.

Il saisit la cruche en bois dans la fourche du gigantesque pin.

– Tu veux plus de bière ? proposa-t-il à son cousin.

– Oui, pourquoi pas ? répondit Nik.

Il lui tendit sa chope, à laquelle il avait à peine touché.

O'Bryan attrapa une branche qui dépassait, ramena la petite balançoire en forme de hamac vers son cousin et remplit la chope à ras bord de bière de printemps mousseuse.

– Ne te laisse pas déstabiliser par ce que le maître Sculpteur t'a dit. Tu sais bien qu'il n'est pas en bonne santé.

Nik évita le regard plein de gentillesse de son cousin et répéta :

– Il a raison. Il y a quelque chose qui cloche chez moi.

– C'est des conneries et tu le sais.

– Dans ce cas, pourquoi n'ai-je pas encore été choisi ? Alors qu'une vieille femme vient d'avoir une seconde chance.

Nik pointa le menton vers le groupe joyeux qui entourait Maeve et Fortina, installées à la place d'honneur, près de son père.

– Cousin, tu ne t'es jamais dit que le Compagnon parfait pour toi n'était pas encore né ?

Nik ouvrit la bouche, mais il ne sut plus quoi répondre lorsqu'il vit un jeune et grand canin mâle traverser d'un pas assuré la Tribu au trot, vers sa camarade de portée pelotonnée contre Maeve. Après avoir touché la truffe de Fortina avec la sienne et léché avec affection la main que lui tendait la femme, il s'assit près de la jeune canine. Il posa ensuite le nez sur ses pattes et bâilla. Puis ses yeux ambrés se plantèrent dans ceux de Nik, à l'autre bout de la plate-forme de Rassemblement. Le jeune homme cessa de respirer. Le canin soutint son regard pendant de longues secondes. Puis, lentement, il ferma les yeux et s'endormit.

Nik aspira une grande bouffée d'air et referma la bouche.

– Ce petit est beau, commenta O'Bryan.

Incapable de retrouver la voix, Nik hocha la tête.

– J'ai entendu ton père parler à l'un des Gardiens. Il disait que ce canin est encore plus grand et plus fort que Laru à son âge. D'après lui, le Compagnon qu'il choisira fera un excellent Guide.

Nik but une gorgée de bière, essuya la mousse sur ses lèvres avec le dos de sa main et répondit :

– Oui, moi aussi, je l'ai entendu dire ça.

– Nik, ce canin a presque six mois. Il choisira bientôt un Compagnon. Peut-être que ce sera toi, chuchota O'Bryan à l'oreille de son cousin, avec douceur, mais sérieux.

Nik étouffa un bruit à mi-chemin entre le rire et le sanglot, puis songea : « Je donnerais n'importe quoi, absolument n'importe quoi pour qu'il me choisisse. » Soudain, un roulement de tambour retentit.

La foule perchée autour du pont basculant qui donnait accès à la plate-forme s'ouvrit et la Conteuse se dirigea vers Sol et Maeve en faisant tournoyer sa grande cape en fourrure de lapin. Près d'elle marchait à pas feutrés son Compagnon, un Berger à la tête noire. Son poitrail et son cou étaient si musclés que la Tribu l'avait appelé Ours, surnom qui lui était resté, et que même la Conteuse avait adopté. La femme s'arrêta devant la place d'honneur et fit un signe de tête au père de Nik.

– C'est un jour béni, Prêtre du Soleil.

La voix de la Conteuse était impressionnante. Elle porta aisément de l'autre côté de la plate-forme, s'éleva dans la canopée des pins colossaux, se propageant à l'intérieur de chaque creux, nid et nacelle tel un brouillard hivernal.

– En effet, Ralina, approuva Sol avec un sourire amical. As-tu une histoire pour nous ? Ce serait une manière idéale de clore les bénédictions de cette journée.

– Peut-être. Peut-être pas, répondit Ralina. Tu connais les préceptes de la tradition, Sol. Ce soir, c'est notre nouvelle Compagnonne qui choisit mon conte. Que le Soleil bénisse ton union avec Fortina, ajouta-t-elle très chaleureusement, en posant son regard émeraude sur Maeve.

Sans hésiter, cette dernière répondit, tout en caressant la jeune canine à ses pieds :

– Le Conte des Fins et des Commencements.

Des murmures de satisfaction se répandirent dans la Tribu, évoquant à Nik le bruit des aiguilles de pins bruissant dans le vent. Il ne put s'empêcher de grogner.

– Encore ce vieux conte !

– Maeve est très attachée à la tradition, expliqua O'Bryan en haussant les épaules. Et, d'accord, c'est un conte ancien, mais il est chouette.

Il réprima un rot, puis remplit de nouveau sa chope de bière.

– Quand tu seras choisi...

O'Bryan n'acheva pas sa phrase d'encouragement, car Ralina prit place devant le plus grand des braseros disposés en demi-cercle autour des Arbres Mères et de leur précieuse garniture, les Plantes Mères. La Tribu retint son souffle. Avec un geste théâtral, Ralina ôta sa grande cape ; alors, de hautes flammes jaillirent des feux, passant du jaune soleil à un bleu-vert surnaturel. Les membres de la Tribu s'extasièrent en chœur devant la beauté de la Conteuse. Celle-ci portait une robe droite tricotée toute simple, teinte en jaune doré pour l'assortir à sa somptueuse chevelure qui tombait en cascade dans son dos. Chaque parcelle de sa robe était ornée de perles, de miroirs et de coquillages multicolores, qui ponctuaient musicalement son récit au gré de ses gracieux mouvements.

Même Nik, qui connaissait chaque mot de cette histoire, était incapable de détacher les yeux de la Conteuse, qui commença à déclamer, comme ravie :

– Voici donc le Conte des Fins et des Commencements.

Ralina joignait le geste à la parole, faisant voleter les franges de ses manches.

– Il y a bien longtemps, le monde était beaucoup plus petit qu'aujourd'hui. Les gens pullulaient à la surface de notre verte terre, étouffant les arbres avec des villes de pierre, de métal et de verre. Ils remplissaient chaque interstice avec des labyrinthes de béton sur lesquels ils se déplaçaient.

Dans un mouvement fluide, Ralina alla caresser l'écorce du pin le plus proche.

– Les arbres n'étaient pas protégés, mais négligés, perdus. La population ignorait qu'ils respiraient et se moquait de leurs difficultés à pousser. Elle croyait en une seule chose, qu'elle entretenait et protégeait exclusivement, une chose trompeuse et sans vie appelée *technologie*.

La Conteuse traversa la plate-forme en virevoltant.

– Le monde continua à tourner, reprit-elle. On voyait les hivers et l'on y survivait facilement. Les gens se sentaient rassurés par la domination qu'ils exerçaient sur tout.

Arrivée devant le brasero central, Ralina cessa de tournoyer. Elle regarda vers l'est, comme si elle pouvait voir, à travers la canopée verdoyante des pins anciens, l'horizon sombre et lointain.

– Mais les gens ne purent maintenir leur domination sur le Soleil !

– Le Soleil ! répéta la Tribu.

Ralina sourit et ses mains recommencèrent à bouger autour d'elle avec grâce et lenteur.

– Cela débuta progressivement, poursuivit-elle. Notre Soleil vomit son mécontentement en envoyant des rayons d'énergie perturber tout ce qui alimentait la technologie. Loin au-dessus de la Terre, mais pas aussi loin que le Soleil, ces rayons d'énergie détruisirent d'abord les objets en orbite créés par l'homme. La population tint-elle compte de ses avertissements ?

– Non ! répondirent en chœur les membres de la Tribu.

– Non, elle n'en tint pas compte, confirma Ralina. Alors, toujours vigilant, le Soleil cracha d'autres rayons, et la chose appelée *électricité* fut entièrement détruite. La population tint-elle compte des avertissements du Soleil ?

– Non !

La voix de Ralina baissa et devint grave. La Conteuse semblait désormais possédée par son histoire, qui parut se poursuivre toute seule :

– Le Soleil continua de vomir sa puissance sur les gens, avec une grande violence et sans relâche, jusqu'à ce que *tout* fût anéanti. *Tout !* Dans une magnifique explosion flamboyante, tout ce qui était inanimé brûla, brûla.

La voix de la Conteuse résonna dans la Tribu silencieuse. La femme écarta les bras et reprit :

– Mais notre Soleil ne fut pas rassasié, parce que la population ne tenait toujours pas compte de ses avertissements. Tandis qu'elle s'empressait de reconstruire sa technologie sans vie, il lui envoya une ultime mise en garde d'une puissance inouïe. Le firmament au-dessus de nos têtes et la terre sous nos pieds en furent bouleversés.

Ralina s'immobilisa.

– L'air se réchauffa et se raréfia. Les gens et les animaux commencèrent à mourir. Comme si elle pleurait ce monde à l'agonie, la terre trembla. Afin de se soustraire à la colère du Soleil, elle disparut, par endroits, dans les profondeurs de l'océan, emportant les habitants avec elle.

La Conteuse pencha la tête et continua d'une voix remplie de tristesse.

– Les villes sombrèrent dans le chaos. Le chaos conduisit à la mort. De cette mort surgit un nouveau danger. Les bêtes autrefois les plus petites et les plus insignifiantes – simples scarabées, minuscules araignées, irritants cafards –, imposèrent leur joug à la population.

À ces mots, tous les membres de la Tribu frissonnèrent. Même Nik jeta un coup d'œil par-dessus son épaule, comme si la voix de la Conteuse pouvait faire surgir une bête rampante des ténèbres.

– Toutes les bonnes et merveilleuses choses du monde étaient en train de mourir, ne laissant que celles qui se nourrissaient de proies, en d'autres termes, les plus viles, les plus sinistres.

Ralina marqua une pause, puis ses pieds commencèrent à taper un rythme, lentement, avec grâce. *Un deux trois, un deux trois – tap tap tap*. Les nombreux rangs de coquillages et de pièces de monnaie antiques enroulés autour de ses chevilles produisirent de la musique, et sa robe chatoya de plus belle dans la lumière du brasero. Sa voix lyrique transforma l'histoire en chant.

Mais avant que la mort ne soit partout,
de la fin vint le commencement.
Car tous les gens n'étaient pas sourds.
Certains quittèrent les villes sans âme,
et suivirent la promesse de la végétation,
De la végétation qui guérit.
Vers la forêt ils se tournèrent !
Vers la forêt ils se tournèrent !

Ralina continua de taper des pieds en cadence, mais sa voix devint douce et triste.

– Pour la population, l'apprentissage d'un nouveau mode de vie fut lent et douloureux.

Ralina inclina la tête.

– Au début, les gens essayèrent de perpétuer leurs anciennes façons et construisirent leurs maisons sur le sol de la forêt. Dans la journée, les arbres les aidaient à respirer et les abritaient de la colère du Soleil. Mais chaque nuit, de nouvelles horreurs surgissaient. D'abord arrivèrent les scarabées – les crache-sang –, avec leurs mâchoires tranchantes. Ensuite vinrent les araignées – les araignées-loups – qui chassaient grâce à leurs toiles semblables à des filets. Pour finir débarquèrent les cafards – les cafards broyeurs –, dont la taille avait décuplé, et qui grouillaient, insatiables, sur le sol de la forêt une fois le soleil couché, tuant sans relâche tout ce qu'ils trouvaient.

Ralina releva la tête.

– Mais les gens n'abandonnèrent pas. Enfin, enfin, ils se réfugièrent dans les arbres !

Toujours captivés, les membres de la Tribu ponctuèrent ce passage par des murmures et des hochements de tête.

– Quand survint le premier hiver, un très grand nombre d'entre eux moururent. Mais le petit groupe qui survécut *découvrit... apprit... se délecta* de cette vie très différente.

Ralina se retourna et, d'un petit coup de poignet plein de grâce, lança des herbes dans le brasero, d'où jaillirent de nouvelles flammes bleu-vert.

– Les personnes les plus fortes, les plus courageuses, les plus sages et les plus intelligentes s'étaient réfugiées dans les arbres avec leur famille et leurs canins.

Ralina fit une révérence à son Berger à fort poitrail, et sembla poursuivre son récit pour lui seul. Ours frappa la plate-forme de sa queue et regarda sa Compagnonne avec des yeux pleins d'adoration.

Oubliant son agacement, Nik se redressa, car la Conteuse arrivait au passage qu'il préférait.

Mais certaines voix s'élevèrent :
« Si vous choisissez de garder vos chiens, vous partez !
Nous n'avons pas assez de nourriture ! »
– Les personnes les meilleures refusèrent. Elles avaient perdu beaucoup, mais elles n'étaient pas prêtes à supporter cette perte-là. Alors, elles quittèrent les autres et s'enfoncèrent plus profondément dans la forêt, s'éloignant encore des ruines, du chaos et de la mort du passé. Et cette première Tribu et ses canins grimpèrent, de plus en plus haut.
Toujours agenouillée devant son Compagnon, Ralina recommença ses délicats et gracieux gestes des mains.
– Avec l'hiver tombèrent la neige, le froid et l'obscurité. La première Tribu était sans défense face à cette implacable réalité. Elle pleurait de désespoir, criait : « Notre situation est désespérée ! »
Après avoir mimé les flocons de neige, Ralina caressa avec tendresse la tête d'Ours, puis son épais pelage brillant.
– Ce fut le canin de la Tribu qui trouva son salut. Parmi les branches de six pins sentinelles, qui avaient poussé ensemble en formant un cœur, un jeune Berger découvrit une fougère qui lui ouvrit ses frondes comme s'il était le soleil. Le petit se nicha à l'intérieur, au chaud, au sec, à l'abri. La Tribu rejoignit son canin dans ces épaisses frondes aimantes et divines.
– Et, l'hiver passant, la première Tribu comprit ce que ce Berger avait découvert.

Ralina se remit debout et fit face à la Tribu. Son corps tout entier rayonnait de joie.

– Elle découvrit la sécurité dans les branches verdoyantes. La beauté. La puissance. Elle découvrit la Plante Mère dans les branches aimantes verdoyantes !

Les membres de la Tribu, incapables de se retenir, répétèrent avec passion :

– Elle découvrit la Plante Mère !

Ralina tendit les mains vers le ciel. Au-dessus d'elle, les arbres se balancèrent dans un chuchotement de vent nocturne, permettant à la lumière chatoyante de la pleine lune de danser sur son corps. Pour Nik, la Conteuse devint soudain comme un jeune pin magnifique s'étirant pour capturer une caresse de clair de lune.

– Lorsque le printemps réveilla la première Tribu et que les jours sombres devinrent clairs et ensoleillés, ses membres saisirent toute l'étendue du miracle que le Soleil avait accompli pour eux et leurs canins.

Ralina se lança dans une élégante danse destinée aux Arbres Mères. Les Plantes Mères qui reposaient au sein de leurs branches étaient chargées d'énormes frondes argentées par un délicat duvet de poils.

– Désormais, tu ne faisais plus qu'un avec la Tribu. Tes spores entraient en nous. Nous transformant pour toujours. Nous liant pour toujours. En tant que Compagnons, bien-aimés du Soleil, Tribu des Arbres !

La foule répétait en criant le vers familier lorsque O'Bryan donna un coup de coude à Nik et murmura :

– Hé ! Regarde le jeune mâle. Qu'est-ce qu'il fabrique ?

Nik braqua son regard sur le canin : il s'était réveillé et se dirigeait vers lui à pas feutrés ! Un frisson d'espoir l'effleura de la tête aux pieds lorsque le petit mâle le rejoignit, et leva les yeux vers lui, l'air d'attendre quelque chose.

7

— Testicules de crache-sang ! Est-ce qu'il te choisit ? chuchota O'Bryan.

Nik ne voulait pas bouger, ni se détourner des yeux d'ambre du jeune canin, ni répondre à son cousin, par crainte de rompre le charme.

– Hé, petit ! Me revoilà !

Le Gardien apparut près de Nik, une main lourde posée sur l'arbre tout proche et tanguant légèrement.

– Faut qu'il descende encore, c'est ça ?

Le canin reporta son attention sur le vieil homme et, impatient, remua la queue, en poussant un petit glapissement.

Nik prit une profonde inspiration. Il venait de se rendre compte qu'à force d'immobilité et de concentration il avait oublié de respirer. N'étant plus soutenu par celui du jeune mâle, son regard se dirigea machinalement vers la place d'honneur, de l'autre côté de la plate-forme, où était assis son père. Sol l'observait avec une telle intensité qu'il n'eut pas le temps de modifier l'expression de son visage, et son fils y lut toutes ses émotions : l'espoir, la tristesse, la déception et pour finir, la pitié.

Embarrassé, Nik s'empressa de tourner la tête, de peur de voir toute la Tribu le considérer de la même manière.

– Eh bien, petit, je savais que je n'aurais pas dû te laisser boire autant d'eau si tard, mais c'est la fête !

Le Gardien oscilla et éructa. Nik reçut une bouffée d'une boisson beaucoup plus forte que la bière de printemps.

Cherchant à dissimuler combien il était ébranlé, il hocha la tête et déclara :

– Ouais, il s'est pointé ici, juste comme ça ; de toute évidence, il te cherchait.

Le Gardien soupira et observa le canin avec un regard trouble, les yeux plissés.

– Je suppose que tu ne pouvais pas attendre que Ralina finisse son histoire ?

– Je vais le faire descendre, s'entendit répondre Nik.

– Tu es sûr ? lui demanda O'Bryan. Le soleil a complètement disparu de l'horizon.

– Cousin, on va juste s'éloigner de quelques pas pour qu'il se soulage. On ne part pas en expédition.

– C'est vrai, ça ! C'est absolument sans risque, approuva le Gardien d'une voix pâteuse. Ce canin c'est le plus malin et le plus grand de toute la portée. La nuit, il ne va jamais au-delà de la lueur des flambeaux.

– Tu veux que je t'accompagne ? proposa O'Bryan.

Nik le jaugea d'un rapide coup d'œil. Son cousin en était à son deuxième pichet de bière.

– Inutile, lui répondit-il. Je serai de retour avant que Ralina arrive au passage sur l'emmaillotage des bébés dans la Plante Mère.

Le vieil homme lui donna une claque amicale sur l'épaule.

– Brave Nik ! Ça te dérange si je garde ton perchoir au chaud pendant que tu t'absentes ? On voit mieux d'ici.

Nik se leva, et le Gardien se laissa tomber dans son siège sans attendre de réponse.

– Pas de problème, accepta le jeune homme.

Il tendit au Gardien sa chope de bière, à laquelle il n'avait presque pas touché.

– Autant que tu me tiennes ça aussi au chaud.

Devant la mine perplexe du vieil homme, Nik sourit et ajouta :

– Tu peux la boire.

– Ah ! Merci, Nik ! J'ai toujours su que tu étais un chic type. Que tu sois un Compagnon ou pas. Tiens, tu devrais emporter ça. On n'est jamais trop prudent.

Il présenta à Nik une arbalète armée d'une flèche.

– Une seule flèche ? s'étonna O'Bryan.

Le Gardien rit et se justifia :

– Il n'en faut pas plus quand on est aussi doué que Nik !

Il désigna celui-ci du doigt et ordonna au canin :

– Petit, va avec lui !

Habitué à l'arme, Nik la saisit avec aisance ; il tapota sa jambe pour encourager le jeune canin à le suivre, puis il se faufila aussi rapidement et aussi discrètement que possible à travers la foule compacte, s'efforçant d'ignorer les regards curieux qu'on lui jetait.

Il atteignit sans délai les passerelles sinueuses qui s'étendaient, tels les rayons d'une roue géante, depuis les Arbres Mères jusqu'à l'étalement labyrinthique de la Cité dans les Arbres. Une fois hors de la vue des curieux, il s'autorisa à se détendre et à savourer – ne fût-ce qu'un bref instant – chaque seconde passée seul en compagnie du jeune canin.

– Tu es beau, c'est certain, lui dit-il.

Au son de sa voix, le petit, qui marchait à ses côtés, leva la tête, la langue pendante, dans la version canine d'un sourire.

Nik lui sourit à son tour et ajouta :

– Tu es intelligent, aussi.

« Si seulement tu m'avais choisi ! » songea-t-il. Mais il ne dirait pas tout fort ce que son âme criait. Cela ne servirait à rien ; le petit canin choisirait son Compagnon en fonction de ce que son instinct lui dicterait, et l'on ne pouvait influencer, encore moins forcer ce choix. En outre, quelqu'un risquait de l'entendre supplier et prier pour quelque chose qui n'arriverait peut-être jamais.

Le canin glapit en le regardant et tourna autour de ses pieds avec agitation.

Nik soupira et caressa la tête noire du canin avant de se tourner vers la porte du nid suspendu le plus près de l'ascenseur. Il donna deux petits coups secs dessus avec la crosse de son arbalète.

– J'ai besoin de descendre un jeune canin ! annonça-t-il.

La porte s'ouvrit aussitôt ; un jeune Terrier sortit d'un bond, suivi d'un jeune homme mince qui s'essuya le menton. Son regard passa du canin à Nik en un éclair, et son visage se fendit d'un sourire radieux.

– Nik ! s'exclama-t-il. Est-ce que le grand mâle… ?

– A choisi de boire trop d'eau trop tard ? Oui. Exactement comme son Gardien a choisi de boire trop de whisky trop tôt.

Nik partit d'un petit rire, comme si son unique souci était d'emmener un jeune canin se soulager.

– Tu veux bien m'ouvrir, s'il te plaît, Davis ? demanda-t-il en désignant la porte de l'ascenseur.

– Bien sûr !

Davis sortit de son nid et s'approcha en hâte du levier actionnant l'imposant système de poulies qui permettait à la Tribu et ses Compagnons canins d'accéder au sol de la forêt, quinze mètres plus bas.

– C'est quand tu veux, indiqua-t-il à Nik.

Il rappela son Terrier, qui s'apprêtait à suivre le petit dans la cabine en bois carrée de l'ascenseur.

– Pas toi, Cameron. Tu as connu plus d'un hiver. Tu es assez grand pour attendre le lever du soleil.

– Ça ne me dérange pas que Cammy vienne avec nous, dit Nik en se penchant pour ébouriffer les grandes oreilles blondes du Terrier. Il pourra m'aider à surveiller le petit.

– D'accord, mais fais vite. Le soleil est couché depuis longtemps. Inutile que je te rappelle ce que ça signifie, déclara Davis, en lui tendant une torche allumée.

Nik hocha la tête et ferma le loquet de la porte de la cabine.

– C'est pourquoi j'ai ça, précisa-t-il, en levant l'arbalète du Gardien.

– J'espère que tu n'auras pas besoin de t'en servir, mais je suis content que tu l'aies, approuva Davis, avant d'ajouter : Je ne sais pas si tu es au courant, mais on est quelques Chasseurs à avoir trouvé des signes assez étranges, en bas, dernièrement.

Nik fut sidéré. Non, il n'avait entendu parler que de l'habituel cocktail d'insectes mortels, de plantes vénéneuses et d'humanoïdes mutants.

– Quels signes ? s'enquit-il.

– En fait, je ne devrais rien dire, répondit Davis, mal à l'aise. Thaddée m'a ordonné de me taire.

– Ne t'inquiète pas ! Je ne le répéterai pas. De quels signes parles-tu ? insista Nik, qui sentit des frissons courir le long de sa colonne vertébrale.

– J'ai trouvé un cerf à moitié dépiauté.

– Quelqu'un a gaspillé une nourriture aussi précieuse ? C'est bizarre, en effet.

– C'est plus que bizarre. Le cerf était toujours en vie.

– Quoi ?!

– Ses seules blessures étaient dues au fait qu'il avait été partiellement découpé en filets.

– Les Voleurs de Peaux ! Pourquoi chassiez-vous si près de la Ville ?

– Justement, Nik : on en était loin. Et on n'a vu aucune trace des Voleurs de Peaux. C'était horrible. Vraiment atroce.

Davis s'interrompit un instant et frémit.

– Je l'ai achevé. En vitesse. Thaddée et moi étions seuls à nous entraîner. Ce cerf est apparu tout d'un coup au milieu du sentier et a pratiquement foncé sur moi. Je lui ai d'abord décoché une flèche, puis je l'ai égorgé. La pauvre bête était folle de douleur.

Davis, le teint pâle, secoua la tête.

– Quand j'ai touché son artère, le sang a giclé sur le visage de Thaddée, qui se tenait tout près, et il est entré dans ses yeux et sa bouche, poursuivit-il. D'après Thaddée, il y avait un truc qui clochait avec ce sang. Il avait un goût rance qui lui a donné des haut-le-cœur.

– Vous n'avez pas rapporté la viande dans la Cité, j'espère ?

– Non, bien sûr. Tu aurais dû voir cet animal, Nik. Il avait vraiment quelque chose contre nature. On a brûlé son corps.

– Vous avez bien réagi. Il était sans doute malade, avait erré trop près de Port City et les Voleurs de Peaux l'ont attaqué. Couilles de crache-sang ! Ces Voleurs de Peaux me dégoûtent ! Pourtant, je ne pensais pas qu'ils s'en prenaient à des animaux. Je croyais qu'ils n'écorchaient – et ne mangeaient – que les gens.

Nik grimaça. Il avait l'estomac tout retourné.

– Ils sont complètement cinglés, affirma Davis en secouant la tête.

Après une pause, il ajouta :

– Hé, merci de m'avoir écouté… et de garder ça pour toi.

– Pas de problème.

Le jeune canin glapit en implorant Nik du regard et sauta sur sa jambe.

– D'accord. Désolé, fit Nik.

Puis, jetant un coup d'œil à Davis à travers les lattes en bois de la cabine, il dit :

– Ne t'en fais pas. Je serai prudent et rapide. On va aller se soulager tous les trois et ensuite, je te ferai signe en agitant la torche.

– Et je vous ferai remonter aussitôt. Dépêchez-vous.

Davis libéra le levier ; l'on entendit alors le cliquetis d'une grosse chaîne récupérée des décennies auparavant dans les ruines d'une ville prospère traversée par deux rivières, qui n'était plus qu'un lieu de dangers et de mort. La plate-forme s'abaissa lentement, en douceur. Nik sonda les ténèbres de la forêt en dessous, à l'affût de quelque présence tapie ou ondulation inquiétante.

La lune peinait à jeter ses délicats doigts argentés sur le sol de la forêt, et même lorsqu'elle était pleine, elle ne pouvait qu'effleurer la végétation sous la canopée. Sans véritablement l'éclairer, elle donnait à la nuit un aspect subaquatique, surnaturel.

L'ascenseur se posa sur un cercle de terre recouvert d'une mousse épaisse. Nik glissa la main entre les lattes de la cabine pour placer la torche dans un rondin qui servait de support. Il scruta attentivement la forêt environnante, sentant déjà les picotements qui se manifestaient sous sa peau chaque fois qu'il quittait le sanctuaire de la Cité dans les Arbres.

La torche projetait un petit rond jaune autour du trio, éclairant les aiguilles de pin et la mousse qui tapissaient le sol de la forêt. Il était interdit de laisser pousser des broussailles près de l'ascenseur, mais Nik remarqua un gros rondin qui gisait à proximité du cercle lumineux.

« Il a dû tomber à cause de la tempête, la nuit dernière. C'est bizarre que personne ne l'ait enlevé aujourd'hui », songea-t-il, hésitant à ouvrir la porte de la cabine.

Le jeune canin poussa un gémissement plaintif et sauta de nouveau sur la jambe de Nik, tandis que Cameron soufflait et essayait de le mordre aux talons pour jouer.

– D'accord, d'accord ! dit Nik en riant. J'ai compris. Vous avez besoin de sortir.

Il souleva le loquet et lança aux deux canins l'ordre familier :

– Restez près de moi !

Le Terrier obéit immédiatement ; il décrivit un cercle autour de Nik et leva la patte contre la souche où était insérée la torche, manquant de mouiller les pieds du jeune homme.

– Enfin… peut-être pas *si* près, ajouta celui-ci en gloussant.

Puis il s'éloigna un peu de la cabine et défit son pantalon. Le petit canin le regarda en penchant la tête. « Peut-être qu'il n'est pas trop tard. Peut-être que celui-ci me choisira. »

– Allons, rentrons à la maison, décida Nik en désignant la cabine avec son arbalète.

Il alla récupérer la torche et le Terrier qui attendait à côté.

– Dedans !

Tous les canins de la Tribu apprenaient à obéir à cet ordre avant même d'être complètement sevrés. Cameron sauta dans l'ascenseur, puis regarda derrière Nik en geignant doucement.

Le jeune homme se retourna, et une énorme boule se forma dans son ventre.

Le jeune canin se trouvait à l'endroit exact où il avait uriné ; cependant, les oreilles et la queue dressées, il ne regardait plus Nik, mais les ténèbres.

– Petit ! Dedans ! lui cria Nik.

Le canin tourna lentement la tête vers lui, et Nik se sentit submergé par un flot d'émotions : du bonheur, de la confiance et, enfin, du regret. Et tout à coup, sans prévenir, le jeune canin fonça dans la gueule noire de la forêt.

– Non, petit ! Stop !

La torche dans une main et l'arbalète dans l'autre, Nik s'élança à la poursuite du canin, en essayant de le garder dans son cercle lumineux.

Il y réussit, jusqu'au rondin tombé à terre. Le bout de bois en apparence inoffensif trembla et se transforma soudain en une douzaine de scarabées meurtriers, presque aussi grands que le Terrier, qui poussa des aboiements paniqués. Les insectes braquèrent leurs mandibules écarlates dégoulinantes vers Nik et, dans un horrible cliquètement, fondirent sur lui.

– Petit, viens ici ! cria Nik, encerclé par les crache-sang. Dedans !

Non seulement le jeune canin ne s'arrêta pas, mais, sans même un dernier regard pour Nik, il accéléra et la forêt l'avala.

– Non ! hurla Nik, en proie au désespoir.

Deux scarabées géants se détachèrent du groupe qui fondait sur lui et pourchassèrent le jeune canin en glissant sans bruit sur le sol. Nik voulut s'élancer pour les attraper, mais les autres insectes s'étaient rapprochés de lui, le séparant à la fois du Berger et de l'ascenseur.

Nik leva l'arbalète et visa dans l'espoir de tuer plusieurs insectes d'un coup, mais ils venaient sur lui à toute vitesse. Il n'avait que quelques secondes pour prendre sa décision. S'ils l'atteignaient, s'ils l'écorchaient avec leurs mâchoires infectées, il en mourrait probablement.

En poussant des cris de rage et de frustration, il tourna le dos à la forêt et décocha une flèche sur le plus gros des insectes tapis entre lui et l'ascenseur. Tandis que celui-ci se tordait dans d'atroces douleurs et hurlait un chant d'agonie perçant, Nik courut vers lui. Dans un accès de violence sanglante, il arracha brusquement la flèche du corps du scarabée et l'enjamba d'un bond. Les deux insectes qui le talonnaient percutèrent leur frère blessé. Ils le découpèrent en morceaux, puis le dévorèrent.

Nik traversa en hâte la petite clairière jusqu'à l'antique cloche en cuivre montée près de l'ascenseur. Il en actionna la corde trois fois, envoyant un avertissement qui carillonna jusqu'à la cime des arbres. Puis il se dépêcha de mettre Cameron à l'abri dans la cabine, claqua la porte et agita la torche furieusement.

Aussitôt, l'ascenseur remonta. Nik grimpa sur la souche qui supportait la torche et fit face aux crache-sang.

– Venez donc m'attraper, espèces de salauds ! Voyons combien d'entre vous je peux tuer avec cette unique flèche !

Nik arma l'arbalète, attendit que deux scarabées soient alignés et appuya sur la détente. *Clac !*

– Plus que sept. J'aime les soustractions.

Il enfonça ensuite la torche dans les mandibules de la première bête qui atteignit la souche ; elle hurla et recula.

– Bestiole frite ! Tu sais, la Tribu aux Lynx affirme que c'est un délice. Moi, je ne digère pas ça, cria Nik en tenant la torche comme un gourdin.

Il frappa la tête blindée d'un scarabée, lui fracassant le crâne. Pendant que les bêtes se régalaient d'un de leurs congénères, Nik jeta un coup d'œil au-dessus de lui. Il lui sembla que l'ascenseur était parvenu au palier, mais un bruit attira de nouveau son attention sur le carnage qui se déroulait autour de lui.

Le sol de la forêt s'était mis à frémir tandis que les véritables carnivores de la nuit pénétraient en rampant dans le cercle de lumière. Encore plus gros que les scarabées et attirés par l'odeur du sang, les cafards à tête de mort grouillaient, recouvrant les corps du premier insecte que Nik avait embroché et des deux autres toujours occupés à le démembrer. De nouveaux hurlements de douleur emplirent la nuit à mesure que les cafards se rapprochaient de Nik, dévorant tout sur leur passage.

Le jeune homme pesa ses chances. On allait lui renvoyer l'ascenseur, mais les monstres auraient sans doute le temps de l'atteindre avant qu'il arrive.

Et puis, il y avait le jeune canin. Était-il toujours en vie ? Pouvait-il encore le sauver ?

– Une chose est sûre, je ne vais pas le laisser là ! dit-il, farouchement déterminé.

Il avait une chance de dépasser les cafards aussi longtemps qu'ils seraient distraits par les scarabées. Toujours perché sur la souche, il se positionnait pour sauter par-dessus le plus grand nombre possible de ces bestioles, lorsque le ciel s'ouvrit et fit pleuvoir des flèches enflammées dans la masse grouillante des insectes.

Les hurlements des cafards et des scarabées étaient assourdissants, et l'odeur fétide de leurs corps en flammes donnait des haut-le-cœur à Nik. Soudain, leurs Bergers sanglés sur leur dos, des Compagnons descendirent des arbres en rappel, armés de massues. Les jambes protégées par une armure d'écorce, ils formèrent un cercle compact autour de Nik et commencèrent à repousser les insectes pour dégager la voie vers l'ascenseur, qui avait entamé sa descente.

– Viens avec nous, Nik ! Vers l'ascenseur !

Un Compagnon dénommé Wilkes, Chef des Guerriers, abattit son gourdin sur le crâne d'un scarabée, avant de le renvoyer d'un coup de pied dans la horde des cafards. Au même moment, son Berger plongea, attrapa un cafard entre ses mâchoires puissantes et le secoua jusqu'à déchirer son corps en deux. Du sang et des lambeaux giclèrent autour de lui et de son Compagnon, telle une pluie macabre.

– Je ne peux pas ! répondit Nik. Le petit est toujours dehors !

– Le jeune mâle ?

– Oui ! Il s'est enfui quand les scarabées nous ont attaqués. Il faut que je le retrouve.

– On n'a pas le temps. Monte dans l'ascenseur, Nik, insista Wilkes.

– *Mais il est toujours dehors !*

– Wilkes, les bêtes grouillent. On ne pourra pas les repousser longtemps, prévint Monroe, tandis que son Berger fendait en deux le ventre d'un scarabée.

À cet instant, des fragments de lumière de la pleine lune éclairèrent les ailes couleur chair des cafards et la carapace rouille des scarabées, transformant le sol de la forêt en une mer d'insectes fourmillants.

– Nik, on n'a plus le temps. Monte dans l'ascenseur ! ordonna Wilkes.

– Mais je ne peux pas le laisser !

– Il est déjà mort ! Rien ne peut survivre à ça ! affirma Wilkes en désignant la terre palpitante. Monte dans l'ascenseur. Maintenant !

Nik se laissa entraîner par les Compagnons dans la cabine. Alors qu'ils commençaient leur laborieuse ascension vers le salut, il s'agrippa aux lattes de bois, regarda la horde pullulante sous lui, et hurla sa détresse dans la nuit :

– Non ! Petit ! Noooooooon !

8

Mari étira son dos douloureux, se frotta les épaules et fit rouler sa tête d'un côté à l'autre. Elle coula un regard vers le trou de l'aurore, et crut distinguer un léger éclaircissement. Passé sa réaction de bonheur à l'idée du retour prochain de sa mère, elle se rendit compte qu'elle avait perdu la notion du temps. Elle avait consacré toute la nuit à améliorer le dessin de son père, le seul qu'elle ne pouvait pas montrer à sa mère. Elle s'empressa de mettre la feuille de côté et la remplaça par l'esquisse que Léda s'attendait à voir. Elle échangea aussi la plume contre le fusain. Puis, après avoir fermé les yeux quelques instants pour reposer son esprit fatigué, elle se représenta les gracieuses mains de sa mère et se mit au travail.

Un bruissement dans les broussailles, derrière la porte de la tanière, détourna Mari de son dessin presque terminé. Machinalement, elle regarda le trou de la tanière puis afficha un sourire ravi. La faible lumière grise de l'aube brumeuse filtrait enfin du dehors.

D'autres bruits s'élevèrent à l'extérieur, puis on gratta à la porte, trois fois.

Inquiète, Mari lâcha son fusain et se précipita dans l'entrée. Sa mère avait-elle encore été blessée ? En général, elle frappait.

Mais parfois, elle avait partagé une trop grande quantité du pouvoir de guérison de la lune et cela la rendait faible et vulnérable.

– J'arrive, maman ! annonça-t-elle en déverrouillant la porte. Je vais te faire un thé tout de suite.

Mari ouvrit grand la porte de la tanière, et son monde s'en trouva transformé à jamais.

Elle vit non pas sa mère, mais un canin hors d'haleine assis dans une mare de sang.

Elle cria, recula en chancelant et tenta de refermer la porte au nez de l'animal. Mais ce dernier fut plus rapide. Bien qu'il boitât et gémît d'une manière pitoyable, il réussit à se glisser à l'intérieur.

Il suivit Mari toujours en geignant, mais ses oreilles étaient pointées vers l'avant et il remuait la queue. Acculée au mur moussu de la tanière, Mari se figea, incapable de détacher les yeux du canin. Il s'assit non loin d'elle et la considéra de ses yeux ambrés impatients, qui semblaient lire dans son cœur.

« Il est grand, mais il doit être jeune. » Mari avait les idées claires, cependant elle se sentait détachée de son corps. « Ses pattes sont énormes, pourtant on dirait qu'il n'a pas encore fini sa croissance. » Lorsqu'elle observa le reste de son corps, elle eut un hoquet horrifié. L'épais pelage noir du poitrail du canin était emmêlé et maculé de sang frais.

– Qu'est-ce que tu fabriques ici ? Que t'est-il arrivé ?

Au son de la voix de Mari, le jeune canin frétilla de joie, et voulut avancer de nouveau vers elle, mais il glapit de douleur et s'arrêta en chancelant, avant de lever misérablement l'une de ses pattes interminables pour la lécher.

Sans réfléchir, Mari s'agenouilla devant le jeune canin et tendit la main vers lui. Il boita jusqu'à elle, s'affala dans ses bras et posa la tête contre sa poitrine. Lorsqu'il leva les yeux vers elle,

Mari fut submergée par différentes émotions : du soulagement, de la joie et un flot d'amour inconditionnel et infini.

Alors, Mari sut avec une certitude absolue ce que le canin faisait là.

– Tu es venu me trouver, affirma-t-elle, incapable de contenir les sanglots qu'elle avait sentis monter en elle.

Mari et le canin demeurèrent ainsi pendant plusieurs heures, pelotonnés l'un contre l'autre, tissant un lien miraculeux, indescriptible et qui allait bouleverser l'existence de la jeune femme. La voix étouffée de Léda les interrompit :

– Mari, comment s'appelle-t-il ?

Elle leva les yeux et vit sa mère debout sur le seuil ; elle lui sourit comme si son cœur allait exploser de bonheur.

– Rigel ! Il s'appelle Rigel, et il m'a choisie !

– Bien sûr qu'il t'a choisie. Tu es la fille de ton père, dit Léda d'un ton neutre, trahi par les larmes qui coulaient sur son visage.

Elle les essuya d'un mouvement vif et demanda :

– Crois-tu que cela dérangerait Rigel si j'entrais ?

– Oh, maman ! Entre, je t'en prie !

Mari fit signe à sa mère d'une main, et, de l'autre, elle caressa l'épaisse fourrure de Rigel pour l'apaiser. Quand il avait entendu Léda parler, le jeune canin avait changé de position : il était maintenant face à la porte, et observait la nouvelle venue avec attention. Toutefois, Mari ne sentait pas de tension dans son corps.

Léda pénétra dans la petite tanière dont elles avaient fait leur chez-soi, se baissa lentement pour poser le panier rempli du tribut que lui avaient payé les Marcheurs de la Terre cette nuit-là, et ferma la porte avec la barre. Puis elle fit face à sa fille et au canin.

– Orion, le Compagnon de ton père, semblait capable de lire dans ses pensées, dit-elle. Galen m'avait expliqué que leur lien était intuitif, un privilège qu'un canin et son Compagnon partagent toujours.

Mari lança un coup d'œil à Rigel et demanda à sa mère :

– Il lit dans mes pensées ?

– En quelque sorte, oui, confirma Léda en hochant la tête. C'étaient surtout les émotions de Galen qu'Orion ressentait, parfois même avant que ton père en ait pleinement conscience.

À ce souvenir, Léda afficha un sourire doux et triste.

– Orion a su que Galen m'aimait longtemps avant que ton père le déclare, ou se l'avoue à lui-même d'ailleurs.

Léda s'approcha lentement de Mari et du petit.

– Ah, c'est ce que je pensais. C'est son sang que j'ai suivi jusqu'à notre porte, pas le tien.

Léda marqua une pause et plaqua en arrière une mèche de cheveux collante de sueur. En voyant trembler la main de sa mère, Mari comprit.

– Maman, je suis désolée que Rigel t'ait fait peur. Je vais bien, je t'assure. Je ne suis pas sortie. C'est *lui* qui est venu à *moi*.

– Il y avait tant de sang qui conduisait ici ! En plus, Mari, je ne t'ai pas vue quitter le Site de Rassemblement. Jenna m'a dit que tu étais partie avant qu'il fasse complètement nuit, alors quand j'ai découvert le sang...

Léda s'essuya vite les yeux, sans terminer sa phrase.

– Oh, maman ! Je suis tellement navrée !

– Tu n'as pas besoin de t'excuser, ma chérie. Tu n'as rien fait de mal. En revanche, je crains que ton Berger ne soit gravement blessé.

D'instinct, Mari resserra son bras autour de Rigel, qui gémit de douleur. Elle relâcha aussitôt son étreinte.

– Il boitait quand il est arrivé, signala-t-elle.

Mari leva l'une des pattes avant du canin et la tourna afin d'en examiner le coussinet.

– Regarde, maman, il a des plaies perforantes et il saigne encore.

– Ce sont nos ronces qui lui ont fait ça, déduisit Léda. Il faudra que tu lui apprennes à les franchir sans se blesser, *après* t'être assurée qu'il n'a pas d'épines enfoncées dans les pattes. Ce qui m'inquiète davantage, c'est la raison pour laquelle il perd tout ce sang, ajouta-t-elle en montrant du doigt le poitrail de Rigel.

Léda s'essuya en vitesse les yeux et le nez avec sa manche, puis elle écarta très doucement l'épais pelage doux trempé de sang, et grimaça en exposant les lacérations profondes qui zébraient le poitrail du canin. Celui-ci se mit à trembler et à haleter, mais ne gémit pas, même s'il se colla encore davantage contre Mari.

– On dirait que ton brave Rigel a affronté plus que nos ronciers avant de venir te trouver.

– Est-ce qu'il va vivre ?

Mari elle-même jugea sa voix enfantine et pitoyable. Rigel poussa un gémissement et lui lécha le visage.

– Oui. Je n'envisage aucune alternative, et c'est ce que tu devrais faire toi aussi, surtout que ton Rigel ressent ta peur avant même que tu l'exprimes. Sois forte pour lui, Mari.

La jeune fille hocha la tête et réprima un sanglot.

– Pense à tout l'amour que tu lui portes déjà, pas à ton angoisse de le perdre, conseilla Léda en examinant de plus près les blessures du canin. Et garde aussi à l'esprit combien il est courageux.

– Ça, c'est sûr ! Il est courageux, beau et sensationnel. Je le sais... je le sens.

– Il est tout cela, et plus encore, approuva Léda en souriant à Rigel, qui frappa le sol de sa queue en guise de réponse.

Elle lui tendit sa paume. Sans hésiter, il la lécha et se laissa caresser la tête.

– Exactement comme la jeune femme qu'il a choisie pour Compagnonne est courageuse, belle et sensationnelle, déclara Léda d'une voix tremblante d'émotion.

Elle se leva, frotta ses jupes et ajouta :

– Mais il faut fermer ses plaies pour qu'il puisse guérir.

– Il tremble comme s'il avait froid, alors qu'il fait chaud ici, constata Mari en serrant plus fort le canin dans ses bras.

– Il est en état de choc. Tu le sais, Mari. Je t'ai expliqué maintes fois comment traiter les blessures. Maintenant, tu dois agir.

– Mais là, il ne s'agit plus d'écouter tes histoires et de répondre à tes questions. Ça n'a rien à voir. En plus, c'est un canin, pas un Marcheur de la Terre. Je ne sais pas quoi faire !

– Mari, ressaisis-toi. Le jour approche et le soleil éclaircira bientôt le ciel, mais il y a beaucoup de brume ce matin, et une pleine lune ne s'efface pas si facilement. Je peux encore attirer assez d'énergie pour stopper les saignements de Rigel et le soulager, mais uniquement avec ton aide. *Lui* aura besoin de ton aide.

– Je ferais n'importe quoi pour aider Rigel.

– C'est ce que je veux entendre. La première chose que doit faire une Guérisseuse, c'est…

Léda marqua une pause.

– Surmonter sa panique et agir, compléta aussitôt Mari.

– Excellent. Alors, agissons. On doit remonter chercher l'énergie qui nous maintient en vie. D'après moi, il ne vaut mieux pas qu'il marche. Tu peux le porter ?

– Oui. Il est grand, mais je suis forte.

Serrant Rigel dans ses bras, Mari plia les jambes, le souleva et se mit debout. Parfaitement silencieux, le canin posa la tête sur son épaule et continua à trembler, tout pantelant.

– On est prêts, annonça Mari, haletant sous l'effort, mais avec une expression déterminée.

Léda approuva d'un signe de tête, se dirigea vers la porte d'un pas décidé, ôta la lourde planche de bois et sortit pour ouvrir la voie.

Elle prit son bâton de marche. Tout comme Mari l'avait fait plus tôt, elle s'en servit pour écarter les ronces aux pointes acérées. Les deux femmes descendirent, tournèrent, puis gravirent un chemin sinueux, jusqu'au cercle dégagé creusé dans la colline au-dessus de leur tanière. Là, la barrière de vieilles ronces soigneusement entretenue s'élevait bien au-dessus de leurs têtes, révélant une magnifique clairière et un disque de ciel.

– Assieds-toi ici, au centre, dans les bras de la Terre Mère, indiqua Léda à sa fille. Et tiens Rigel sur tes genoux.

Mari s'approcha de la silhouette qui ressemblait à une femme émergeant de la terre, à moitié allongée au beau milieu de leur cercle vide. Cette idole était très similaire à celle du Site de Rassemblement, bien que plus âgée et plus imposante. Sa peau était une mousse très douce. Son visage, serein et toujours vigilant, un morceau d'obsidienne rond admirablement sculpté. Ses cheveux étaient une cascade d'adiantes verdoyants. Mari s'inclina devant cette image de la Sublime Terre Mère, la déesse avec laquelle Léda avait un lien très fort, puis elle s'agenouilla face à elle, posa le jeune canin sur ses cuisses et le serra contre elle. Pendant que sa mère se servait dans les parterres d'herbes médicinales qui proliféraient dans leur clairière, Mari contempla le visage parfait de la déesse, regrettant, comme souvent, de ne pas avoir la même relation avec la Terre Mère que Léda.

Celle-ci posa ses mains, qui sentaient bon le romarin – cette herbe aux vertus protectrices – sur les épaules de sa fille et, donnant l'impression de lire dans ses pensées, lui dit :

– Tu n'es pas obligée d'entendre sa voix ou de sentir sa présence pour savoir que la Sublime Terre Mère est là. Elle t'observe attentivement, ma chérie.

Mari prit une profonde inspiration, laissant le parfum de sa mère l'apaiser, et hocha la tête. Elle avait une confiance absolue en sa mère. Elle s'adossa contre ses jambes et trouva du réconfort dans cette proximité.

Elle leva les yeux vers le ciel pour tenter d'apercevoir ce qui restait de la pleine lune, mais elle ne vit que le gris terne d'un matin enseveli sous la brume.

– Il n'y a plus du tout de lune ; il est trop tard, constata-t-elle en se retenant de pleurer.

– Qu'on la voie ou pas, la lune est toujours là. Avec l'aide de notre Terre Mère et la tienne, je peux invoquer son pouvoir.

Mari n'eut pas besoin de regarder derrière elle pour savoir ce que sa mère faisait. Dans son esprit, elle la vit écarter les bras au niveau de son bassin, et braquer ses yeux gris vers le ciel. Elle savait que la plus infime parcelle de nuit qui n'avait pas encore été chassée par l'aube donnait à la peau de sa mère la lueur argentée, signe de folie pour tous les Marcheurs de la Terre – excepté les Femmes Lune –, du crépuscule à l'aube.

Ensuite, Léda se mit à réciter l'invocation d'une voix douce, forte et assurée.

Femme Lune je proclame que je suis
Avec mes grands dons, je me présente à toi…

Mari sentait les jambes de sa mère trembler contre son dos.

– Prépare-toi, lui dit celle-ci, interrompant le rituel. Donne-moi ta main. Pose l'autre sur Rigel et concentre-toi. Tu dois réaliser maintenant ce à quoi je t'ai si souvent entraînée.

Mari redressa les épaules et mit de côté sa peur et ses doutes. Elle leva une main à l'aveuglette ; sa mère l'empoigna avec fermeté et assurance.

– À présent, dis les dernières paroles avec moi. Vois le pouvoir argenté couler de la lune et me traverser en me purifiant, puis entrer en toi, enfin dans Rigel.

Mari pressa la main de sa mère et hocha la tête. Les deux femmes prononcèrent alors l'incantation qui tirait du ciel les invisibles rayons d'un pouvoir réservé aux Femmes Lune.

En vertu de mon sang et de ma naissance
Je te prie de vers moi canaliser
Le don de la Déesse – ma destinée !

Mari rassembla ses forces et, comme par le passé, elle sentit sa mère se raidir, tandis que l'énergie déferlait en elle. Celle-ci grésilla dans sa paume, descendit dans son bras pour tourbillonner encore et encore en elle, s'intensifiant à chaque seconde. Le cœur de Mari commença à battre la chamade et, soudain, sa respiration s'accéléra jusqu'à ce qu'elle halète autant que le jeune canin. Dans ses bras, Rigel gémissait.

– Concentre-toi.

Bien que ce ne fût qu'un murmure, Mari ressentit la voix de Léda dans tout son corps.

– Tu peux le faire. Tu ne dois pas garder ce pouvoir que je t'ai transmis : ton corps n'en est que le canal. Puise de la sérénité dans l'image de la Terre Mère. Même si tu es affligée du chaos, de la maladie ou de blessures, trouve ton vrai moi dans ton être profond. Évacue ce qui appartient au monde – les peurs, l'inquiétude, la tristesse – afin que le flot argenté puisse circuler en toi et te purifier. La nuit, il ressemble à une cascade. Rigel est la vasque qui doit le recevoir.

Mari fixa l'image splendide de la Terre Mère que Léda avait taillée et entretenait avec tant d'amour. Mais, comme à l'ordinaire, cette silhouette demeura pour elle une simple statue végétale. Mari était incapable de percevoir la présence divine que sa mère révérait.

– Maman, je... n'y ar-rive pas. Il f-fait si f-froid. Ça f-fait mal, bredouilla-t-elle en claquant des dents.

– C'est juste parce que ce pouvoir de guérison ne t'est pas destiné. Évacue les peurs de ton corps, Mari. Concentre-toi ! Aujourd'hui, tu dois réussir. Sinon, ton Rigel mourra.

Les paroles de Léda se répercutèrent violemment dans tout le corps de Mari.

– Non ! protesta la jeune femme. Je ne le permettrai pas.

Elle serra les dents pour lutter contre le froid et, en dépit de la douleur, s'efforça de fixer son attention, de supprimer la cacophonie des émotions qui tournoyaient librement dans son corps, et de servir de canal à la cascade de lune. Pourtant, l'énergie demeurait un tourbillon enfermé en elle. Il la terrifiait et menaçait de l'engloutir.

C'était à ce stade qu'en général elle échouait. C'était là qu'elle lâchait la main de sa mère, laissait la nausée la gagner et vomissait, sa détresse au bord de ses lèvres, pendant que Léda lui caressait le dos et la consolait en lui assurant avec douceur et amour qu'elle ferait mieux la prochaine fois.

Seulement, il n'y aurait pas de prochaine fois pour Rigel, et Mari refusait de le perdre. « Réfléchis ! Concentre-toi ! »

Elle ferma les yeux en serrant fort les paupières. La réponse était-elle là ? Cela pouvait-il réellement être si simple ? Elle s'imagina dans leur tanière, seule, assise à son bureau, prête à commencer une esquisse. Sa respiration s'apaisa. Les battements de son cœur s'espacèrent. Mari trouva son ancrage en se représentant une feuille de papier vierge. Sur cette feuille, son imagination esquissa rapidement une image d'elle-même, assise en tailleur, Rigel étendu sur ses genoux. Une lumière argentée tombait en cascade dans sa paume levée, la purifiait de la tête aux pieds telle une vague scintillante avant de rejaillir de son autre paume, pressée contre le poitrail ensanglanté du canin. Les yeux toujours clos, Mari ajouta à cette scène une image du corps de Rigel. Son sang avait été purifié par la lumière liquide, et il n'avait plus que des plaies refermées, en voie de guérison.

Tout à coup, la marée froide à l'intérieur de Mari lui parut maîtrisable. Au lieu de noyer la jeune femme, elle l'utilisa comme une conduite, la traversant sans dommages, tandis que Mari libérait l'énergie. « J'y arrive ! J'y arrive ! » Hélas, presque aussitôt, le tableau qu'elle était en train de créer s'envola, ainsi que le flot de pouvoir en elle.

– Non ! Non ! Reviens ! s'écria-t-elle d'une voix hachée en agrippant la main de sa mère comme s'il s'agissait d'une corde de sécurité. J'y arrivais ; ça marchait !

– Il est trop tard. Le soleil est complètement levé. Même avec ton aide, je ne peux plus appeler la lune à moi.

Léda s'agenouilla près de Mari et enleva sa main de la sienne avec douceur.

– Mais ça a suffi, ajouta-t-elle. Tu as réussi, ma chérie. Je savais que tu en étais capable. Loue la Terre Mère et la lune bénie ! Tu as sauvé Rigel.

Prise de vertige et comme déconnectée de son environnement, Mari regarda le canin. Il remua la queue avec animation, s'assit et lui lécha le visage. La jeune femme rit faiblement et l'entoura de ses bras. Il se pelotonna contre son corps et s'endormit comme une souche, lui envoyant des vagues de contentement. D'une main tremblante, Mari écarta les poils emmêlés et ensanglantés sur son poitrail. Ses profondes lacérations suintantes, évoquant des coups de fouet, n'étaient déjà plus que des lignes roses de chair reconstituée.

– Je le savais. Tu possèdes bel et bien mes pouvoirs, et plus encore, affirma Léda d'une voix remplie de bonheur. Rigel a tout changé.

Les yeux rivés sur le canin, Mari essayait d'appréhender pleinement sa victoire tout en passant en revue les émotions qui affluaient en elle.

– Il a tout changé, répéta-t-elle.

À ce moment-là, la brise du matin se leva et, à la faveur d'une bourrasque qui réchauffa Mari, le brouillard se dissipa, laissant le soleil baigner la petite clairière. Mari ayant senti cette lumière, elle leva les yeux et ses pupilles se dilatèrent pour absorber l'éclat de l'astre diurne. La chaleur se répandit dans son corps. Sans réfléchir, elle prit une profonde inspiration, acceptant la chaleur, l'énergie et la lumière avant de baisser tristement la tête vers ses membres. Le motif doré apparaissait sous sa peau. À mesure que la chaleur se diffusait dans son sang, il luisait et s'élargissait, prêt à recouvrir l'ensemble de son corps.

Rigel ouvrit les yeux et les fixa sur le ciel. Mari les vit briller et passer de l'ambre à la couleur du soleil.

Même sans son précieux miroir, elle devina que les siens n'étaient plus gris argenté, mais de la couleur éclatante, étincelante de l'or, la même que ceux de Rigel.

– Oh, ma chérie ! Vous deux, vous ressemblez tant à Galen et Orion ! s'exclama Léda en souriant à travers ses larmes.

– Oui, mère, Rigel a tout changé. Tout *et* rien.

9

— Je crois qu'il manque quelque chose, maman. Tu pourrais vérifier, s'il te plaît ? demanda Mari en présentant le bol en bois à sa mère.

Léda prit une petite pincée de la préparation que Mari avait mélangée et la renifla.

– Tu as mis assez de consoude et de chicorée, mais tu as raison, il faut plus de plantain à ton baume. Là, c'est juste une mixture de feuilles séchées.

– Le plantain est dans un panier moyen, mélangé à de la cire d'abeille, n'est-ce pas ?

– Oui, confirma Léda, avant de sourire en voyant la boule de poils couchée en rond sur une paillasse d'herbe fine, sous le bureau de Mari. Je crois que Rigel est un meilleur professeur que moi.

Le jeune Berger semblait dormir, mais lorsque Léda prononça son nom, il entrouvrit les yeux et posa son regard sur elle. Il frappa trois fois le sol de sa queue avec mollesse puis referma les paupières, poussa un soupir de satisfaction et se mit à ronfler doucement.

– Tu as plus appris sur les guérisons au cours des neuf derniers jours, depuis l'arrivée de ton canin, qu'au cours des dix-huit hivers où j'ai essayé de t'enseigner cette science.

– Eh bien, je suis obligée de reconnaître que je n'ai pas été la meilleure des élèves, dit Mari.

Elle regarda sa mère par-dessus son épaule en souriant tout en fouillant dans les paniers alignés dans le placard à pharmacie bien approvisionné de leur tanière.

– Le voilà !

Mari emporta le panier à son bureau et ajouta la mixture gélatineuse au mélange d'herbes.

– Peut-être pas la meilleure des élèves, mais la meilleure des filles, c'est sûr, affirma Léda.

– Maman, tu n'es pas du tout objective, répondit Mari en riant. C'est comme si moi, je disais que Rigel est le meilleur des canins.

– Eh bien, c'est vrai, non ?

– Absolument ! Donc, je suppose que ça te donne raison, une fois de plus !

Les deux femmes gloussèrent. Les rides s'atténuèrent sur le visage de Léda. Mari la trouva soudain rajeunie, tout en se rendant paradoxalement compte que sa mère, qui était aussi sa meilleure amie, vieillissait. Un petit frisson d'inquiétude glissant le long de sa colonne vertébrale, elle lança :

– Au fait, hier, quand j'ai sorti Rigel, j'ai remarqué que les carottes sauvages de la clairière, près du ruisseau qui coule à l'ouest, étaient prêtes à être cueillies, et tu sais qu'elles sont plus douces quand on les récolte la nuit. La Troisième Nuit, ce n'est que demain. Le Clan peut se passer de toi ce soir. Reste donc avec Rigel et moi, et on ira ramasser plein de carottes.

Avec un sourire forcé, Léda retourna au panier qu'elle était en train de tisser.

– Pas ce soir, ma chérie. J'ai convoqué un Rassemblement avant le coucher du soleil ; ensuite, je devrai m'occuper d'affaires du Clan.

– Empêcher les gens de s'entredévorer, ce n'est pas « des affaires du Clan », mais un travail de charité, marmonna Mari.

– Les Marcheurs de la Terre *ne mangent pas* d'autres humains, tu le sais bien.

– À condition que tu sois là pour les purifier de la Fièvre Nocturne, chuchota Mari d'une manière exagérée.

– Ce sont les Voleurs de Peaux qui sont cannibales ; on ne doit pas parler d'eux avec sarcasme et légèreté. Je ne te l'apprends pas aujourd'hui. Dis le vers que je t'ai appris, Mari.

Celle-ci se retint de soupirer et récita comme un perroquet :

– *Méfiez-vous des villes, les Voleurs de Peaux toujours y sévissent.*

– N'oublie jamais les vers qui ont ponctué ton enfance. Je ne te les ai pas appris pour passer le temps.

Léda marqua une pause, manifestement pour se ressaisir. Lorsqu'elle s'adressa de nouveau à sa fille, son humeur avait changé. Sa patience était revenue, mais aussi, sous ses yeux gris expressifs, les ombres causées par la lassitude.

– Mari, être une Femme Lune, ce n'est pas de la charité, mais le destin. On a senti le pouvoir et on comprend que son don doit être chéri et utilisé à bon escient, dans l'intérêt supérieur du Clan.

– Mère, j'entends ton point de vue, mais je ne le partage pas. Tu sauves sans cesse les personnes mêmes qui nous condamneraient *toi et moi* si on ne leur cachait pas la vérité.

– La Loi a été établie bien avant que je rencontre Galen, quand les premiers membres de notre Clan ont migré depuis la côte jusqu'ici, et que les Compagnons ont découvert notre connexion avec la Terre Mère, et tout ce qu'elle fait pousser. Nous avons voulu les aider, par exemple, à cultiver la terre fertile de leur île, mais, au lieu de nous en remercier, ils ont capturé un groupe de femmes, qu'ils ont retenues contre leur gré. Sans leur Femme Lune, celles-ci ont été submergées par la Fièvre Nocturne. Or, la Tribu a refusé de les relâcher, et a tué ou réduit en esclavage tout membre du Clan qui tentait de les libérer. À partir de ce moment-là, nos femmes ont interdit tout contact avec la Tribu des Arbres.

– Mais si elles apprenaient la vérité à mon sujet, selon la Loi du Clan, elles nous emmèneraient et nous abandonneraient sur le territoire des Compagnons. Disons juste qu'à cause de ça, je ne les porte pas dans mon cœur.

– Donc, tu voudrais que je refuse au Clan ce qui l'empêche de devenir fou ? Tu voudrais que j'arrête de guérir les blessés et les malades qui ont besoin de mes compétences ? Tu oublies Jenna et son père ? Tu condamnerais ton amie et Xander au chagrin et à la folie ?

– Non, ce n'est pas ce que je voulais dire, se défendit la jeune femme en fronçant les sourcils.

– Mari, je regrette souvent que ta vie ne soit pas différente.

– Eh bien, moi, je regrette souvent que *nos* vies ne soient pas différentes, répliqua Mari d'un ton ferme.

Léda leva les yeux de son panier et les planta dans ceux de sa fille.

– Je ne peux pas imaginer une vie que je savourerais plus que celle que je partage avec toi.

– Oh, maman, je t'aime tant ! J'aimerais juste que nos vies soient plus heureuses.

– Ma chérie, grâce à Rigel, je crois que ton souhait est en train de se réaliser. Depuis qu'il t'a choisie, tu es très joyeuse.

Mari sourit et caressa la tête du canin. Il bâilla d'un air heureux et s'étira, avant de fourrer son nez contre la main de la jeune femme, qu'il regarda avec adoration.

– Oui, il m'apporte beaucoup de joie. Mais, maman, il a tout changé. Tout et rien.

Ce sentiment ne quittait jamais vraiment Mari.

– Ma chérie, s'il m'arrivait quelque chose, je veux que tu me promettes d'aller chez les Compagnons avec Rigel.

– Mère, il ne va rien t'arriver !

– Promets-moi de t'en souvenir : mon souhait est que tu rejoignes le peuple de ton père.

– Non, maman ! Je ne te ferai pas cette promesse. Les Compagnons nous tuent et nous réduisent en esclavage. L'idée que j'aille chez eux est insensée.

– Mari, écoute-moi. Ton cas est différent, parce que Rigel fait de toi l'une des leurs. Tu es liée à un Berger : un canin Guide, ce qui te rend précieuse à leurs yeux, et ce qui profite à la Tribu est toujours ce qui prime chez les Compagnons.

– Mon père était lié à Orion, un canin Guide, et ils l'ont tué.

– Parce qu'il avait enfreint l'un de leurs principes les plus sacrés : il avait volé des frondes de la Plante Mère. Mais toi, tu n'as transgressé aucune règle.

– Maman, que sais-tu des Compagnons d'aujourd'hui ?

Mari empêcha sa mère de s'exprimer en levant une main.

– Avant que tu répondes, voyons plutôt ce qu'on sait *réellement* d'eux, en dehors des histoires qu'on t'a racontées par le passé. La dernière fois que tu as parlé à un Compagnon, c'était peu après ma naissance. Toute ma vie, tu m'as dit que mon père était un homme bon, gentil et aimant. Tu as aussi précisé qu'il était différent. Il t'a aimée au lieu de te capturer et de te réduire en esclavage, mais vous saviez tous les deux que vous seriez obligés de trouver un nouvel endroit pour vivre si vous vouliez avoir une chance de rester ensemble.

– C'est vrai, mais Galen m'a beaucoup parlé de ses amis et de sa famille, et m'a assuré que dans la Tribu des Arbres, il y avait des gens bien, sages et justes.

– Et si ce n'était que des mythes, comme ceux que tu me racontes ? Et si Galen avait fait de son peuple une légende vivante pour t'empêcher de te faire trop de souci ?

– Non, murmura Léda. Je ne veux pas croire ça. Je ne le peux pas.

Détestant voir le visage livide et contracté de sa mère, Mari se ravisa :

– D'accord, d'accord. Disons que tout ce que Galen t'a dit était vrai. Mais, mère, c'était *il y a plus de dix-huit hivers*. Et même à cette époque, ces gens *bien* n'ont pas été assez sages et justes pour le laisser vivre. Imagine les changements qui se sont sans doute produits depuis tout ce temps !

– Les choses se sont peut-être améliorées, avança Léda.

– D'après ce qu'on voit, c'est faux. Maman, tu m'as confié avoir ressenti une grande agitation dans la Terre Mère. Eh bien, je te crois. Il se passe quelque chose, en effet. Les bandes de chasseurs des Compagnons sont plus nombreuses. Elles ont commencé à nous rechercher au-delà des limites de la Forêt de Pins à Sucre. D'hiver en hiver, elles capturent plus de nos semblables. Elles continuent à nous tuer. Toutefois, je suis d'accord avec toi sur un point : je pense que les Compagnons ont changé, mais pas en mieux, et Rigel en est la preuve.

– Rigel ?

– C'est un canin Guide, vénéré et protégé par la Tribu, n'est-ce pas ?

– Oui.

– Alors, que fait-il ici ?

– Il t'a choisie.

– Mais à part ça ? Comment a-t-il pu échapper à un peuple qui vénère et protège ses canins au péril de sa vie ?

Léda écarquilla les yeux et regarda le canin ; on aurait dit qu'elle le voyait pour la première fois.

– Tu as peut-être raison, Mari. La Tribu que ton père m'a décrite n'aurait jamais laissé s'échapper un jeune Berger, surtout pas après le coucher du soleil.

Léda secoua la tête, comme si elle voulait chasser de sombres pensées.

– Pourtant, tu es une Compagnonne, aussi certainement que tu es ma fille. Je comprends que tu trouves dangereux et effrayant de rejoindre le peuple de ton père, mais, ma chérie, quand je ne serai plus là, tu devras vous trouver, à Rigel et à toi, une place dans ce monde. Et cette place n'est pas dans une tanière, à renoncer à la moitié des droits que tu as acquis à ta naissance.

– Pourquoi tu dis ça ? Je croyais que je serais Femme Lune après toi. Que s'est-il passé ?

Léda soupira et posa son panier. Puis, joignant les mains sur ses genoux, elle regarda sa fille en face.

– Cette nuit, les femmes du Clan ont déclaré que je devais nommer mon héritière et la désigner comme mon apprentie, afin de commencer son instruction.

Mari eut l'impression de perdre l'équilibre et de tomber la tête la première dans un ruisseau gelé.

– Parce qu'elles en ont assez d'attendre que ma prétendue maladie guérisse et que je revendique mes pouvoirs, devina-t-elle.

– Non, ma chérie. Parce que les Marcheurs de la Terre ont besoin de savoir qu'il y a une jeune Femme Lune parmi eux, qui prendra soin du Clan quand je serai trop vieille pour invoquer la lune.

– Laisse-moi essayer encore. Je contrôle mieux mes pouvoirs, maintenant. Je t'ai aidée à sauver Rigel ! Permets-moi d'être ta véritable apprentie. C'est mon droit puisque je suis ta fille, maman.

– La seule chose qui me plairait plus que de te choisir comme apprentie, c'est de savoir qu'en *ne te choisissant pas*, j'assure ta sécurité.

– Mais je serai en sécurité ! Je veillerai à ne jamais aller à la rencontre de membres du Clan avant le coucher ou après le lever du soleil. Je ferai plus attention à ce que mes cheveux soient toujours teints et je prendrai soin de bien cacher mon visage. Toujours.

– J'aimerais pouvoir te dire oui, Mari, tu le sais. Mais c'est tout simplement trop dangereux, surtout maintenant, précisa Léda en jetant un regard à Rigel. La Loi est claire. Que tu sois Femme Lune ou pas, tu serais bannie du Clan si l'on découvrait ton secret.

Mari suivit son regard et répondit :

– Rigel restera ici. Je le lui ordonnerai. Tu sais qu'il m'écoutera ; il m'écoute toujours.

Rigel frappa le sol de sa queue et se rapprocha de Mari, comme pour lui signifier son approbation.

– Bien que j'ignore beaucoup de choses sur le lien entre un Compagnon et son canin, je sais ceci : même si Rigel t'obéit, ça le fera souffrir d'être séparé de toi, exactement comme ça te fera souffrir d'être séparée de lui.

Léda secoua la tête. Ses yeux étaient tristes, mais sa détermination ne chancela pas.

– J'ai choisi Sora. Je l'annoncerai dès ce soir, avant le crépuscule.

– Sora ?! Elle est trop égoïste et arrogante pour être une Femme Lune.

– Certes, Sora est jeune et égocentrique, mais elle a aussi de grandes capacités, et un fort désir de devenir mon apprentie.

Je pense que grâce à mon aide, elle mûrira et s'occupera correctement du Clan.

– Tu ne l'aimes même pas, affirma Mari.

– Il est vrai que je ne l'apprécie pas vraiment. Mais elle a un sens pratique qui lui servira dans ses relations avec le Clan. Et puis, je sens qu'elle a le pouvoir d'invoquer la lune et de purifier les Marcheurs de la Terre de la folie de la nuit. Tous ces éléments la désignent pour me succéder.

– Je... je sais que j'aurais dû m'y attendre, mais j'ignorais que ça me blesserait autant, avoua Mari en détournant le regard.

Léda alla près de sa fille, l'enlaça et, de son autre main, posa sa tête sur son épaule.

– Il ne faut pas que ça t'affecte autant. Si je pouvais choisir parmi toutes les Marcheuses de la Terre à qui la Sublime Terre Mère a accordé le don d'invoquer la lune, je ne voudrais pas une autre apprentie que ma fille. Mais le destin a esquissé une voie différente pour toi. En attendant, je ferai tout mon possible pour te protéger de ceux qui risqueraient de te faire du mal.

– Et moi, tout ce que je souhaite, c'est que le destin me permette de rester avec toi et Rigel pour toujours.

– Alors, ton vœu a été exaucé, puisque tu nous auras tous les deux aussi longtemps qu'on respirera. Et pense au côté positif : une fois que Sora sera entièrement formée, on aura plus de temps pour nous, pour nous trois, affirma Léda, en embrassant sa fille sur le front. À présent, mettons un cataplasme à ton jeune Berger avant que j'aille m'occuper des affaires de la nuit.

Mari poussa un soupir, mais hocha la tête. Côte à côte, sa mère et elle examinèrent Rigel. Elles ôtèrent la mousse qu'elles avaient appliquée sur ses blessures tandis qu'il se prélassait d'un air heureux dans les bras de Mari en remuant la queue et en écartant ses pattes longues et fines, aux extrémités trop grosses pour son corps.

– Je suis tellement contente qu'il se rétablisse si vite ! dit Léda, en tâtant les cicatrices de Rigel.

Elle rit lorsqu'il enfouit son museau contre son aisselle et renifla.

– Je ne constate aucun signe d'infection, reprit-elle. Tout ce que je vois, c'est un canin heureux et en bonne santé, qui grandit à une vitesse incroyable.

– Et regarde ses pattes, ajouta Mari en soulevant les membres du petit l'un après l'autre. Il ne boite plus du tout.

Léda passa les mains sur les pattes de Rigel, puis elle lui agita affectueusement les oreilles en disant :

– Ses pieds sont complètement guéris. À la nouvelle lune, ses plaies ne seront plus que des traces cachées sous ses poils.

Le canin lui lécha le visage avec enthousiasme, ce qui la fit rire de nouveau.

– De rien, jeune Rigel, dit-elle.

– Est-ce que tu le trouves maigre ? demanda Mari à sa mère.

Rigel alla s'appuyer contre elle et regarda Léda comme s'il attendait lui aussi une réponse.

– Peut-être un peu, mais il est en pleine croissance. On fait de notre mieux pour qu'il ait toujours le ventre à moitié rempli de lapin ! À en juger par la taille de ses pattes, il a des chances d'être plus grand qu'Orion quand il sera adulte, et Orion était énorme.

– Maman, et si je changeais les pièges ?

– Les changer ? Comment ça ?

– Pour faire en sorte qu'ils ne tuent pas le lapin capturé. J'y ai beaucoup réfléchi ces dernières nuits, et voici ce que j'ai imaginé.

Mari courut à son bureau et sortit de la pile d'esquisses une longue feuille de papier couverte de dessins qui représentaient tous un étrange panier rectangulaire.

– Crois-tu que tu pourrais tisser un panier comme celui-ci ? lança-t-elle en montrant à sa mère l'une des ébauches les plus avancées. Avec une ouverture qui permettrait au lapin d'entrer, mais qui se refermerait une fois le piège activé et l'empêcherait de ressortir. Tu vois, là ?

– Oui, je pense, répondit Léda après avoir étudié le croquis.

– Super ! Alors, tout ce que j'ai à faire, c'est attraper un mâle et une femelle, et bientôt, Rigel pourra manger tous les lapins qu'il voudra ! Nous aussi, d'ailleurs !

– Tu es remarquable, Mari ! la complimenta Léda.

Un petit frisson parcourut son corps. Elle soupira avec lassitude et son ton joyeux se dissipa telle la rosée sous un soleil d'été.

– Je sens la nuit qui va bientôt tomber, continua-t-elle. Le Clan doit s'être réuni au Site dans l'espoir que j'y ferai mon annonce. Je serai heureuse quand cette nuit sera finie.

– Je vais t'attendre ici, comme toujours, avec Rigel. Ton thé sera prêt quand tu reviendras, je te le promets.

Mari détendit l'atmosphère délibérément, car elle détestait l'approche de ces crépuscules, quand sa mère semblait porter un fardeau de plus en plus lourd.

– Bon, plus tôt je partirai, plus tôt je reviendrai. Tu vois, ma chérie, mon choix de prendre Sora comme apprentie présente déjà un avantage. Je commencerai dès ce soir à lui confier quelques responsabilités.

– Tu as raison, maman. Tout ira bien.

– Tu n'es plus triste, ni inquiète ?

– Non, assura Mari d'un ton jovial. Que puis-je faire pour t'aider à te préparer ?

Elle était déterminée à ne montrer à sa mère que son soutien. « Peut-être Sora sera-t-elle la bonne personne pour maman, et pour nous. »

Quelques instants plus tard, la jeune femme dit au revoir à sa mère, referma la porte de la tanière et glissa la planche dans sa rainure. Cependant, à la différence des autres soirs, elle ne s'installa pas à son bureau. Elle demeura debout, l'oreille collée contre la porte, son Berger assis à ses pieds, avec l'air d'attendre impatiemment quelque chose. Elle lui jeta un coup d'œil et lui dit :

– Exact. Ce soir, c'est différent. On va la suivre.

10

Mari se précipita vers la paillasse qu'elle partageait avec Rigel. Sur le rebord près de leur lit, elle prit trois coupelles en bois. L'une contenait une épaisse substance argileuse ; une autre, du charbon mélangé à de la terre, et la dernière, une teinture sombre obtenue à partir de brou de noix. Elle regagna son bureau et, après avoir vérifié son reflet dans le miroir, elle couvrit ses traits délicats et camoufla la véritable couleur de ses cheveux à l'aide de ces trois mixtures. Lorsqu'elle fut satisfaite de son apparence, elle s'assura que le cataplasme collé au poitrail de Rigel était bien en place.

Comme toujours, le canin avait observé et suivi Mari partout dans la tanière. Il ressentit son changement d'humeur et répondit à la nervosité de la jeune femme par sa propre énergie de jeune canin surexcité, sautant autour d'elle, impatient, la langue pendante.

– OK, on va la suivre, mais de loin, précisa-t-elle. Juste pour s'assurer que tout se déroule bien. Elle a tellement parlé de l'agitation de la Terre Mère que j'ai l'impression qu'il va se passer quelque chose ; et si c'est le cas, il faut qu'on soit à ses côtés.

Tout en parlant, Mari s'approcha d'un grand panier plein de pierres lisses de la taille d'un œuf de rouge-gorge. Elle en sélectionna plusieurs avec soin, qu'elle plaça dans une sacoche en cuir, où elle mit également sa fronde préférée.

Elle s'arrêta ensuite devant leur collection de couteaux en silex aiguisés, choisit celui qu'elle préférait pour hacher de la nourriture et le fourra dans son petit sac. Puis elle décrocha la précieuse outre en peau de chèvre suspendue près de la porte, assortie à celle que sa mère emportait tous les soirs. Comme elle l'avait fait toute sa vie, elle la soupesa et, satisfaite, la mit en bandoulière. Elle planta alors ses yeux dans le regard vif de Rigel, et concentra ses pensées en une émotion apaisante, qu'elle lui transmit tout en lui disant :

– Ce soir, c'est différent. On va aller *loin*. On doit être silencieux. Il ne faut pas qu'on nous voie ni qu'on nous entende. Personne ne doit s'apercevoir de notre présence.

Rigel comprit, elle en était certaine. Elle avait une impression de complétude et de compréhension mutuelle, qui grandissait et se renforçait chaque jour qu'elle passait avec le Berger, et qui leur permettait de communiquer plus sûrement qu'avec des mots.

– Bon, on est fin prêts. Allons-y !

Mari ouvrit la porte et prit son bâton de marche. Rigel attendit patiemment qu'elle lui montre le chemin. Ils se mirent en route. Mari écartait les grosses branches de ronces afin que le canin puisse la suivre sans se blesser dans le labyrinthe de sentiers cachés qui entouraient leur tanière. Il demeura près d'elle en silence jusqu'à ce qu'ils traversent le hallier épineux.

De là, Mari pouvait prendre plusieurs directions. Puisqu'elle allait annoncer le nom de son apprentie, Léda se rendrait sur un Site de Rassemblement plus vaste et plus facile d'accès que celui où le Clan s'était réuni lors de la dernière pleine lune. Mari passa mentalement en revue les différents lieux possibles, en essayant de deviner lequel était le plus adéquat pour accueillir cet important évènement.

Le Clan pouvait passer pour un groupe d'individus dépenaillés, qui subsistaient tant bien que mal en creusant la terre, mais cette impression était fausse. Très sociables, les Marcheurs de la Terre avaient construit un système complexe de Sites de Rassemblement. Le Clan de Mari était composé d'habiles tisserands, qui ornaient leurs tanières de tapisseries de chanvre aux couleurs sublimes, tissaient des paniers, des filets, des pièges et même des vêtements incroyablement élaborés. Les femmes étaient des chefs incontestés ; elles décidaient de tout : de l'endroit où devaient être construits de nouvelles habitations et des jardins, avec quels autres Clans commercer et à quelle fréquence, etc. Elles enseignaient aux enfants à lire et à écrire en leur racontant des mythes anciens issus d'un monde qui n'existait plus que dans la mémoire collective.

Et, surtout, les Femmes Lune étaient vénérées en tant qu'incarnation physique de la Sublime Terre Mère, et en tant qu'Esprit du Clan.

Alors, où le Clan des Tisserands se rassemblerait-il ce soir ? Mari connaissait l'emplacement de chaque site de rassemblement des Marcheurs de la Terre. Léda et elle en dressaient régulièrement la carte, qu'elles apprenaient par cœur en mettant à jour leurs rouleaux de parchemin. Mais ils étaient nombreux, et Mari n'avait pas le temps de se tromper. Elle ne pourrait pas veiller sur sa mère si la nuit tombait avant qu'elle la trouve. Seul un imbécile ou un Marcheur de la Terre en proie à la Fièvre Nocturne oserait s'aventurer non accompagné dans la forêt après le crépuscule.

« Quel chemin Léda a-t-elle pris ? »

Mari écouta intensément, dans l'espoir d'entendre un bruissement dans le sous-bois lointain, qui lui donnerait un indice.

Cependant, le seul bruit qu'elle perçut provenait d'un geai qui jasait avec mécontentement à l'intention de Rigel.

La jeune femme jeta un coup d'œil au jeune canin. Assis à ses pieds, les oreilles dressées, il regardait au loin d'un air entendu, comme si la nature sauvage autour d'eux lui murmurait des secrets, à lui seul.

« C'est ça ! comprit Mari. Rigel sent, entend des choses que moi, je ne peux percevoir. » Elle s'accroupit près du jeune Berger et lui prit la tête entre ses mains. Tandis qu'ils se regardaient fixement, Mari ébaucha dans son esprit une image de Léda.

– Trouve maman ! ordonna-t-elle à Rigel.

Aussitôt, la truffe à terre, le canin se mit à se déplacer de façon sinueuse, puis il s'immobilisa, la queue levée. Il s'assit ensuite devant un petit sentier qui conduisait vers le nord-ouest, et se retourna vers Mari.

– Tu es si beau, et si intelligent ! le félicita la jeune femme, qui le prit dans ses bras et l'embrassa. Si elle est partie par là, ça signifie que le Clan se rassemble près du Ruisseau aux Écrevisses, à côté de la grande cerisaie. Bon, Rigel, rappelle-toi : on avance vite et en silence.

Craignant de se faire doubler par des retardataires en chemin pour le Rassemblement, Mari préféra quitter le petit sentier, puis elle se dirigea vers le nord-ouest. Elle ne s'arrêta que lorsque Rigel la devança en gémissant, les oreilles et la queue dressées.

Elle s'agenouilla près de lui et écouta. Le faible bruit de l'eau lui fut apporté par le vent qui lui frôla le visage et, dans la voix du ruisseau, elle entendit celle, familière, calme et lente, de sa mère. Elle avança à quatre pattes, Rigel à côté d'elle, jusqu'à un buisson de houx gros comme un lilas au printemps et grand comme un arbre. Sans tenir compte des épines terminant les feuilles lisses, qui leur égratignaient le visage et les bras, Mari et Rigel se frayèrent un passage sous le couvert du feuillage. De cette cachette impromptue, Mari regarda en bas de la berge escarpée.

D'ordinaire, le Ruisseau aux Écrevisses était un cours d'eau limpide et paresseux. Son lit était rempli de suffisamment de cailloux pour permettre une traversée aisée, et il constituait une excellente zone de reproduction pour les savoureux crustacés qui lui donnaient son nom. Mais, ce jour-là, Mari constata qu'il était gonflé d'une pluie printanière qui le rendait boueux. La rive opposée, en pente douce, s'aplanissait gracieusement pour créer une splendide petite clairière. Derrière se trouvait un important bouquet de cerisiers adultes qui commençaient juste à bourgeonner de leurs fleurs rose et blanc. Cette zone de rassemblement était l'une des préférées de Mari. Elle sourit au souvenir des jours brumeux que sa mère et elle avaient passés à entretenir les six idoles de la Terre Mère qui semblaient surgir miraculeusement du sol. Chaque figure mesurait facilement trois fois la taille d'une femme réelle et était dans une position différente. Certaines étaient allongées sur le côté, un sourire serein ciselé dans leurs visages de pierre, les yeux clos comme si elles étaient plongées dans un sommeil éternel peuplé de rêves. D'autres reposaient contre de gros blocs de roche ronds placés là si longtemps auparavant que plus personne ne se rappelait comment ils y étaient arrivés. L'idole favorite de Mari était étendue sur le ventre, la tête posée sur les mains, et elle souriait avec l'air de détenir un secret fascinant. Son visage avait été sculpté dans une gigantesque pierre grise. Sa longue chevelure épaisse était constituée de lierre que Mari avait taillé quelques semaines plus tôt seulement, par une matinée pluvieuse.

– Qu'elles soient magiques ou non, ces idoles sont magnifiques, déclara tout bas Mari à Rigel.

Son attention fut soudain attirée par les membres de son Clan qui se saluèrent et s'assirent autour des images de leur Terre Mère.

Mari écarquilla les yeux, stupéfaite. Elle n'avait jamais vu autant de Marcheurs de la Terre réunis ! Ce rassemblement avait un air de fête et les voix enthousiastes des gens s'élevèrent avec clarté jusqu'à son poste d'observation. Elle compta rapidement quarante-cinq femmes, vingt hommes et dix-sept jeunes, dont Jenna, qui se précipita pour saluer Léda.

– Léda ! Léda ! Est-ce que Mari est venue avec toi ce soir ?

– Non, Jenna, répondit Léda en serrant la fille dans ses bras. Mari ne peut pas participer au rassemblement aujourd'hui.

– Elle me manque, commenta Jenna d'un ton triste.

– Toi aussi, tu lui manques.

– Mari n'est toujours pas en forme ? questionna Xander, après s'être incliné respectueusement devant Léda.

– Sa santé est précaire. Vous savez à quel point Mari est fragile.

Léda répéta l'éternelle excuse pour maintenir sa fille à l'écart du Clan, et pour garder ses secrets, y compris de la seule amie de Mari et de son père.

– Pourtant, elle possède tes pouvoirs, affirma Jenna. Je le sais. Ses yeux sont exactement comme les tiens.

– C'est vrai, mon enfant, acquiesça Léda gentiment. Et Mari a un pouvoir, en effet, mais il est aussi imprévisible que sa santé.

– Donc, c'est vrai : tu ne choisiras pas Mari ce soir, devina Xander.

– Je ne choisirai pas Mari ce soir, confirma Léda d'un ton ferme.

– Je le regrette sincèrement, confia Jenna. J'espérais qu'elle serait assez forte.

– J'espérais la même chose, mon enfant, et Mari aussi, répondit Léda. Mais il en est autrement.

Bouleversée, Mari avait envie de dévaler la berge en courant, de prendre place aux côtés de sa mère et de revendiquer son droit acquis à la naissance sans craindre d'être maudite à cause de ses cheveux blonds et de sa peau qui absorbait la lumière du soleil.

Rigel se colla contre elle, la réconfortant en silence. Mari le serra dans ses bras, et se concentra pour évacuer sa peine. Elle s'imagina que cette dernière, après l'avoir submergée, la traversait et s'écoulait dans le sol fertile sous ses pieds. Enfin, elle reporta son attention sur sa mère.

Léda avait gagné le centre de la clairière. Elle souleva son bâton, puis en frappa le rondin à terre devant elle, trois fois. Un silence plein d'attente se fit parmi le Clan. Léda leva le menton et se tint bien droite, dans toute sa force. Le vent souffla dans sa longue chevelure, qui retomba autour de son visage en formant un rideau brun teinté d'argent.

– Je suis votre Femme Lune. Mon destin est de prendre soin du Clan des Tisserands ; c'est à ce titre que j'ai entendu et pris en considération les inquiétudes de notre peuple. Il est temps que je désigne mon héritière, afin qu'elle puisse s'engager sur le chemin de l'apprentissage.

Léda marqua une pause, puis regarda tour à tour chaque membre du Clan, assez longtemps pour qu'il hoche la tête en signe d'approbation et sente que c'était pour répondre à ses inquiétudes à lui en particulier que la Femme Lune prenait la parole. Dans la lumière déclinante du crépuscule, Mari trouva Léda puissante, passionnée, magnifique et sage, à l'instar de l'une des fées sylvestres des contes qu'elle lui narrait lorsqu'elle était enfant.

– Toutes les Marcheuses de la Terre aux yeux gris argent touchés par la lune, avancez et présentez-vous à moi ! ordonna Léda.

Mari serra les dents pour résister à l'envie de répondre à l'appel de sa mère et de rejoindre les quatre filles qui avancèrent au centre du rassemblement.

Trois d'entre elles saluèrent Léda bien bas et avec respect. Sora, évidemment, eut une attitude différente. Bien qu'elle s'inclinât, elle aussi, Mari eut le sentiment que ses mouvements étaient trop indolents pour exprimer le respect approprié. Lorsque Léda les invita à se redresser, Sora releva aussitôt la tête et rejeta son épaisse chevelure brune en arrière. Elle ne portait pas de couronne, mais ses cheveux étaient richement tressés avec des plumes, des perles et des coquillages, et tombaient en cascade dans son dos, juste au-dessus de la cambrure de ses reins. Mari se renfrogna. Dans tout son comportement, Sora rayonnait d'une arrogance totalement déplacée pour quelqu'un qui, un jour, incarnerait la déesse, Sublime Mère, et conserverait l'Esprit du Clan.

– Avant de vous révéler le nom de mon apprentie, je tiens à rendre honneur à ces quatre jeunes filles de notre Clan, annonça Léda en souriant chaleureusement à chacune. Toutes ont du potentiel. Toutes ont du talent. J'en désignerai une seule, que je formerai, pour qu'un jour, elle prenne la relève. Mais, mesdemoiselles, n'importe laquelle d'entre vous pourrait devenir une merveilleuse Femme Lune. Si ce n'est pas vous que je choisis, vous serez libres de vous tourner vers un autre Clan et de postuler en tant qu'apprenties. Vous comprenez ?

Les quatre jeunes filles hochèrent la tête en même temps. Il sembla à Mari que trois d'entre elles étaient nerveuses. Sora restait fidèle à elle-même, magnifique et très sûre d'elle.

– Isabel, je te vois et je reconnais ta volonté de servir ton Clan, commença Léda. Bien que je ne te choisisse pas comme apprentie, je demande à la Sublime Mère de t'accorder force et sécurité.

– Merci, Femme Lune.

La dénommée Isabel s'inclina de nouveau devant Léda, puis regagna en hâte sa place parmi le Clan avec un soulagement manifeste.

– Danita, je te vois et je reconnais ta volonté de servir ton Clan. Bien que je ne te choisisse pas comme apprentie, je demande à la Sublime Mère de t'accorder santé et bonheur.

Danita ne parut pas aussi soulagée qu'Isabel, mais elle salua bien bas Léda et lui sourit avant de rejoindre sa mère et sa sœur, qui étaient assises non loin sur des rondins.

Même si Mari connaissait la décision de sa mère, elle ressentait une excitation et une impatience identiques à celles du Clan, tandis que les deux autres jeunes filles aux yeux gris attendaient en silence.

« Ils ne savent pas », comprit-elle en étudiant le visage des personnes présentes. Puis elle considéra Sora, qui regardait Léda avec une telle intensité que, même depuis son poste d'observation au-dessus d'elles, Mari sentait le désir de la jeune fille. « Maman n'a révélé à personne qui elle allait choisir, pas même à Sora. » Brusquement, elle comprit pourquoi. « Elle souhaitait vraiment me désigner pour lui succéder, et c'est seulement il y a neuf jours qu'elle a abandonné l'espoir de le faire. » Mari étouffa un sanglot et enlaça Rigel.

– Je ne regretterai jamais que tu m'aies trouvée, lui murmura-t-elle dans l'oreille, mais j'aimerais pouvoir être à la fois ta Compagnonne *et* l'héritière de maman.

Rigel grimpa sur les genoux de la jeune femme, qui s'essuya les yeux et continua à observer la scène en contrebas.

– Eunice, je te vois et je reconnais ta volonté de servir ton Clan. Bien que je ne te choisisse pas comme apprentie, je demande à la Sublime Mère de t'accorder joie et amour.

Mari ne regarda pas Eunice saluer et retourner parmi le Clan. Son attention était fixée sur Sora. Debout face à Léda, la fille semblait brûler d'une ardeur quasi prédatrice. Elle était née le même automne que Mari, mais elles n'avaient en commun que leur âge. Mari était grande, plus svelte et plus gracieuse qu'une Marcheuse de la Terre typique. Sora était encore plus petite que la toute menue Léda, mais sa poitrine et ses hanches généreuses indiquaient à Mari qu'à la différence des autres femmes du Clan, elle ne faisait pas beaucoup de travail physique.

« Sora s'octroie-t-elle déjà ce privilège réservé exclusivement à une Femme Lune ? » Agacée, Mari nota dans un coin de sa tête cette marque de profond irrespect. Elle en parlerait à sa mère. Peut-être qu'une part de l'apprentissage de Sora devrait inclure des efforts physiques soutenus.

– Sora, je te vois et je reconnais ta volonté de servir ton Clan. Par la présente déclaration, je te nomme Femme Lune du Clan des Tisserands, et je fais de toi mon héritière officielle. Acceptes-tu ta nomination ?

– Oui, je l'accepte !

La voix surexcitée de Sora retentit plus fort que celle de Léda.

Cette dernière fit un tour complet sur elle-même et demanda :

– Femmes du Clan, acceptez-vous ma nomination de Sora en tant que Femme Lune ?

– Oui, nous l'acceptons ! crièrent les femmes en chœur.

Mari remarqua avec intérêt que celles-ci avaient l'air moins enthousiastes que les hommes, qui se levèrent, applaudirent et sifflèrent.

– Telle est ma proclamation, et telle est l'approbation des femmes du Clan. Sora est mon apprentie. Plus tard, le mystère du pouvoir de la lune se révélera à elle afin que le Clan puisse continuer à être purifié de la folie et de la tristesse provoquées par la Fièvre Nocturne.

Léda s'inclina devant Sora, qui semblait rayonner de plaisir.

Mari était en train de se dire combien elle aimerait balayer l'expression suffisante et triomphante du visage de Sora lorsque Rigel se pétrifia.

– Qu'y a-t-il ? lui demanda-t-elle à voix basse.

Les oreilles du canin étaient pointées en avant, comme s'il regardait toujours Léda. Mais en l'observant plus attentivement, Mari constata que son regard était fixé au loin, derrière le Clan réuni. Sans un bruit, Rigel descendit de ses genoux. Il avança jusqu'à la limite du houx. Sa queue se leva, et ses poils se hérissèrent. Lorsqu'il tourna la tête et qu'elle vit son regard, Mari éprouva l'envie irrésistible de s'enfuir, de retourner se cacher dans leur tanière.

Un danger menaçait le Clan, elle en était absolument certaine.

Elle n'hésita pas une seconde. Dans son esprit, elle esquissa une image de leur foyer, Rigel assis devant l'entrée de leur carré de ronces.

– Rentre à la maison, Rigel ! Maintenant ! lui ordonna-t-elle.

Le canin frémit et gémit, mais ne bougea pas d'un pouce.

Mari ajouta à son image mentale sa mère et elle-même.

– Maman et moi te suivrons bientôt !

Après lui avoir adressé un dernier regard malheureux, Rigel se tourna, rampa sous le houx et retraversa les broussailles à toute vitesse afin de suivre le chemin qu'ils avaient emprunté à l'aller. Mari attendit de ne plus le voir pour se frayer un passage à travers l'épineux buisson et prendre la direction opposée. Sans même réfléchir à ce qu'elle allait dire, elle commença à descendre avec précaution la dangereuse berge du ruisseau. Plissant les yeux, elle sonda la cerisaie derrière le Site de Rassemblement pour tenter d'apercevoir dans la lumière déclinante le danger que Rigel avait senti.

Un mouvement à la limite de son champ de vision attira son attention. Elle s'arrêta, et se concentra. Derrière le Clan, juste avant les premiers cerisiers, un bouquet de fougères adultes avait commencé à trembler, comme parcouru par une bourrasque.

Or, il n'y avait pas la moindre brise. Tout à coup, sous le regard horrifié de Mari, les fougères s'écartèrent violemment, et des hommes – grands, blonds, armés d'arbalètes prêtes à tirer – foncèrent sur le rassemblement.

Mari mit ses mains en porte-voix et hurla :

– Des Compagnons arrivent ! *Fuyez !*

Léda tourna brusquement la tête et ses yeux trouvèrent aussitôt sa fille.

– Mari ?

– Derrière toi, maman ! lui indiqua la jeune femme en pointant le doigt au-dessus de la tête de sa mère. Cours !

Il y eut comme une explosion de mouvements au sein du Clan. Aucun souffle ne fut gaspillé dans un seul cri de terreur. Les enfants coururent en silence vers leurs mères, qui, tout aussi silencieusement, les soulevèrent et s'enfoncèrent dans la forêt, rapides comme des cerfs. Certains hommes se retournèrent pour faire face aux agresseurs. D'autres se précipitèrent dans la forêt sombre.

Mari avait descendu en glissant la moitié de la berge lorsque la première flèche traversa le cou d'un des hommes du Clan restés affronter les Compagnons. Son sang étouffa son hurlement. Pris de convulsions, il s'effondra non loin de Léda.

– Maman ! Dépêche-toi ! cria Mari en faisant signe à sa mère de la rejoindre.

Celle-ci se précipita dans le ruisseau et, de l'eau jusqu'à la taille, se dirigea péniblement vers elle en luttant contre le courant rapide.

« On se cachera dans le houx. Ils ne s'attendront pas à ce qu'on reste si près. Ils passeront devant nous sans nous voir ! » songea Mari.

Un homme blond sauta par-dessus un rondin, vit Léda et la suivit dans l'eau. Juste derrière lui, un autre s'arrêta le temps de lui crier :

– Ne perds pas ton temps avec la vieille. Va attraper la fille sur l'autre berge !

Puis il suivit une mère et sa petite fille dans les broussailles.

« La fille sur l'autre berge ? C'est de moi qu'il parle ! » Paralysée par la panique, Mari eut l'impression que son corps ne savait plus comment bouger.

Le premier homme répondit à son ami par un grognement approbateur, et traversa tant bien que mal le ruisseau, dépassant Léda.

– Non ! hurla celle-ci. Pas ma fille !

Épouvantée, Mari vit sa mère attraper et tirer la chemise de l'homme, le forçant à marquer un temps d'arrêt, dont il profita pour lui envoyer un coup du revers de la main. Léda bascula et se cogna la tête contre un rocher. Le courant du ruisseau la souleva et l'emporta, inanimée.

– Maman ! hurla Mari.

Poussant des cris enragés et terrifiés, elle sortit sa fronde et une poignée de pierres de sa sacoche. D'un geste entraîné, elle visa, ramena brusquement son bras en arrière et fit tournoyer son arme. La pierre atteignit l'homme au visage, lui fracassant la pommette. Il fit quelques pas en chancelant et chuta sur la berge abrupte, non loin de Mari.

La jeune femme se mit à courir à toute allure, sa fronde chargée d'une autre pierre à la main, son attention divisée entre le corps de sa mère flottant sur l'eau et les dangereux Compagnons qui ratissaient la forêt à la recherche de futures captives.

Elle se fraya tant bien que mal un passage dans les broussailles de plus en plus denses, butant contre des rondins et des trous remplis de feuilles. Elle devait à tout prix rattraper sa mère avant qu'elle se noie.

Elle ne pouvait laisser l'éventualité de sa mort s'infiltrer, tel un poison, dans sa réalité. Sinon son cœur se fêlerait, se briserait, et ses jambes cesseraient de la porter. Finalement, le ruisseau décrivit un coude serré à droite, qui retint le corps de Léda dans un enchevêtrement de rondins gonflés d'eau et de gros rochers ronds. Mari continua à descendre la berge moitié en courant, moitié en trébuchant, puis sauta dans l'eau et lutta contre le courant.

Léda gisait le visage tourné vers le ciel, les vêtements et les cheveux emmêlés dans les débris. Une fois près d'elle, Mari écarta sa longue chevelure et essuya le sang de son visage, cherchant désespérément son pouls dans son cou. Lorsqu'elle le sentit, elle sanglota de soulagement.

– Maman ! Maman ! Réveille-toi, parle-moi !

Elle passa les doigts sur le cou et les bras de Léda, prenant note du bleu en forme de main déjà en train de foncer sur sa joue et de la coupure qui saignait en haut de son front. Elle s'obligea à prendre de profondes inspirations pour se calmer, tandis qu'elle commençait à dégager sa mère des débris flottants.

La Femme Lune gémit, se mit à frissonner et à battre des paupières.

– Mari… Mari…, murmura-t-elle, à moitié inconsciente.

– Chuuut, je suis là, maman, mais on ne doit pas faire de bruit. Je ne sais pas où ni combien ils sont, chuchota Mari.

Léda ouvrit les yeux. Elle tenta de s'asseoir, mais poussa un cri, et retomba dans l'eau en agrippant son côté.

– Côtes... fêlées ou cassées..., prévint-elle, le souffle court. Ma tête... a cogné sur un rocher, dans l'eau. Je vois flou. Emmène-moi dans le sous-bois. Je m'y cacherai. Toi, rentre chez nous en courant.

– Je ne vais pas te laisser ici.

– Mari, fais ce que je te dis.

– Léda, pour une fois, je me fiche de ce que tu dis. Je ne te laisserai pas ! déclara Mari en articulant bien chaque mot. Maintenant, arrête de parler et aide-moi à te sortir de ce ruisseau avant que tu ne sois gelée.

Aussi délicatement que possible, elle passa le bras de Léda autour de son épaule et, la saisissant par la taille, elle commença à lui faire traverser le cours d'eau jusqu'à la berge abrupte.

– L'autre talus est plus proche et moins escarpé, lui signala Léda entre deux hoquets de douleur et en claquant des dents.

– C'est aussi par là qu'ils sont arrivés. Au moins, sur la berge la plus éloignée, il y a davantage de rochers, de rondins et de coins où se cacher. Et les broussailles sont si touffues qu'elles m'ont presque empêchée de te rejoindre. Puisqu'elles m'ont retenue, elles les retiendront, eux aussi, assura Mari avec une détermination farouche.

Économisant ses forces, Léda se contenta de hocher la tête et plaqua une main sur son côté, se mordant la lèvre pour ne pas crier de douleur. Quand elles atteignirent la berge rocailleuse, elle s'effondra sur le sol humide, toute tremblante, et essaya de reprendre son souffle par petites bouffées.

– Juste là-haut, un peu derrière, j'ai vu un cèdre mort tellement étouffé par des plantes grimpantes qu'il a l'air encore vert, presque vivant, dit Mari. Il nous cachera, je pense.

– Je ne peux pas marcher, déclara Léda. La tête me tourne trop. Si je bouge, je vais vomir.

– Alors, on reste ici en espérant qu'aucun Compagnon ne passera près de nous.

– Quand es-tu devenue si têtue ? s'étonna Léda d'une voix saccadée.

– Je ne sais pas trop, mais je crois que je tiens ça de ma mère, affirma Mari en s'accroupissant à côté de Léda. Je ne peux pas te perdre, maman.

– Je vais donc devoir monter cette berge jusqu'au cèdre, on dirait.

Mari prit la main de sa mère et l'aida à se lever. Le teint livide, Léda se maintint debout pendant un moment, oscillant juste un peu. Mais, soudain, elle blêmit encore plus et un douloureux frisson parcourut tout son corps, lui donnant une teinte gris argenté.

– Oh, non ! murmura Mari, affolée, en regardant vers l'ouest, comme si elle adjurait intérieurement le soleil de ne pas se coucher.

– C'est inutile. La nuit tombe, apportant davantage de souffrance…

Léda frémit de nouveau, ses yeux se révulsèrent, puis elle s'écroula à terre, presque avec grâce.

– Je suis là, maman. Je vais t'aider. Je t'aiderai toujours, assura Mari.

Elle prit sa mère dans ses bras et entreprit de gravir la berge en la serrant contre son cœur. Elle la trouva si légère qu'elle eut l'impression de tenir un oiseau blessé.

À mi-pente, Mari se figea en entendant un hurlement de pure terreur. Au loin, quelque part derrière elles, des branches craquèrent et les broussailles se cassèrent, tandis que des individus piétinaient la mousse et les fougères délicates, ainsi que les idoles sacrées de la Sublime Mère.

Serrant les dents, Mari déplaça le poids de Léda afin de grimper plus vite. Elle s'efforça de ne pas tenir compte de ses gémissements de douleur à demi conscients, ni du fait que son visage était passé d'une pâleur cadavérique au gris de la lune et des ombres.

Mari parvint bientôt au sommet de la berge. Tenant toujours sa mère dans ses bras, elle courut jusqu'au cèdre. Cet arbre constituait une meilleure cachette encore qu'elle l'avait imaginé. À moitié couché sur le sol, il était complètement envahi par le lierre.

Un nouveau cri, plus près, puis un bruit de course venant dans leur direction aiguillonnèrent Mari. La tête baissée, protégeant de son mieux Léda avec ses bras, elle se fraya un chemin dans le rideau de lierre et de branches mortes... et tomba nez à nez avec Xander et Jenna.

– Mari ! Léda ! Vous êtes...

Xander coupa court à l'exclamation de bonheur de Jenna en lui plaquant sa grande main sur la bouche.

Mari tomba à genoux. Elle pressa un doigt sur ses lèvres pour signifier à Jenna de ne pas faire de bruit. Les yeux écarquillés par la peur, la fille et son père regardaient tour à tour Mari et sa mère inconsciente lorsque des pas lourds résonnèrent juste devant leur cachette. Effrayée, Mari retint sa respiration tout en berçant Léda dans ses bras.

– J'ai vu une Creuseuse s'enfuir par là, déclara une voix d'homme à quelques dizaines de centimètres d'eux. C'est celle qui a assommé Miguel avec une pierre.

– Nik, on en a déjà attrapé quatre. Il n'y en avait que trois à remplacer à la Ferme. En capturer une de plus ne réparera pas la pommette de Miguel. Tout ce qu'il peut faire maintenant, c'est attendre de voir si sa peau écorchée guérit ou s'il...

– Je veux celle qui a blessé Miguel, insista le second individu, interrompant son camarade.

– Écoute, Nik, ce n'est pas une raison pour traîner ici. Le soleil se couche. On est déjà allés bien au-delà de notre secteur de chasse parce que tu voulais pister le jeune canin. Thaddée a encore moins de patience que d'habitude. Il ne va pas nous autoriser à continuer à chasser, surtout après que l'un de nous a été blessé. On doit rentrer.

– O'Bryan, je veux juste chercher encore un peu.

Mari fut surprise du désespoir qui filtrait dans la voix de cet homme.

– Cousin, as-tu trouvé un indice ? Une empreinte de patte, une touffe de poils, des excréments ?

Mari ressentit le poids de ses mots comme si c'étaient des pierres glissées dans ses poches, qui l'alourdissaient, l'entraînaient vers le bas et, finalement, la noyaient dans la peur et l'inquiétude.

– Non, mais ça ne veut rien dire. Aucun signe ne nous avait indiqué que ceci était une colonie de Creuseurs, pourtant, on vient d'en compter presque une centaine. Le canin a peut-être été attiré ici. Il a pu croire que les Creuseurs étaient des humains.

– S'il était avec des Creuseurs, on aurait trouvé des indices de sa présence. Non, sérieusement, Nik, sois logique. Ça fait dix nuits qu'il est parti. Il est mort, c'est sûr.

– Non, pas forcément ! s'écria Nik. Si des canins m'aidaient, je pourrais le retrouver.

– Cousin, Sol a lancé les Terriers Laru *et* Jasmine, la propre mère du petit, à sa recherche pendant toute la journée qui a suivi sa disparition, mais ils n'ont trouvé aucune trace de lui.

– Parce que ces maudits cafards ont tout détruit.

– Ou parce que ces maudits cafards l'ont entièrement bouffé.

O'Bryan s'exprimait d'une voix ferme, mais gentille. Malgré son affolement, Mari remarqua que les deux hommes étaient liés par une amitié authentique.

– Je regrette de te dire ça, Nik, mais la colonie de cafards dévore tout sur son passage. Tu le sais.

– La seule chose que je sais, c'est que je ne peux pas m'arrêter de chercher ce jeune canin. Pas encore, en tout cas. On avait une connexion. *Il a failli me choisir.*

O'Bryan poussa un profond soupir.

– Si jamais je disparais, j'espère que tu me rechercheras avec seulement la moitié de la persévérance dont tu fais preuve pour retrouver ce petit.

– Je te le promets, assura Nik. Mais ne disparais pas.

– Bon, d'accord, vas-y ; continue à regarder dans les broussailles le long de la berge, accepta O'Bryan. Je vais inventer un prétexte pour Thaddée ; mais, déjà, on ne devrait pas être dehors si tard, et quand il déclarera la Chasse terminée, je ne pourrai rien…

– Nik, te voilà ! le coupa un troisième homme, survolté. Viens vite ! Le canin de Thaddée, Ulysse, vient de flairer un gros buisson de houx. On dirait que sous le feuillage, il y a une empreinte de patte de jeune Berger.

– Je vous l'avais dit ! s'exclama Nik, triomphant.

Sa voix et celle des deux autres hommes s'estompèrent tandis que le trio courait vers la première cachette de Mari.

Sous les plantes grimpantes, personne ne bougea pendant de longs moments. Puis, une fois le silence revenu dans la forêt, Xander et Jenna s'accroupirent, la tête près de Mari, et contemplèrent Léda avec effroi.

– Elle est morte ? demanda Jenna, la voix chevrotante.

– Non, chuchota Mari d'un ton rassurant. Elle va se remettre.

D'autres cris retentirent au loin. Mari tendit l'oreille : aucun ne semblait se rapprocher d'eux.

– C'est la disparition d'un canin qui cause toutes ces souffrances ? s'étonna Xander, si bas que Mari l'entendit à peine. Ça n'a pas de sens.

– Non, mais les Compagnons ne sont pas des gens sensés, s'empressa d'approuver Mari, regrettant que le dénommé Nik n'eût pas gardé le silence. Heureusement, le soleil va bientôt se coucher et la nuit les renverra à leur Cité dans les Arbres.

Constatant que son amie regardait toujours Léda avec des yeux écarquillés par la peur, elle ajouta :

– Ensuite, je ramènerai maman à la maison pour pouvoir la soigner correctement. Ne t'inquiète pas, Jenna. Il faut juste qu'on reste cachés ici encore un petit peu.

Le père de Jenna émit un grognement approbateur, mais quelque chose dans le bruit qu'il fit incita Mari à le regarder. Xander fixait Léda avec une expression douloureuse et sa peau commençait à prendre la teinte grise maladive qui annonçait le coucher du soleil et l'arrivée de la Fièvre Nocturne qui affligeait les Marcheurs de la Terre.

11

– Non ! Non ! Non ! Pas ici, papa, pas maintenant ! s'écria Jenna.

Elle rampa à reculons et se colla au tronc pourri de l'arbre mort, en regardant son père d'un air affolé. Elle ramena ses genoux contre sa poitrine et les entoura de ses bras, comme si elle voulait rentrer en elle-même, tout en continuant à supplier entre ses dents :

– Pas ici, papa ! Pas maintenant !

Mari constata que la peau de Jenna aussi prenait la couleur du clair de lune.

Mais elle savait également que la jeune fille ne constituait pas une menace. Si on la laissait seule pendant la nuit, elle sombrerait dans la mélancolie. Sans le pouvoir d'une Femme Lune toutes les Troisièmes Nuits, l'esprit de Jenna commencerait alors à lutter pour trouver le bonheur, y compris durant la journée. Bientôt, le désespoir apporté par la nuit étoufferait tout. La volonté de vivre de Jenna s'éroderait. En revanche, la jeune fille n'attaquerait ni ne blesserait personne d'autre qu'elle-même.

Mari ne pouvait pas en dire autant de Xander.

– Jenna ! Quand ton père a-t-il été purifié pour la dernière fois ?

– Demain, ce sera la Troisième Nuit ! répondit l'homme à la place de sa fille, d'une voix rauque et profonde.

– Normalement, lors d'une deuxième nuit, on devrait se reposer dans notre tanière, et la Fièvre Nocturne ne serait pas très prononcée. Mais ici, dehors… sous le ciel dégagé…, expliqua Jenna en frémissant. Il faut que tu l'aides, Mari ! S'il te plaît !

La respiration de Xander s'était accélérée. Son corps était secoué par des tremblements. Sa peau devenait de plus en plus grise.

– Réveille Léda ! siffla-t-il.

– Je ne peux pas ! Elle est inconsciente.

Lentement, Mari alla se placer entre Xander et Léda.

– Tu ferais mieux de partir, Xander, lui conseilla-t-elle. Regagne ta tanière et repose-toi. Je vais veiller sur Jenna et ma mère. Ta présence ne m'aide pas. Pas après la tombée de la nuit.

Tout en parlant à voix basse, sur un ton apaisant, elle mit discrètement la main dans sa sacoche et y chercha à tâtons une pierre lisse. Sa fronde ne servirait à rien dans un endroit si exigu ; néanmoins, Mari pourrait tenter d'assommer Xander avec une pierre, en espérant qu'il reste sonné assez longtemps pour que Jenna et elle s'enfuient.

– Non ! Mon père ne peut pas sortir d'ici, protesta la jeune fille. Ils le tueront.

– Réveille-la ! Guérissez-moi ! exigea Xander d'une voix gutturale, presque un grognement.

– Xander, écoute-moi ! Maman est blessée. Elle ne peut rien pour toi.

Mari tenta de le raisonner, mais elle savait que c'était peine perdue : à mesure que la nuit enveloppait leur monde, son esprit s'assombrissait et sa raison cédait.

– Vous-devez-me-guérir ! insista Xander, dont le corps parut grandir jusqu'à ce que la violence qu'il contenait à peine emplît leur cachette.

– Tu peux le faire, Mari, je le sais, assura Jenna en fixant son amie, au bord des larmes. Tu as les yeux de Léda. Tu es sa fille.

– Ce n'est pas si facile que ça.

Soudain, Xander poussa un rugissement de fureur et fit un pas en avant. Alors, Mari leva sa pierre et se dressa de toute sa hauteur en le fusillant du regard.

– Va-t'en d'ici, Xander, avant de m'obliger à te faire mal, chuchota-t-elle.

Il grogna, tourna les talons et se faufila entre les plantes grimpantes.

– Non, sanglota Jenna. Il est tout ce que j'ai.

Après une très brève hésitation, Mari prit la décision qui allait changer leur avenir à tous. D'une main, elle attrapa l'avant-bras de Xander, le tirant brusquement à l'intérieur de leur cachette. L'homme virevolta et gronda d'un air menaçant.

– À genoux ! lui ordonna-t-elle en levant l'autre main.

Abasourdie, elle vit Xander lui obéir. Elle ferma les yeux et s'efforça de s'extraire du chaos qui l'entourait : les sanglots de Jenna, le halètement sauvage et effrayant de son père, l'immobilité terrifiante de Léda... Elle se concentra sur la lune l'imaginant telle qu'elle serait cette nuit-là : un très mince croissant blanc brillant au-dessus des pins endormis.

Absorbée par l'image de cet astre éclatant, Mari commença à déclamer :

Du sang de Femme Lune coule en moi

Deviens ce que je vois

Par l'esprit et le cœur, ton image deviendra

Le salut pour ces bien-aimés trois.

Ces mots coulèrent de la bouche de Mari tandis qu'au-dessus d'elle, le pouvoir de la lune s'accroissait. Ce n'étaient pas ceux de sa mère, mais les siens propres, qu'elle prononça avec des modulations nouvelles, empreintes d'un mélange d'amour et de désespoir.

Dans son esprit, Mari avait représenté un croissant énorme qui dominait le ciel nocturne. Sa lumière blanc argenté – puissante, fraîche, apaisante –, qui tombait en cascade sur la forêt, ressemblait aux eaux d'un barrage ouvert.

Mari suivit cette énergie, transformant le flot de lumière en une chute qui se déversait interminablement et finissait par se répandre sur une petite silhouette. Ni Marcheuse de la Terre ni Compagnonne, mais une jeune femme aux cheveux emmêlés qui était un hybride des deux. Lorsqu'elle se sentit prête, Mari conclut par sa propre version de l'ancienne incantation du pouvoir guérisseur de l'astre nocturne.

En vertu de mon sang et de ma naissance
Je te prie de vers moi canaliser
Ce que la Terre Mère proclame ma destinée !

Mari haleta lorsque l'énergie se déversa en elle. Gardant les yeux fermés pour ne pas perdre son image, elle tendit le bras, paume ouverte et dit :

– Xander ! Prends ma main !

Celle de l'homme était fiévreuse. Mari dessina en pensée la cascade de rayons de lune coulant à travers elle, puis en Xander, le remplissant, le rafraîchissant, l'apaisant. Elle serra les dents pour se prémunir contre la douleur résiduelle de cette énergie qui la traversait sans entrave, mais elle ne sentit rien. Puis, tandis que la paume dans sa main se refroidissait, Xander lui dit :

– Aide Jenna, maintenant, s'il te plaît.

Mari remplaça en hâte la vision de Xander par celle de sa fille, en même temps que la petite main chaude de cette dernière remplaçait celle de son père.

Des secondes, ou peut-être des heures, s'écoulèrent avant que Jenna ne presse les doigts de Mari, les lâche et lui murmure :

– Tu as réussi. Tu nous as guéris, mon père et moi. Maintenant, je pense que tu vas guérir Léda, aussi.

Mari acquiesça en silence, les yeux toujours clos. « Ne perds pas l'image ! Tu ne peux pas te le permettre ! » Elle se baissa, se mit à chercher sa mère à l'aveuglette. Les mains puissantes de Xander la guidèrent.

La paume posée sur le corps inanimé de Léda, Mari modifia sa représentation mentale : elle grossit la lune, la fit plus belle, plus éclatante. Elle y ajouta des rayons brillant d'une énergie argentée qui coulait pour la purifier de part en part, et qui se concentrait dans la vision de sa mère. D'abord, elle ébaucha son visage, sans sa coupure suintante au front et sa méchante ecchymose sur la joue. Ensuite, son esprit esquissa le reste de son corps menu, lui redonnant toutes ses forces. Pour finir, elle lui dessina un sourire chaleureux, des yeux ouverts et clairs.

– Oh, Léda ! Mari, tu as réussi !

La jeune femme rouvrit les yeux et vit sa mère qui la regardait en souriant.

– Léda ! Mari nous a sauvés ! s'écria Jenna.

– Chuut, mon enfant, lui intima Xander en jetant un coup d'œil nerveux par-dessus son épaule. Les Compagnons sont toujours là ; ils continuent à chercher leur canin.

– Leur canin ? répéta Léda dans un murmure, en observant Mari avec une grande attention.

– On les a entendus parler, expliqua celle-ci. L'un d'eux cherche un petit. Apparemment, ils ont retrouvé sa trace pas loin.

– Alors, il n'est pas prudent de rester ici, estima Léda.

– Les habitants des arbres ne se contentent plus de nous enlever quand on s'est aventurés trop près de leur Cité, observa Xander à voix basse, plein d'amertume. Ils trouvent des raisons d'empiéter sur nos terres et de tuer notre peuple. Qu'ils soient tous maudits, eux et leurs canins !

« Pas le mien », songea Mari. À présent que sa mère allait mieux, la jeune femme s'inquiéta de l'absence de Rigel. « Où est-il ? M'attend-il bien à l'abri chez nous, ou est-il prisonnier des Compagnons quelque part ? Comment pourrais-je supporter de perdre mon Rigel ? »

– Maman, il faut que je retourne à notre tanière, déclara-t-elle. Je... je ne me sens pas très bien.

– C'est imprudent de partir maintenant, jugea Xander.

– Mari a besoin de rentrer chez nous et de retrouver ses forces, affirma Léda en observant sa fille. Invoquer la lune est épuisant, surtout pour quelqu'un comme elle.

– Merci, mère. Je savais que tu comprendrais.

En cet instant, le plus important pour la jeune femme était de retrouver Rigel.

– Xander, attends ici avec Jenna que la lune soit montée au-dessus des pins, à l'est, ordonna Léda. À ce moment-là, les Compagnons auront certainement regagné leurs arbres, mais faites attention au chemin que vous emprunterez dans la forêt. Ne passez pas par le Site de Rassemblement.

– Léda, il est peut-être temps que tu nous révèles, à Jenna et à moi, où ta tanière est située, dit Xander. Ainsi, on pourrait vous suivre et s'assurer que vous rentrerez saines et sauves. Je te jure de ne jamais trahir ta confiance.

– Xander, de nombreuses règles interdisent de révéler l'emplacement de la tanière d'une Femme Lune, et je n'ai l'intention d'en enfreindre aucune, surtout maintenant que notre tanière abrite *deux* Femmes Lune.

– Tu vas donc désigner Mari comme ton héritière, devina Jenna avec un grand sourire.

Mari retint sa respiration en attendant la réponse de sa mère.

– Eh bien, Jenna, il semble que notre Terre Mère ait parlé pour moi. Après ce qui s'est passé ce soir, il n'y a pas de doute que Mari possède mon don.

– Sora ne sera pas contente d'entendre ça, prédit Xander.

– Sora est jeune, rappela Léda. Elle aura beaucoup d'hivers pour découvrir que la voie du destin est rarement rectiligne ou sans obstacles.

Mari laissa échapper un long soupir, bien qu'elle ne sût pas vraiment comment interpréter les propos de sa mère. Mais son inquiétude au sujet de Rigel prenait le dessus.

– Maman, tu es prête ? demanda-t-elle en tendant la main.

Léda la lui prit et se leva. D'abord, ses mouvements furent lents, prudents, comme si elle s'attendait à avoir de nouveau le vertige et des douleurs. Hésitante, elle prit une profonde inspiration, et expira avec un sourire.

– Ma fille, grâce à toi et à ton don, oui, je suis prête. Mes os sont ressoudés, et ma blessure à la tête a cicatrisé.

Avant que Mari eût le temps de répondre, Xander et Jenna se tournèrent face à elle.

– Merci, Femme Lune, dit Jenna cérémonieusement, en s'inclinant devant Mari.

– Merci, Femme Lune, répéta son père. Comme il convient, Jenna et moi cueillerons des noix que nous t'apporterons en tribut lors de la prochaine Troisième Nuit. Jenna m'a raconté que tu utilisais leurs écales pour fabriquer ton encre.

Léda haussa les sourcils et encouragea sa fille d'un petit signe de tête.

– Mer... merci, c'est vrai. Et j'accepterai avec gratitude votre tribut la prochaine Troisième Nuit.

Mari avait entendu sa mère dire ces mots un nombre incalculable de fois, mais cela lui fit une drôle d'impression de les prononcer à son tour. Un peu comme si elle essayait d'enfiler la précieuse pelisse de Léda, pour faire semblant d'être quelqu'un qu'elle n'avait pas encore l'âge d'être.

– Adieu, jusqu'à notre prochaine rencontre, dit Léda avec solennité, avant de serrer Jenna dans ses bras et de saisir la main de Xander.

Puis elle se tourna vers Mari.

– Je te suis, ma fille.

La jeune femme hocha la tête et s'immobilisa devant le rideau de lierre en tendant l'oreille. Dehors, tout était silencieux ; elle écarta les lianes et se glissa hors de leur cachette. Elle s'arrêta encore, attendit, écouta intensément et regarda autour d'elle. La forêt demeurant muette, elle fit signe à sa mère de la rejoindre.

Léda traversa l'écran végétal et emboîta le pas à sa fille.

– Tu es sûre que ça va, maman ? s'enquit Mari à voix basse.

– Oui, chuchota Léda. Je suis si fière de toi, Mari ! Ce que tu as fait tout à l'heure était extraordinaire. Et Rigel ?

– Je l'ai renvoyé chez nous juste avant l'attaque. Il m'avait prévenue de l'arrivée des Compagnons. J'ai entendu un dénommé Nik parler d'un jeune Berger. C'est forcément Rigel. Que va-t-on faire ?

Léda pressa la main de sa fille.

– On y réfléchira quand on sera rentrées à la maison. Pour le moment, concentre-toi pour communiquer mentalement avec Rigel et le rassurer. Il doit être paniqué sans toi.

Mari imagina son canin assis devant leur tanière, fixa son attention sur le lien qui les unissait ; puis elle lui adressa des ondes de réconfort et d'amour.

Ce fut là qu'elle commit sa plus grosse erreur. La première règle à observer dans la forêt était de ne jamais relâcher sa vigilance. Depuis que Mari était assez grande pour marcher, Léda lui avait enseigné ses avertissements sous la forme de poèmes.

Pour ta sécurité, reste concentrée !

Sous les vieux rondins, vois les dangers cachés !

Pense toujours à te méfier !

Au loin et sur le sentier, les yeux braqués,

Si, saine et sauve, tu veux dans ton lit te coucher !

Ce soir-là, cependant, c'était différent. Pour la première fois depuis qu'elle était petite, Mari se trouvait dehors, dans la forêt, bien après la nuit tombée, et son attention n'était pas fixée sur les dangers qui l'entouraient. Léda aussi était inhabituellement distraite. Elle s'inquiétait tant pour Mari et Rigel, Xander et Jenna, sans oublier les Marcheurs de la Terre enlevés et peut-être tués, qu'elle ne détecta pas le bourdonnement sourd qui aurait dû la mettre en garde.

En entendant des glissements de feuilles et de débris sur le sol, Mari se figea. Son instinct lui envoya une décharge d'adrénaline qui aiguisa ses sens et focalisa son attention ; alors elle comprit ce qui se passait.

Le cerveau de Léda décoda enfin le bourdonnement.

– Des araignées-loups ! cria la Femme Lune. Dos à dos, Mari ! Attends mon signal !

Remerciant en pensée Léda pour les exercices d'entraînement qu'elle lui avait imposés pendant des années, Mari colla aussitôt son dos contre celui de sa mère. Elles se déplacèrent ainsi en tandem, tout en enlevant de leurs épaules les sacs en peau de chèvre, dont elles rompirent les sceaux de cire avant de les porter à leurs bouches.

– Attends, Mari. Ancre-toi. Et rappelle-toi : je te défends. Je te défendrai toujours.

Mari respira profondément et lentement, tandis que le bourdonnement retentissait dans l'ensemble de son corps. Même si elle avait l'impression que le signal de sa mère ne viendrait jamais, elle se sentait étrangement calme, presque détachée. Elle but une grande gorgée de son outre et garda le fort mélange d'eau salée et d'huile de lavande dans la bouche. Avec la vision perçante surnaturelle qu'elle avait héritée de sa mère, Mari sonda la forêt autour d'elles, essayant de voir dans la nuit opaque les prédateurs aux aguets.

Soudain, le bourdonnement cessa et tout, autour de Mari explosa.

Elle n'eut pas besoin du signal de Léda. Ce qu'elle avait pris pour un tas de feuilles au sol quelques minutes auparavant avait bougé, s'était retourné et transformé en une araignée grosse comme un écureuil. Le monstre prit son élan et bondit vers son visage.

Avec un hurlement de rage et de peur, la jeune femme cracha la gorgée de son répulsif en plein sur la gueule de la bête. L'araignée manqua Mari et tomba près d'elle en se tordant dans d'atroces douleurs. Elle sifflait tel un morceau de charbon brûlant jusqu'à ce que la jeune femme piétine son corps palpitant.

– D'autres arrivent ! prévint Léda.

Mari but une nouvelle gorgée de la préparation et réussit à sortir son couteau de sa sacoche avant qu'une deuxième bête se jette sur elle. Elle cracha – touchant deux araignées –, s'agenouilla et planta son arme en silex dans leurs corps pris de convulsions.

– Souviens-toi : il ne faut pas courir, lui souffla Léda, mais d'un ton calme, avant de prendre à son tour une autre gorgée du liquide. C'est ce qu'elles veulent qu'on fasse. Continue à marcher. Lentement. Avec moi. Je te défends. Tu me défends. Est-ce que ton outre était pleine ?

– Oui, assura Mari.

– Alors, on aura assez de poison pour les tenir à distance si on ne panique pas.

– Je vais me déplacer avec toi, maman. On va pouvoir rentrer à la maison, je le sais.

– Prépare-toi. En voilà encore, annonça Léda.

Mari se tint prête tandis que le bourdonnement répugnant résonnait autour d'elles. Elle portait son outre à ses lèvres lorsque la vague d'arachnides suivante surgit de l'obscurité.

Tout à coup, Mari entendit des grondements et des claquements de mâchoires féroces, puis vit apparaître Rigel. Le canin se débattit pour traverser l'espèce de nœud coulant que formaient les araignées, et vint se coller à elle.

Léda cracha un jet de répulsif sur la horde d'attaquantes ; elle en trempa trois et en fit tomber une quatrième de son bras, avant de l'écraser au sol. Mari l'imita et en tua deux d'un grand coup de couteau.

– Surveille Rigel, lui conseilla Léda, en s'essuyant la bouche avec le dos de la main. Ne laisse pas les araignées l'éloigner de toi, sinon elles l'envelopperont de leurs toiles pour que la nichée puisse le dévorer.

Mari prit le temps de serrer le jeune canin dans ses bras puis, le dos toujours appuyé à celui de sa mère, elle ne cessa de lui dire par télépathie : « Ne me quitte pas, ne me quitte pas, ne me quitte pas... » Rigel grondait à voix basse, les yeux rivés sur les ténèbres qui glissaient autour d'eux.

– Ne t'inquiète pas, Léda. Il n'ira nulle part.

Une nouvelle horde d'arachnides fondit sur eux, et Rigel se battit aux côtés de Mari, happant celles qui échappaient à son poison et à son couteau.

– On avance, ensemble, annonça Léda. Lentement, prudemment. Entre deux attaques, et à mon signal.

Mais avant qu'elle ait pu continuer, il y eut un éclat de lumière sur le sentier, devant elles. Un homme surgit une torche à la main, suivi d'une colonne d'autres. Ils foncèrent vers elles en frappant les araignées avec des massues.

– Il y a des Creuseuses sur le chemin ! cria un Compagnon. Capturez-les et fichons le camp d'ici !

L'espace d'un demi-battement de cœur, Mari se figea, puis un cri résonna dans son cerveau : « Ils ne me prendront pas Rigel ! » et elle se baissa pour ramasser le petit. Ayant attrapé sa mère par le bras, elle la tirait déjà hors du sentier, lorsqu'un violent choc la fit trébucher en avant, entraînant Léda et Rigel dans sa chute. Quand elle heurta le sol, elle se mit en boule autour du canin afin de le protéger. Elle roula sur elle-même et tendait le bras vers sa mère lorsqu'un ordre fusa :

– Fuyez !

S'agenouillant avec peine, la jeune femme leva les yeux et vit un homme grand à forte carrure à l'endroit où sa mère et elle se tenaient quelques instants plus tôt. Il frappait de ses poings des araignées qui grouillaient sur lui. Derrière lui, les flambeaux se rapprochaient.

Lorsque Mari vit Xander la regarder avec des yeux écarquillés d'incrédulité et de dégoût, elle se rappela qu'elle serrait Rigel dans ses bras. Xander secoua la tête. Il ne parvenait manifestement pas à comprendre la scène qu'il avait sous les yeux.

– C'est un mâle ! Tuez-le ! hurla un Compagnon, tandis qu'un cri effrayant déchirait l'obscurité.

Mari et Xander se tournèrent juste à temps pour apercevoir un Compagnon qui, un flambeau levé bien haut, tirait Jenna derrière lui.

Avec un hurlement de fureur, Xander se précipita vers sa fille. Il oublia les araignées qui lui recouvraient le dos, le cou et la tête. Il oublia les Compagnons qui le visaient avec leurs arbalètes. Et, même pendant un moment, il oublia les pointes des nombreuses flèches qui le frappaient. Mari en compta une douzaine, enfoncées jusqu'aux plumes dans son corps. Malgré tout cela, Xander continuait de courir vers l'homme qui tenait sa fille.

– On ne peut pas l'aider. Allons-nous-en vite ! Maintenant ! chuchota Léda, affolée.

– Mais ils ont pris Jenna, sanglota la jeune femme.

– Si on reste ici, ils nous prendront nous aussi. *Fichons le camp d'ici ! Tout de suite !*

Léda attrapa la main de sa fille et l'obligea, ainsi que Rigel, à s'enfoncer à toute allure dans les ténèbres avec elle, tandis que les hurlements de fureur et de douleur de Xander faiblissaient avec la lueur des torches et l'odeur de sang.

12

Nik ne s'était jamais rendu à l'Île-Ferme après la tombée de la nuit, et l'idée d'y aller maintenant ne lui plaisait guère. Mais au moins, une fois sur place, il se débarrasserait de la fille en larmes. Pour la millième fois, lui sembla-t-il, le jeune homme jeta un coup d'œil par-dessus son épaule en direction des cinq Creuseuses prisonnières. Elles étaient attachées ensemble, de façon à pouvoir marcher en file indienne. En queue avançait, trébuchante, la fille inconsolable, celle qu'ils avaient capturée juste avant que le Creuseur les attaquât. Le petit groupe de Chasseurs, mené par Thaddée et son Terrier Ulysse, encadrait les captives en tenant ses flambeaux bien haut pour ne pas être surpris par d'autres araignées, et en les aiguillonnant doucement du doigt pour qu'elles conservent un petit trot. À présent qu'il faisait nuit noire, la dernière chose dont le groupe avait besoin, c'était d'être assailli par une colonie de cafards avant d'arriver en lieu sûr.

– La dernière femelle ne va pas bien, déclara O'Bryan en surprenant le regard de Nik. Je sais que c'est juste une Creuseuse, mais mon vieux, ses pleurs me touchent.

– Ouais, je te comprends, approuva Nik, tandis que son cousin trottinait jusqu'à lui. Je suis habitué à ce qu'elles soient déprimées et plutôt folles, surtout la nuit. Qui ne l'est pas ? C'est pour ça qu'elles ont besoin qu'on s'occupe d'elles. N'empêche que les sanglots de celle-là sont étranges.

– On dirait qu'elle pleure le grand mâle qu'on a tué à la fin, avança O'Bryan.

– Les Creuseurs s'attachent, en effet, comme les enfants, affirma Nik.

Il considéra de nouveau la fille en question. Elle suivait tant bien que mal les autres, qui trottinaient avec les Chasseurs, le regard vide, et totalement silencieuses.

– Les mâles essaient de voler les femelles de l'île, reprit-il. En fait, certaines semblent les suivre de leur plein gré. Deux d'entre elles ont tenté de s'enfuir ainsi de la Ferme, il y a une semaine ou deux. Elles ont été abattues en sortant du Channel avec le mâle qui les avait attirées.

– En tout cas, celle-ci devait être attachée à celui qui nous a attaqués. Tu crois qu'il a voulu la protéger ?

– Réfléchis, O'Bryan ! Comment ce serait possible ? Tu connais les Creuseurs : ils deviennent tellement fous et violents qu'on ne peut même pas les domestiquer comme les femelles.

– Tu as raison, conclut O'Bryan, qui grimaça lorsque la fille prit une inspiration et sanglota de plus belle.

– Elle est plus jeune que les autres, remarqua Nik. Elle doit être terrifiée. La forêt m'effraie bien, moi, la nuit, alors j'imagine qu'elle effraie doublement une demeurée. Cette Creuseuse ira mieux quand on la mettra en sécurité dans l'une des maisons flottantes de l'île.

– Je serai content de m'en débarrasser, renchérit Miguel. Le pont n'est plus loin, maintenant.

Il avait rejoint Nik et O'Bryan à la fin du cortège des Chasseurs, et il respirait bruyamment. De toute évidence, il souffrait ; sa pommette gauche était enflée et en sang.

– Tu es bien amoché. Tu es sûr que ça va ? s'enquit Nik.

– Oui, oui. Mais je regrette qu'on n'ait pas attrapé celle qui m'a touché.

– Quand ta blessure aura cicatrisé, on reviendra ici ensemble, dit Nik. On aura peut-être la chance de tomber sur ta Creuseuse.

– Tu vas continuer à chercher ? l'interrogea Miguel.

– Bien sûr ! Tu as vu les traces aussi nettement que moi, rappela Nik, agacé.

« Pourquoi donc suis-je le seul à accorder de l'importance au jeune canin ? »

– Ouais, et j'ai vu aussi que la horde d'araignées était passée sur ses traces, ajouta Miguel. Un canin à mi-croissance, même un Berger aussi costaud que l'était celui-là, ne peut pas survivre à l'attaque d'une colonie entière de ces bestioles.

– Ah bon ? fit Nik. Il s'agit du même canin qui, selon tout le monde, n'a pas pu survivre à ces putains de crache-sang et à ces maudits cafards grouillants ! C'étaient ses empreintes, j'en suis convaincu.

– Je suis d'accord avec Nik, on doit retrouver le petit, déclara O'Bryan. S'il est toujours en vie, il est vraiment exceptionnel.

Miguel haussa les épaules, avant de faire une grimace de douleur.

– Hé, j'ai compris. Je suis des vôtres. Dès que je serai guéri, je repartirai avec vous.

– Je te prends au mot, dit Nik.

Il ravala le commentaire qu'il voulait ajouter : il avait *vraiment* besoin de Chasseurs qui étaient aussi des Compagnons. La truffe d'un Terrier l'aiderait beaucoup plus que les humains à chercher la trace du canin. Et, bien sûr, il y avait la – très vilaine – écorchure de Miguel. Il doutait qu'il guérisse suffisamment pour, un jour, chasser de nouveau ou être choisi comme Compagnon.

– Halte ! lança soudain Thaddée, qui marchait en tête.

Les Chasseurs tirèrent brusquement sur les cordes des Creuseuses pour les arrêter.

Nik constata qu'ils étaient arrivés à la lisière de la pinède. Les flambeaux des premiers Chasseurs éclairaient un antique tronçon d'asphalte défoncé, et des nuages couraient à toute vitesse sur la face de la lune, voilant sa lumière déjà faible et laiteuse. Une bourrasque souffla et il commença à bruiner à travers la canopée, ce qui produisit un crépitement réconfortant sur les frondes des fougères et fit scintiller la route endommagée, tel un miroir brisé.

Nik serra les dents et marmonna un juron. La pluie effacerait la trace du jeune Berger. Il fallait qu'il retourne à ce gros buisson de houx dès le lendemain matin, avec des Terriers de chasse, avant que l'odeur du canin ne soit totalement indétectable.

– Au poste de guet ! Des Chasseurs veulent aller sur l'île !

En entendant l'appel de Thaddée, Nik reporta son attention vers le poste d'affût construit dans le dernier des énormes pins en bordure de l'asphalte.

– Avancez. Je vous couvre, répondit le grand Compagnon qui apparut sur la plate-forme en bois, son arbalète armée et son Berger à ses côtés.

Thaddée salua le garde, puis fit signe au groupe de le suivre. Les Chasseurs trottinèrent sur la route défoncée jusqu'au pont. Thaddée alluma les torches qui en encadraient l'entrée.

– Miguel, je n'aime pas l'aspect de cette blessure, déclara-t-il. Je te donne la permission de retourner à la Cité pour te faire soigner. Lawrence et Stephen, accompagnez-le. Les autres, surveillez les Creuseuses pendant qu'on traverse le pont. Ne les laissez pas faire un faux pas. Si elles tombent dans le Channel la nuit, on les perdra et on aura gâché une chasse.

Tandis que ses Chasseurs coupaient les cordes qui attachaient les femmes entre elles, Thaddée croisa le regard de Nik et lui dit :

– Nik, tu es responsable de la dernière femelle.

– Moi ? Pourquoi ?

– Parce que ta recherche du jeune canin nous a mis en retard.

– On a trouvé des traces ! dit Nik en s'efforçant de garder un ton posé, alors qu'il en avait plus qu'assez de répéter des évidences.

– Des traces, mais toujours pas de petit. En revanche, on a bel et bien trouvé une horde d'araignées-loups, un Creuseur adulte et une femelle qui n'arrête pas de chialer.

Thaddée s'approcha de la fille en question et la libéra de ses liens. D'une brusque secousse, il la tira en avant et tendit sa laisse à Nik.

Elle trébucha et Nik dut lui attraper le bras pour l'empêcher de s'étaler par terre. Elle émit un petit cri, étouffé par ses sanglots, et s'éloigna de lui autant que la corde le lui permettait. Puis elle resta plantée là, pleurant et observant Nik de ses grands yeux clairs.

– Tu devrais essayer de lui parler, conseilla O'Bryan à son cousin.

– Quoi ?!

– Oui, comme tu parlerais à un jeune canin terrifié.

Nik partit d'un rire sardonique et manqua de s'étrangler.

– Un jeune canin terrifié a plus de jugeote qu'un Creuseur.

– Oh, allez ! Tu sais très bien qu'ils arrivent à nous comprendre, même s'ils ne s'expriment pas beaucoup.

– Bon ! Avançons ! ordonna Thaddée.

Tous se mirent en marche d'un pas lourd.

La Creuseuse sanglota de plus belle, tout en reculant, comme si elle croyait pouvoir entraîner Nik dans la forêt.

Le jeune homme poussa un soupir, enroula la corde autour de son poignet et planta ses pieds dans le sol.

– Viens, maintenant, lui dit-il, doucement pour l'amadouer, en tirant néanmoins sur la laisse. Il ne faut pas retourner dans la forêt. C'est dangereux, là-bas.

– Nik, tu as intérêt à la faire avancer, le pressa O'Bryan. Thaddée est déjà énervé. Il va te faire la peau si tu nous retardes encore.

– Allez-y ! On vous rattrapera.

Nik se tourna vers la fille. Elle était si pitoyable ! Comme toutes les Creuseuses, elle était petite ; encore plus que les autres, en réalité. Ses cheveux bruns étaient couverts de feuilles et de lierre ; son visage plat était maculé de terre et de morve, de larmes et de sang.

– N'aie pas peur ; tout ira bien une fois que tu seras en sécurité sur l'île, affirma-t-il en faisant un geste en direction du pont et du groupe qui s'apprêtait à le franchir.

Le regardant droit dans les yeux, la Creuseuse dit :

– Rien n'ira plus jamais bien. Vous avez blessé mon père.

Sa voix était faible, étouffée par l'émotion, mais ses paroles étaient parfaitement claires et compréhensibles. Soudain, une vision revint à l'esprit de Nik : cette femelle s'était jetée sur le corps du Creuseur, l'avait agrippé et avait chanté une mélopée funèbre. Thaddée avait dû l'arracher au cadavre. Elle avait eu une forte réaction émotionnelle, c'était incontestable. Et, à présent, elle lui parlait ? Alors qu'il faisait nuit ? Elle était donc réellement attachée à ce mâle.

– Comment t'appelles-tu ? se surprit-il à lui demander.

– Jenna.

– Moi, c'est Nik. Jenna, tu veux bien que je t'aide à traverser le pont pour te conduire à ta nouvelle maison ?

Jenna hésita, s'essuya le visage avec le dos de la main. Ses yeux allèrent du pont à Nik et tout à coup, son visage s'illumina.

– Tu me laisseras partir ? lui demanda-t-elle. Je t'en prie !

Nik eut l'impression qu'elle venait de lui donner un coup de poing dans le ventre.

– Jenna, je ne peux pas ! lâcha-t-il. Et même si je le pouvais, il ne serait pas question que tu retournes dans la forêt, seule la nuit. Tu te ferais tuer.

– Tu ne sais pas tout, Nik, répondit-elle, alors que les larmes recommençaient à couler sur ses joues.

– Tu as raison. Mais ce que je sais, c'est que si tu ne montes pas sur ce pont avec moi, Thaddée te le fera franchir en te traînant à terre.

– Il est mort ?

– Thaddée ? Non, il est plus haut, là-bas, et il va..., commença Nik, feignant de ne pas comprendre.

Mais devant les grands yeux innocents de la fille, il s'interrompit. Il prit une profonde inspiration en se passant la main dans les cheveux.

– Oui. Ton père est mort. Je... je suis désolé, ajouta-t-il.

Les minces épaules de Jenna s'affaissèrent.

– Pourquoi ?

– Il nous a attaqués. On n'a pas eu le choix.

– Pas ça. Pourquoi es-tu désolé ?

Totalement décontenancé, Nik ne sut pas quoi lui répondre. Il resta planté à la regarder, jusqu'à ce qu'elle finisse par s'entourer le buste de ses bras, comme pour maintenir son petit corps, et se mette à gravir lentement la route défoncée.

Ils rattrapèrent le groupe facilement. Nik fut stupéfait de constater combien Jenna était agile, à la différence des autres Creuseuses. Celles-ci se déplaçaient en donnant l'impression de ne pas être réellement conscientes du monde qui les entourait. Pendant la journée, elles travaillaient avec lenteur, en silence, mais méticuleusement. Dans les champs, grâce à leur toucher mystérieux, toutes les cultures se développaient à merveille et donnaient des moissons abondantes. La nuit, en revanche, il fallait les conduire, les pousser, les aiguillonner, les mener en troupeaux. Il semblait à Nik que, si on les laissait seules, les autres captives se comporteraient comme des Creuseuses normales, ou comme n'importe quel animal fouisseur : elles chercheraient un trou en forme de grotte et y pénétreraient en rampant. Et, si elles ne trouvaient pas aisément ce type de cavité, elles en creuseraient une en grattant la terre, puis s'y cacheraient.

Elles ne prenaient pas soin d'elles.

Elles ne conversaient pas.

Elles ne pleuraient pas leurs pères.

Elles ne posaient pas de questions d'une petite voix et en faisant des sous-entendus, ni ne le dévisageaient de leurs grands yeux larmoyants.

Nik observa Jenna du coin de l'œil tandis qu'ils franchissaient prudemment la dernière partie du squelette rouillé du pont, puis descendaient la route qui suivait en serpentant la côte est de l'île, le long du Channel. Jenna pleurait toujours, mais moins fort. La pluie, qui se mêlait à ses larmes, faisait partir le sang et la terre de son visage au teint pâle. Elle avait l'air très jeune.

– C'est bien, tu nous as rattrapés avant que Thaddée remarque que vous étiez à la traîne, commenta O'Bryan. Bien joué, cousin.

– Je ne me sens pas très bien.

Nik s'aperçut qu'il avait parlé à voix haute quand O'Bryan le considéra d'un air soucieux et lui demanda :

– Une araignée t'a mordu ? Bon sang, Nik ! Tu aurais dû...

– Non, non, je n'ai rien, s'empressa de le rassurer Nik. J'ai juste hâte de rentrer à la maison.

– Voici le quai. On n'en a plus pour longtemps.

O'Bryan lui donna une tape dans le dos et ajouta :

– Et tu as fini par trouver des traces de ton petit canin.

– Ouais. Ça a été une super nuit.

Nik lui-même trouva sa voix monotone. Il vit du coin de l'œil que Jenna l'observait.

– Viens, lui dit-il en tirant un peu sur sa corde.

Il accéléra l'allure et fit passer la fille au milieu des Chasseurs pour la mener aux autres Creuseuses, qui se tenaient, toujours silencieuses et le regard inexpressif, sur le large quai en bois. Elle le suivit sans protester jusqu'au début du quai, où elle s'arrêta net, comme si elle avait heurté un mur invisible. Lorsqu'il se retourna, Nik vit qu'elle fixait le Channel et la rangée de maisons flottantes qui dansaient mollement en raison du courant.

Il hésita, puis, au lieu de la tirer sur le quai, il alla lui parler à voix basse du ton le plus rassurant possible :

– N'aie pas peur. Ce sont les maisons où vivent les Creuseuses, enfin... les femmes de ton peuple, se reprit-il. L'eau les protège. Aucun insecte ne peut les atteindre, pas même les cafards grouillants. Fais juste... euh... comme si c'étaient des grottes flottantes.

– Nik, tu sais bien qu'elles n'ont pas de cervelle ! Arrête de perdre ton temps à parler à cette créature. Tu nous retardes. Une fois de plus.

Thaddée lança un regard mauvais à Nik depuis le canot qu'ils devaient prendre pour rejoindre les habitations. Les quatre autres Creuseuses avaient déjà été portées à bord ; elles étaient assises, muettes, les yeux rivés sur leurs mains.

Nik prit Jenna par l'épaule. Avec douceur, mais fermeté, il la guida jusqu'au bateau. Thaddée l'attrapa sans ménagement par la taille et la jeta sur les autres.

– Hé, attention ! protesta Nik.

– Bon sang, Nik ! Tu deviens un défenseur des causes perdues, ma parole ! le railla Thaddée.

Il partit d'un rire sarcastique et contagieux qui gagna le groupe des Chasseurs, à l'exception d'O'Bryan.

Nik aurait pu tourner les talons et regagner immédiatement le pont, mais le visage de Jenna était levé vers lui, ses yeux plantés dans les siens. Éclairé par la lueur des flambeaux, il semblait briller telle une pleine lune. Le jeune homme ne put en détacher le regard. Alors, sans un mot, il monta dans le canot, prit place en face de Jenna et souleva une rame.

– Bon, livrons ces Creuseuses et rentrons chez nous. Ramez ! ordonna Thaddée.

Le Channel était traversé par de dangereux courants invisibles qui tourbillonnaient sous sa surface. Nik craignait qu'il ne fût difficile de manœuvrer le bateau, mais quelques minutes seulement plus tard, ils s'amarraient devant la plus proche des douze maisons flottantes. À travers les barreaux des fenêtres étaient tendues des mains sales, et le jeune homme entendit une interminable complainte. Il était difficile de distinguer des mots dans ce charabia ; seule une expression s'élevait nettement au-dessus de ce vacarme : «Au secours... Au secours... Au secours... Au secours... »

Nik frissonna. Il savait que Jenna l'observait, et, l'espace d'un moment, il aurait voulu être aussi insensible que Thaddée. Sans se préoccuper de ce que ses camarades allaient penser de lui, il dit à Jenna :

– Ne t'inquiète pas. Tu seras en sûreté, là-dedans.

Jenna ne répondit rien, mais Nik barra le passage à Thaddée afin de pouvoir lui-même la soulever et la poser sur le quai de la maison.

Jenna demeura si immobile qu'on l'eût crue pétrifiée. Puis, d'un mouvement lent, elle se tourna vers la maison la plus proche. Nik n'avait jamais vu quelqu'un d'aussi terrifié. Devant son visage blême et épouvanté, il ressentit un creux à l'estomac. À présent, Thaddée et les Chasseurs faisaient débarquer les captives. À leur apparition, les Creuseuses des maisons collèrent leurs visages contre les barreaux des fenêtres, ce qui rendit leurs appels au secours encore plus audibles.

Nik jeta un rapide coup d'œil à Thaddée qui, par chance, était occupé à soulever la prisonnière la plus corpulente sur le quai. Alors, il sauta du bateau, prit Jenna par le bras et l'éloigna de l'habitation.

C'est là, près de la fenêtre, qu'il entendit des mots aussi clairs que ceux de Jenna quand elle lui avait parlé quelques instants plus tôt :

– Elle a été purifiée ! Femme Lune ! Où est notre Femme Lune ?

Jenna tourna vivement la tête vers la fenêtre.

– *Interdit !* cracha-t-elle aux femmes.

Les Creuseuses qui la dévisageaient se turent aussitôt. Puis Jenna se retourna et dépassa Nik d'un pas énergique.

– Qu'est-ce que c'est, une Femme Lune ? l'interrogea-t-il doucement.

Jenna rejoignit les quatre autres captives sans lui répondre. Sous le regard de Nik, Thaddée mena les cinq Creuseuses au bout de la passerelle en bois qui longeait le groupe de maisons, ôta la barre de l'une d'elles et y poussa Jenna. Nik la vit pour la dernière fois lorsqu'elle tendit le cou pour le regarder, juste avant que Thaddée claque la porte et la barre devant sa mine pâle et affligée.

Nik ne parvenait pas à chasser de ses pensées l'image du visage de Jenna. Elle resta avec lui tandis qu'il regagnait au petit trot, avec les Chasseurs, la Tribu et l'abri sûr de leurs maisons dans les pins sentinelles.

Elle resta avec lui après qu'il eut dit au revoir à O'Bryan et se fut écroulé, épuisé, sur la confortable paillasse de son nid douillet de célibataire. Elle le hantait toujours lorsqu'il ferma les yeux pour trouver une échappatoire dans le sommeil. Mais, tout à coup, Nik se redressa brusquement, comprenant enfin ce qui, dans le visage de la jeune fille, le perturbait autant.

En rinçant la terre et le sang de ses joues, la pluie avait révélé un mystère. La peau de Jenna était pâle, presque aussi pâle que le clair de lune. Elle n'était pas de la couleur grise que prenait la peau de tous les Creuseurs, du coucher au lever du soleil.

– Mais qu'est-ce qui se passe, bon sang ? s'interrogea Nik tout haut en passant les doigts dans ses cheveux ébouriffés.

Était-ce son imagination qui lui jouait des tours ?

Il se repassa mentalement les évènements de la nuit, portant cette fois son attention sur tous les détails, et pas juste sur les petites – quoique réelles – traces de son jeune canin.

Il n'avait pas vraiment fourni d'efforts pour chasser les Creuseuses. Sachant qu'ils avaient besoin de quelques prisonnières supplémentaires, il en avait profité pour sortir dans la forêt avec les Chasseurs, et les avait encouragés à chercher plus au sud que d'habitude. Cela lui importait peu qu'ils capturent la fille qui avait blessé Miguel ; cela aussi, c'était une excuse. Il aurait fait n'importe quoi pour retrouver le canin.

Nik observa ses mains, soudain gêné par ce qu'il sentait au fond de lui-même.

– C'était le père de Jenna, dit-il doucement.

Il grimaça en revoyant la jeune fille se jeter sur le corps ensanglanté de l'homme corpulent. Elle semblait avoir le cœur brisé. Son père l'avait protégée. Nik le comprenait, à présent. Il se souvint que le Creuseur se tenait au milieu du sentier, recouvert d'araignées, mais immobile. Inoffensif. Jusqu'à ce qu'ils attrapent Jenna. *Alors*, il avait foncé sur eux.

Un autre souvenir fit tressaillir Nik, qui secoua la tête avec incrédulité : « Comme celle de sa fille, la peau du grand mâle n'était pas de la couleur grise des Creuseurs. »

13

Cette nuit-là, Nik ne dormit presque pas, ce qui ne le dérangea pas beaucoup, puisqu'il put ainsi être debout bien avant le lever du soleil. Il lui faudrait un bon moment pour se rendre présentable. Sol était son père, mais également le Prêtre du Soleil, Chef de la Tribu des Arbres. Si son fils apparaissait devant lui échevelé et les yeux ensommeillés, cela ne le mettrait pas dans les meilleures dispositions pour écouter ce qu'il avait à lui dire.

Fraîchement lavé et bien coiffé, Nik emprunta les ponts suspendus et les gracieuses passerelles en bois conduisant au cœur de la Cité, où était situé le nid vaste et magnifique qui abritait son Chef. Dans tout ce qu'elle fabriquait, la Tribu accordait une importance égale à l'esthétisme et à la fonctionnalité. L'on vénérait les artistes autant que les Chasseurs, peut-être même davantage, et cette vénération avait produit des générations et des générations de talentueux artisans, qui avaient créé une Cité dans les Arbres pleine de beauté et de grâce.

En ce moment gris perle précédant le lever du soleil, Nik s'arrêta devant la porte close du nid de son père et se recueillit en contemplant les splendides statues de Bergers de garde et les rayons de soleil radieux qui décoraient l'entrée en voûte.

Presque d'elle-même, sa main se leva pour caresser l'une des sculptures. Il eut un sourire ému en se rappelant la tête blonde de sa mère penchée au-dessus de cette pièce de bois, qu'elle avait réalisée avec amour pour leur habitation, deux décennies plus tôt. Bien que disparue depuis longtemps, sa mère lui manquait souvent. Il se demandait en quoi sa vie aurait été différente si elle n'était pas morte un jour horrible, dix hivers plus tôt.

– Oh, Nik ! Tu m'as fait peur ! Bonjour.

La main toujours en l'air, Nik resta planté là, les yeux écarquillés par la surprise, ne sachant trop quoi dire ni quoi faire, tandis que Maeve et sa jeune canine, Fortina, emplissaient l'entrée devant lui. La quinquagénaire avait de longs cheveux qui tombaient jusqu'à sa taille mince, et elle n'était vêtue que d'une nuisette. Constatant que Nik la détaillait, elle rougit.

Fortina jappa, comme pour poser une question à Nik.

– Oh, désolé, Fortina. Tu dois avoir besoin de sortir, dit-il, en faisant un pas de côté pour laisser passer Maeve et sa canine.

– Merci, Nik, répondit la première avant d'ajouter, hésitante : As-tu trouvé des signes du petit canin lors de la Chasse, cette nuit ?

– Oui.

– Je suis si contente pour toi ! Je me fiche de ce que tout le monde pense. Moi aussi, je crois qu'il est toujours en vie. Continue à chercher, Nik.

Puis elle lui tapota gentiment l'épaule avant de suivre son impatiente canine.

Nik la regarda partir, partagé entre son embarras d'avoir surpris l'amante de son père en train de quitter son nid et la joie d'apprendre qu'elle partageait son avis sur le jeune canin.

– Tu vas rester planté là ou tu vas te décider à entrer ? tonna la voix de Sol.

Nik prit une profonde inspiration et pénétra chez son père, la maison de son enfance.

Le nid du Prêtre du Soleil était plus grand que n'importe quelle habitation individuelle. Comme les autres, c'était une grande structure ronde superbement tressée. Cependant, à la différence d'un nid familial normal, celui de Sol possédait trois niveaux. L'entrée était équipée d'une table en pin luisante et de bancs qui épousaient la courbe de la pièce et invitaient à des rencontres plus intimes que sur le Forum. Un escalier sinueux menait au palier du premier étage, qui donnait sur l'ancienne chambre de Nik, avant qu'il eût passé seize hivers et obtenu sa nacelle de célibataire. Aujourd'hui, c'était la bibliothèque de son père, qui contenait la plus grande collection de livres privée de la Tribu. De ce palier montait un autre escalier incurvé, assez large et solide pour être emprunté par un canin corpulent. Et ce fut précisément du haut de ces marches que Laru aboya chaleureusement trois fois avant de se précipiter en bas pour accueillir Nik, en frétillant comme un jeune canin.

– Comment ça va, mon grand ? Tu m'as l'air bien alerte pour une heure aussi matinale, dit Nik en caressant affectueusement le Berger.

– Ne te fie pas aux apparences. Il est fatigué. La jeune canine de Maeve l'a empêché de fermer l'œil une bonne partie de la nuit. Si tu reviens ici cet après-midi, tu le trouveras couché en rond au soleil, dormant comme un loir.

Sol émergea de sa chambre située au deuxième étage en gloussant et en enfilant sa chemise.

Nik adressa à son père un coup d'œil plein de sous-entendus et lui lança :

– Toi aussi, tu as l'air un peu fatigué. Tu auras besoin de faire la sieste avec Laru, cet après-midi ?

– Ce ne sont pas tes affaires, Nikolas, répliqua Sol, avec un grand sourire qui adoucit ses paroles.

– Hé, tu sais bien que je préfère que tu ne sois pas seul, répondit Nik en lui rendant son sourire sans cesser de caresser Laru. En plus, Maeve est gentille.

– En effet. Tu veux du thé ?

Sol s'approcha du brasero placé dans un coin du nid. Au-dessus du charbon et du petit bois était suspendu l'un des objets anciens les plus précieux de la Tribu : une marmite en fer.

– Volontiers, accepta Nik. Ton thé me manque.

– Tu devrais me rendre visite plus souvent.

Souriant toujours, Sol regarda Nik par-dessus son épaule, puis se dirigea vers l'une des petites ouvertures aménagées dans la partie supérieure du nid. Bien que le soleil ne se fût pas encore levé, le ciel rougissait déjà, et tandis que Sol l'admirait, ses yeux verts commencèrent à briller d'un éclat ambré. Il leva les mains et, dans un mouvement expert, il donna une chiquenaude au bois. Aussitôt, des étincelles semblables à de minuscules lucioles crépitèrent et jaillirent, allumant le charbon et brûlant gaiement le tas de bois.

Nik aimait vivre seul, mais son nid de célibataire manquait sans conteste du luxe qui régnait dans le logement de son père, d'autant que seul un Prêtre du Soleil avait la capacité d'exploiter ainsi la puissance de l'astre. Apaisé par la routine matinale familière de son père, Nik s'assit sur une banquette. Laru s'allongea près de lui et posa la tête sur ses genoux.

Sol remplit deux chopes en bois d'un thé fumant. Il en tendit une à son fils et s'installa en face de lui.

– Ce doit être important. Pour que tu arrives avant Thaddée.

– On a trouvé des traces du jeune canin, déclara Nik sans préambule.

– Vraiment ? fit Sol en se redressant. Quel genre de traces ?

– Des empreintes de pattes sous un buisson de houx, près d'un endroit où des Creuseurs s'étaient regroupés.

– Avez-vous trouvé des excréments aussi ?

– Non.

– Alors, il n'y a pas moyen de savoir de quand datent les empreintes.

– Père, si tu me donnes la permission de retourner là-bas aujourd'hui avec des Terriers, je vous prouverai, à toi et à toute la Tribu, que les empreintes sont fraîches et que mon petit canin est toujours en vie.

– Nik, je souhaite autant que toi qu'il soit vivant, mais nos actions doivent être guidées par la raison, et il est fou d'imaginer qu'un canin à mi-croissance ait survécu pendant neuf nuits dans la forêt, sans défense.

– Ça fait maintenant dix nuits qu'il est parti, rectifia Nik, avant de désigner Laru. Voici son géniteur. Pourquoi est-ce si difficile de croire qu'avec un sang si fort coulant dans ses veines, le petit canin est toujours en vie ?

La mine soudain triste, Sol déclara :

– Tous les fils ne sont pas aussi forts que leurs pères.

Nik serra les dents à cette vieille expression de la déception paternelle. Il était censé devenir Prêtre du Soleil après Sol, mais cela ne se produirait jamais s'il ne devenait pas le Compagnon d'un Berger.

– Ne comprends-tu pas, père ? C'est exactement ça. Je ne peux pas devenir ce que tu souhaites que je sois, à moins de retrouver ce petit canin, *mon* petit canin.

– Nikolas, je ne voulais pas te blesser. Je parlais des jeunes canins et de leurs géniteurs, pas de toi et moi.

Bien qu'il lût le mensonge dans les yeux vert mousse de son père, Nik préféra ne pas insister. Il changea adroitement de sujet, et de tactique :

– Cette nuit, on a capturé cinq Creuseuses et tué plusieurs mâles.

Sol hocha la tête d'un air résigné.

– C'est la saison des plantations, et on a besoin de se réapprovisionner en Creuseuses, surtout vu la vitesse à laquelle la Tribu augmente.

– Père, as-tu jamais vu un Creuseur qui ne devenait pas gris la nuit ?

Sol secoua la tête en considérant son fils d'un air perplexe.

– Bien sûr que non. De quoi parles-tu ?

Nik raconta les évènements de la nuit, de la première apparition du père de Jenna sur le sentier, jusqu'au moment où il avait pris conscience de la pâleur de ces deux individus.

Sol sirota son thé d'un air pensif avant de répondre :

– Je dois admettre que je suis depuis longtemps préoccupé par les Creuseurs. Leurs vies sont si tristes, si misérables ! Je me suis souvent demandé si le fait de les retenir comme on le fait n'était pas inhumain. Peut-être que ce que tu as découvert pourrait les aider, améliorer leur vie.

– Mais tout le monde sait que les Creuseuses ne peuvent pas s'occuper d'elles-mêmes. Elles ne sont capables que de faire pousser les plantes et vivent dans une détresse silencieuse. Nous, on les protège, y compris d'elles-mêmes. Tout ce qu'on leur demande en échange, c'est de s'occuper de nos cultures, ce qui est une seconde nature chez elles.

– Nik, nous les réduisons en esclavage, nuança Sol. Ce sont nos prisonnières. Elles obéissent à nos ordres.

– Ça n'a pas l'air de les déranger, objecta Nik.

– Exact, mais peu de choses semblent les déranger *après* qu'on les a capturées.

Sol secoua la tête avec lenteur et continua :

– C'est déconcertant. Elles s'occupent forcément d'elles-mêmes dans la nature, sinon, les Creuseurs auraient disparu depuis longtemps.

– Tu crois vraiment qu'elles sont si différentes que ça dans la nature ?

– Oui, mon fils. En fait, je pense qu'elles sont radicalement différentes.

– Qu'est-ce qui te fait dire ça ?

– C'est la vérité pure et simple. À combien de Chasses as-tu participé ?

Nik haussa les épaules et répondit :

– En comptant celle de cette nuit, presque une douzaine.

– Moi, j'ai participé à cinquante-sept Chasses. J'ai ainsi vu un grand nombre de Creuseurs, mâles et femelles, jeunes et vieux. Très vieux. Surtout des femmes, et des grands-mères voûtées aux cheveux gris. Les Chasseurs ne les capturent pas.

Nik repensa aux visages collés aux barreaux des fenêtres des maisons – des cages flottantes – qu'il avait vus la nuit d'avant. Il essaya de se rappeler s'il avait aperçu des femmes en âge d'être grands-mères.

– Elles ne vivent pas assez longtemps pour vieillir sur l'Île-Ferme, expliqua Sol. Elles meurent de tristesse.

– Père, on ne sait pas exactement pourquoi elles meurent. On dirait qu'elles décident d'arrêter de vivre, c'est tout.

– Nik, qu'as-tu ressenti, cette nuit, en entendant les femmes appeler au secours ?

Décontenancé par cette question, Nik hésita.

– Eh bien, j'étais fatigué et inquiet pour le jeune canin parce que…

– Je ne t'ai pas demandé ce que tu éprouvais, l'interrompit son père, mais quels sentiments les Creuseuses t'ont inspirés. Surtout celle avec qui tu as parlé.

– Eh bien, je ne sais pas si j'ai ressenti la tristesse de Jenna, mais je l'ai comprise. Elle venait de voir mourir son père.

Sol ferma les yeux et baissa la tête. Nik remarqua sa douleur, et il la partageait. Laru le quitta pour rejoindre son Compagnon et posa la tête sur son genou.

Sol rouvrit les yeux, releva la tête et répondit :

– Mon fils, je crois que ce qui s'est passé cette nuit était un signe.

Nik se pencha en avant, impatient que son père poursuive. Alors que leurs ancêtres ne tenaient aucun compte des prodiges et des présages – au point d'être complètement détachés de la nature –, la Tribu d'aujourd'hui pensait que la Terre possédait une âme, que les animaux, les arbres, les rochers et la Terre elle-même étaient pleins d'une énergie et d'un esprit propres, et que si la Tribu voulait bien écouter, la nature lui communiquait des merveilles et des avertissements.

– Je suis persuadé que ce que tu as observé cette nuit, que ce soit une anomalie ou non, est un signe que les Creuseurs ne se réduisent pas à ce que la Tribu croit par commodité, reprit Sol. Par conséquent, Nikolas, je vais conclure un marché avec toi. Je te donne la permission d'employer un Chasseur et son Terrier pour continuer à chercher ton jeune canin aussi longtemps qu'il te plaira ; en échange, je te demande de faire deux choses pour moi.

– Tout ce que tu voudras, père !

– D'abord, pendant que tu chercheras ton petit, observe tous les Creuseurs que tu croiseras. Prends note de tout ce qui te semblera inhabituel chez eux, mais ne les capture pas, et ne livre tes observations à personne d'autre que moi.

– Entendu, père. Quoi d'autre ?

– Comme tu le sais, la population de la Tribu a considérablement augmenté au cours des derniers hivers.

– La Tribu est forte, approuva Nik en hochant la tête. Presque tous les bébés survivent à cette saison.

– Absolument, et j'en suis ravi, bien sûr. Mais, pour cette raison, de nombreux nids familiaux sont surpeuplés. Ce qui m'amène à ma seconde demande. Wilkes et Odin préparent une expédition de glanage dans Port City. Si on veut pouvoir loger les fruits de la fertilité de la Tribu, on doit construire des nids supplémentaires, ainsi que de nouveaux systèmes de poulies pour permettre l'accès de ses membres à notre Cité en expansion. On a besoin du métal que l'on ne peut trouver que dans les ruines de la Ville. Je veux que tu conduises cette expédition avec Wilkes.

Nik écarquilla les yeux de surprise.

– Père, tu sais bien que les Guerriers ne suivront jamais quelqu'un qui n'est pas Compagnon d'un Berger.

– Tu es le meilleur archer que la Tribu ait connu depuis de nombreux hivers. L'expédition aura besoin de tes talents.

– Les Guerriers apprécient mes compétences à l'arbalète. Je participerai au raid dans Port City. Mais ils ne seront pas tenus de me suivre pour autant.

– Si, ils le seront – ou du moins, ils devront t'écouter –, afin de tirer profit de ton autre talent.

– Mon *autre* talent ? répéta Nik en haussant les sourcils. Tu veux que je réalise une sculpture pendant cette opération ? Je regrette, père, mais ça n'a pas de sens.

Sol gloussa.

– En dehors de ta mère, je ne connais personne à part toi, mon fils, qui ait un sens de l'observation aussi aigu, affirma-t-il. Et l'expédition de glanage aura absolument besoin de cette aptitude. Tu te rappelles ce qui est arrivé au dernier groupe envoyé à Port City ?

– Oui, répondit Nik en frissonnant.

Seuls deux hommes sur douze étaient revenus vivants. En portant leurs Bergers grièvement blessés, qui étaient morts en quelques jours. Leurs Compagnons ne leur avaient pas survécu longtemps, mais avant de mourir, ils avaient raconté une histoire épouvantable. Des Voleurs de Peaux les avaient attirés dans un piège avant de les écorcher vivants et de porter leurs peaux alors qu'ils étaient encore conscients...

– J'ai besoin de tes pouvoirs d'observation pour garantir que cette opération ne connaisse pas le même sort que la précédente, dit Sol, sortant Nik de ses horribles souvenirs.

– Je comprends, père, et je suis disposé à faire ce que tu me demandes, mais ça ne change pas le fait que je ne suis pas un Compagnon et que les Guerriers ne me suivront pas.

– Ils suivront Wilkes, et Wilkes apprécie tes talents. Il t'écoutera, ainsi, les autres te suivront sans s'en rendre compte.

Nik contracta les mâchoires. « Je vais donc devoir risquer ma vie sans recevoir le respect que je mérite. »

– Il y a un problème ?

Après avoir inspiré à fond, Nik répondit :

– Non.

– Merci, mon fils. Cette pitié que m'inspirent les Creuseurs est comme une épine dans mon pied.

– Père, j'ai quand même besoin de savoir : tu n'envisages pas de libérer les Creuseuses, hein ?

– Si ça ne tenait qu'à moi ! Mais la Tribu soutiendrait que les prisonnières ont besoin d'être protégées, que les garder sur l'Île-Ferme est un acte généreux. Et puis tu sais aussi bien que moi ce qui arriverait si on était obligés de nous occuper nous-mêmes de nos cultures. Les récoltes diminueraient drastiquement sans la mystérieuse magie que les Creuseuses utilisent, mais, pire encore, cela provoquerait à coup sûr des accidents.

Sol secoua la tête d'un air triste et ajouta :

– Et des morts s'ensuivraient inévitablement.

Nik frémit et demanda :

– Les Guérisseuses n'ont toujours pas trouvé l'antidote à la rouille ?

– Non, déclara Sol d'un ton morne. Si notre peau est écorchée, on continue d'y être vulnérables. Et il existe une seule issue à cette maladie.

– Une mort atroce, déclara Nik, pris de nouveaux frissons.

Tous deux pensaient à la femme magnifique qui avait été leur mère et épouse, et qui, un jour, avait glissé alors qu'elle sculptait un nouveau luth dont on devait jouer aux Plantes Mères. Elle s'était coupée au poignet. Pas méchamment. La plaie n'était ni longue ni profonde. Néanmoins, la rouille s'était infiltrée dans ses veines pour se répandre rapidement à l'ensemble de son corps. La maladie l'avait dévastée en à peine quelques semaines.

– Hier soir, une Creuseuse a blessé Miguel avec un caillou, révéla Nik à son père.

Après un soupir, Sol annonça :

– J'irai le voir après le lever du soleil. Nikolas, si Miguel a été infecté, tu dois te préparer : sa famille t'en tiendra pour responsable.

Il avait raison. Peu importerait à une famille éplorée que ce ne fût pas directement la faute de Nik. Toute la Tribu savait qu'il continuait à chercher le jeune canin, et que pour ce motif, les Chasseurs étaient allés au-delà de leur territoire.

– Je serai préparé, assura le jeune homme. Je vais essayer d'adopter un profil bas.

Sol plissa le front et dit d'un air sarcastique :

– Voilà qui nous changera agréablement !

– Je n'ai pas pour habitude de rechercher les ennuis, se défendit Nik en fronçant les sourcils.

Sol partit d'un rire un peu trop railleur au goût de son fils, mais celui-ci rit à son tour, soulagé que cela atténuât la tristesse qui venait de s'abattre sur eux.

– Tu veux venir avec moi accueillir le lever du soleil ? lui proposa Sol.

– Ce serait avec plaisir, mais je dois aller trouver un Chasseur et lui demander de m'accompagner à ce buisson de houx dès que possible.

– Thaddée et Ulysse sont l'une des paires de pisteurs les plus talentueuses que j'aie vues depuis de nombreux hivers, affirma Sol.

– En fait, j'aimerais mieux ne pas prendre Thaddée, objecta Nik. Je préfère la compagnie de Davis et de son Cameron.

– Ils sont jeunes et beaucoup moins expérimentés.

– Chercher mon canin les aidera à acquérir de l'expérience.

– Puis-je te faire une suggestion ? Si un membre de la Tribu plus âgé et plus chevronné que moi – Thaddée, par exemple – se montrait... condescendant au sujet d'une chose à laquelle je croyais dur comme fer...

Sol marqua une pause et Nik lui confirma d'un hochement de tête las qu'il avait compris.

– Ah ! C'est bien ce que je pensais, reprit Sol. Imaginons que j'aie l'occasion de prouver à cet individu condescendant que mon opinion est valable, et la sienne infondée, je saisirais cette occasion, et de cette façon, je démontrerais ma supériorité à toute la Tribu.

– Il est tellement arrogant ! Il refuse d'envisager la possibilité que le petit canin soit toujours en vie, malgré les traces qu'on a trouvées.

– Thaddée est arrogant, certes, et il est parfois assez caustique, mais il peut être fier de ses compétences de pistage.

– N'empêche que je ne l'aime pas.

Sol sourit à son fils.

– Et si je t'autorisais à ajouter Davis et Cameron à Thaddée et Ulysse ?

– D'accord, accepta Nik après avoir poussé un long soupir de soulagement.

Il marqua une pause et, ne pouvant se retenir de dire tout haut ce qu'il pensait tout bas, il lâcha :

– Père, ne trouves-tu pas que la Loi de la Tribu permettant uniquement aux individus liés à un canin d'occuper des fonctions de chef comporte des défauts ?

Les sourcils de Sol parurent vouloir toucher la racine de ses cheveux.

– De quoi parles-tu, Nikolas ?

– Toute la Tribu reconnaît que mère était la meilleure sculptrice qu'on ait connue depuis des générations.

– C'est exact, confirma Sol avec un sourire interrogateur. Où veux-tu en venir, mon fils ?

– Pourtant, on ne lui a pas accordé le titre de Maîtresse Sculptrice parce qu'aucun canin ne l'avait choisie, alors qu'elle méritait cette distinction et que concrètement, elle a bel et bien servi comme telle pendant la majeure partie de sa vie d'adulte.

– Oui, mais…

– Tu viens de dire que j'étais le meilleur archer de la Tribu, que j'avais un excellent sens de l'observation, mais que je ne pouvais pas mener les Guerriers parce qu'aucun canin ne m'avait choisi. Tout ça ne me semble pas très logique.

Sol observa son fils en silence avant de lui répondre :

– C'est la dure vérité, Nikolas : si tu étais choisi par un canin, nos lois te paraîtraient logiques. Mon fils, tu contestes la tradition uniquement parce que tu *n'es pas* lié à un canin.

Nik soutint le regard de son père. Avec un sentiment de triste résignation, il concéda :

– Tu as peut-être raison. Bon, si tu veux bien donner ta bénédiction à mon entreprise, je vais aller chercher Davis et Thaddée.

– Tu auras toujours ma bénédiction, Nikolas, assura Sol. Et sache que j'apprécie ton esprit vif et curieux, comme ta mère l'appréciait.

– Merci, père.

Nik s'agenouilla devant le Prêtre du Soleil. Celui-ci posa une main sur sa tête baissée et leva l'autre vers une ouverture faisant office de fenêtre, par où la lumière du jour commençait à filtrer.

– Je te bénis avec le toucher du Soleil, Nikolas, fils de Sol. Puisses-tu emporter chaleur, force et lumière dans ta quête, et puisses-tu rentrer à la maison sain et sauf avant que l'obscurité n'éteigne le jour.

Nik ferma les yeux tandis que la chaleur du soleil pénétrait à flots dans son corps. Mais, au lieu de se concentrer sur le jeune canin, la seule chose qu'il vit derrière ses paupières closes, ce fut le visage pâle et sillonné de larmes de Jenna.

14

Même à l'abri dans leur tanière, la porte barrée derrière elles, Mari et sa mère parlèrent à voix basse, leurs têtes collées l'une contre l'autre. Elles ne connaissaient pas grand-chose aux canins et à leurs capacités de pistage. Néanmoins, elles comprenaient qu'elles devaient s'arranger pour brouiller les traces de Rigel.

– On doit agir vite, maman. Dès que l'aube approchera, je repartirai pour m'assurer que tous les cafards ont bien fini de brouiller la piste de Rigel.

Mari se tut et frissonna. La colonie de cafards aurait certainement suivi la horde d'araignées-loups et le raid mortel des Compagnons au Site de Rassemblement, à la recherche des restes de mort.

– Tu as un plan, Mari ?

– J'ai une idée. Je sais ce qui rend très difficile, voire impossible, de suivre la trace d'un cerf ou d'un sanglier. Je vais essayer de reproduire le maximum des circonstances qui ont gâché nos journées de chasse, par le passé.

– Intéressant, approuva Léda. Ça peut marcher.

– Ça marchera. Il le faut. Bon, finissons de manger ; ensuite, on essaiera de dormir un peu.

Rigel restait si près de Mari qu'elle dut prendre garde à ne pas trébucher sur lui lorsqu'elle se leva pour reprendre du copieux ragoût de lapin, qui semblait disparaître comme par magie de leurs bols. Tout en mangeant, Mari observa Léda et s'inquiéta de la voir si pâle.

– Maman, ne viens pas avec moi demain matin, reste ici et repose-toi, lui conseilla-t-elle. Rigel et moi, on se débrouillera très bien, et on reviendra vite.

– Il n'en est pas question. Je veux faire en sorte, moi aussi, que personne ne retrouve Rigel.

Mari hocha la tête tout en remplissant de nouveau leurs bols et donna à Rigel une autre gamelle de lapin cru mélangé à des herbes et des graines, qu'il préférait aux aliments cuits. Elle se faisait du souci pour sa mère ; néanmoins, elle avait besoin de son aide si elle voulait veiller à ce que Nik, ce fouineur, ne puisse pas pister le canin jusqu'à leur tanière.

– Il ne va pas abandonner, devina-t-elle. Peu importe ce qu'on fera tout à l'heure, ce Compagnon continuera à chercher mon Berger.

Rigel gémit ; Mari ouvrit les bras pour lui permettre de se blottir sur ses genoux.

– D'après ce que tu m'as raconté, ce Nik croit que Rigel allait le choisir, dit Léda.

– Eh bien, il se fourre le doigt dans l'œil ! rétorqua Mari d'un ton brusque, avant d'adresser un sourire d'excuse à sa mère et de caresser Rigel de manière apaisante. Désolée, je ne voulais pas m'en prendre à vous.

Elle se rassit près de Léda en soupirant et ajouta :

– C'était tellement bizarre de l'entendre parler de Rigel comme s'il était à lui. Bizarre et effrayant.

Léda lui tapota le genou.

– Ce qu'il a dit répond à l'une de nos questions : comment les Compagnons ont-ils pu perdre un jeune Berger auquel ils tiennent tant ?

Elle sourit pour la première fois depuis que Jenna avait été enlevée.

– L'intelligent Rigel s'est échappé dans le but de te trouver ! ajouta-t-elle.

– Oui ! s'exclama Mari, radieuse.

Elle passa les bras autour du cou de Rigel, qui lui lécha le visage avec enthousiasme.

– Et c'est la raison pour laquelle je suis convaincue que cet homme n'arrêtera pas de le chercher, reprit-elle, soudain grave. Ils n'ont pas été négligents. Ils continuent de chérir leurs canins. Je parie que Rigel est le premier petit à leur avoir échappé depuis longtemps.

– Depuis toujours, selon moi, estima Léda. Et je suis complètement d'accord avec toi : ce Compagnon ne cessera pas de chercher Rigel tant qu'il n'aura pas trouvé de preuves de sa mort.

– Et c'est quelque chose qu'on ne peut pas fabriquer, si ?

– Je ne sais pas comment on pourrait faire croire à un Compagnon que ce canin est mort, avoua Léda. Ton père m'avait dit qu'ils utilisaient les Bergers pour pister les gens, et les Terriers pour le gibier. Pour rechercher Rigel, les Compagnons se sont sans doute servis d'un canin, quelle que soit sa race, et l'on ne trompe pas facilement la truffe d'un canin.

Mari contracta les mâchoires de colère.

– Attends, tu viens de m'expliquer que les Compagnons emploient des Terriers pour pister le gibier ; or, j'ai entendu l'ami de Nik dire que c'était un Terrier qui avait vu les empreintes de pattes de Rigel.

– Ça signifie juste que les Chasseurs cherchaient Rigel depuis le début.

– Non, mère, car j'ai aussi entendu qu'ils comptaient capturer des Creuseuses, et que Nik les avait persuadés d'aller au-delà de leur territoire parce qu'il recherchait Rigel.

Devant l'expression perplexe de sa mère, Mari continua sans prendre de gants :

– Les Compagnons ne considèrent pas les Creuseurs comme de vraies personnes. C'est la raison pour laquelle ce sont des Terriers qui nous recherchaient, et pas des Bergers.

– Oh, non, fit Léda, choquée.

– Bon, regardons le côté positif, dit Mari avec une gaieté forcée. S'ils ne nous prenaient pas pour des animaux, ils auraient emmené des Bergers, qui auraient recherché uniquement Rigel. Et ils l'auraient trouvé, maman. Je le sais.

Mari inclina la tête en arrière et, au grand amusement de Rigel, hurla d'un air heureux. Il l'imita jusqu'à ce que, hors d'haleine, elle s'effondrât près de lui, tandis qu'il remuait la queue et faisait son sourire de canin en laissant pendre sa langue.

– Ce soir, ça ne me dérange pas d'être un animal comme Rigel ! s'exclama Mari. Pas le moins du monde !

Mais Léda ne se dérida pas.

– Ça m'inquiète, Mari, avoua-t-elle. Ton père ne m'a jamais dit que les Compagnons nous prenaient pour des animaux. Il m'avait juste expliqué qu'ils nous trouvaient puérils, incapables de nous occuper de nous-mêmes. Ils nous réduisent en esclavage sous prétexte de nous protéger, mais ils ont aussi besoin qu'on travaille pour eux sur leur île. S'ils ne nous considèrent pas comme des humains, que deviendras-tu quand je ne serai plus là ?

– Maman, dit Mari en prenant la main de Léda. On n'a pas besoin de se tracasser pour ça. Tu es forte, en bonne santé et encore jeune. On va passer encore de nombreux hivers ensemble. Concentrons-nous juste sur la manière dont on va régler le problème des Compagnons qui pistent Rigel. Et...

Mari n'acheva pas sa phrase, car elle ne voulait pas angoisser sa mère davantage.

– Et quoi ? l'interrogea Léda.

Mari soupira et répondit :

– Et Jenna. Que fait-on à propos de Jenna ?

Léda planta son regard dans les yeux de sa fille et, comme si elle souhaitait imprimer ses paroles dans son esprit, elle affirma, lentement et distinctement :

– On ne peut *rien* faire pour Jenna. Ni maintenant, ni jamais.

– Mais, maman ! Elle a connu seulement seize hivers ! Sans une Femme Lune pour la purifier de la tristesse qui est en elle, elle va mourir. Elle ne tombera jamais amoureuse. Elle ne sera plus jamais heureuse.

– Mari, tu dois m'écouter, insista Léda en serrant fort la main de sa fille. À moins de réussir à fuir, toutes les Marcheuses de la Terre capturées par les Compagnons deviennent folles de désespoir et meurent tôt. Tu le sais très bien.

– Oui, reconnut Mari en contenant un sanglot. C'est pourquoi on doit aider Jenna à s'échapper.

– À quel prix ? Je ne crois pas que Rigel puisse s'approcher de la Cité des Compagnons sans être découvert. Après ce qui s'est passé cette nuit, je suis persuadée que le dénommé Nik t'arracherait ton canin. Si les Compagnons nous prennent pour des animaux, je crains qu'ils ne te trouvent indigne d'un canin Guide.

La voix de Léda s'éteignit. La Femme Lune blêmit et secoua la tête, comme pour tenter de chasser des pensées alarmantes.

– Es-tu disposée à sacrifier Rigel – et peut-être à te sacrifier toi-même – pour sauver Jenna ? demanda-t-elle à sa fille.

Un horrible frisson parcourut le corps de Mari. Elle tendit la main pour toucher Rigel d'une manière rassurante.

– Non, murmura-t-elle. Je n'abandonnerai pas Rigel.

– Et je ne peux pas te le reprocher. Rigel est fait pour rester avec toi toute la vie. Ton lien avec lui est aussi profond que ton âme, aussi fort que ton cœur. J'aimerais essayer de sauver notre petite Jenna, mais si je n'y arrivais pas… s'ils me capturaient…

– Non ! Tu ne peux pas faire ça ! J'ai besoin de toi.

– Je sais, Mari, je sais, dit Léda en prenant sa fille dans ses bras. Rappelle-toi, ma chérie : nos corps ne sont que nos coquilles. Seul le corps de Xander est mort. Son vrai moi – son esprit – a voyagé ailleurs, exactement comme seul le corps de Jenna a été capturé. Son esprit retrouvera la liberté.

– Maman, je n'oublierai jamais le visage de Xander juste avant que Jenna hurle. Il a vu Rigel. Il a compris qu'on était ensemble, que j'étais la cause de l'intrusion des Compagnons dans notre territoire, et il a eu l'air de me haïr.

– Chuuut, Mari. Rien ne peut changer ce qui s'est produit cette nuit. Et à présent, Xander ne souffre plus ; il a rejoint sa bien-aimée.

– Mais j'ai été *contente* quand ils lui ont décoché des flèches ! sanglota Mari contre l'épaule de sa mère. Parce qu'il avait vu Rigel, et qu'il allait le dire à tout le monde, je le savais. Je m'en veux. Je m'en veux. Pauvre Jenna ! Xander a eu raison de me regarder avec dégoût. C'est ma faute si maintenant sa fille est une orpheline et une esclave.

– Non, ce n'est pas ta faute. C'est celle de ce monde. Et tu *n'es pas* responsable de ce que ce monde est devenu.

– Je veux changer les choses, maman, déclara Mari entre deux sanglots. Même si ça implique que je doive quitter cet endroit et repartir à zéro.

– Je sais, ma chérie. Je sais...

Mari et Léda s'étreignirent fort tout en pleurant Xander, Jenna et les autres membres du Clan qui avaient été tués ou capturés, et en priant pour des jours meilleurs.

Mari ne ferma pas l'œil de la nuit. Elle demeura blottie entre sa mère et Rigel, et trouva du réconfort dans cette proximité. Elle était heureuse que Léda se fût endormie avec elle sur sa paillasse au lieu de s'être retirée dans sa chambre. Pendant que Rigel ronflait doucement, Mari observa le visage de sa mère. Quand ces rides étaient-elles apparues sur son front ? Et comment avait-elle si soudainement maigri ? Sa peau était toujours assez belle, mais elle était presque transparente, à présent. Combien d'hivers sa mère avait-elle connus ? Presque quarante ? Elle n'était pas vieille ! Elle avait toujours paru si jeune à Mari.

Soudain, la jeune femme ressentit une peur froide, lancinante, comparable à un coup de poignard. La mère de Léda était morte juste avant de voir quarante hivers. C'était deux ans avant la rencontre de Galen et de Léda. Celle-ci parlait souvent à Mari de sa grand-mère. « De quoi est-elle morte, au juste ? Je sais simplement qu'elle est tombée malade, s'est de plus en plus affaiblie, et est morte peu de temps après que Léda a eu terminé son apprentissage. » Mari évitait de poser à sa mère des questions susceptibles de faire ressurgir en elle de tristes souvenirs ; néanmoins, elle formait le vœu secret de découvrir ce qui était arrivé à sa grand-mère. « Ma mère connaîtra-t-elle la même fin ? Est-ce le lot de toutes les Femmes Lune ? »

« Non ! Maman ne subira pas le même sort. Ni maintenant, ni jamais. Si ça signifie que Sora ou moi, ou nous deux, on est obligées de rester des apprenties Femmes Lune pour tous les hivers à venir, soit ! » Cette pensée résonna dans l'esprit de Mari si furieusement que Rigel s'agita dans son sommeil. Il se tourna en poussant des gémissements interrogateurs et posa la tête sur elle, ce qui réveilla Léda. Cette dernière regarda Mari de ses yeux embrumés de sommeil.

– Il est l'heure ? l'interrogea-t-elle.

– Je vais voir.

Mari poussa doucement Rigel, qui grogna, avant de s'étirer et de bâiller. Elle se précipita vers le petit trou qui servait de fenêtre sur le monde d'en haut. L'obscurité de la nuit s'éclaircissait vers le gris et des roses très pâles. La jeune femme se tourna vers sa mère et lui dit :

– Oui, il est l'heure.

En silence, Léda et Mari rompirent le jeûne et nourrirent Rigel. Elles s'habillèrent avec soin, en veillant à couvrir totalement les bras et les jambes de Mari, puis elles lui teignirent les cheveux et appliquèrent de nouveau la préparation d'argile et de boue pour dissimuler ses traits délicats. Mari prit sa fronde et une sacoche remplie de pierres lisses. Ensemble, elles remplirent leurs outres du mélange d'huile de lavande et d'eau salée qui aveuglait les araignées-loups. Lorsque tout fut prêt, elles s'immobilisèrent devant la porte de leur tanière.

– On doit se déplacer vite et en silence, recommanda Léda. Quand le soleil apparaîtra au-dessus de l'horizon, quand il aura vaincu le brouillard, tu seras vulnérable. Je suis certaine que d'autres membres du Clan sortiront aujourd'hui pour rechercher leurs proches qui ont disparu cette nuit.

– On se tiendra à l'écart des sentiers.

– Et on sera vigilantes. Rappelle-toi que tu n'es pas vulnérable seulement à cause de ta peau. Si des Marcheurs de la Terre t'aperçoivent avec Rigel, j'ignore comment ils réagiront.

Mari, elle, le savait. Elle l'avait vu dans le regard de Xander, la nuit précédente.

– Je ne vais pas les laisser voir Rigel. Il sait ce que signifie « se cacher ». Je n'ai même plus besoin de lui donner cet ordre à voix haute. Il suffit que je pointe le doigt où je veux et que j'imagine Rigel si immobile et si silencieux qu'il devient invisible ; alors, il comprend.

Mari caressa le canin affectueusement et l'embrassa sur le museau avant de faire un signe de tête à sa mère.

Léda ouvrit la porte. À l'aide de son bâton de marche, elle écarta les ronces coupantes, tandis que Mari et Rigel la suivaient sur le chemin sinueux caché qui les éloignait de leur tanière.

Mari hésita juste après être sortie du roncier et se retourna vers leur habitation camouflée en se mordillant la lèvre.

– Qu'y a-t-il ? s'enquit sa mère.

– J'aimerais savoir comment couvrir l'odeur de Rigel. Si jamais des Compagnons s'approchent de notre tanière, leurs canins – que ce soient des Terriers ou des Bergers – le flaireront.

– Donc, arrangeons-nous pour qu'ils n'aient aucune raison de s'approcher de chez nous, suggéra Léda.

Mari hocha vigoureusement la tête.

– D'accord, je vais porter Rigel sur tout le chemin, décida-t-elle. Je ne veux pas qu'ils découvrent un nouveau sentier creusé par un petit canin, qui les conduirait jusqu'ici.

– C'est judicieux, commenta Léda.

Mari prit Rigel dans ses bras, sentit sa chaleur et son poids conséquent. Le serrant bien fort, elle avança au côté de sa mère parmi les frênes et les saules qui prédominaient dans la forêt humide, sillonnée de ruisseaux, qui constituait le territoire des Marcheurs de la Terre. Léda et Mari empêchaient toutes les plantes comestibles de pousser près de leur tanière, et encourageaient ronces, orties, sumac vénéneux et bois piquant à proliférer, rendant ainsi leur petit coin de forêt aussi peu attrayant que possible pour les Compagnons et les Marcheurs de la Terre. Malgré l'absence de chemins clairement visibles dans cet enchevêtrement de plantes hostiles et dangereuses, Mari et sa mère franchirent cette section d'un pas rapide et assuré.

Comme elles en avaient convenu avant de partir, elles ne se rendirent pas directement au Site de Rassemblement et au buisson de houx sous lequel les empreintes de pattes de Rigel avaient été découvertes. Elles se dirigèrent vers le lieu où Xander avait été assassiné, le dernier endroit où Rigel s'était trouvé avant qu'ils rentrent tous les trois précipitamment chez eux.

Léda précédait Mari lorsque le trio arriva sur une zone où des fougères avaient été piétinées. Rigel s'agita soudain dans les bras de Mari, gémit et flaira l'air.

– Xander est par là, n'est-ce pas ? devina la jeune femme.

Après lui avoir fait signe de rester où elle était, Léda s'avança, puis s'arrêta tout à coup en pressant sa main sur sa gorge.

– Maman ? chuchota Mari.

Léda baissa la tête et dit une prière en remuant les lèvres silencieusement, puis elle se retourna vers sa fille et lui dit :

– Tu avais raison. Les cafards sont venus ici cette nuit.

Elle prit Mari par la main et lui fit décrire un large cercle autour des horribles restes de Xander.

– Je sens la lavande, ajouta-t-elle. C'est ici qu'on s'est battues contre les araignées.

– Et c'est ici qu'on est tombées, compléta Mari en désignant la pente où Xander les avait poussées lorsqu'il avait essayé de les sauver. Bon, je pose Rigel par terre.

Elle essuya la sueur de son visage, s'étira pour soulager son dos douloureux et reprit :

– Maintenant, en décrivant des cercles, on retourne au cèdre sous lequel on s'est cachées, décida-t-elle.

Les deux femmes se déplaçaient rapidement et en silence. Le sol était encore mouillé à cause de la pluie qui était tombée en fin de nuit, et Mari constata avec satisfaction que les grosses pattes de Rigel laissaient des empreintes très nettes. Bien entendu, sa mère et elle en laissaient aussi, mais Mari éloignait Rigel en lançant sans cesse des petites branches et des pommes de pin qu'elle lui demandait d'aller chercher, pendant que Léda effaçait leurs traces à l'aide d'une grande fougère en épi qu'elle maniait comme un balai.

Lorsqu'elles parvinrent au cèdre, Léda franchit le rideau de lierre et Mari resta à l'extérieur avec Rigel, tandis que sa mère supprimait les traces qu'elle, sa fille, Xander et Jenna avaient laissées à l'intérieur. Elle revint ensuite vers Mari, qui écarta les lianes, tendit le doigt et ordonna à Rigel :

– Cache-toi !

Frétillant de joie, le jeune Berger courut sous le cèdre, tourna sur lui-même, s'allongea, leva la tête vers Mari et frappa de sa queue le sol de feuilles mortes et de terre, s'amusant comme un fou à ce petit jeu. Mari le laissa là pendant un moment, dans l'espoir que son odeur imprègne la cachette.

– Comme ça, quelqu'un qui cherche Rigel devrait le trouver facilement, estima Mari. Maintenant, on retourne directement au buisson de houx, et je lui dirai de s'y cacher aussi.

Le trio se remit en marche. En s'approchant de leur destination, Mari constata que la zone était un chaos de fougères piétinées, de rondins fracassés et de broussailles ravagées. Apercevant les plumes d'une flèche elle détourna les yeux en vitesse.

– Un autre Marcheur de la Terre, dit doucement Léda. Encore un homme de parti. Je me demande combien ils en ont tué.

– Xander, celui-ci et, au Site de Rassemblement, plus bas, j'ai vu Warren touché mortellement par des flèches pendant l'attaque des Compagnons.

– Warren. Je suis désolée de l'apprendre. Cyan va le pleurer.

Mari ne répondit rien. Elle ne comprenait pas comment une femme pouvait pleurer un homme qui avait passé si peu de temps avec elle. Xander, lui, était différent. Il avait élevé Jenna. Mais Warren ? Mari aurait bien voulu demander à Léda combien de fois il était allé la voir pour qu'elle le purifie de sa folie. S'était-il donné la peine de conserver sa santé mentale pour sa compagne ou, comme de nombreux Marcheurs de la Terre, avait-il le plus souvent cédé à la Fièvre Nocturne ?

Mari se ressaisit et pointa le doigt vers le buisson de houx en ordonnant à Rigel :

– Cache-toi !

Le canin fonça sous le buisson, se retourna et, la gueule ouverte comme s'il souriait, attendit le jeu suivant.

– On va au ruisseau, maintenant ? suggéra Léda.

– Oui, mais avant…

Mari leva le dernier bout de bois qu'elle avait ramassé.

– Rigel, regarde ! Va chercher !

Elle lança le bâton, Rigel courut après et le lui rapporta gaiement. Mari recommença une douzaine de fois, dans autant de directions différentes. À la fin, elle regarda sa mère en hochant la tête et lui dit :

– C'est suffisant, je pense. Allons-y.

Elle rappela Rigel auprès d'elle et ils se dirigèrent tous les trois prudemment vers la berge abrupte, en contrebas.

– Attention où tu mets les pieds, Mari, l'avertit Léda en lui prenant la main. Il y a beaucoup de trous et de branches brisées, cachées sous les feuilles, par ici. Cette berge est beaucoup plus dangereuse qu'il n'y paraît ; c'est pourquoi, pour aller au Site de Rassemblement, la traversée du ruisseau se fait plus en aval.

Mari pressa la main de sa mère et l'aida à descendre la pente pendant que Rigel les dépassait à toute allure avec ses pattes démesurées, ce qui fit sourire les deux femmes.

– Je crois qu'il sera encore plus grand qu'Orion, le canin de ton père, estima Léda, le souffle court, quand elles s'arrêtèrent en bas de la berge pour reprendre haleine.

– Moi, je crois que Rigel sera splendide ! Et aussi, qu'on réussira aujourd'hui. Après ce qu'on a fait, aucun Compagnon ne sera capable de pister Rigel jusqu'à notre tanière.

Mari espérait rendre ces mots vrais en les prononçant à voix haute.

– Et, dorénavant, je serai plus prudente, ajouta-t-elle. Je ne prendrai jamais un chemin direct pour rentrer chez nous, et je porterai Rigel dès qu'on s'approchera de la tanière.

– Même quand il sera devenu adulte ? demanda Léda, dubitative.

– Même quand il sera devenu adulte, confirma la jeune femme en hochant la tête d'un air déterminé. Je suis déjà forte, et ma force augmentera avec la sienne.

Léda sourit en la considérant avec une expression pleine d'amour et de fierté.

– Ma chérie, je suis persuadée que tu peux accomplir tout ce que tu veux si tu travailles dur.

Main dans la main, mère et fille traversèrent le ruisseau avec difficulté. Les pluies de la nuit l'avaient grossi et son courant déjà dangereux leur frappait les jambes. Tout en avançant, Mari jetait des coups d'œil à Rigel, qui s'était arrêté au bord de l'eau et gémissait pitoyablement.

– Viens, Rigel. Tu peux le faire !

Le canin cessa aussitôt de gémir, dressa les oreilles, puis se jeta dans le ruisseau, crachotant et éternuant, mais nageant tout de même avec vigueur. Ils atteignirent tous ensemble la berge opposée, en pente douce, et les deux femmes rirent lorsque Rigel s'ébroua et se roula dans la mousse devant l'idole de la Terre Mère la plus proche.

Leurs rires se turent lorsque leurs regards se posèrent sur les statues. Le Site de Rassemblement était dévasté. Les Chasseurs n'avaient eu aucun égard pour les sculptures entretenues avec amour ; ils avaient détruit tout ce qui se trouvait sur leur chemin. Mari regarda sa mère aller devant chaque ouvrage profané. Au début, Léda tenta d'arranger les fougères écrasées et la mousse arrachée, mais lorsqu'elle vit un visage en grès sculpté de la déesse à terre, en morceaux, elle se figea dans sa tristesse. Elle s'assit, posa le fragment de la statue sur ses genoux et l'effleura du bout des doigts comme si elle pouvait gommer les dégâts.

Mari jeta un coup d'œil vers le ciel. À l'est, le gris et le mauve avaient cédé la place à des tons de feu mêlés à la teinte azuréenne matinale.

Elle s'approcha de sa mère et lui toucha gentiment l'épaule.

– Maman, Rigel et moi, on doit remonter le ruisseau vers la forêt des Compagnons et y laisser des traces factices. Je peux y aller seule si tu veux rester ici et essayer de réparer les Terres Mères.

Léda leva vers sa fille des yeux remplis de larmes.

– Tu n'as pas besoin que je t'aide ?

– Non, maman. En fait, je pense que j'irais plus vite si j'y allais juste avec Rigel... Il n'y a pas de tanières en amont du ruisseau, n'est-ce pas ?

– Non. Jamais personne n'en aurait construit si près de la forêt des Compagnons.

– Je n'ai donc pas à avoir peur que des Marcheurs de la Terre me surprennent avec Rigel ?

– Tu as encore raison, ma chérie... comme toujours ces temps-ci, dit Léda en souriant tristement à sa fille.

– Vas-y, la pressa-t-elle, en la poussant gentiment. Je vais rester ici et retrouver mon équilibre, au milieu de ce chaos. Ensuite, j'essaierai de remédier à ces profanations.

Léda marqua une pause et regarda autour d'elle. Submergée par l'émotion, elle continua :

– Ou peut-être devrais-je plutôt descendre le ruisseau pour aller prévenir les membres du Clan qui vivent dans les premières tanières qu'ils doivent déménager.

Mari écarta les cheveux du visage de sa mère et les lissa vers l'arrière. Ce faisant, elle remarqua une étonnante quantité de cheveux gris sur ses tempes.

– Maman, la plupart des femmes du Clan n'étaient-elles pas présentes au Rassemblement, hier ?

– Si. Il fallait qu'une majorité d'entre elles soit là pour assister à la nomination de mon apprentie et l'accepter. Celles qui étaient absentes étaient parties à la chasse ou à la cueillette.

– Donc, le Clan a déjà été averti. Selon moi, tu devrais m'attendre ici.

– Tu ne seras pas partie longtemps, n'est-ce pas ?

– Non, bien sûr. Le soleil est en train de se lever, et le ciel est dégagé. On n'a plus beaucoup de temps. Tiens-toi sur tes gardes, maman. Les Compagnons sont passés par la cerisaie, précisa Mari en désignant les arbres couverts de bourgeons derrière elles. Sois vigilante. Si tu entends *quoi que ce soit*, traverse le ruisseau et cours jusqu'à la maison. Si tu n'es pas ici à mon retour, je saurai que tu nous attends chez nous.

– Toi aussi, sois vigilante, Mari. Prends garde aux Compagnons quand tu fabriqueras ta fausse piste ; et quand tu reviendras ici, méfie-toi des membres du Clan qui...

Rigel interrompit Léda en lui donnant un petit coup dans la cuisse avec son museau mouillé. Elle rit doucement.

– Ah, je vois, petit canin intelligent ! Tu préviendras notre Mari du danger.

– Évidemment, affirma Mari en caressant Rigel et en l'embrassant avec affection sur la tête. Ne t'inquiète pas pour nous, maman. Je reviendrai discrètement en dressant l'oreille. Si j'entends ta voix, je saurai que tu parles à quelqu'un du Clan et j'ordonnerai à Rigel de se cacher.

– Je veillerai à parler assez fort pour que tu m'entendes, assura Léda en souriant à Rigel. Enfin... pour que Rigel m'entende et te prévienne.

Elle flatta le canin, qui frétilla.

– C'est parfait, maman.

Mari se pencha et embrassa sa mère sur la tête comme elle venait de le faire à son canin, ce qui les fit sourire toutes les deux.

– On reviendra bientôt sains et saufs, promit Mari.

– Je vous attends ici.

Mari se surprit à dire à voix haute :

– Je t'aime, maman.

– Moi aussi, je t'aime, ma chérie, répondit Léda, avant de reporter son attention sur le canin. Rigel, je compte sur toi pour prendre soin de notre Mari.

Le canin lui lécha le visage et remua la queue lorsqu'elle le caressa.

– Gentil canin, murmura-t-elle. Et je t'aime, toi aussi.

Puis, fredonnant doucement, elle se tourna et s'occupa de la première idole.

Mari la regarda refaçonner avec délicatesse la mousse qui avait été arrachée du corps tellurique voluptueux de la statue. L'expression de Léda était redevenue sereine. Comme toujours, l'entretien des idoles semblait l'apaiser. Cela réjouissait Mari, même si les représentations de la déesse n'avaient jamais eu le même effet sur elle. « Quand je serai plus âgée, peut-être ? À ce moment-là, la Terre Mère me parlera peut-être comme elle parle à maman. » Mari soupira. « À moins qu'à cause du sang qui coule dans mes veines, la Sublime Terre Mère ne me parle jamais. »

La jeune femme secoua la tête pour chasser ses sombres réflexions. Puis elle adressa un dernier salut à sa mère et fit signe à Rigel de la suivre.

15

S'il n'avait pas été aussi important pour leur survie de fabriquer de fausses pistes, Mari se serait bien amusée. C'est ce que faisait Rigel, assurément ! Tout en lançant bâton après bâton pour qu'il les lui rapporte, elle remontait le ruisseau en regardant le petit canin foncer dans la forêt, revenir au cours d'eau, y plonger et la rejoindre à la nage comme s'il ne pouvait pas se lasser de ce jeu. Avec l'ascension du soleil, ce matin printanier devenait de plus en plus chaud, et l'eau fraîche sur les jambes de Mari était très agréable. La jeune femme songea qu'elle adorerait ôter ses vêtements et s'immerger pour enlever la terre, l'argile et la teinture de ses bras, de son visage, de ses cheveux. Puis elle s'allongerait – nue – sur l'un des larges blocs de roche sombre placés face à l'astre diurne et absorberait sa chaleur. « Si seulement je pouvais faire ça ! » pensa-t-elle.

Mari gagna la berge la plus proche et s'assit au soleil sur un rondin, où elle tamponna avec précaution son visage en sueur. Rigel vint s'étendre à ses pieds et commença à déchiqueter une pomme de pin qu'il avait pêchée dans le ruisseau.

Mari s'étira de tout son long. Dans ses paumes dirigées vers le ciel, elle ressentit bientôt des picotements causés par les rayons dorés qui la touchaient sans rencontrer d'obstacle. Elle jeta des coups d'œil alentour. Le ruisseau faisait brusquement un coude vers l'est, créant une sorte de crique où l'eau s'accumulait dans les hauts-fonds et miroitait telle une promesse oubliée mais néanmoins renouvelée. Rigel et elle étaient totalement seuls dans cette petite bulle de beauté. Non sans hésiter, Mari leva de nouveau les mains au-dessus de sa tête.

À travers ses paumes, la chaleur du soleil matinal envahit tout son corps. Mari l'accueillit, et remarqua la différence entre cette énergie dorée et la force froide de la lune. Elle ne savait pas laquelle elle préférait : elle n'avait pas une assez grande expérience du soleil, ce qui semblait ridicule. Il se levait tous les jours, et ce n'était pas comme si Mari était encore une enfant. De nombreux hivers avaient passé depuis ce premier matin où Léda et elle avaient cueilli des baies dans une clairière où elles étaient arrivées par un chemin de cerf. Après avoir fait évaporer le brouillard matinal, l'astre du jour avait illuminé le lieu d'une lumière d'or éclatante. Mari se souvenait de chaque instant qui avait suivi. Elle était très jeune, et ses traits n'étaient pas encore assez prononcés pour qu'elle eût besoin d'un camouflage d'argile, même si Léda avait déjà commencé à lui teindre les cheveux. La lumière qui avait soudain percé l'avait remplie d'une sensation de vertige indescriptible. Elle avait écarté grand les bras et exécuté une petite danse impromptue autour du bosquet plein de baies, en chantant gaiement, avant d'entendre soudain sa mère crier, horrifiée : « Non ! Sublime Mère ! Pas Mari ! »

La fillette avait couru vers Léda pour savoir ce qui n'allait pas. Elle était sûre que sa mère avait pleuré, même si celle-ci avait pris soin de s'essuyer le visage et d'afficher un sourire avant de lui répondre, en montrant ses bras : « Tout va bien, ma chérie. Tu es la fille de ton père, et il n'y a aucun problème avec ça, absolument aucun. »

Mais Mari avait compris. Les Marcheurs de la Terre n'avaient pas les cheveux blonds, ni de délicats motifs dorés de frondes qui apparaissaient sous leur peau lorsque le soleil les touchait. Elle devait impérativement faire semblant d'être une véritable Marcheuse de la Terre. Sinon, conformément à la Loi, sa mère et elle seraient rejetées par le Clan. Cette journée radieuse avait été le commencement officiel de la vie de faux-semblants de Mari.

– J'arrive quand même à voler des moments, murmura la jeune femme.

Les bras toujours levés, elle écarta les doigts et laissa sa tête tomber en arrière afin d'admirer le ciel matinal dégagé. Près d'elle, Rigel adopta une position similaire. Sans avoir besoin de le vérifier, elle savait que les yeux du canin, comme les siens, avaient commencé à flamboyer, ce qui augmenta la chaleur qui la remplissait et la revigorait.

– Oh, Rigel ! Le soleil est si bon, alors qu'il n'a effectué que la moitié de son ascension.

Lorsqu'elle se rendit compte de ce qu'elle venait de dire, Mari baissa les mains et secoua la tête pour reprendre ses esprits. Cette fois-ci, quand elle regarda autour d'elle, elle vit autre chose que la beauté tranquille de la crique. Elle remarqua les grands pins au-dessus desquels l'imposant astre diurne semblait être assis. « Je suis allée trop loin ! Je me suis trop approchée de la forêt des Compagnons ! »

– Rigel, allons-y !

Mari se leva et entra dans le cours d'eau à peine deux respirations plus tard.

Le jeune canin nageant près d'elle, Mari descendit le ruisseau, contente que le courant l'aide à rattraper le temps perdu. Lorsqu'un rondin la cogna, elle eut une idée formidable. Saisissant le morceau de bois d'une main, elle attrapa Rigel par la peau du cou et l'aida à grimper partiellement dessus. Puis, veillant à s'abaisser à la surface de l'eau pour qu'un observateur éventuel les prenne pour une simple épave flottante, mais pas trop non plus, de façon à préserver son masque d'argile et sa teinture, Mari serra le bois contre elle en tenant toujours Rigel de son autre bras. Emportés par le courant, ils commencèrent à descendre rapidement le ruisseau en son milieu.

La jeune femme dirigea son attention sur la forêt. Elle était partie depuis trop longtemps. À présent, des Compagnons avaient certainement repris leurs recherches du jeune canin, et peut-être aussi leur chasse. Quant aux Marcheurs de la Terre, ils devaient se lever, sans savoir que les Compagnons reviendraient aussi vite. Ils ne pouvaient pas deviner que Nik et les autres Chasseurs s'étaient aventurés si loin à cause de Rigel. Mari s'imagina les membres du Clan retournant au Site de Rassemblement afin de chercher des signes des proches qu'ils avaient perdus, et, à l'instar de sa mère, de s'occuper des idoles profanées.

– Ils seront pareils à des taupes sortant la tête après un rude hiver, marmonna-t-elle à l'intention de Rigel. Ils ne s'attendront pas à ce que les ennemis reviennent les pourchasser. Bien sûr, maman sera sur place et tentera de sauver tout le monde, mais elle ne réussira qu'à se mettre en danger.

Dès qu'elle eut formulé ces pensées, elle fut saisie d'un profond effroi.

– Il faut qu'on retourne au Site de Rassemblement pour s'assurer que maman est en sécurité. Accroche-toi, Rigel, je vais accélérer.

Poussant avec ses pieds, Mari les propulsa rapidement en aval. Ses genoux heurtèrent des rochers submergés, néanmoins, elle était assez satisfaite de sa technique. Soudain, des voix de femmes lui parvinrent de l'autre berge.

Elle lâcha aussitôt le rondin. Rigel collé à elle, elle nagea jusqu'aux hauts-fonds. Là, avec un énorme effort et un grognement, elle souleva le Berger trempé dans ses bras. Elle lui envoya des pensées rassurantes – «Tout va bien, reste tranquille et silencieux» – tout en pénétrant avec précaution dans le sous-bois.

– Xander est mort et Jenna a été enlevée ? C'est horrible !

Reconnaissant la voix de Sora qui s'élevait au-dessus des autres, Mari se figea. Tandis qu'elle cherchait un endroit où cacher Rigel, elle sentit les fleurs odorantes des cerisiers. Se rappelant la présence d'un énorme saule en amont du Site de Rassemblement, Mari retourna vers le ruisseau au moment où l'eau et le vent couvraient la réponse de Léda.

Le saule fut facile à trouver, et encore plus approprié que Mari ne l'avait espéré. Il se dressait seul sur une petite bosse, avec son élégant drapé d'épaisses branches, et semblait là pour surveiller le ruisseau et le Site de Rassemblement. Accroupie, Rigel toujours dans les bras, Mari s'approcha de l'arbre et se glissa derrière ce rideau improvisé.

Elle posa Rigel à terre et lui chuchota : « Cache-toi ! » Puis elle rampa jusqu'au bord d'un cercle intérieur de branches oscillant doucement, les écarta juste assez pour regarder à travers et, sans faire le moindre bruit, observa la scène qui se déroulait devant elle.

Léda était dans le ruisseau. Les mains en coupe, elle versait de l'eau sur le visage en pierre d'une idole pour nettoyer les empreintes de pas boueuses que des Compagnons y avaient laissées.

Sur la berge opposée, non loin du buisson de houx sous lequel Mari et Rigel s'étaient cachés la veille au soir, plusieurs membres du Clan étaient réunis, tous des hommes, excepté Sora. Ils la regardaient en silence entretenir une discussion animée avec

Léda. Frustrée de ne pas entendre ce qu'elles disaient, Mari se réjouit lorsque le vent tourna et transporta leurs voix jusqu'à elle.

– Oui, Sora, j'insiste pour que tu abandonnes ta tanière. Premièrement, elle est trop près d'ici pour être sûre. Comme tu le sais, Mari était ici hier soir. Elle a surpris une conversation entre des Compagnons. Ils reviendront. L'un de leurs petits canins a disparu et ils pensent qu'il s'est perdu sur notre territoire. Ils ont l'intention de continuer leurs recherches jusqu'à ce qu'ils le retrouvent. Il serait très imprudent que tu restes dans les parages ; et c'est vrai pour n'importe quel membre de notre Clan, d'ailleurs.

Sora voulut parler, mais Léda leva une main pour lui intimer l'ordre de se taire.

– Je n'ai pas terminé, Sora. Deuxièmement, hier soir, tu as accepté d'être mon apprentie, ce qui signifie qu'un jour – si notre Sublime Terre Mère le permet –, tu deviendras une Femme Lune. Tu sais que l'emplacement de la tanière d'une Femme Lune ne doit en aucun cas être révélé au Clan. Tu devras donc te trouver un nouvel endroit pour vivre. Que ce soit maintenant ou plus tard, est-ce si important ?

– Je sais que je dois trouver une nouvelle maison, et la garder secrète, convint Sora, qui ajouta après réflexion : C'est juste que je ne comprends pas comment je suis censée la construire sans l'aide de personne. Après tout, ma mère à moi n'était pas une Femme Lune, je n'ai donc pas déjà, moi, une tanière dont l'emplacement est caché à tous.

Mari plissa les yeux en même temps que Léda. Le ton que Sora employait n'était pas seulement pleurnichard, il était irrespectueux.

Léda avait cessé de laver le visage de l'idole et s'était redressée. Elle se tourna vers Sora et, d'un ton rempli à la fois de colère et d'amour, elle déclara :

– Sora, je voulais attendre de convoquer un nouveau Rassemblement pour t'informer de quelque chose, mais il semble que le moment présent est idéal. J'ai décidé de rompre avec la tradition – ce qui relève de mes prérogatives – et d'annoncer que j'ai choisi deux apprenties.

– Deux ? Mais, non, je…

– Silence, apprentie ! la coupa sèchement Léda. Tu auras le droit de t'exprimer quand j'aurai fini. Je déclare que ma fille, Mari, sera elle aussi l'apprentie Femme Lune du Clan.

Léda marqua une pause et ajouta avec un sourire serein :

– Apprentie, maintenant tu peux parler, mais veille à t'exprimer d'un ton posé. J'ai le droit d'annuler un apprentissage aussi facilement que je l'accorde.

Le cœur de Mari cognait si fort dans sa poitrine qu'elle faillit ne pas entendre la réaction de Sora :

– Mais tout le Clan sait que Mari est trop fragile pour devenir une véritable Femme Lune !

– Jusqu'à ce que les Compagnons nous attaquent cette nuit, moi aussi je le pensais. Mais ce qu'elle a fait m'a donné tort. Tu vois, juste avant que les Compagnons passent devant notre cachette, Mari a invoqué la lune et purifié Xander et Jenna de la Fièvre Nocturne.

– J'ai du mal à le croire, commenta Sora en haussant les sourcils.

– Et pourtant, c'est eux-mêmes qui me l'ont dit, insista Léda.

Il y eut un long silence, au cours duquel Sora regarda tour à tour Léda et chacun des quatre hommes présents, avec un air qui exprimait clairement ce qu'elle ne pouvait dire à voix haute sans provoquer la colère de Léda. Enfin, l'un des hommes prit la parole. C'était Jaxom, le jeune avec qui Sora avait échangé des regards au Rassemblement de la Pleine Lune. Lentement, avec une réticence manifeste, il dit :

– Femme Lune, pourquoi est-ce Mari, et non toi, qui a purifié Xander et Jenna ?

– Jaxom, mets-tu ma parole en doute ?

Mari frémit au ton que sa mère avait employé. Elle savait que la suite ne serait pas agréable.

Jaxom considéra un instant Sora, qui s'empressa de se rapprocher de lui et lui toucha le bras de façon intime.

– Non, bien sûr, Femme Lune, Jaxom ne met pas ta parole en doute, assura-t-elle. Il pose simplement tout fort la question qu'on se pose tous intérieurement.

– Alors, je lui répondrai tout aussi simplement. J'ai été blessée hier soir. Grièvement. Mari m'a sauvée de la noyade, et m'a emmenée dans une cachette, où on est tombées sur Xander et Jenna. J'ai eu une sévère commotion cérébrale. Des côtes fêlées. Je n'étais pas capable d'invoquer la lune, et les Compagnons étaient proches. Alors, quand Xander a commencé à souffrir de la Fièvre Nocturne, Mari a fait ce que je n'étais pas en mesure de faire. Elle l'a purifié. Elle a purifié Jenna. Cela répond-il à ta question ?

– Presque, dit Sora, en feignant d'être gênée de vouloir en savoir plus. Car si tes blessures étaient telles que tu étais incapable d'invoquer la lune, et même d'aider ta fille à l'invoquer, comment se fait-il que tu sembles indemne aujourd'hui ?

Léda leva le menton et, d'une voix si pleine d'amour et de fierté que Mari en eut les larmes aux yeux, elle déclara :

– Aujourd'hui, je suis indemne parce que après avoir purifié Xander et Jenna de la folie et de la tristesse, Mari m'a purifiée de mes blessures. Voilà, Sora, la raison pour laquelle je nomme ma fille, Mari, mon apprentie et mon héritière, en plus de toi.

Mari crut qu'elle ne s'arrêterait jamais de sourire. Sora était bouche bée, et Jaxom hochait la tête si fort qu'il s'inclinait pratiquement devant Léda en marmonnant un semblant d'excuse. Les trois autres hommes paraissaient tout aussi mortifiés. Mari était si heureuse qu'il lui fallut plusieurs respirations pour prendre conscience que Rigel grondait sourdement. À contrecœur, elle reporta son attention sur lui. La dernière fois qu'elle l'avait regardé, il était couché en rond sur le sol moussu, à moitié endormi. Il se dressait à présent sur ses pattes, et son corps vibrait sous la tension. Tout le long de sa colonne vertébrale, les poils étaient hérissés. Sa queue était recourbée vers son dos, tel l'aiguillon d'un scorpion, et ses oreilles étaient pointées vers l'avant. Il grognait doucement, et son attention était concentrée sur la cerisaie derrière le ruisseau. Soudain, Mari fut submergée par le désir de fuir.

Elle écarta précipitamment le rideau de branches et hurla : « Maman, enfuis-toi ! » Hélas, au même instant, des Compagnons et leurs canins surgirent des cerisiers.

Sora n'hésita pas une seconde. Sans un regard pour Léda, elle attrapa Jaxom par le bras et lui cria : « Sauve-moi ! Sauve-moi ! » Le jeune homme la traîna au sommet de la berge escarpée, puis ils foncèrent ensemble dans la forêt, suivis de près par les trois autres hommes du Clan.

Personne ne porta secours à Léda.

Celle-ci jeta un coup d'œil par-dessus son épaule, cherchant désespérément sa fille. Mari sortit de sa cachette sous le saule et lui fit signe de s'enfuir. Elle comptait laisser Rigel caché là, au moins pour le moment. Mais son Berger avait une autre idée en tête. Avec une force surprenante, il planta ses crocs dans la tunique de Mari et la tira brusquement en arrière, de sorte qu'elle tomba à l'abri sous le saule.

– Rigel, non ! Je dois rejoindre maman !

Elle se libéra tant bien que mal, mais il était trop tard. Des voix étrangères emplirent le Site de Rassemblement tels les éclairs zèbrant le ciel juste avant le grondement du tonnerre.

Mari rampa jusqu'au bord de sa cachette. Avec ses mains tremblantes, elle écarta les longues lianes vertes du saule.

Sa mère avait presque traversé le ruisseau. Mari enfonça les doigts dans la mousse. «Vite, maman ! Dépêche-toi ! »

Des aboiements féroces s'élevèrent du centre du site ; une voix que la jeune femme reconnut les couvrit sans peine :

– Thaddée, Sol a dit qu'il n'était pas nécessaire de capturer des Creuseuses aujourd'hui. Retiens Ulysse.

Mari reporta son regard sur le groupe d'hommes. Stupéfaite et détachée à la fois, elle constata qu'ils n'étaient que trois. Deux d'entre eux étaient accompagnés de jeunes canins au pelage hirsute, sans doute des Terriers. Le troisième n'en avait pas, mais Mari reconnut sa voix et n'eut aucun mal à mettre un nom sur sa grande et belle silhouette : Nik. L'homme qui croyait que Rigel lui appartenait.

– Nik, plus je passe de temps avec toi, plus tu me fais penser à une vieille femme angoissée. Ulysse est juste en train de s'amuser. D'ailleurs, laissons donc Cameron en faire autant. Davis, prépare-toi. Je vais lâcher mon canin sur cette Creuseuse ; toi, lance Cameron.

– Non, on n'est pas censés attraper de Creuseuses aujourd'hui, rappela Nik, visiblement agacé. Laisse la vieille tranquille et recommençons à chercher mon canin.

– L'un n'empêche pas l'autre. En plus, Cameron a besoin d'acquérir de l'expérience. Hein, Davis ? C'est pour ça que vous êtes là, non ? On relâchera la vieille après l'avoir attrapée. Qu'est-ce que ça peut faire ?

Avant que le dénommé Davis pût lui répondre, Thaddée hocha la tête et, d'un ton suffisant, ordonna à son canin :

– Ulysse, capture !

Impuissante, Mari vit le premier Terrier filer comme une flèche et plonger dans le ruisseau à la poursuite de Léda. Le second canin le suivit en aboyant avec enthousiasme.

– On perd du temps, Thaddée ! protesta Nik.

Mari était focalisée sur Léda. Celle-ci avait atteint la berge opposée et s'était mise à la gravir. La jeune femme voyait qu'elle tentait de se hâter, mais la côte était trop raide, et semée de cailloux, de branches cassées et de ronces. Elle allait glisser, chuter, et c'est exactement ce qui se produisit.

Plus tard, alors qu'elle repassait inlassablement la scène dans son esprit, Mari comprit que Léda avait dû poser le pied dans l'un des nombreux trous que les feuilles mortes et les débris de la forêt dissimulaient. Cependant, sur le moment, elle vit seulement sa mère pencher brusquement d'un côté de façon alarmante, perdre l'équilibre, et, battant désespérément l'air de ses bras, tomber à la renverse. L'abrupte berge devint alors une espèce de toboggan, que Léda dévala à une vitesse terrible, la tête la première, se tordant dans tous les sens, avant de s'écrouler à moitié dans le ruisseau comme une masse.

– Super, dit Nik. Maintenant, Thaddée, tu en as blessé une. Rappelle ton canin. Davis, attrape Cammy. Ce n'est pas le genre d'expérience que mon père voulait qu'il acquière, je vous le garantis.

Mari était incapable de faire le moindre mouvement. Elle n'arrivait pas à respirer. Ni à réfléchir. Elle regarda les trois hommes avancer dans le cours d'eau. Thaddée rappela son Terrier. L'autre homme ramassa son canin, qui était plus jeune.

– Heureusement qu'on n'avait pas besoin de capturer celle-ci. Elle est bien trop vieille, et sûrement beaucoup trop faible pour être d'une quelconque utilité dans la Ferme, dit Thaddée en tournant le dos avec dédain au corps immobile de Léda. Bon, le buisson de houx était juste là, en haut de la berge, c'est ça ?

Nik ne répondit pas. Il fixait Léda.

– Hé, qu'est-ce que tu fabriques ? Je croyais que tu étais pressé de recommencer à pister ton canin fantôme ?

– La ferme ! rétorqua violemment Nik. Je crois qu'elle est morte, et elle n'a rien fait pour mériter ça.

– Morte ? murmura Mari, qui se mit à trembler de tous ses membres.

Rigel gémit et se colla contre elle.

– Non non non non non, répéta-t-elle.

– Une Creuseuse de plus ou de moins, quelle importance ? lança Thaddée. Ça en fera une de moins à infester cette forêt. Viens, Davis. Amène Cameron au houx ; on va commencer le travail à la place de Nik.

Les deux hommes et leurs Terriers gravirent la berge. Au lieu de les suivre, Nik s'approcha lentement de Léda.

Mari chuchota de nouveau l'unique mot qu'elle semblait pouvoir prononcer :

– Non non non non non.

Nik s'accroupit près de Léda. Avec hésitation, il écarta les cheveux de son visage. Lorsque Mari le vit, elle se rendit compte que quelque chose clochait. La tête de sa mère était dans une position anormale.

– Non non non non non.

Et là, sa maman bougea ! Mari laissa échapper une exclamation de surprise et se leva à toute vitesse, prévoyant de traverser le rideau végétal et de courir vers Léda. Mais avant qu'elle sorte de sous le saule, la voix de sa mère lui parvint nettement :

– Galen ! Mon Galen. Je savais qu'on se retrouverait.

Léda sourit sereinement à Nik, puis un spasme de douleur déforma ses traits. Lorsqu'elle toussa, du sang gicla de sa bouche, coula sur son menton et en travers de son cou tordu. Elle ferma les yeux, poussa un long râle, et mourut.

Mari sentit son monde se dissoudre tant son chagrin était immense. Elle eut l'impression qu'un coup de poing d'une violence inouïe la brisait en mille morceaux. Alors, elle jaillit en trébuchant dans un rayon de lumière, dont la chaleur l'engloutit.

– NON ! NON ! NON ! hurla-t-elle.

Toujours accroupi près de Léda, Nik se tourna vers Mari, et elle le vit écarquiller les yeux de stupeur. On eût dit qu'elle avait plongé au cœur du soleil ; elle le sut, le comprit. Elle désirait cette énergie, et voulait s'en servir. Elle leva les bras et son désespoir explosa hors de son corps dans un flot de feu, si pur, si brûlant, qu'il avait la couleur de l'or. Et, soudain, dans un effroyable mugissement, la forêt autour de Mari s'enflamma.

16

Le rugissement des flammes et le mur de chaleur qu'elles créèrent arrachèrent Mari à l'espèce de transe qui l'avait saisie lorsque sa mère avait atterri, le cou rompu, en bas de la berge rocailleuse. Elle mit ses mains devant son visage pour se protéger de la chaleur qui menaçait de la dévorer.

« Maman est morte.

La forêt est en feu. C'est moi qui ai fait ça. Je ne sais pas comment, mais c'est moi qui l'ai fait. »

La jeune femme demeura clouée sur place par le désespoir, tandis que l'incendie se propageait autour d'elle. À sa droite, un vieux rondin était en flammes. La chaleur faisait rougir sa peau et rendait ses cheveux brûlants. Elle regardait fixement le morceau de bois. Un petit pin voisin prit feu comme la mèche d'une bougie. Derrière elle, les longues branches du saule se recroquevillèrent et se balancèrent violemment sur les vagues de la chaleur envahissante.

« Dans peu de temps, ce sera mon tour. Je brûlerai comme du bois sec. Peut-être, peut-être alors, retrouverai-je maman. Elle croyait à ça. Elle croyait que nous retournions tous à la terre, et à la Sublime Terre Mère. »

C'était facile. Il suffisait qu'elle reste là. Cela serait vite fini, presque aussi vite que pour sa maman. Les épaules de Mari s'affaissèrent. Ses yeux se fermèrent. Elle s'enveloppa le buste de ses bras, s'imaginant, l'espace d'un moment, sentir l'étreinte réconfortante de sa mère.

C'est alors qu'elle eut conscience de sa présence. Elle rouvrit les yeux… les cligna à cause de la fumée et de ses larmes, et baissa la tête. Rigel était assis tranquillement, appuyé contre sa jambe gauche. Il ne gémit pas. Il n'attrapa pas sa tunique, n'essaya pas de l'éloigner des flammes. Il attendait simplement avec elle. Alors, Mari sut sans l'ombre d'un doute que si elle choisissait de finir sa vie en cet instant, elle condamnerait Rigel au même destin.

– Non ! Pas toi ! s'écria-t-elle, avant de prendre le jeune canin dans ses bras.

Elle sauta par-dessus un rondin en feu et s'enfuit. Sans se retourner. Elle ne pensa plus qu'a serrer Rigel contre elle, le protéger avec son corps contre la chaleur de l'incendie et les regards des Compagnons qui le recherchaient.

Plus bas, elle s'élança dans le ruisseau en éclaboussant autour d'elle. Alors, seulement, elle jeta un coup d'œil derrière elle, mais le Site de Rassemblement et la berge où gisait sa mère étaient complètement masqués par la fumée. Elle laissa Rigel nager à ses côtés, en gardant une main sur son pelage mouillé pour s'assurer qu'il était toujours avec elle, indemne. Après avoir traversé le cours d'eau, il grimpa sur la berge sans la quitter, comme s'il avait lui aussi besoin de cette proximité réconfortante. Pour monter au sommet du talus, Mari ignora ses muscles endoloris : elle porta de nouveau le Berger dans ses bras et, ne sachant pas quoi faire d'autre, elle se mit à trottiner pour rentrer chez elle.

Elle ne ralentit qu'en parvenant aux ronces. Elle s'effondra là, Rigel sur les genoux. Il y resta couché en rond, immobile et haletant, à l'observer de ses yeux couleur ambre, qui semblaient soudain sages et insondables.

Mari sentit l'amour qu'il éprouvait pour elle, leur attachement mutuel.

C'était tout ce qu'elle était capable de ressentir.

Une prodigieuse torpeur pénétra jusque dans ses veines et palpita dans l'ensemble de son corps, en mesure avec les battements de son cœur.

– Maman est morte, annonça-t-elle tout fort à Rigel.

Elle goûta à ces mots. Tenta de les digérer.

Rigel ne réagit pas. Il ne pencha même pas la tête dans l'attitude attentive et espiègle qu'il adoptait en général lorsqu'elle lui parlait. Il continua à fixer sur elle son regard plein de sagesse.

Mari avait vu mourir Léda. Malgré cela, c'était un évènement trop irréel, tellement difficile à comprendre, plus, même, que l'une des histoires de sa maman. Elle ferma les yeux en serrant fort les paupières. « Je la dessinerai vivante ! Je la dessinerai vivante ! Je ferai de ce dessin ma réalité ! »

– Rigel ! appela-t-elle en rouvrant les yeux pour considérer son canin avec intensité. Et si je m'étais trompée ? Et si la réalité était différente de ce que j'ai cru voir ? Et si Maman était juste blessée ? Je dois retourner là-bas. Il faut que je voie. Si elle est blessée, je pourrai la guérir ce soir quand la lune sera complètement levée ; je sais que j'en suis capable. Et même si elle est vraiment morte, je ne peux pas la laisser là-bas, toute seule, pour qu'elle soit dévorée par les colonies d'insectes grouillants.

De toute façon, Mari devait retourner la chercher.

Elle enleva doucement Rigel de ses genoux, puis se mit debout avec lenteur, alors que ses jambes lui paraissaient liquides. Mue davantage par son instinct que par une véritable compréhension de la situation, elle se tourna vers l'ouest, face au soleil.

– Rigel, avec moi. J'ai besoin de ton aide.

Le canin se positionna comme elle et contempla le ciel méridien. Aussitôt, ses yeux commencèrent à flamboyer. Mari tendit les mains vers l'orbe jaune brûlant et sentit sa chaleur et son énergie grésiller dans l'ensemble de son corps. Cela ne dura qu'un instant. Revigorée, elle baissa les bras et prit le bâton de Léda. Ouvrant la voie à Rigel, elle écarta les ronces pour suivre le chemin labyrinthique qui conduisait à l'entrée de la tanière. Une fois à l'intérieur, elle se mit tout de suite au travail. D'abord, elle donna de l'eau à Rigel et but elle-même longuement. Elle avait l'impression que le feu qui avait jailli de son corps l'avait desséchée. Ensuite, elle alla dans la chambre de sa mère. Elle s'autorisa uniquement à vérifier le contenu du joli sac tissé de guérisseuse que Léda emportait avec elle chaque soir. Elle y trouva des pansements et des onguents, des herbes et des liniments. Elle s'assura qu'il y avait aussi plein de baume anesthésiant et les calmants à usage interne les plus puissants. Puis elle prit une profonde inspiration et se mit face à Rigel.

– Tu dois rester ici. J'ignore si les Compagnons seront partis. Je... je ne peux pas les laisser te voir. Je ne veux pas te perdre, toi aussi, Rigel.

Elle avait commencé avec assurance, mais lorsque le canin gémit de détresse, la voix de Mari se brisa. Elle s'agenouilla, prit sa tête dans ses mains et planta ses yeux dans les siens en l'adjurant intérieurement de la comprendre.

– Je t'en prie, ne sois pas triste, et ne fais aucun bruit. Attends-moi ici. Je te promets de revenir te chercher. Tu as ma parole. Je n'ai plus que toi. Je ne veux pas te perdre, toi aussi, Rigel, répéta-t-elle.

Soutenant toujours son regard, Mari esquissa dans son esprit l'image du canin couché sur sa paillasse, surveillant la porte, l'attendant.

Elle le serra fort contre elle et, avant que son cœur ne se brise en mille morceaux, elle l'embrassa, se leva et se précipita vers la porte. Elle sut qu'il la suivait, et qu'elle lui refermait la porte au nez, mais elle fut incapable de regarder derrière elle. Elle s'arrêta juste le temps de reproduire les gestes de sa mère en touchant l'image de la Terre Mère sculptée dans leur porte en voûte. Contemplant la belle déesse, Mari pria en silence et avec ferveur. «Tu n'es pas obligée de me parler, Terre Mère. Je comprends que je suis différente de ton peuple, mais maman n'est pas différente. Elle t'appartient. Donc, pour elle, pas pour moi, je te le demande : je t'en prie, sauve Léda, ta Femme Lune, ma maman, ma meilleure amie.»

Mari refusa de laisser ses pensées vagabonder tandis qu'elle trottinait sur le chemin de cerf. Elle ne pouvait pas penser à Rigel dans la tanière, rempli d'inquiétude et de tristesse. Elle ne pouvait pas admettre qu'en le laissant, elle avait laissé une partie d'elle-même, peut-être la meilleure. Elle s'interdisait les regrets et les conjectures. Elle refusait d'éprouver quelque émotion que ce fût. Elle aurait suffisamment de temps pour réfléchir et ressentir les choses plus tard, lorsqu'elle aurait ramené sa mère à la maison.

Mari sentit la fumée avant d'entendre la voix du ruisseau. Elle ralentit et quitta le chemin, avança à pas de loup en s'arrêtant souvent pour tendre l'oreille. Lorsqu'elle distingua des voix d'hommes, elle veilla à rester cachée dans les broussailles.

Enfin, elle atteignit le sommet de la berge raide. Elle rampa à plat ventre lentement, puis regarda en bas.

L'incendie était moins étendu qu'elle le pensait, même si elle ne voyait pas bien à cause de la fumée qui obscurcissait toujours le Site de Rassemblement. Lorsque le vent tourna et que la fumée tourbillonna, Mari aperçut trois hommes. Ils avaient ôté leurs chemises, avec lesquelles ils battaient la végétation fumante. Le saule était carbonisé, ainsi que les taillis et les buissons voisins, mais c'étaient là les pires dégâts. Les hommes avaient apparemment contenu le feu, et ils s'appliquaient maintenant à l'éteindre entièrement. Aux côtés de leurs Compagnons, les deux petits Terriers creusaient la terre fraîche, qui s'envolait derrière eux pour recouvrir le feu que les hommes avaient déjà étouffé, comme s'ils savaient qu'il fallait éteindre la moindre brindille.

« Bien sûr que les Terriers le savent. Rigel le saurait. Lui aussi travaillerait près de moi pour éteindre le feu. »

À peine s'était-elle fait cette réflexion que Mari tendit la main près de sa jambe, cherchant la chaleur et le réconfort de son Compagnon. Son absence fut une plaie béante dans son cœur meurtri.

Elle enfonça ses mains dans la terre humide et se calma. Puis elle regarda de son côté de la berge. Elle repéra aussitôt sa mère, qui n'avait pas bougé. Mais elle ne voyait pas son visage.

« Ce n'est pas grave. Il se peut qu'elle respire encore. Et je n'ai besoin que d'une infime étincelle de vie pour la guérir. »

Mari concentra toute son attention sur sa mère, l'adjurant intérieurement de remuer, ne fût-ce qu'un tout petit peu.

Léda demeura aussi immobile qu'une statue.

– Nik ! Thaddée ! Venez m'aider. Je suis en train de perdre cet arbre.

Mari détacha à grand-peine son regard de sa mère et vit le plus jeune des trois hommes adresser des gestes paniqués à ses camarades tandis qu'un cèdre cassé, près du squelette carbonisé du saule, s'enflammait. Ceux-ci se précipitèrent pour l'aider à combattre la nouvelle flambée.

Mari n'hésita pas une seconde. Courbée en deux, le plus près possible du sol, elle franchit à toute vitesse le sommet de la berge et descendit vers Léda moitié en courant, moitié en glissant. Parvenue près d'elle, elle s'agenouilla et lui toucha doucement l'épaule.

– Maman ?

L'épaule de Léda était froide et se raidissait déjà.

Sa mère était bel et bien morte.

– Viens, maman. Je vais te ramener chez nous.

La jeune fille vida son esprit, ne pensa qu'à soulever Léda avec délicatesse. Elle n'essaya pas de la hisser jusqu'en haut de la berge. Elle avança en vitesse et en silence en descendant le courant dans les hauts-fonds, puis émergea de la fumée qui s'effilochait, tel un fantôme.

Mari marqua une pause, la respiration bruyante. Le temps, si chaud et si ensoleillé au début de la journée, s'était couvert et rafraîchi. Tout autour d'elle, une brume commença à s'élever du sol humide et chaud de la forêt, au point que lorsqu'elle se retourna, Mari ne distingua plus la fumée de la brume. Avec un sursaut de surprise, elle constata que la soirée était bien entamée et que le soleil se coucherait dans quelques minutes seulement. Elle prit sa mère dans ses bras. La tête de Léda s'inclina vers celle de Mari et se posa sur son épaule. Pendant un moment, la jeune fille baissa la sienne et respira le parfum familier de l'eau de rose avec laquelle sa mère avait l'habitude de se rincer les cheveux.

– Tout va bien, maman, murmura-t-elle. Je te défends. Je te défendrai toujours. Il se fait tard, mais ce soir, tu n'as rien d'autre à faire que dormir. Enfin !

Avec courage, Mari sortit du cours d'eau et gravit avec aisance la berge en pente douce. Elle se tourna ensuite vers le sud, repéra le chemin de cerf et débuta le long et lent trajet qui allait ramener Léda chez elle pour toujours.

Au début, le poids de sa mère lui avait paru presque dérisoire, mais rapidement, Mari commença à avoir mal aux bras ; ses jambes devinrent lourdes et gauches, et sa respiration se fit haletante. Le soleil étant voilé par des nuages, elle ne savait pas comment puiser son énergie brûlante. L'immobilité de Léda était une douleur tenaillante dans le cœur de sa fille ; elle se transforma bientôt en un fardeau presque insupportable. Mari trébuchait, forçait ses jambes à continuer d'avancer, craignant, si elle s'arrêtait pour se reposer, ne fût-ce qu'un court instant, de ne jamais parvenir à se remettre en marche. La nuit approchait, et bien que Mari ne voulût pas y penser, le corps de sa mère, après le crépuscule, serait une sorte de signal lumineux pour les pires charognards grouillants et rampants de la forêt.

Le cerveau transi de chagrin, Mari était en proie à une réelle tentation. Comme si elle était détachée de son corps, elle considéra ce qui se passerait si elle était surprise dans la forêt après la tombée de la nuit, portant la mort dans ses bras. Il lui suffirait de s'asseoir et de tenir sa mère contre elle. Elle pourrait fermer les yeux et, enfin, se reposer. Peut-être même dormir. Elle était tellement, tellement fatiguée. L'obscurité et les insectes de la forêt s'occuperaient du reste. Si elle ne se mettait pas à l'abri dans leur tanière, Mari n'aurait jamais à savoir ce qu'une aurore sans Léda, puis une longue série d'autres, lui apporteraient, parce que sa vie s'achèverait avec celle de sa mère.

Elle savait en revanche ce qu'il adviendrait de son jeune canin. Aussi sûrement que si elle l'avait enfermé dans une tombe, Rigel mourrait à petit feu, tout seul, effrayé et désespéré.

Par conséquent, elle continua son chemin en trébuchant, même après que ses bras endoloris se furent engourdis, alors que ses pieds de plomb semblaient à peine capables d'avancer. L'étroit sentier bifurqua et Mari resta figée devant la fourche, haletant et frottant ses yeux où coulait la sueur. Par où aller ? Elle cligna des paupières, tenta de s'orienter. Elle savait très bien où elle se trouvait. Elle connaissait la forêt comme sa propre maison. À droite. Elle devait toujours prendre à droite.

Lorsqu'elle s'engagea dans cette direction, son pied cogna contre une racine et elle tomba lourdement en avant. Elle cria et tordit son corps par réflexe afin d'essayer de protéger Léda. Une vive douleur lui lacéra le poignet gauche, lui arrachant un nouveau cri, et elle s'écroula en un tas désarticulé, le corps de sa mère sur elle.

Mari tenta de se remettre debout. Elle réarrangea les membres immobiles et lourds de Léda et la prit dans ses bras comme un enfant chéri, de la même manière que sa mère l'avait si souvent consolée quand elle s'écorchait les genoux en tombant, ou quand elle pleurait de n'être pas comme les autres Marcheurs de la Terre.

Cependant, Mari ne put pas se relever, ni Léda la réconforter.

– Je ne suis pas prête, maman, dit-elle en écartant les cheveux de Léda de son visage froid et blême. Je ne suis pas prête à te perdre. Qu'est-ce que je fais, maintenant ?

Un peu plus haut sur le chemin, une branche se rompit avec un bruit sec, et, saisi d'une peur primitive, le cœur de Mari palpita. Soutenant sa mère d'un bras tremblant, elle chercha frénétiquement sa fronde dans son sac avec l'autre main, et se prépara à toutes les horreurs que cette effroyable journée risquait encore d'apporter.

La jeune fille qui émergea du chemin enveloppé de brouillard ne remarqua pas tout de suite Mari. Elle était trop occupée à jeter des coups d'œil nerveux derrière elle. Lorsqu'elle la vit enfin, effondrée à terre, tenant le corps de sa mère, elle s'arrêta net, interloquée, les yeux écarquillés.

– Oh, non ! Ça ne peut pas être Léda ! C'est impossible !

Mari éprouva une colère pure, légitime, et infiniment plus supportable que sa douleur.

– Sora, qu'est-ce que tu fabriques ici ?

La jeune fille accourut, sans cesser de fixer le visage livide et immobile de Léda.

– Oh, déesse ! Elle est morte ? Non, je t'en prie, non !

Le visage de Sora se tordit d'horreur tandis qu'elle se baissait, les yeux toujours rivés sur Léda et ignorant Mari.

Celle-ci eut alors une espèce de déclic. D'elle-même, sa main agrippa le poignet de Sora. Cette dernière poussa un petit cri et, choquée de ce qu'elle lut dans le regard de Mari, elle essaya de se libérer de son étreinte.

Mais la jeune femme lui tordit encore plus le poignet.

– Réponds-moi, Sora. Que fais-tu ici ?

– Je... je cherchais Léda, bien sûr, dit la fille, s'efforçant de retrouver un peu de son arrogance habituelle. Je suis son apprentie, et la nuit va bientôt tomber.

– Plus personne n'est son apprentie. Va-t'en, Sora.

Mari la lâcha et la repoussa.

Sora trébucha, mais se redressa aussitôt.

– Mari, qu'est-il arrivé à Léda ? s'enquit-elle, d'une voix calme devenue murmure.

La regardant droit dans les yeux, Mari répondit :

– Tu l'as abandonnée à une mort certaine, et elle est morte.

– Qu'est-ce que tu racontes ? répliqua Sora en plissant les yeux. Je n'ai pas abandonné ta mère.

– Ne me mens pas ! hurla Mari, folle de rage. J'étais là. J'ai tout vu. Quand les Compagnons ont envahi le Site de Rassemblement, tu as supplié Jaxom de te sauver. Ensuite, vous avez tous fui, et vous avez laissé ma mère mourir !

– Mais je croyais qu'elle s'enfuirait, elle aussi ! Je ne voulais pas qu'il lui arrive quoi que ce soit, assura Sora d'une voix peu à peu gagnée par le désespoir. Comment aurais-je pu souhaiter ça ? Le Clan a besoin de Léda. J'ai besoin de Léda.

– Toi, tu as besoin de Léda ? répéta Mari, avant de secouer la tête. Sora, tu es une sale peste égoïste. Et devine quoi : tu n'obtiendras rien de ce dont tu as besoin, surtout maintenant que ma maman est morte.

Sora se redressa de toute sa hauteur et projeta son menton en avant.

– Tu es bouleversée. Je comprends. Donc, je vais oublier la plupart des paroles que tu viens de prononcer.

– Je te l'interdis ! siffla Mari. N'oublie jamais ce que je viens de dire. Rappelle-t'en, et rappelle-toi aussi de ne plus t'approcher de moi.

– Mais qui va purifier le Clan de la Fièvre Nocturne ? Ce soir, c'est une Troisième Nuit ! Qui va me former ?

– Débrouille-toi toute seule.

Mari se détourna de Sora avec dédain et reprit Léda dans ses bras. Elle ferma les yeux un instant pour rassembler ses forces, et se leva à grand-peine.

Elle faillit réussir, mais sa fatigue eut le dessus. Elle aurait laissé tomber Léda si Sora ne s'était soudain précipitée. Celle-ci rattrapa son corps inerte, le souleva et le repositionna sur l'épaule de Mari.

– Je vais t'aider à porter ta mère jusqu'à chez toi, proposa Sora d'une voix douce. Ensuite, je t'aiderai à l'enterrer.

– Où sont passés tous ces hommes qui aiment te suivre partout ? susurra Mari d'un ton venimeux.

Visiblement étonnée par cette question, la jeune fille répondit cependant d'un ton neutre :

– Il fera bientôt nuit. Je ne permets pas aux hommes de m'approcher quand il fait noir lors d'une Troisième Nuit, à moins que…

Sa phrase resta en suspens, tandis que ses yeux gris se portaient sur Léda.

– À moins que ma mère ne soit là pour les purifier de la folie, compléta Mari. C'est ce que tu allais dire, non ?

– Oui, admit Sora en bombant la poitrine. Je n'en ai pas honte. Il faudrait que je sois plus folle qu'eux pour vouloir être entourée d'hommes du Clan remplis de la Fièvre Nocturne.

– Alors, tu vas devoir t'habituer à être folle, ou à être seule la nuit, car ma mère n'étant plus là, il n'y a plus personne pour vous sauver, ni toi ni eux.

Mari voulut passer devant Sora, mais cette dernière lui barra le passage.

– Je t'ai dit que je t'aiderais à enterrer Léda, rappela-t-elle.

– Tu ne veux pas m'aider. Tu veux m'utiliser. Je saisis la différence. Ôte-toi de mon chemin.

– Mari, tu es capable d'invoquer la lune. C'est Léda qui l'a dit. Il faut que tu m'aides. Que tu aides le Clan. Tu es tout ce qui nous reste.

Plissant les yeux, Mari lui répondit :

– Écoute bien ce que je vais te dire. Je me *fiche* de ce qui va t'arriver. Je me *fiche* de ce qui va arriver au Clan. Vous vous êtes tous servis de ma mère, et ensuite, vous l'avez abandonnée. Il est hors de question que vous fassiez la même chose avec moi.

N'essaie pas de me retrouver. N'essaie pas de me suivre. Fiche. Moi. La paix.

Mari avança, et, cognant avec force l'épaule de Sora, l'écarta brutalement du passage.

– Mari ! Attends ! Tu ne peux pas me laisser ici comme ça. Il fait presque nuit !

Sans même se retourner, Mari rétorqua :

– Sora, si tu me suis, je te tuerai.

Comme elle ne pouvait pas être certaine que Sora ne la suivait pas, au lieu de prendre le chemin le plus direct jusqu'à la tanière, Mari fit d'innombrables détours, en suivant l'un des sentiers que sa mère, la mère de sa mère, et la mère de la mère de sa mère avaient passé leurs vies à sillonner afin que leur habitation, et les Femmes Lune qu'elle abritait, restent cachées, en sécurité. Mari s'inquiétait pour Rigel, et du temps supplémentaire qu'elle mettait à rentrer chez elle. Mais à mesure qu'elle se rapprochait de sa tanière, elle serrait sa mère encore plus fort contre elle, avec un désespoir accru.

« C'est la dernière fois que maman et moi, on rentre chez nous ensemble. La dernière fois qu'on prend ce virage, qu'on emprunte ce sentier, qu'on marche sur ce chemin sinueux. »

Enfin, Mari arriva devant l'entrée de la tanière. Elle dévisagea la déesse sculptée qui protégeait leur maison.

« Pourquoi tu ne l'as pas sauvée ? Elle t'aimait tant, sans doute autant qu'elle m'aimait moi. »

Comme d'habitude, la déesse ne lui répondit pas.

– Tu n'es rien d'autre qu'une belle œuvre d'art. Rien de plus que l'un de mes croquis.

Mari secoua la tête et, sans plus d'égards pour la statue, elle avança et ouvrit la porte d'un coup d'épaule.

Rigel était assis exactement là où Mari l'avait laissé quelques heures plus tôt, juste derrière la porte. Il s'approcha de Mari, se dressa sur ses pattes arrière pour renifler le corps de Léda, puis retomba sur ses quatre membres, la tête basse, propageant des vagues de tristesse.

– Je sais, mon gentil canin. Je sais. Mais on doit enterrer maman avant de pouvoir la pleurer.

Craignant d'être incapable de la soulever à nouveau si elle la posait, Mari pénétra dans la tanière avec Léda et prit la bêche parmi les outils de jardinage soigneusement rangés de sa mère. Puis, Rigel la suivant en silence, elle gravit sans bruit le chemin labyrinthique qui traversait le roncier et conduisait à leur petite clairière.

Elle tomba à genoux et posa délicatement Léda sur l'herbe douce, arrangea ses bras de façon à les croiser sur sa poitrine et lui redressa le cou avec précaution afin de lui donner l'air endormie.

Elle s'approcha ensuite de la Sublime Mère. Cette statue était sans doute la plus belle et la mieux entretenue de la forêt. Son visage ravissant était sculpté dans de l'obsidienne, de la couleur d'un ciel de minuit sans lune. Les fougères vert vif qui figuraient sa chevelure étaient luxuriantes. La mousse qui tapissait son corps était épaisse et douce.

Mari ne perdit pas de temps à admirer la statue. Elle saisit la bêche et se mit à creuser juste devant.

Aussitôt, Rigel joignit ses efforts aux siens ; il arracha aisément la terre fertile humide, mais sans l'enthousiasme juvénile qu'il montrait d'ordinaire. Il était aussi muet et sombre que Mari. Tous deux travaillèrent jusqu'à ce que leurs corps tremblent d'épuisement, puis retravaillèrent encore.

Enfin, lorsque la tombe fut assez profonde, Mari retourna à l'endroit où elle avait allongé sa mère. Elle s'accroupit près d'elle, tandis que Rigel s'appuyait contre la jeune femme. Touchant le visage de Léda, elle dit :

– Elle a froid, Rigel. C'est pourquoi on doit la recouvrir de terre. Maman aurait voulu qu'on procède de cette manière. Elle aurait souhaité reposer près de sa statue préférée de la Terre Mère.

Rigel gémit et poussa Léda avec son museau, comme s'il pouvait la faire bouger.

– Maman ne va pas se réveiller, affirma Mari, plus pour elle-même que pour le canin. Elle va dormir maintenant. Pour toujours.

Elle se pencha, embrassa le front de Léda et souleva une dernière fois sa mère dans ses bras. Chancelante, elle la porta jusqu'à la tombe, dans laquelle elle la posa avec beaucoup de précautions. Ensuite, elle s'approcha de la statue de la déesse, cueillit plusieurs fougères délicates semblables à de la dentelle et les disposa avec soin sur le visage de sa mère avant d'entreprendre de remplir la tombe.

Lorsqu'elle eut fini, Mari s'assit devant la terre fraîchement retournée et posa les mains sur le sol humide. Rigel s'assit à côté d'elle et l'observa avec attention.

Mari s'éclaircit la voix et leva les yeux vers la figure de la statue.

– Terre Mère, voici Léda, déclara-t-elle, Femme Lune du Clan des Tisserands. Elle t'aimait et croyait en toi ; je l'ai ramenée à la maison pour qu'elle puisse reposer près de toi. Maman disait que tu lui parlais, qu'elle entendait souvent ta voix dans le vent et la pluie, les arbres et les fougères, même dans la musique du ruisseau. Je suis disposée à croire que tu ne l'as pas sauvée parce que tu l'aimais tant que tu la voulais à tes côtés. Je ne peux pas te le reprocher. Moi aussi, je la voulais à mes côtés. Je la v… veux toujours à mes c… côtés. Je t'en p… prie, prends soin d'elle.

À ce moment-là, la voix de Mari se brisa complètement, et, tandis que le crépuscule enveloppait la forêt, le ciel gris s'ouvrit et versa des larmes qui se mêlèrent aux siennes. Mari plongea alors son visage dans le cou chaud et doux de Rigel et laissa son chagrin l'engloutir. Tandis qu'elle pleurait à gros sanglots sa mère chérie, son Berger exprima sa peine en hurlant dans la nuit.

17

Rien ne s'était déroulé comme Nik l'avait prévu. La journée qui, au départ, était si ensoleillée et pleine d'espoir, était devenue froide, humide et déroutante.

– Couilles de crache-sang ! J'espère ne jamais retourner dans ce coin de la forêt des Creuseurs.

Thaddée secoua la tête avec dégoût et se servit de sa chemise crasseuse pour essuyer la sueur de son visage, maculant sa joue d'une traînée de suie et de saletés.

– On a eu de la chance qu'il pleuve, estima Nik. Je pense que le feu n'est plus une menace. On devrait pouvoir partir maintenant sans danger.

Il renfila sa chemise et scruta le ciel qui s'assombrissait.

– En plus, c'est le bon moment, ajouta-t-il. Si on se dépêche, on sera rentrés juste avant la nuit.

– Ce serait bien la seule *bonne* chose de la journée, maugréa Thaddée.

Sur ces mots, il fit signe à Ulysse de le suivre. Couverts de suie, de sueur et mécontents, Chasseur et Terrier se dirigèrent alors vers le sentier menant à la Cité.

Davis, Cameron et Nik leur emboîtèrent le pas en traînant les pieds.

– Dommage qu'on n'ait pas trouvé de traces du petit canin, regretta Davis, compatissant.

– On n'a pas vraiment pu le chercher, nuança Nik. Si ça avait été le cas et qu'on n'avait rien trouvé, là, ça aurait été dommage.

– C'est une *bonne* chose qu'on ait pu empêcher la forêt de brûler, affirma Davis avec un large sourire.

Puis, jetant un coup d'œil à Thaddée devant eux, il ajouta dans un murmure exagéré :

– Ça fait deux *bonnes* choses pour aujourd'hui, mais ne le dis pas à Thaddée.

– Promis, assura Nik, qui ne parvint toutefois pas à sourire comme son cadet.

Si leur sortie s'était soldée par ce fiasco total, c'était parce que Thaddée avait refusé de l'écouter et lâché les canins sur la vieille Creuseuse. À partir de ce moment-là, tout était allé complètement de travers.

Ils n'avaient aucune raison de tuer cette Creuseuse. Nik avait du mal à sortir l'image de cette femme de sa tête. Son cou tordu était horrible. Elle lui avait fait penser à une poupée maltraitée, cassée. Mais ce n'était pas cette blessure qui restait gravée dans sa mémoire. Ce qu'il revoyait sans cesse en pensée, c'était la joie qui avait transformé son visage en une figure étrangement douce lorsqu'il s'était penché au-dessus d'elle. Il ne cessait de se rappeler ses dernières paroles. Elle les avait prononcées avec un bonheur si total que leur écho avait résonné dans son esprit pendant qu'il luttait avec Davis et Thaddée pour empêcher le feu d'avaler la forêt. « Galen ! Mon Galen. Je savais qu'on se retrouverait. »

Que s'imaginait-elle alors qu'elle gisait là, à l'agonie ? Que lui avait montré sa vue déclinante ?

Sur le moment, il n'avait pas eu le temps de chercher des réponses à ces questions. Aussitôt après avait surgi la fille en feu.

Qui était-elle ? *Qu*'était-elle ?

Nik n'avait vu que deux choses avant que l'incendie se déclarât. D'abord, le visage de la fille, sale et déformé par la douleur. Ensuite, ses yeux qui jetaient des éclairs ambrés, curieusement effrayants tant ils lui étaient familiers.

C'était une Creuseuse. Il en avait acquis l'intime conviction. Ses cheveux étaient bruns et emmêlés, sa peau avait la couleur terreuse de tous les Creuseurs.

Mais ses yeux... ambrés, flamboyants... n'étaient certainement pas ceux d'une Creuseuse.

C'étaient des yeux de membre de la Tribu des Arbres, ainsi qu'en attestait sa maîtrise du feu.

« Non ! Qu'est-ce qui ne va pas chez moi ? J'ai dû mal voir. Seuls les membres de la Tribu les mieux formés et les plus puissants peuvent canaliser la lumière du soleil et la transformer en feu. Cette fille était une Creuseuse. L'incendie était forcément un accident. Non ? Quelle autre explication pourrait-il y avoir ? »

Mais les évènements de la journée repassaient sans cesse dans le cerveau de Nik, avec pour invariable dénouement le jaillissement sifflant des flammes et une flambée ambrée.

– Bon, maintenant qu'on est sortis de cette pagaille, qu'est-ce qui s'est passé là-bas, bon sang ? demanda Davis, interrompant la cacophonie de questions qui peuplaient l'esprit de Nik.

Ce dernier haussa les épaules. Il ne cacha ni son trouble ni sa frustration, mais choisit ses mots avec un grand soin. Il avait déjà décidé que moins il parlerait – à quiconque hormis à son père –, mieux ce serait.

– Davis, je te répète ce que je vous ai déjà dit, à Thaddée et à toi : la Creuseuse est morte ; ensuite, j'ai entendu quelqu'un hurler. Quand j'ai levé les yeux, j'ai vu une jeune Creuseuse debout près du saule où l'incendie s'est déclaré. Puis, soudain, tout autour d'elle a pris feu, et elle a disparu.

Davis secoua la tête et répondit :

– Je sais que les Creuseurs ne sont pas intelligents. Bon, ils sont très forts avec les cultures, les plantes, ce genre de choses, mais ils ne sont pas autonomes. Malgré ça, je n'ai jamais entendu dire qu'ils aient fait une chose aussi stupide que mettre le feu à leur propre forêt. Et toi ?

– Non, jamais. De toute évidence, ce bosquet est une sorte de lieu de rassemblement pour eux. Il est plus probable que, dans la confusion, un feu de camp resté sans surveillance...

– Ce sont de foutus animaux ! intervint Thaddée en criant par-dessus son épaule. Non : pire. Les animaux ne détruisent pas l'endroit où ils vivent. C'est ce que ces Creuseurs ont tenté de faire aujourd'hui.

– Comment ça ? le questionna Nik.

– Enfin, c'est évident ! Ils nous ont tendu un piège. Ils ont dû t'entendre jacasser au sujet de cet imbécile de jeune canin et en déduire qu'on reviendrait. Alors, ils ont fait démarrer un incendie dans l'espoir de nous faire cramer, en se foutant complètement de ce qu'il pourrait détruire s'il devenait incontrôlable.

– Je ne sais pas, Thaddée..., fit Davis. Je ne les crois pas capables de monter un tel scénario, si ?

– Demande à Nik. Hier soir, il draguait une Creuseuse comme si c'était une vraie personne.

Nik jeta un regard mauvais à Thaddée, mais en réponse à l'expression de surprise qu'afficha Davis, il répondit :

– Elle était jeune ; elle avait peur. Je lui ai parlé pour la calmer quand on se dirigeait vers la Ferme.

– Vous aviez l'air très copains.

– Thaddée, tu es à côté de la plaque. Hier soir, j'ai fait ce que tu m'avais demandé : j'ai pris en charge l'une des nouvelles prisonnières et j'ai obtenu qu'elle arrête de pleurer. Rien de plus. Rien de moins.

– Eh bien, moi, je te garantis qu'après aujourd'hui, je ne retournerai plus en territoire creuseur sans Guerriers et sans Bergers pour me soutenir. Enfin, à moins que notre Prêtre du Soleil, *ton père*, ne l'ordonne. Dans ce cas, je n'aurai pas le choix. Comme je ne l'ai pas eu aujourd'hui, conclut Thaddée en décochant à Nik un regard écœuré.

Ce dernier finit par se mettre en colère ; les mots qu'il avait ravalés jusque-là jaillirent violemment de sa bouche :

– Tu avais le choix aujourd'hui, sale arrogant ! Tu aurais pu *choisir* de t'en tenir à notre plan. Tu étais censé seulement retrouver la trace du petit canin. Mais, au lieu de ça, tu as laissé parler ton aigreur – qui est plus grande que ton canin – et tu *as fait le mauvais choix*. À cause de ça, une Creuseuse est morte ; au moins une. À cause de ça, on a dû passer tout notre temps à contenir un incendie au lieu de faire ce qu'on avait prévu. À cause de ça, on a perdu une journée, et la piste de mon canin, encore moins fraîche, sera encore plus difficile à retrouver.

Thaddée s'arrêta, se tourna face à Nik et lui lança :

– Tu racontes des conneries, et tu le sais.

– Toi, tu crois que tout est la faute des Creuseurs, qui nous auraient tendu un vaste piège ! se moqua-t-il avec un rire sarcastique. Ton explication convaincra sans aucun doute mon père et les Chasseurs qui suivent la trace des Creuseuses et les capturent depuis plus d'hivers qu'on ne peut compter *sans avoir jamais été pris dans le moindre piège*.

– Eh bien, nous, on l'a été aujourd'hui ! cria Thaddée au visage de Nik.

– Non ! Rien de tout cela ne serait arrivé si tu t'étais contenté de faire ce qu'on t'avait demandé, et c'est précisément ce que je vais rapporter à notre Prêtre du Soleil, *mon père*.

– C'est ça, espèce d'enfant gâté, cours te cacher derrière Sol ! Toute la Tribu sait que tu n'as aucun pouvoir, exactement comme tu n'as pas de canin.

Nik se jeta sur Thaddée, mais Davis s'interposa et les sépara en criant :

– Il est interdit aux membres de la Tribu de se battre entre eux !

Thaddée sourit et recula, les mains levées en signe de reddition.

– Ce n'est pas moi qui enfreins cette règle. C'est Nik qui a du mal à se maîtriser. Peut-être que quelqu'un devrait le signaler à Sol quand on lui fera notre rapport.

– Il n'y a pas eu de mal. Personne n'a donné de coup, déclara Davis, tendu.

– Uniquement parce que tu étais là, précisa Thaddée.

Il glousa sans humour, avant de donner à Davis une tape dans le dos.

– Vous deux, les demoiselles, vous pouvez rester derrière à papoter. Ulysse et moi, on met les voiles.

Sur ce, il se tourna, siffla son Terrier et descendit le sentier au petit trot.

– Je ne l'aurais pas frappé, même si j'aurais bien aimé, affirma Nik à Davis.

Ce dernier se passa la main dans les cheveux et soupira.

– Imagine l'avoir comme tuteur pour la Chasse… Crois-moi, de temps en temps, *tous* les jeunes Chasseurs ont envie de le frapper.

– Il ne devrait être le tuteur de personne, estima Nik.

– C'est le meilleur Chasseur de la Tribu. Incontestablement.

– C'est un sale arrogant.

– Incontestablement.

Crispé, Nik expira longuement, puis partit d'un petit rire avant de dire :

– Il vaudrait mieux qu'on le rattrape.

– On va faire mieux que ça. On est plus jeunes et plus rapides.

Vivre en altitude dans les Pins à Sucre anciens, loin au-dessus des dangers qui grouillaient sur le sol de la forêt, entouré de gens qui étaient plus que des membres de votre famille, faisait facilement oublier, ou peut-être considérer comme allant de soi, la sérénité et la beauté qui imprégnaient presque chaque aspect de la Tribu des Arbres. Ce soir-là, en la regagnant couvert de suie, de saleté et de sueur, épuisé et frustré par les évènements inattendus de cette longue journée, Nik éprouva un élan de gratitude, tandis qu'avec les deux hommes et leurs Terriers, il gravissait en trottinant le sentier battu qui conduisait à la plus haute crête de la forêt. Le soleil venait de plonger sous l'horizon gris de l'ouest et la fine pluie qui avait commencé plus tôt au site des Creuseurs produisait à présent un crépitement rythmé rassurant sur l'épaisse canopée.

Essoufflé, Nik fit une pause et admira la splendeur des flambeaux qu'on était en train d'allumer au-dessus de leurs têtes, de sorte que, en seulement quelques instants, les pins qui s'étendaient devant eux furent ornés de lumière, environnés de chaleur et de rires.

– Tu entends ça ? fit Davis en se tournant vers Nik.

Ce dernier tendit l'oreille. Il écarquilla les yeux de surprise lorsqu'il perçut une musique de célébration en provenance de la Tribu.

– On dirait la chanson de mise bas, commenta-t-il.

– Absolument. Ce qui veut dire que Fala a eu ses petits, confirma Thaddée. Vous, les demoiselles, vous pouvez rester ici pour reprendre votre souffle et arranger vos coiffures. Ulysse et moi, on va se joindre à la fête.

Avec un sourire sarcastique destiné à Nik, il ajouta :

– Tu seras content d'apprendre que, par conséquent, je n'irai pas faire mon rapport au Prêtre du Soleil ce soir ; tu auras donc tout le temps de lui adresser tes excuses.

Thaddée rit et courut vers l'ascenseur, sous les froncements de sourcils de Davis et de Nik.

– Qui est Fala ? demanda Nik à Davis.

– La Compagnonne de Rose, un petit Terrier noir. Personne n'en est tout à fait sûr – enfin, à part Thaddée –, mais le bruit court qu'Ulysse pourrait être le géniteur de la portée.

– Eh bien, même si c'est vrai, je suis ravi de savoir qu'il y a une nouvelle portée, déclara Nik en souriant.

– Un canin est assorti à son Compagnon, n'est-ce pas ? Je crois qu'aujourd'hui, Ulysse mordait Cammy à deux reprises chaque fois que Thaddée nous criait dessus.

Davis s'agenouilla et gratta Cameron sous le menton. Le Terrier blond remua la queue.

– Désolé, Cammy, s'excusa Nik en caressant la tête de l'aimable canin.

– Oh, on est habitués, dit Davis. Ulysse est comme Thaddée, il veut tout régenter. En plus, les Terriers n'ont peut-être pas le même pelage que les Bergers, mais leur peau est aussi épaisse que la leur.

– Davis, je te promets que si je te redemande de m'accompagner en mission de pistage, il n'y aura personne d'autre que toi, Cammy, et moi.

– Surtout pas Thaddée ?

– Surtout pas Thaddée, confirma Nik.

– Ça me semble être un meilleur plan que celui d'aujourd'hui. Mais, hé, Cammy t'aime bien. Moi aussi. Personnellement, je ne pense pas que tu perds ton temps à rechercher ce petit canin. Si Cammy avait disparu, même avant de m'avoir choisi, je n'aurais jamais arrêté de le chercher.

– Merci, dit Nik. J'apprécie que tu dises ça.

Il tendit la main à son cadet, qui la saisit chaleureusement pendant que Cameron dansait avec joie autour d'eux.

– Thaddée va raconter à tout le monde que tu nous as menés dans une autre chasse aux fantômes, alors qu'en vrai, on n'a pas pu chasser du tout, et j'ai bien l'intention de dire la vérité aux gens, affirma Davis avec détermination.

– Ne t'attire pas d'ennuis à cause de moi. Thaddée n'aime pas qu'on le contredise.

– Thaddée n'aime pas grand-chose, répliqua Davis avec un sourire ironique. Et ne te tracasse pas pour moi. Il sera trop occupé à se vanter des prétendus petits d'Ulysse pour s'inquiéter de ce que je pourrais dire sur ce qui s'est passé aujourd'hui.

– Fais attention à toi quand même.

Nik désigna l'ascenseur. La lueur d'une torche étincelait sur les maillons métalliques de la grosse chaîne, tandis que l'appareil descendait vers le sol de la forêt.

– L'ascenseur arrive.

Par jeu, Cameron commença à mordiller les chevilles de Davis et de Nik en tentant de les faire avancer tous les deux. Ils rirent de bon cœur devant l'insistance du canin.

– Il a envie d'aller à la fête, comprit Davis lorsque Cameron s'arrêta avant eux devant la cabine.

– On dirait que, de nous trois, c'est Cameron le plus intelligent, dit Nik quand ils furent entrés dans l'ascenseur, avant d'en refermer la porte et de signaler qu'il pouvait remonter.

– C'est ce que je soupçonne depuis qu'il m'a choisi, déclara Davis, qui ouvrit les bras en appelant : Viens donc ici, mon Cammy !

Le Terrier bondit pour que Davis pût l'attraper facilement, puis il lécha avec enthousiasme le visage sale de son Compagnon, qui éclata de rire avec Nik.

– Argh, Davis ! Ce n'est pas comme ça que tu es censé te laver, fit une voix.

Les deux amis regardèrent à travers les lattes en bois de leur espèce de cage tandis qu'ils atteignaient leur perchoir au-dessus du sol. Claudia se tenait sur le palier, une main sur sa hanche pulpeuse, un jeune Berger près d'elle. Nik eut l'impression que la fille et son canin les regardaient comme s'ils s'étaient roulés dans des excréments.

– Cammy est affectueux, c'est tout. Je ne me lave pas de cette façon. J'ai quand même un peu plus de jugeote que ça.

Davis reposa Cameron par terre. Bien que son camarade eût essayé d'adopter un ton nonchalant, Nik remarqua que ses joues fraîchement léchées étaient roses.

Nik réprima un soupir. Claudia était belle et sexy, et elle avait été choisie deux ans plus tôt par Mariah, la canine la plus grande et la plus futée de l'unique portée de Bergers qui allait mettre bas au cours du printemps. Elle était aussi très consciente de l'effet qu'elle produisait sur les hommes de la Tribu. Elle venait, en l'occurrence, de frapper Davis de mutisme.

– Salut, Claudia ! lança Nik en lui adressant son sourire le plus charmant. C'est gentil d'accueillir un Chasseur qui rentre à la maison.

Claudia haussa l'un de ses sourcils blonds de façon sarcastique.

– Je suis de service à la surveillance de l'ascenseur, précisa-t-elle. J'accueille tout le monde. Et, pour votre information, il ne reste plus de places à la fête. Quelques minutes seulement après l'annonce de la mise bas, la plate-forme était déjà bondée. Autant que tu en profites, Davis, pour te laver correctement.

– Merci pour le renseignement. Et ça nous fait plaisir, à Davis et à moi, de voir ton joli visage, surtout après avoir travaillé si dur pour éteindre cet incendie. Hein, Davis ?

Aussitôt, l'expression suffisante de Claudia céda la place à une inquiétude authentique.

– Un incendie ? Dans la forêt ? Thaddée ne m'en a pas parlé.

– Hum, c'est bizarre ; il devait être trop distrait par la nouvelle de la mise bas de Fala, supposa Nik en haussant les épaules.

– Ce n'est pas une excuse pour garder un évènement aussi grave pour lui, estima Claudia.

– On est d'accord, approuva Nik.

Il regarda Davis de façon appuyée en hochant la tête jusqu'à ce que ce dernier opinât du chef, lui aussi.

– Hé, Davis, tu devrais faire un rapport aux Aînés à propos de l'incendie. Puisque Thaddée est occupé.

– Quelqu'un doit le faire, c'est certain, et vite. Où a eu lieu cet incendie ? demanda Claudia.

Nik soupira intérieurement et, d'un regard, intima à Davis l'ordre de répondre.

– Oh… Euh… Sur le territoire des Creuseurs, près du ruisseau où ils étaient réunis hier, répondit Davis.

Il jeta un coup d'œil à Nik, qui fit un signe de tête à peine perceptible.

– On… euh… on pense qu'une fille Creuseuse a déclenché l'incendie en renversant un feu de camp par accident, ajouta-t-il.

– Les Creuseurs ne devraient pas être autorisés à vivre seuls, commenta Claudia. Ce sont des gamins. Je parie que le feu ne s'est pas déclaré de leur côté du ruisseau, n'est-ce pas ?

Davis et Nik secouèrent la tête.

– Non, bien sûr. Il y a des blessés ? s'enquit Claudia, en observant Davis avec un intérêt nouveau.

– Moi, j'ai quelques ampoules aux mains, et le pelage de Cammy a été légèrement brûlé, répondit Davis en tendant ses mains sales, paumes vers le haut.

– Une femme Creuseuse s'est brisé le cou en tombant. Elle est morte, précisa Nik.

– Je pensais à de vraies personnes, pas à des Creuseurs, précisa Claudia.

Elle lui jeta un regard dédaigneux, avant de se tourner vers Davis.

– Dans ce cas, Davis et Cammy ont été les plus grièvement blessés, dit Nik.

Il n'aimait pas le profond sentiment d'injustice qu'il ressentait depuis quelque temps lorsque les gens parlaient des Creuseurs.

Claudia s'agenouilla et tendit la main vers le Terrier.

– Tu es sûr que Cameron va bien ? demanda-t-elle à Davis.

Le canin trotta jusqu'à elle avec enthousiasme et lui lécha la main. Il faillit lécher aussi le grand Berger qui le regardait, mais au dernier moment, il ramena la queue entre ses pattes arrière et retourna vite vers Davis. Le doux rire de Claudia était mélodieux, presque aussi ravissant que son corps plantureux et son épaisse crinière blonde.

– Oh, mon petit canin, ne t'en fais pas ; Mariah aime les Terriers, dit-elle, toujours souriante, avant de se relever. Davis, ton Cammy a l'air de se déplacer sans problème, mais tu ferais mieux de le surveiller. Vu toute la terre qu'il a aux pattes, je suppose qu'il vous a aidés à étouffer le feu. Des pattes brûlées peuvent être assez douloureuses et mettre longtemps à guérir.

Inquiet, Davis mit Cameron sur le dos.

– Tu veux bien jeter un coup d'œil ? demanda-t-il à Claudia.

– Oui, bien sûr.

– Bon, je dois aller trouver Sol et l'informer de ce qui s'est passé aujourd'hui, annonça Nik. Davis, je le préviens que tu iras faire un rapport aux Aînés sur l'incendie, d'accord ?

Trop occupé avec Cameron pour prêter beaucoup d'attention à Nik, Davis hocha la tête d'un air distrait.

Nik s'en alla rapidement en pensant que Claudia ferait bien de voir la valeur de Davis. Ce n'était certes pas le Compagnon d'un Berger, mais il était gentil et courageux, et il avait le sens de l'humour, contrairement à elle, la plupart du temps. Percevant encore la respiration bruyante de Cameron et les doux rires de Claudia, Nik sourit d'un air satisfait sous la pluie.

« Bonne chance, Davis. Tu vas en avoir besoin. »

Thaddée détestait Nik. Ce n'était que récemment qu'il avait compris à quel point. Nikolas, fils de Sol, était mou, gâté et bon à rien.

– C'est ce qui arrive quand votre papa s'assure que vous avez tout ce que votre petit cœur désire, dit-il à Ulysse, qui le regarda en haletant, parfaitement d'accord avec lui. Oh, mais c'est vrai : même son Prêtre du Soleil de père ne peut pas forcer un canin à se lier avec lui. Pauvre, pauvre Nik !

La voix de Thaddée était pleine de sarcasme et de haine.

– Qu'est-ce que je ne donnerais pas pour remettre le pauvre, pauvre Nik à sa place !

Ulysse gémit et Thaddée interrompit sa tirade pour se baisser et jouer avec les oreilles du Terrier. Ce fut en se relevant qu'il fut pris d'étourdissements. Il chancela, se prit la tête dans les mains et tomba à genoux, saisi de tremblements.

– J'ai sacrément chaud ! murmura-t-il. Je dois couver quelque chose.

Ulysse se colla contre le corps de son Compagnon, frissonnant de peur.

– Hé, je vais bien. Il faut juste que je me débarrasse de ce fichu mal de tête. Ça fait deux ou trois jours que je l'ai par intermittence. Lutter contre ce maudit incendie des Creuseurs n'a sans doute rien arrangé.

Thaddée se frotta les paupières avec ses paumes. Ses yeux lui brûlaient depuis l'apparition des maux de tête, ou presque.

– Ouais, la fumée a sans doute été très bonne pour ce que j'ai, continua-t-il à marmonner. C'est la faute de Nik !

La rage bouillonnait en lui, augmentant en même temps que la température de son corps.

Ulysse gémit de nouveau pitoyablement.

– Détends-toi, mon vieux, lui conseilla Thaddée en lui tapotant la tête. En fait, je vais même très bien ; je n'ai jamais eu les idées aussi claires de toute ma vie, et, crois-moi, Ulysse, l'heure du changement est venue pour la Tribu des Arbres.

Sur ce, il se mit à se gratter les bras, le regard perdu au loin. Il refoula les vagues d'inquiétude dont Ulysse le bombardait, l'étrange mal de tête et ses yeux qui lui brûlaient. Il refoula tout, excepté la colère qui semblait palpiter dans l'ensemble de son corps, en rythme avec les battements de son cœur.

– Non, ce n'est vraiment pas juste que quelqu'un comme Nik soit mieux loti que nous, simplement parce que son papa est lié à un Berger. Je n'ai jamais connu un seul Berger qui ait ton flair, Ulysse, pas un seul. Mais est-ce que tu en obtiens de la reconnaissance ? Sûrement pas ! Si je ne fais rien pour changer ça, toi et moi, on ne sera jamais autre chose que des Chasseurs, et personne n'accordera d'importance à ce qu'on fait pour la Tribu.

Thaddée se grattait les bras avec force, sans s'apercevoir qu'il s'arrachait des lambeaux de peau.

– Eh bien, moi, je vais agir. Et quand j'aurai fini, nous deux, on aura enfin ce qu'on mérite, je te le promets.

À ce moment-là, une très vive douleur irradia dans la tête de Thaddée, comme si son cerveau se fendait en deux. Il vomit violemment et cracha du sang contenant des caillots noirs et de la bile tout autour de lui.

Tombant à quatre pattes, il aspira une grande bouffée d'air pour tenter de se calmer. Ulysse lui lécha le visage de manière presque hystérique. Thaddée le repoussa d'une main tremblante, mais lui envoya néanmoins des pensées réconfortantes.

Alors, aussi subitement que les vomissements l'avaient pris, ils disparurent, emportant avec eux toute trace de mal de tête et de brûlures aux yeux.

Thaddée s'assit sur les talons, inspira à fond.

La douleur ne revint pas.

Il s'essuya la bouche sur sa chemise noire de suie.

La douleur ne revint toujours pas.

Il prit une nouvelle inspiration. Il se sentait mieux. Très bien, en réalité.

Thaddée se leva. Il se mit à marcher, puis à trottiner, et enfin, avec un sourire féroce, il courut et descendit le sentier à toutes jambes, aussi rapide et puissant qu'un cerf.

Il ne remarqua pas qu'Ulysse peinait à le suivre. Il ne remarqua rien, hormis la nouvelle force qui coulait dans ses veines.

18

Nik savait que son père serait facile à trouver, même durant une fête de mise bas bondée ; par conséquent, il prit le temps de se laver et d'enfiler des vêtements propres. Ensuite, il n'eut qu'à suivre les bruits.

Claudia avait raison. Les membres de la Tribu ne remplissaient pas seulement l'immense plate-forme qui entourait les Arbres Mères, ils en débordaient, ayant trouvé des places tout le long du système de passerelles qui serpentaient autour et au milieu des nids familiaux, des nacelles d'artisans, des paliers de guet et de la pléthore de nacelles de célibataires. Nik s'arrêta et se hissa sur une grosse branche afin de pouvoir embrasser du regard le joyeux chaos de la Tribu prospère qui célébrait la naissance d'une portée de Terriers.

La musique et les odeurs de riz sauvage, de champignons et de légumes fortement assaisonnés d'ail et de ciboule en train de mijoter rivalisaient avec les rires et les acclamations. Des Danseurs du Ciel évoluaient aux barres et aux cordes aériennes attachées aux plus hautes branches des arbres, tout autour de la plate-forme. Les cheveux de ces femmes et de ces hommes étaient teints dans toutes sortes de couleurs, du rouge tomate au rose camélia en passant par le bleu fruit de cornouiller. Nik regarda avec admiration les artistes plonger avec grâce de leurs perchoirs, puis tournoyer, se contorsionner et attraper une barre qui se balançait, juste le temps nécessaire pour s'élever de nouveau avant de replonger, toujours en cadence avec la musique. Ces danseurs ressemblaient à des oiseaux magnifiques, et Nik les applaudit avec le reste de la Tribu lorsque la musique alla crescendo et qu'ils parurent défier la pesanteur lors de leur grand final. Ensuite, il se faufila à travers la foule, souriant et rendant les saluts qu'on lui adressait, bousculé par des convives manifestement imprégnés de la très appréciée bière de printemps.

Sol se trouvait à sa place d'honneur habituelle sur la plateforme. À ses côtés, Nik reconnut Rose, la Compagnonne de Fala, radieuse et à l'évidence ivre. Il constata avec soulagement que Thaddée n'était pas là, bien que la plupart des Aînés fussent présents, assis juste derrière Sol.

Voyant son fils approcher, ce dernier lui fit un signe et un sourire de bienvenue. Le jeune homme lui répondit par un hochement de tête respectueux, puis il salua Rose.

– Félicitations pour la mise bas de Fala, lui dit-il. Combien de petits a-t-elle eus ?

– Cccinq ! s'exclama la femme d'une voix pâteuse. Elle en a eu cccinq ! Y sssont grands, noirs et en bonne sssanté. Par tous les dieux, ma canine a bien travaillé.

Elle leva sa chope, aussi grande qu'un pichet.

– À Fala ! hurla-t-elle.

– À Fala ! reprirent Nik et les personnes qui se trouvaient près d'eux.

Puis le jeune homme s'avança vers son père, qui lui fit une place près de lui avant de lancer :

– Apportez de la bière à mon fils !

Presque aussitôt, une chope de bière de printemps mousseuse atterrit dans les mains de Nik. Il en but une grande rasade et commenta :

– Belle fête.

– Je trouve que les fêtes en l'honneur des nouveaux petits canins sont les meilleures, répondit Sol.

– Et tu as beaucoup célébré celle-ci ? demanda Nik à son père en haussant un sourcil.

Reproduisant la mimique de son fils, Sol répondit :

– Pas assez pour m'empêcher d'entendre ton rapport. Enfin, à supposer que tu aies quelque chose à me rapporter.

Nik se pencha vers Sol et baissa la voix :

– C'est le cas, mais je ne peux pas le faire ici.

Sol hocha la tête, puis se tourna vers Rose.

– Compagnonne, le devoir m'appelle. Mais je te félicite une fois de plus pour Fala et ses petits. Que le Soleil vous bénisse et vous apporte une santé florissante.

– Mercccci, Ssssol, répondit Rose de sa voix pâteuse.

Sol tourna la tête vers le Chef des Aînés, derrière lui, et lui demanda :

– Cyril, tu veux bien prendre ma place ? Il faut que j'aille parler avec Nik.

– Bien sûr !

Accompagné de son Berger, l'homme aux cheveux blancs s'avança avec une souplesse qui aurait fait honte à de nombreux jeunes hommes.

– Dois-je prendre ta bière, aussi ? plaisanta-t-il.

– Ah non, mon ami, je l'emporte ! s'exclama Sol. J'ai l'impression que j'en aurai besoin après ma conversation avec Nik.

Cyril posa ses yeux vert mousse sur le fils du Prêtre du Soleil, qui hocha la tête et lui sourit.

– Bonjour, Cyril, dit celui-ci.

– Bonjour à toi, Nikolas. Dois-tu réellement t'entretenir avec notre Sol, ou se sert-il de toi comme excuse pour aller au lit de bonne heure ? Il se fait vieux, tu sais, chuchota-t-il, espiègle.

– Je sais bien ; je le lui répète sans cesse, répondit Nik avec un large sourire.

Entre les douze Aînés qui composaient le Conseil de la Tribu, il avait toujours préféré Cyril. C'était le seul qui semblait avoir à cœur de rester en contact avec les jeunes membres de la Tribu, et qui avait conservé son sens de l'humour après sa nomination à l'assemblée.

– Si je me couche tôt, c'est à cause de la ravissante Compagnonne qui me rejoint si souvent, confia Sol.

Et, pendant que Cyril riait, il donna une gentille tape à Nik en lui disant :

– Allez, viens, toi.

– Oui, père, j'arrive. Cyril, Thaddée devrait bientôt venir voir les Aînés. Il va te parler d'un incendie qu'on a éteint aujourd'hui en territoire creuseur.

– Un incendie ? répéta Sol.

Il s'arrêta et retourna près de Cyril pour éviter que sa voix ne porte trop loin.

– Quelqu'un a-t-il été blessé ?

– Aucun Compagnon n'a été gravement touché. Davis et Cameron ont été légèrement brûlés. Je crois que Thaddée et Ulysse n'ont rien du tout.

– Sssuper ! Buvons à Thaddée et à son Ulyssse ! s'exclama Rose. Le géniteur de la portée de ma Fala !

Elle leva une autre chope pleine de bière et la foule poussa des hourras.

– Je comprends, à présent, pourquoi Thaddée n'est pas venu faire son rapport, dit Sol en soupirant.

– Être le Compagnon d'un géniteur n'est pas une excuse, déclara Cyril.

Nik prit soin de garder une expression neutre, quoique préoccupée, tout en se réjouissant secrètement de la remarque de ce sage homme. Maintenant, on remercierait Davis du compte rendu qu'il présenterait aux Aînés, alors que Thaddée serait réprimandé à juste titre. « Mission accomplie », songea-t-il.

– Pars avec Nikolas, dit Cyril à Sol. Je vais attendre Davis ici. Doit-on convoquer une réunion du Conseil après l'aurore ?

Sol jeta un coup d'œil à Nik, qui secoua la tête presque imperceptiblement.

– Je ne pense pas qu'il soit nécessaire de rassembler le Conseil pour admonester Thaddée, estima-t-il.

– Tu as raison, approuva Cyril. J'écouterai Davis ; ensuite, je parlerai avec Latrell. Je suis sûr qu'il saura trouver les mots pour blâmer comme il se doit ce semeur de discorde.

– Mais pas ce soir, décida Sol. Tu enverras Davis s'amuser, et profite de la fête, toi aussi, mon vieil ami. On aura tout le temps, demain, pour les frictions.

– Entendu, acquiesça Cyril.

– Viens, Nik.

Ce dernier fut surpris que son père ne le conduise pas à son nid. Sol parla doucement à Laru, qui les précéda en trottinant, de sorte que les joyeux convives s'écartèrent pour le laisser passer. Les deux hommes traversèrent la vaste plate-forme et se dirigèrent vers l'escalier tournant qui menait à l'étage de Sol, au-dessus.

Pendant un moment, ils demeurèrent côte à côte, silencieux, Laru assis entre eux. Nik caressait l'épais pelage du Berger tout en savourant le spectacle des lumières clignotantes et des miroirs qui scintillaient, telles des lucioles, à travers toute la Cité.

– J'ai avancé la date de l'expédition de glanage à Port City, annonça enfin Sol. Tu devras être prêt à partir lors de la prochaine pleine lune.

– Si tôt ? s'étonna Nik, les yeux ronds. C'est dans... quoi ? Deux semaines environ ?

– Un peu plus. Je voulais attendre que les jours rallongent, mais...

Sol s'interrompit, désignant d'un geste la foule autour d'eux.

– Oui, je comprends. La Tribu est surpeuplée.

– La surpopulation provoque des dissensions, affirma Sol.

– En parlant de dissensions, il faut que je t'explique ce qui s'est passé aujourd'hui...

Sol s'appuya contre la balustrade et regarda son fils.

Nik prit une profonde inspiration.

– Ça va te sembler incroyable, et peut-être que je me trompe..., commença-t-il. Il se peut que j'aie mal interprété ce que j'ai vu. Mais, père, je te jure que je vais te dire ce que je crois être la vérité.

Après avoir observé son fils attentivement, Sol répondit :

– Nikolas, tu ne m'as jamais donné de raison de mettre en doute la véracité de tes propos, je ne vois donc pas pourquoi j'en douterais aujourd'hui. Raconte-moi tout.

Sans rien omettre, Nik décrivit alors le site près du ruisseau et la manière dont Thaddée avait insisté pour qu'ils lancent les Terriers à la poursuite de la femme Creuseuse.

– Feu de Dieu ! s'écria Sol. Je lui avais pourtant clairement dit de ne pas chasser de Creuseuses.

– Et moi, je le lui ai répété. En vain. La femme a paniqué.

Dans son affolement, elle a chuté en bas d'une berge escarpée et s'est brisé le cou.

Sol secoua la tête et psalmodia :

– Que le Soleil éclaire son chemin vers l'au-delà.

– Elle m'a parlé avant de mourir.

– Vraiment ? Que t'a-t-elle dit ?

– C'était très étrange. Je me suis approché d'elle pour savoir si je pouvais l'aider. Elle m'a regardé comme si elle était heureuse de me voir. Elle a déclaré qu'elle savait que je reviendrais la chercher. Et puis elle est morte.

– Pourquoi une Creuseuse aurait-elle été heureuse de te voir ?

– Je pense que ce n'était pas vraiment à moi qu'elle s'adressait. Elle m'a appelé Galen.

Le Prêtre du Soleil blêmit et ferma les yeux comme s'il éprouvait une douleur subite. Laru remua, gémit et se colla contre son Compagnon.

– Père ? Qu'y a-t-il ? s'enquit Nik, inquiet.

– Je... je connais ce nom.

– Galen ? Tu connais un Creuseur qui s'appelle Galen ?

– Non, répondit Sol en regardant son fils. Je connaissais un Compagnon du nom de Galen. Et toi aussi.

– Qu'est-ce que tu racontes ?

– Continue, je t'expliquerai quand tu auras fini. Comment l'incendie s'est-il déclenché ?

La gorge sèche, Nik déglutit, regrettant de ne pas avoir apporté sa chope de bière.

– De l'autre côté du ruisseau une fille a surgi de sous un grand saule. Elle a hurlé et, avant que j'aie pu dire ou faire quoi que ce soit, ses yeux ont changé, père. Ils ont flamboyé de *notre* couleur, la couleur du soleil. Puis elle a levé les bras, et il y a eu une explosion de feu dans les broussailles autour d'elle. C'est *elle* qui l'a provoquée. Je te jure que je ne l'ai pas imaginé. Cette Creuseuse a invoqué la lumière du soleil et l'a canalisée pour la transformer en feu, comme toi.

Nik se raidit, inquiet de la réaction de son père.

– Qui d'autre est au courant ?

– Thaddée et Davis étaient là, mais ils n'ont pas vu la fille. Et, dès que les broussailles ont pris feu, elle a disparu. Thaddée croit que les Creuseurs nous ont tendu un piège. Mais Davis ne partage pas son avis. Il est d'accord avec l'explication que je lui ai donnée.

– Qui est ?

– Je lui ai dit que d'autres Creuseurs devaient se trouver dans les parages, et qu'en voulant nous échapper, ils ont éparpillé le bois d'un feu de camp, ce qui a enflammé les taillis secs autour du saule. C'est ce qu'il va rapporter à Cyril.

– Bien. Bien, commenta Sol en se passant une main tremblante sur le front.

– Père, tu me crois ?

– Totalement.

– Même sur cette Creuseuse en feu ?

– Surtout sur cette partie, Nik. Et je ne pense pas que ce soit une Creuseuse, ou, du moins, pas une Creuseuse à cent pour cent.

– Je ne comprends pas.

– Moi, si, hélas ! dit Sol. C'est en rapport avec Galen.

– Qui est Galen ?

– Qui *était* Galen, rectifia Sol. C'était mon ami. Jusqu'à ce que je le tue. Et je pense que c'était aussi le père de cette fille. Par conséquent, elle est moitié Creuseuse, moitié Compagnonne.

19

Complètement sidéré, Nik dévisagea son père. « Comment cela est-il possible ? Père est un homme bon, gentil, l'esprit même de la Tribu. Comment a-t-il pu tuer son ami ? »

– C'était il y a longtemps, expliqua Sol doucement, d'une voix pleine de regrets. Il y a presque vingt ans, maintenant. Tu étais si jeune que ça ne m'étonne pas que tu ne te souviennes pas de Galen, mais je parie que tu n'as pas oublié son Berger, Orion.

– Orion ! s'exclama Nik, les yeux écarquillés de surprise. Oui, bien sûr. Il était énorme ! Enfin, à mes yeux d'enfant, en tout cas.

– Orion était le plus grand Berger que la Tribu ait jamais connu. Même Laru n'est pas aussi impressionnant.

– Attends, si ! Je me souviens de son Compagnon. Il est parti rejoindre une Tribu plus au nord. Je me rappelle avoir pleuré parce que je n'avais pas pu dire au revoir à Orion. Tu m'avais expliqué qu'ils devaient s'en aller tous les deux parce que cette Tribu avait besoin d'un Berger pour créer une nouvelle lignée.

– En effet, c'est ce qu'on a raconté à tout le monde, confirma Sol. Qu'il n'ait jamais réussi à rejoindre cette Tribu a été une tragédie dont sa famille et moi avons porté tout le poids.

– Mais tu ne l'as pas tué, n'est-ce pas ? Il est mort lors de son voyage vers le nord.

Sol inspira à fond et parut vieillir sous les yeux de Nik.

– Je l'ai tué. J'ai tué Orion. Et ce souvenir me hante depuis presque vingt ans.

Nik se passa une main sur le visage, imitant étrangement le geste que son père faisait lorsqu'il était très perturbé.

– Je ne comprends pas, dit-il.

– Galen avait commis un sacrilège.

– Feu de Dieu ! Il avait détruit une Plante Mère ?

– Non, répondit Sol en secouant la tête. Il volait des frondes-langes, qui servent à emmailloter les bébés. Beaucoup et souvent.

– Père, ça n'a pas de sens. Pourquoi un Compagnon volerait-il des frondes-langes, à moins qu'il y ait un nouveau-né…

Lorsqu'il comprit enfin, Nik eut l'impression de recevoir un coup de poing dans le ventre.

– La fille. Il prenait les frondes pour la fille Creuseuse.

– Ils se dénomment eux-mêmes Marcheurs de la Terre, pas Creuseurs, précisa Sol. Nik, ce que je m'apprête à te raconter, je n'en ai parlé à personne en presque vingt ans. Cyril est au courant. Ta maman l'était également. Les autres personnes qui savaient sont maintenant aussi mortes que Galen et Orion.

– Continue, père. Je garderai ton secret.

– Merci, fils.

Les yeux rivés sur l'horizon, Sol se mit à parler. Au début, sa voix était rauque, hésitante, comme s'il avait du mal à trouver les mots, mais peu à peu, il prit un rythme ; on eût dit qu'il voyageait dans le passé.

– Galen et moi étions du même âge, on a grandi ensemble. On a été faits Compagnons la même année. On est même tombés amoureux de la même femme.

Sol sourit devant l'expression stupéfaite de son fils.

– Oui, Galen aimait ta mère, et c'était réciproque, reprit-il. Heureusement pour moi, elle l'aimait d'un amour fraternel, et son amour pour moi était d'une tout autre nature.

– Galen t'en a-t-il voulu de ce que mère t'ait choisi ?

– Non, enfin pas pendant longtemps. Ce n'était pas quelqu'un de rancunier. C'était la personne la plus gentille que j'aie jamais connue. Je ne l'ai vu qu'une fois en colère, et ce n'était pas en lien avec ta mère.

– Était-ce quand tu l'as surpris à voler la Plante Mère ?

– Non. Ce jour-là, il est resté silencieux. Et courageux. Il m'a pardonné, y compris de tuer Orion.

Sol se passa de nouveau la main sur le visage, cette fois-ci pour essuyer ses larmes.

– Galen était le meilleur glaneur que la Tribu ait jamais connu, reprit-il. Cependant, il ne conduisait pas les Guerriers à Port City et dans les autres ruines. Orion et lui préféraient glaner seuls. Ils possédaient tous deux la capacité de se déplacer dans un silence quasi total. La discrétion de ce grand Berger était remarquable. Baldrick, le Prêtre du Soleil avant moi, avait imposé des restrictions à Galen ; il avait décrété qu'il était trop précieux à la Tribu pour partir seul en expédition, mais quand j'ai été nommé à sa place, j'ai levé ces restrictions.

Sol soupira et secoua la tête avant de poursuivre :

– J'étais jeune et je me croyais plus intelligent que mon vieux prédécesseur. J'avais tort. Si j'avais continué à exiger de Galen qu'il fasse équipe avec un autre Compagnon, rien de tout ça ne se serait produit.

– Père, Galen a-t-il violé une Creuseuse ?

– Non, fils. Je crois qu'il est tombé amoureux d'une Marcheuse de la Terre.

– La femme qui est morte aujourd'hui ?

– Oui.

– Comment est-ce possible ?

– J'ignore les détails. Quand il quittait la Tribu pendant des jours et des jours, à son retour personne ne lui posait de questions parce qu'il nous avait habitués à ça. Galen et Orion glanaient seuls, point final. Chaque fois, il revenait avec des trésors. Et j'étais toujours content de l'accueillir.

Sol caressa Laru, comme s'il avait besoin du contact réconfortant de son canin.

– Pourtant, un jour, j'ai deviné que quelque chose avait changé en lui. On était au poste de guet ensemble et deux Creuseuses ont tenté de s'échapper de la Ferme. Aussitôt, je leur ai tiré dessus à l'arbalète et je les ai tuées, conformément à la Loi. C'est là, l'unique fois où j'ai vu Galen se mettre en colère. Il a prétendu que si on était à leur place, si on était des esclaves retenus captifs, on essaierait de s'enfuir, nous aussi. Je lui ai rappelé que les Creuseurs sont incapables de s'occuper d'eux-mêmes. Il m'a alors rétorqué ceci : « Ce ne sont pas des Creuseurs, ce sont des Marcheurs de la Terre, et ils sont *différents* de notre Tribu, pas inférieurs à nous. Leur vie est reliée à la Terre ; elle possède une simplicité et une beauté qui font défaut à la nôtre. Et ils ont un authentique courage. » Je ne l'ai jamais oublié.

– A-t-il expliqué ce qu'il voulait dire ?

Sol secoua la tête.

– Une fois sa colère apaisée, il s'est excusé et m'a dit qu'il ne supportait tout simplement pas qu'on tue les Creuseurs. Je ne lui ai pas demandé d'autres explications. J'aurais dû.

– Son discours t'a sans doute paru insensé, non ? fit Nik.

– Sur le moment, oui. Mais depuis, j'ai changé d'avis.

– Il ne t'a jamais dit qu'il était avec une Creus… enfin, une Marcheuse de la Terre ?

– Il l'a avoué juste avant que je le tue.

Sol détacha son regard de l'horizon et le posa sur son fils.

– Même après toutes ces années, il est difficile pour moi de me remémorer ce jour, bien qu'il ne soit jamais loin de mes pensées.

– Comment cela est-il arrivé ? s'enquit Nik.

– Galen n'aurait pas eu de problèmes si Cyril ne l'avait pas surpris à transporter les frondes dans la forêt. Il avait pourtant été malin. Il n'arrachait qu'une fronde de chaque plante, ce qui n'était pas suffisant pour éveiller des soupçons. Cette perte était à peine remarquée. Néanmoins, une femme, la doyenne du groupe qui prenait soin des Plantes Mères, a confié à Cyril qu'elle craignait que le compte des frondes n'y soit pas. Tout juste nommé au Conseil des Aînés, Cyril accomplissait ses devoirs avec zèle. Même si la vieille femme ne croyait pas que quelqu'un puisse commettre le sacrilège de voler les plantes, il a été assez pragmatique pour se poser la question. Sans faire part de ses soupçons à qui que ce soit, il s'est mis à surveiller les Arbres Mères. Une nuit, à l'heure où tout le monde dormait, il a vu Galen s'approcher furtivement des Plantes Mères et prélever une épaisse fronde de chaque plante adulte.

– Je n'en reviens pas ! s'exclama Nik. Cyril l'a-t-il arrêté ?

– Cyril était un Aîné, pas un Guerrier. Son rôle n'était pas d'appliquer une condamnation à mort. En plus, il était conscient du choc que cela provoquerait dans la Tribu si Galen était publiquement accusé et exécuté. Et puis, il avait autant de mal que toi à croire cette histoire.

– Alors, il t'a tout raconté, devina Nik.

– Oui, confirma Sol en hochant la tête. On a voulu donner à Galen une chance de se racheter ; d'expliquer pourquoi il volait la Tribu. On l'a donc suivi, Cyril avec son Argos, moi avec Sampson.

Sol reporta son regard sur l'horizon lointain.

– La piste de Galen a été ridiculement facile à trouver. J'ai souvent pensé qu'il voulait se faire prendre, mais c'est peut-être juste pour déculpabiliser. On l'a attrapé près d'une piscine naturelle dans laquelle coulait une cascade. Il n'avait pas de frondes avec lui, mais il a reconnu que c'était lui qui les volait. Il a ajouté qu'il le referait. Qu'il ne regrettait pas, ne regretterait jamais. Cyril l'a questionné, il a essayé de l'obliger à nous conduire à l'enfant pour qui il avait volé les frondes. Galen a refusé. Il a accepté sa condamnation à mort. Juste avant que je la mette à exécution, il m'a murmuré : « Sol, j'aime cette femme. Et j'aime ce bébé. » Ensuite, en me regardant droit dans les yeux, il m'a dit qu'il me pardonnait. Il m'a demandé de tuer Orion après lui pour que le canin ne languisse pas et ne meure pas à petit feu. Alors, il a ordonné à Orion de s'allonger, de rester tranquille, et il lui a affirmé que tout allait bien et qu'ils seraient bientôt de nouveau réunis. J'ai tranché la gorge de mon ami, puis celle de son canin.

Sol s'interrompit et baissa la tête. Nik vit qu'il pleurait.

– Ça a dû être horrible, compatit Nik, en essuyant ses propres larmes.

– C'est la pire chose que j'aie jamais faite. Et je regrette mon geste chaque jour. J'aurais dû ramener Galen à la Tribu et le faire passer en jugement devant les Aînés. L'issue aurait peut-être été différente.

– Les autres Aînés ont-ils su la vérité ?

– Cyril leur a raconté que Galen avait avoué voler la Tribu. Qu'il n'avait montré aucun remords ni donné aucune explication à ses vols. Il a précisé qu'il avait prononcé la condamnation et assisté à son exécution. Les Aînés étaient choqués. Ils ont discuté de ce qu'il risquait d'advenir de la moralité de la Tribu si ses membres découvraient qu'un Compagnon aussi respecté et aimé que Galen était devenu fou, et avait été exécuté par leur nouveau Prêtre du Soleil. Le Conseil a donc décidé de cacher ce qui s'était passé. Cyril a inventé l'histoire du voyage de Galen et d'Orion vers le nord. Il y avait un semblant de vérité dans ce mensonge, car une Tribu vivant plus au nord avait en effet lancé un appel pour que des Bergers reproducteurs aillent s'installer chez eux.

– Et le voyage est dangereux, surtout si un Compagnon et son Berger insistent pour se déplacer seuls, conclut Nik à la place de son père.

Nik eut l'impression que le monde avait basculé. Il eut la nausée et des élancements dans la tête.

– Nikolas, est-ce que tu peux me pardonner ?

Cette fois, Nik hésita avant de répondre.

– Oui, je te pardonne, dit-il lentement. Père, je n'ai pas le droit de te juger. Tu as agi comme tu croyais devoir le faire, et les Aînés ont fait ce qu'ils pensaient être la meilleure chose dans l'intérêt de notre Tribu.

Nik aurait voulu remonter le temps afin de ne pas savoir ce qu'il ignorait encore un moment plus tôt. Cependant, il ne pouvait avouer cela à son père. La culpabilité et le remords qu'il lisait dans ses yeux prouvaient combien il avait été presque intolérable pour Sol de garder ce secret.

Nik fit quelques pas et serra fort son père dans ses bras, surpris de constater qu'il le dépassait de plusieurs centimètres. Depuis quand était-ce le cas ?

– Merci, fils. Merci, dit Sol, en se dégageant de l'étreinte de Nik et en s'essuyant les yeux. Tu as deviné pourquoi j'ai été obligé de te révéler ce secret, n'est-ce pas ?

Nik hocha lentement la tête.

– La fille en feu est l'enfant de Galen.

– Sans aucun doute.

Tout à coup, une pensée frappa l'esprit de Nik avec une telle force qu'il faillit chanceler.

– Père, le jeune canin ! Mon petit canin. Se pourrait-il qu'il soit en train de chercher cette fille pour se lier à elle ?

L'expression choquée de Sol fut encore plus éloquente que ses paroles :

– Feu de Dieu, Nik ! Si c'est le cas, il y a un jeune canin, là, dehors, qui cherche une orpheline ayant été élevée comme une Creuseuse.

– S'il la trouve, l'acceptera-t-elle ? Est-ce que les autres Creuseurs les tueront ?

– Je ne connais pas les réponses à ces questions. Ni les règles de leur société. Aucun de nous ne les connaît. Il faut que tu trouves cette fille, Nik. Vite.

– Et si je la trouve, je retrouverai mon canin.

Sol posa une main sur l'épaule de Nik.

– Fils, s'il est avec elle, tu devras comprendre qu'il est *son* canin, pas le tien.

– Eh bien, au moins, il sera localisé, dit Nik, l'estomac noué. C'est ironique que je sois à peu près dans la même situation que Galen.

Devant l'air interrogateur de son père, il s'expliqua :

– Je dois entreprendre des recherches seul, comme il le faisait.

– Pas du tout, Nikolas. La tragédie concernant Galen est arrivée parce que j'ai fait une entorse au règlement en l'autorisant à partir glaner en solo. Je ne commettrai plus cette faute, surtout pas avec mon propre fils.

– Père, sois raisonnable.

– Je le suis, justement ! Je tire la leçon de mes erreurs passées.

– Tu es prêt à partager ton secret avec le reste de la Tribu ? demanda Nik.

– Non. Mais je ne suis pas non plus prêt à te perdre. Je ne veux pas que tu ailles là, dehors, tout seul. En qui as-tu confiance, Nik ?

– Par rapport à un secret de cette ampleur ? En personne !

– Il ne s'agit pas de tout dire, Nikolas. Juste que tu as vu une fille Creuseuse qui semblait capable d'invoquer le feu du soleil, et que je t'ai chargé – de façon confidentielle, pour ne pas provoquer la panique dans la Tribu – d'en apprendre plus sur elle. En même temps, tu chercheras le petit canin.

– Je fais confiance à O'Bryan. Ensuite… à Davis, je dirais.

– Je suis plus sûr de la loyauté d'O'Bryan. Tu es davantage un grand frère qu'un cousin pour lui. Mais Davis est un bon second choix, et j'imagine que tu auras besoin des capacités de pistage d'un Terrier. Commence avec O'Bryan. J'informerai Latrell que j'ai donné la permission à Davis et Cameron de vous aider dans vos recherches si nécessaire.

– Je partirai demain matin, annonça Nik.

– J'ai bien peur que ton meilleur point de départ ne soit ce Site de Rassemblement, déclara Sol.

– Je le pense aussi.

– Emmène O'Bryan demain. Voyez ce que vous pouvez découvrir.

– D'accord. Je ne demanderai l'aide de Davis que si on ne trouve aucune trace de la fille ni du canin.

Sol posa les mains sur les épaules de Nik et secoua doucement son fils.

– Rentre sain et sauf Nik.

Puis le Prêtre du Soleil serra son fils avec une force proche du désespoir.

20

Au cours des semaines qui suivirent la mort de Léda, Mari serait morte si Rigel n'avait pas été là. Non pas qu'elle envisageât sérieusement de se tuer. Elle ne songeait pas à sauter d'une falaise, à se noyer dans une rivière ou à pénétrer dans Port City pour laisser les monstres qui régnaient sur les ruines la dépouiller vivante. Non, Mari n'aurait fait aucune de ces choses.

Elle aurait simplement cessé de vivre.

Elle n'aurait pas lutté pour sortir de son lit. Elle aurait juste arrêté de manger, de boire. Elle se serait pelotonnée sur la paillasse de Léda et y serait restée jusqu'au moment où elle aurait rejoint sa mère dans la mort.

Mais Mari savait que Rigel mourrait avec elle. Elle en était convaincue depuis l'incendie qui s'était déclaré près du Site de Rassemblement. Si tel était son souhait, son Berger s'étendrait sur la paillasse près d'elle et ils s'endormiraient tous deux pour l'éternité.

Or, elle ne pouvait pas lui imposer cela. Il s'était échappé de la Cité dans les Arbres et avait surmonté de terribles obstacles afin de la trouver et de la choisir comme Compagnonne pour la vie, alors qu'il n'avait même pas encore réellement vécu. Il méritait mieux que d'être mis au tombeau avec elle.

Par conséquent, Mari vivait pour Rigel.

Le matin du premier jour fut le pire. Elle se réveilla dans le lit de Léda, Rigel à ses côtés. Dans cet intervalle entre le sommeil et l'éveil, sa maman était toujours vivante, et pendant quelques battements de cœur, Mari ne comprit pas pourquoi elle avait dormi sur sa paillasse, ni pourquoi elle était si fourbue, et si sale.

– Maman ? appela-t-elle en bâillant et en s'étirant avec raideur.

Lorsque Rigel gémit et fourra son nez contre elle, elle se réveilla complètement ; alors les cruels souvenirs ressurgirent.

Léda était morte.

Mari et Rigel étaient seuls.

Elle se recroquevilla sur elle-même et se mit à sangloter. « D'où viennent toutes ces larmes ? Tariront-elles un jour ? »

Elle n'avait pas faim du tout, elle avait juste soif. Elle se dirigea lentement vers le grand abreuvoir en pierre que Léda et elle avaient rempli ensemble la veille, juste avant de partir brouiller la piste de Rigel. Elle resta plantée à fixer son reflet indistinct dans la lumière surnaturelle que projetaient les champis-luisants et la mousse phosphorescente. Du bout des doigts, elle toucha la surface de l'eau. Avec une petite louche, elle en versa d'abord dans la gamelle en bois de Rigel, qu'il lapa avec frénésie. Ensuite, Mari but trois pleines louchées.

Après s'être essuyé la bouche, elle s'approcha de l'ouverture façonnée dans la tanière et leva les yeux vers l'obscurité.

– On a dormi une journée entière. Peut-être même plus.

Mari avait pris l'habitude de parler à Rigel ; désormais, son canin était son seul interlocuteur.

À présent, il tournait autour d'elle, soufflant et regardant la porte avec l'air d'attendre quelque chose.

– Tu as besoin de sortir, je sais. Dorénavant, on va devoir être encore plus prudents qu'avant…

Mari conduisit Rigel à pas lents à travers les ronces, puis lui ordonna de rester caché dans le fourré épineux pendant qu'elle allait scruter la nuit et s'assurer qu'il n'y avait pas de danger. Le croissant de lune était bas dans le ciel dégagé, la forêt, calme. Mari retourna vers Rigel en vitesse et ouvrit les bras.

– Saute ! lui lança-t-elle.

Le canin trottina jusqu'à elle et bondit dans ses bras.

Mari porta Rigel suffisamment loin de la tanière et ne le reposa que lorsqu'il eut besoin de se soulager. Ce fut à ce moment-là seulement qu'elle se demanda de qui précisément Rigel et elle devaient se cacher.

– De tout le monde, dit-elle au canin qui la regardait de ses yeux ambrés intelligents. On doit se cacher des Compagnons qui te cherchent, de Sora et des autres Marcheurs.

L'air triste, Mari prit une longue inspiration et expira lentement, sentant le lourd poids de la réalité sur ses épaules.

– On n'a pas d'amis, Rigel, reprit-elle. Je ne pense pas qu'on puisse faire confiance à qui que ce soit.

Le canin revint vers elle et posa la tête sur ses épaules. Il soupira et se colla contre elle, la submergeant d'amour.

– Tu as raison. On peut se faire confiance, toi et moi, et ça suffit.

Mari passa ses bras autour de Rigel et enfouit son visage dans l'épaisse fourrure de son cou. Le canin se tint immobile. Sa Compagnonne ne bougea que lorsque l'estomac de Rigel gronda férocement.

– Tu dois avoir faim. Maman a fumé du lapin pour nous. Je peux préparer un ragoût et on…

« Et on quoi ? Maman n'est plus là. » Mari secoua la tête.

– Non, je ne vais pas penser à ça. On va manger. C'est la seule chose à laquelle je dois penser en ce moment.

En entendant un glissement dans les broussailles derrière eux, Mari se leva et appela :

– Saute, Rigel !

Elle serra fort son canin contre elle, puisant de la force en lui alors qu'elle était physiquement épuisée et mentalement embourbée dans la tristesse.

Ce fut de retour dans la tanière, en cuisinant leur ragoût, qu'elle décida de tout changer.

– Avant, on dormait pendant la majeure partie de la journée et on veillait presque toute la nuit en attendant maman. On ne peut plus faire ça, Rigel.

Mari formulait à voix haute ses réflexions à un rythme constant tout en coupant des carottes et des oignons.

– Seuls les hommes rendus fous par la Fièvre Nocturne sortent seuls la nuit. Et... on n'a plus maman à attendre.

Mari s'interrompit et cligna fort des yeux à cause des larmes qui menaçaient de la noyer.

– On tendra des pièges et on les vérifiera pendant la journée. On s'occupera de notre jardin et on cueillera les légumes, les fruits et les herbes pendant la journée. Tout ce qu'on faisait avec maman la nuit, on le fera pendant la journée. Et la nuit, on restera ici, Rigel, bien à l'abri dans notre tanière.

Assis près d'elle, Rigel la regardait intensément. En l'espace d'un jour et d'une nuit, la joie et la malice de Rigel avaient été remplacées par la gravité et l'attention d'un Berger adulte.

Mari se dit que ce changement était une bonne chose, bien qu'en vérité, au plus profond d'elle-même, elle pleurât la perte de son jeune canin.

Elle versa une louche dans la gamelle de Rigel ; puis, remarquant son empressement, elle en rajouta. Ensuite, elle laissa cuire complètement le ragoût pour elle, et continua à combler le silence de la tanière du son de sa propre voix.

– Bon, où on en était ? Ah, oui. On sort pendant la journée. Oui, je sais que cela aussi comporte des dangers. Un membre du Clan risque de me voir, et si le soleil brille sur ma peau, il se peut qu'il la voie flamboyer.

Elle s'arrêta soudain de remuer, car une pensée libératrice lui vint à l'esprit.

– Rigel, je m'en fiche si on me voit !

Le canin cessa de manger et la regarda en penchant la tête.

– Tu ne comprends pas ? Maman craignait toujours que le Clan n'apprenne la vérité à mon sujet parce qu'elle avait peur qu'il ne nous bannisse, et elle voulait que je sois acceptée par les Marcheurs de la Terre. Mais tout a changé, maintenant. Je ne serai pas la nouvelle Femme Lune qui remplacera maman. Je n'appartiens pas au Clan des Tisserands. Je n'ai jamais réellement appartenu au Clan de maman. Donc, ça m'est égal si quelqu'un me surprend et trouve mes cheveux trop clairs ou découvre que ma peau brille au soleil, parce que je me suis déjà bannie moi-même !

La louche à la main, le regard fixé sur le ragoût fumant, Mari essayait de laisser sa nouvelle vie pénétrer son corps et son âme. Elle ne s'exhiberait pas délibérément devant les Marcheurs de la Terre ; mais elle n'éviterait pas non plus la lumière du jour comme elle l'avait fait pendant presque toute sa vie. Elle serait prudente. Elle veillerait à ne pas s'approcher des Sites de Rassemblement et des tanières du Clan, mais elle avait bel et bien fini de fuir le soleil.

– C'est sûr, je dois continuer à faire attention à ce que personne ne nous trouve ici, mais maman et moi avons si bien dissimulé cette tanière depuis que je suis née !...

Il existait toutes sortes de moyens de garder secret son emplacement, et Mari les connaissait aussi bien que les techniques permettant de donner vie à ses dessins.

Avec courage, Mari souleva sa cuillère en bois et se força à avaler une première bouchée, puis une deuxième, et une troisième. Sans tenir compte ni des larmes qui coulaient sur ses joues ni de la souffrance atroce qui lui déchirait le cœur.

Il fut étonnamment simple pour Mari de modifier leurs habitudes. Si son sommeil était si facile et si profond, c'était peut-être parce que son seul moyen d'échapper à la tristesse qui remplissait ses journées, c'était de rêver. Il n'y avait que dans ses rêves que Léda était toujours vivante. Que Mari était de nouveau heureuse, et Rigel, un jeune canin espiègle.

Les hurlements débutèrent le septième soir après la mort de Léda, peu après le crépuscule. Mari était en train de terminer le premier des nouveaux pièges qu'elle avait dessinés pour attraper les lapins vivants. Rigel mordillait avec contentement un os prélevé sur un chevreuil que Mari avait tué le matin même. Le premier hurlement était si sauvage qu'elle faillit ne pas y prêter grande attention, car son cerveau l'analysa comme un bruit animal et non humain.

Le deuxième hurlement était plus proche. Et plus clairement humain. Rigel lâcha son os et émit un grondement sourd.

– Reste près de moi, lui dit Mari, bien que ce fût inutile.

Hormis les moments où elle l'entraînait à se cacher, le Berger ne s'éloignait jamais beaucoup d'elle, la gardant toujours dans son champ de vision. Mari retira la barre de la porte et ils se faufilèrent tous deux dehors, puis ils empruntèrent le chemin couvert de ronces qui serpentait autour de la tanière. Ils s'arrêtèrent juste à la limite du fourré protecteur, et tendirent l'oreille.

Les hurlements suivants furent de plus en plus lointains. Mari écouta intensément jusqu'à ce que le silence revînt, puis elle retourna avec Rigel à la tanière.

Elle prit son fusain et sortit une feuille de papier vierge. La sensation du crayon dans sa main lui parut presque étrangère ; elle s'aperçut alors avec un grand étonnement qu'elle n'avait rien dessiné depuis la mort de Léda. Soudain, sa vision fut inondée d'images de sa mère – son sourire, ses mains délicates, son épaisse chevelure, ses yeux gris tendres –, et, toute tremblante, elle lutta contre l'envie de reproduire ces souvenirs sur le papier.

– Ça d'abord. Ensuite seulement, je dessinerai maman.

Elle se mit à prendre des notes sur les cris qu'elle venait d'entendre. Elle se dit qu'elle aurait dû les compter, et fit d'ailleurs un mémo séparé à ce sujet : COMPTER LES HURLEMENTS, LA PROCHAINE FOIS. Puis elle consigna la provenance de ces cris, leur durée, le fait qu'ils étaient ceux d'une seule et même personne, un homme, sans conteste.

– Demain, on évitera le sud-est, informa-t-elle Rigel. De toute façon, on ne va jamais bien loin dans cette direction à cause du Site de Rassemblement et des tanières qu'il y a là-bas. Sauf qu'on y trouve aussi des baies sauvages, qui devraient d'ailleurs être mûres à cette période. Tant pis, on en trouvera au nord, ou on s'en passera.

Mari se fit une autre note pour se rappeler de chercher les baies ailleurs.

Ensuite, elle prit une nouvelle feuille de papier. Elle passa les doigts sur la surface lisse tout en fermant les yeux et laissa une image de sa mère venir à elle. Lorsqu'elle fut prête, elle rouvrit les yeux et dessina.

Elle acheva son dessin rapidement. Comme si elle venait de se réveiller d'un rêve, elle cligna les yeux, les frotta et vérifia son œuvre.

Léda la regardait en souriant. Elle était assise près de la cheminée, à sa place préférée pour tisser des paniers. Son expression était remplie de la chaleur et de la joie avec lesquelles elle avait considéré sa fille d'aussi loin que cette dernière s'en souvînt. Doucement, Mari suivit du doigt son dessin, sans se rendre compte qu'elle pleurait avant que ses larmes tombent sur le papier en produisant de tristes *ploc !* Avec des gestes vifs et saccadés, elle sécha la feuille, puis l'emporta sur l'ancienne paillasse de Léda, qu'elle partageait maintenant avec Rigel. Serrant son dessin contre elle, Mari s'y pelotonna, son canin collé contre son dos.

Ce soir-là, bien qu'épuisée, elle ne sombra pas aussi aisément dans le sommeil. Elle resta éveillée un long moment, guettant des hurlements…

21

Mari et Rigel se réveillaient à l'aurore. Quand l'astre apparaissait au-dessus de l'horizon, elle se réveillait. Quand il se couchait, Rigel et elle allaient au lit. En réalité, cette succession des journées synchronisées avec le soleil lui simplifiait la vie.

Elle avait presque oublié la lune.

Mari nourrit Rigel et grignota des pommes séchées tout en travaillant à l'un des pièges sur lesquels elle peinait depuis plusieurs jours. Après avoir tissé la dernière pièce sur l'ensemble, elle souleva le dispositif et dit en souriant :

– Rigel, je crois que j'ai réussi !

Le jeune canin leva la tête de sa gamelle, souffla gaiement et alla vers elle en trottant et en frétillant. Mari le caressa et l'embrassa sur la tête.

– Va terminer ton petit-déjeuner, lui dit-elle. Ensuite, on ira tendre ce piège et cueillir des champignons.

Se rendant compte de la réaction du canin devant l'enthousiasme qu'elle venait d'exprimer, Mari soupira.

« C'est la première fois que je souris depuis la mort de maman. »

Et Rigel lui avait fait mesurer à quel point elle avait été triste jusque-là.

– C'est injuste pour toi, confia-t-elle au jeune canin, qui s'arrêta de nouveau de manger pour la considérer en remuant la queue avec hésitation.

Rigel gémit ; avec un gros effort, Mari étira ses commissures en un sourire. « Pour Rigel, j'essaierai. Pour Rigel, je sourirai. »

La queue frappant le sol, le Berger finit sa gamelle sans quitter la jeune femme des yeux pendant qu'elle appliquait l'argile qui épaississait ses traits.

– Je ne me teindrai plus les cheveux. Ça m'est complètement égal qu'ils soient différents, dit Mari à Rigel, qui souffla d'un air approbateur.

Lorsqu'elle fut prête, elle prit la sacoche qu'elle préparait désormais chaque soir avant de se coucher. Elle y avait déjà mis un outil tranchant, sa fronde, des pierres lisses et l'outre contenant la mixture d'huile de lavande et d'eau salée, pour le cas où Rigel et elle seraient surpris dehors par le crépuscule et attaqués par des araignées-loups. Mari ajouta des restes de ragoût qu'elle enveloppa pour Rigel, et pour elle, une feuille de chou roulée, remplie d'un mélange de purée de graines de tournesol, de ciboule, de germes et des derniers champignons du stock de Léda.

– Bon, dit-elle à Rigel quand ils s'arrêtèrent à l'extérieur de la tanière. On va s'éloigner des hurlements qu'on a entendus hier soir. C'est une bonne chose que les champignons soient dans la direction opposée, et pas loin d'ici. Je pourrai tendre un nouveau piège dans la frênaie où on les cueillera. Maman et moi, on trouvait que c'était un excellent endroit pour attraper des lapins.

« Ma chérie, ne le prive pas de la joie. » Mari crut presque entendre la voix de sa mère lorsqu'elle saisit le bâton de marche et commença à guider Rigel à travers le roncier. Elle se ressaisit.

Elle avait besoin de se concentrer sur la réalité. Rêver éveillé était dangereux. Elle devait réserver ses rêveries pour les moments où Rigel et elle étaient en sécurité dans leur lit et protégés par leur porte barrée.

Comme d'ordinaire, ils s'arrêtèrent à la limite des ronces. Mari scruta les alentours, tendit l'oreille et observa Rigel. Le canin flairait toujours le danger avant elle. Constatant qu'il ne montrait aucun signe d'inquiétude, Mari sorti du fourré, ouvrit grand les bras et lança : « Saute ! » Rigel bondit dans ses bras, et la jeune femme le déplaça afin que son poids repose principalement sur son épaule gauche, lui laissant la main et le bras droits libres.

– Tu commences vraiment à être lourd, remarqua-t-elle, ce qui lui valut un coup de langue affectueux. Ne fais pas ça ! Sinon je te lâche et tu t'écraseras comme une pastèque !

Lorsque le canin mit son museau humide contre son cou, elle faillit glousser. En grognant sous l'effort, elle s'accroupit pour ramasser le piège et se redressa avec difficulté.

– Sérieusement, Rigel. Je vais m'entraîner à te soulever dans la tanière. Te soulever, te poser, te soulever, te poser. Il faut que j'entretienne mes muscles, ou bien tu dois arrêter de manger et de grandir, solution assez improbable, je crois.

Mari pénétra dans le bouquet de genévriers rouges qui bordait la tanière, en refusant de réfléchir à ce qu'elle ferait lorsque Rigel, adulte, pèserait plus lourd qu'elle.

Le matin était toujours brumeux et frais, mais lorsqu'elle fut suffisamment loin de la tanière pour pouvoir poser Rigel par terre, Mari était essoufflée et en sueur.

– La frênaie est en bas de la colline, mais on doit d'abord monter pour pouvoir redescendre, déclara-t-elle en secouant la tête, avant de s'essuyer le visage avec le revers de sa manche.

La prochaine fois, je serai plus futée. Je te porterai assez loin de la tanière en *descendant* ; ensuite, on fera le tour et ainsi, on n'aura pas à monter beaucoup. Bon, c'est juste après le tournant sur le sentier, là-bas, et de l'autre côté de la crête.

Elle s'épongea de nouveau le visage et fit signe à Rigel de la suivre.

En chemin vers la frênaie, Mari s'entraîna à envoyer à Rigel des images d'actions qu'elle souhaitait qu'il accomplisse. La première, et la plus cruciale, était de se cacher. Depuis la mort de Léda, Rigel semblait réellement en comprendre l'importance. Il avait cessé de gambader de façon puérile, de mordiller et de creuser comme il le faisait auparavant lorsqu'il était censé se fondre en silence dans la forêt. Mari essaya de lui apprendre d'autres actions. Par exemple, elle l'imagina en train de s'allonger, lui envoya l'image qu'elle avait dessinée dans son esprit, et se réjouit lorsqu'il se mit aussitôt à plat ventre.

À partir de ce moment-là, Rigel se mit à faire tout ce que Mari dessinait dans son esprit, pourvu que cela la fasse sourire.

– Tu es un peu un maître-chanteur, commenta Mari en lui caressant la tête. Et je sais quel est ton objectif : tu essaies de me rendre heureuse, et je ne t'en aime que plus !

Elle l'embrassa sur le nez et le serra fort contre elle, en espérant que, pour lui, sinon proprement pour elle-même, un jour elle redeviendrait véritablement heureuse.

Au tournant du chemin, elle envoya machinalement à Rigel l'ordre de se cacher. Il plongea dans le feuillage, où il devint invisible, mais d'où il pouvait garder Mari dans son champ de vision.

La jeune femme dépassa la courbe ; elle s'apprêtait à rappeler le canin lorsqu'elle entendit une exclamation de soulagement au-dessus d'elle.

– Ah, te voilà !

Mari se figea et sonda les branches d'un imposant érable. Après moult bruissements et jurons, Sora descendit maladroitement de l'arbre.

– Enfin ! Ça fait des jours que je te cherche, déclara la jeune fille, en lançant un regard furieux à Mari, avant de lisser sa robe sale et d'enlever les feuilles de ses cheveux emmêlés.

– Je t'ai prévenue que si tu me suivais, je te tuerais.

– Je me souviens très bien de ce que tu m'as dit – c'était d'ailleurs très méchant –, c'est pourquoi je ne t'ai pas suivie. Mais je te pardonne.

– Je ne veux pas de ton pardon. Je ne veux rien de toi.

– Eh bien, moi, je veux quelque chose de toi ! rétorqua Sora avec colère.

Elle marqua une pause, tentant de se calmer, puis reprit, lentement et posément :

– Enfin, *nous* voulons quelque chose de toi.

– C'est hors de question.

Mari dépassa Sora en la bousculant, tout en jetant des coups d'œil furtifs aux broussailles où Rigel était caché. Elle vit uniquement la lueur de ses yeux ambrés.

Sora se plaça devant elle pour lui barrer le passage, et lui attrapa le poignet. Mari perçut le grondement d'avertissement sourd de Rigel. Elle se libéra en secouant le bras, et, s'efforçant de dissimuler son affolement, elle déclara d'une voix forte et précipitée :

– Au revoir, Sora. Je n'aiderai personne. Je pleure ma mère.

– C'est justement à cause d'elle que tu dois nous aider.

– Non, rien ne m'oblige à aider qui que ce soit.

– Le Clan a besoin de toi. Il devient fou, surtout les hommes. Sans une Femme Lune pour les purifier, la Fièvre Nocturne reste en eux, exactement comme elle colle à la peau des femmes, en les rendant chaque jour plus tristes.

– Tu n'as pas l'air si triste que ça, commenta Mari.

Puis, observant bien Sora, elle ajouta :

– N'empêche que je t'ai vue plus présentable.

– Ça, commença Sora, en désignant ses vêtements sales et ses cheveux ébouriffés, c'est parce que j'ai passé les cinq dernières nuits dans ce maudit arbre.

– Eh bien, je te suggère de rentrer chez toi.

– Je ne peux pas ! Je n'ai plus de chez-moi ! explosa Sora, avant de sangloter si fort que ses épaules en furent secouées. Les hommes savent où j'habite. Ils ont détruit ma tanière dans leur folie. Je... je n'ai nulle part où aller.

– Sora, je suis désolée pour ta tanière, mais je ne peux pas...

– Si, tu peux ! Toi seule es capable d'arranger les choses, de les faire redevenir comme avant.

– Je ne suis pas une Femme Lune, rappela Mari.

– Tu es ce qui s'en rapproche le plus, et le Clan n'a que ça.

– Alors, je vous plains.

Mari passa devant Sora et envoya à Rigel une image mentale dans laquelle il la suivait à l'écart du sentier, en silence, toujours caché. Sora la rattrapa à grandes enjambées et marcha à sa hauteur.

– Où vas-tu ? l'interrogea-t-elle.

– Ça ne te regarde pas. Et tu ne peux pas venir avec moi. Va où tu veux, mais surtout pas où je vais.

Mari s'arrêta un instant et se retourna vers l'érable.

– Au fait, pourquoi as-tu choisi cet endroit précisément ?

– Je te l'ai déjà dit. Je me cachais et je t'attendais.

– Mais pourquoi ici et pas ailleurs ? insista Mari.

– C'est ici que je t'avais vue pour la dernière fois, quand tu portais le corps de Léda. J'en ai déduit que ta tanière n'était pas loin. Donc, quand les hommes ont détruit ma maison, je suis revenue t'attendre ici.

– Sora, construis-toi une nouvelle tanière comme Léda te l'avait conseillé. Et entraîne-toi à invoquer la lune. Ma mère croyait en toi. Elle a vu ton pouvoir, et puisque tu n'as pas l'air folle – du moins, pas plus que d'habitude – ni déprimée, elle avait raison. Seules les Femmes Lune n'ont pas besoin d'être purifiées de la Fièvre Nocturne. C'est de toi que le Clan a besoin, pas de moi.

– Je ne sais pas comment faire ! Pourtant, j'essaie. Toutes les nuits ! Je sens l'énergie de la lune. Elle est froide. Elle m'effraie. Et je n'arrive pas à lui faire faire ce que je veux.

Mari soupira.

– Il faut que tu te concentres, et ça demande de l'entraînement. Beaucoup d'entraînement.

– Mais comment ? Je pense que je suis concentrée, et puis cette froideur me remplit ; alors, j'ai l'impression d'être passée à travers la couche de glace d'une mare gelée et de ne plus pouvoir remonter à la surface. On dirait que je me noie. C'est terrifiant.

– Je sais, approuva Mari en hochant la tête. J'ai éprouvé les mêmes sensations. Tu dois juste ne pas tenir compte du froid. Par exemple, tu imagines que la mare dégèle et qu'elle coule en toi.

– D'accord, j'essaierai ça. Et après ?

– Tu canalises cette énergie vers quelqu'un ou quelque chose d'autre.

– Tu voudras bien me montrer comment faire, ce soir ? S'il te plaît, Mari.

– Non, Sora. Tu devras y arriver toute seule. Je t'ai regardée, lors du dernier Rassemblement de la Pleine Lune. Au lieu d'observer attentivement ma mère, tu as préféré flirter avec Jaxom. Tu as eu tort.

Après une pause, Mari ajouta :

– Rappelle-toi, c'est toi que ma mère a choisie en premier pour lui succéder, pas moi.

– On sait tous que je suis son premier choix uniquement parce qu'il y a quelque chose qui cloche chez toi.

– Il n'y a rien qui cloche chez moi ! Je suis juste différente, c'est tout !

Mari s'aperçut soudain qu'elle criait et que cela lui faisait du bien d'exprimer tout haut ce qui la dérangeait depuis des années.

Cependant, devant la réaction de Sora, elle estima qu'elle aurait dû se taire.

– Différente ? Comment ça ? Je croyais que tu avais une santé fragile.

Sora étudia Mari attentivement et lui demanda :

– Qu'est-ce qu'ils ont, tes cheveux ?

Mari réprima l'envie de rabattre la capuche de sa cape sur sa tête.

– Rien du tout. Et les tiens, qu'est-ce qu'ils ont ? Ils sont dans un piteux état.

Posant les mains sur ses hanches rebondies, Sora répliqua :

– Mari, ça fait des jours que je vis cachée dans un arbre ! Tu as quoi comme excuse, toi ?

– Ma mère est morte, répondit Mari avec impassibilité, en s'éloignant.

– Attends, Mari ! Je suis désolée. Je ne voulais pas t'offenser.

– Cette conversation est terminée. Et je t'interdis de me suivre.

– Sinon quoi ? Tu me tueras ? Je ne pense pas que tu en sois capable.

Mari se retourna vers Sora et lui dit :

– Il n'y avait que deux personnes dont je me souciais dans ce monde : ma mère et Jenna. La première est morte. La seconde est encore plus mal. Je n'ai plus rien à perdre. Ne doute pas que je te tuerai.

Mari pressa le pas et envoya mentalement à Rigel une image dans laquelle elle annulait son ordre de se cacher.

Dès qu'elle eut dépassé le tournant du sentier et fut sortie du champ de vision de Sora, elle quitta le chemin et descendit la crête. Alors, Rigel surgit des broussailles et vint trottiner à ses côtés.

– Reste avec moi. On doit distancer Sora. Elle n'a jamais été très portée sur les efforts physiques. Elle ne nous rattrapera jamais, même si elle est assez stupide pour tenter de me suivre.

Mari serra son piège contre elle, et se mit à courir en décrivant un trajet sinueux. Il lui fut facile de se frayer un passage à travers la forêt familière. Elle pénétra alors dans la frênaie plantée à basse altitude par sa lisière sud, et s'effondra sur un lit de mousse, Rigel haletant près d'elle. Mari le caressa et le couvrit de baisers, en lui disant combien il avait été intelligent de rester si bien caché. Rigel gémit et la renifla partout, plus particulièrement là où Sora l'avait touchée.

– Ne t'inquiète pas, le rassura-t-elle. On n'aura plus rien à faire avec elle, ni avec le reste du Clan. Désormais, on est notre propre Clan. On n'a besoin de personne d'autre.

Ils se reposèrent pendant un petit moment, puis allèrent au ruisseau qui glougloutait dans la frênaie. Ils burent à longs traits ; ensuite, Mari se mit à chercher le meilleur endroit pour tendre son piège.

– Oui ! Je savais que je m'en souviendrais. Regarde, Rigel : du cresson de fontaine printanier ! Il y en a plein !

Tout excitée, Mari longea une partie du ruisseau au pas de course.

– Et tu as vu ça ? dit-elle, le doigt tendu, à Rigel qui jouait à lancer un bâton en l'air et à le rattraper. Il y a deux petites empreintes, l'une juste après l'autre, et deux plus grosses, côte à côte. Ce sont des pattes de lapin, à coup sûr. Et il y en plein ! C'est vraiment l'endroit idéal.

En fredonnant, Mari entreprit d'arracher des poignées d'herbes folles qu'elle frotta sur l'ensemble du piège dans l'espoir d'atténuer son odeur. Elle plaça ensuite le dispositif face au cresson, appuyé contre une rangée de mûriers.

Elle s'essuya les mains sur sa cape et appela Rigel, qui revint vers elle au galop, un bout de bois dans la gueule. Il s'arrêta en dérapant devant elle, s'assit et, remuant la queue avec enthousiasme, lui présenta le bâton.

– D'accord, je veux bien jouer, mais pas longtemps. On doit aller ramasser des champignons et toi, mon bon canin qui as du flair, tu vas m'aider à les trouver.

Mari prit le bâton et le lança de l'autre côté du ruisseau, de sorte que le canin soit obligé de sauter par-dessus. Il trouva facilement le morceau de bois, puis franchit à nouveau d'un bond le cours d'eau et revint s'asseoir devant elle.

La jeune femme l'observa. Il grandissait si vite ! Bien sûr, ses pattes paraissaient encore trop grandes pour son corps, et sa tête conservait son apparence juvénile, mais il devait peser entre vingt et vingt-cinq kilos, à en juger par les efforts que Mari devait fournir pour le porter. Elle le voyait changer, devenir un Berger majestueux et magnifique, intelligent et affectueux. Elle entrevoyait l'adulte qu'il deviendrait, et soudain, bouleversée par cette vision, elle se mit à genoux et l'attira dans ses bras.

– Je t'aime ! lui dit-elle. Je regrette qu'il n'y ait que moi, et de ne pas être la même que lorsque maman était en vie. Mais je vais faire plus d'efforts, Rigel. Je vais essayer de nous rendre heureux.

Le jeune Berger lâcha son bâton et monta sur les genoux de Mari. Puis il posa la tête sur son épaule, la submergeant d'un amour inconditionnel.

– Éloigne-toi d'elle, espèce de monstre ! fit la voix de Sora à travers la frênaie. Enfuis-toi, Mari ! Enfuis-toi !

Rigel réagit avant Mari. Il quitta ses genoux en virevoltant pour faire face à la jeune fille, qui venait vers lui en brandissant un bout de bois. Il recula vers Mari pour la protéger, retroussa les babines d'un air menaçant et gronda d'une voix grave et sourde. Il n'avait plus du tout l'air d'un jeune canin.

– Grande déesse ! Mari, ce monstre est à toi ? s'écria Sora d'une voix hystérique.

Ses yeux gris étaient presque sortis de leurs orbites. Elle lâcha son bâton et commença à reculer, mais Rigel gronda plus fort, et elle se figea.

Mari était hébétée. Elle s'exprima cependant d'une voix parfaitement normale :

– Ce n'est pas un monstre, mais il est à moi, et je suis à lui.

Sora posa ses yeux écarquillés tour à tour sur le canin et sur Mari.

– Nom d'une déesse ! Voilà ce qui cloche chez toi, comprit-elle. Tu es une Compagnonne !

22

— En fait, ce n'est pas exact, précisa Mari. Je suis seulement à moitié Compagnonne.

– Je… j'ai besoin de m'asseoir, dit Sora. Empêche-le de me dévorer.

– Il ne va pas te dévorer, assieds-toi lentement et n'essaie pas de t'enfuir.

– J'aimerais bien m'échapper, mais mes jambes sont paralysées.

Sora s'assit lourdement où elle était, incapable de détacher son regard de Rigel.

– Il est énorme, reprit-elle. Vise un peu ses dents ! Et ses yeux, ils sont toujours aussi exorbités ? Tu es sûre qu'il ne va pas me manger ?

– J'en suis certaine, assura Mari en caressant Rigel. Enfin, à moins que tu ne tentes de t'enfuir. Ou que tu n'essaies de me blesser. Dans ce cas, il te mordra, et ce sera avec ma bénédiction. Et puis ses yeux ne sont pas exorbités.

– Tu es toujours aussi désagréable ?

– Je ne suis pas désagréable, contesta Mari en fronçant les sourcils. C'est toi qui m'as suivie, alors que je te l'avais interdit.

– Et maintenant, j'en connais la véritable raison. Est-ce que Léda était au courant pour ce… ce…

Sora désigna Rigel d'un geste nerveux.

– C'est un canin. Un Berger. Il s'appelle Rigel. Et bien sûr que maman savait. Il habite avec nous.

Après avoir marqué une pause, Mari se reprit tristement :

– Enfin, maintenant, il n'habite plus qu'avec moi.

– Mais comment tout cela a-t-il bien pu arriver ? cria pratiquement Sora.

Lorsque Rigel se remit à gronder, elle pressa une main contre sa poitrine, comme pour empêcher son cœur d'exploser.

– Je ne supporte pas qu'il me regarde en montrant les dents et fasse ce bruit terrifiant.

– Alors, reste calme.

– C'est ce que j'essaie de faire ! hurla Sora, avant de pincer les lèvres.

Mari soupira.

– C'est un soulagement que quelqu'un soit enfin au courant. Depuis le jour où maman est morte, la vie n'est pas normale. Ta présence ici, le fait que tu me voies en compagnie de Rigel, ça ne fait qu'alimenter un peu plus le brasier qu'est ma vie, à présent.

– Comment cette chose t'a-t-elle trouvée ?

– Sora, ce n'est pas une « chose ». Appelle-le par son nom.

– Je suis désolée, mais c'est vraiment très bizarre, s'excusa Sora, avant d'inspirer profondément. Comment *Rigel* t'a-t-il trouvée ?

Sora avait recommencé à fixer le Berger, qui montra de nouveau les dents.

– Tu ne peux pas l'obliger à ne plus me faire ça ? demanda-t-elle à Mari.

– Si. Mais je ne suis pas sûre d'en avoir envie.

– Alors, je vais rester assise ici et continuer à être terrifiée, déclara Sora, en essayant de lisser ses cheveux.

– Ça me semble être une bonne idée.

Comme Mari n'en dit pas davantage, Sora émit un petit bruit exaspéré. Rigel inclina la tête et l'observa, l'air perplexe.

– Mari, tu vas répondre à ma question, oui ou non ?

– J'imagine que je n'ai pas le choix. La vérité, c'est que j'ignore comment Rigel m'a découverte. Il est arrivé à la tanière le soir du dernier Rassemblement de la Pleine Lune. Il était grièvement blessé. J'ai aidé maman à invoquer la lune, et je l'ai guéri. C'était la première fois que je réussissais à faire ça.

– Juste avant de mourir, Léda m'a dit qu'elle allait annoncer que tu serais bientôt son apprentie, toi aussi, parce que tu avais purifié Xander et Jenna.

– Je le sais. J'étais là, au Site de Rassemblement, cachée sous le saule avec Rigel.

– Tu les as donc réellement purifiés ?

– Oui. Maman n'aurait pas menti.

Sora fit *pff !* et répliqua :

– Léda a menti tout le temps à ton sujet ! Elle affirmait que tu étais fragile et que tu ne supportais pas la lumière du soleil.

– Elle ne mentait pas, elle me protégeait. Ce n'est pas la même chose.

Mari remonta la manche de sa cape et frotta son avant-bras sale contre la mousse qui tapissait le sol. Puis elle recula de quelques pas pour se placer sous un rayon blafard du soleil matinal qui avait réussi à transpercer le brouillard. Elle leva le bras, comme pour attraper l'astre du jour. Elle sentit aussitôt la chaleur lui picoter tout le corps. Puis elle montra à Sora la partie nettoyée de son avant-bras.

– Grande déesse ! souffla Sora, choquée. Tes yeux ! Ils flamboient. Et… et ton bras. C'est dégoûtant ! Et c'est quoi, ces trucs sur ta peau ?

– C'est ce qui se passe quand j'invoque la lumière du soleil, répondit Mari en baissant sa manche. Et ce n'est pas plus dégoûtant que d'invoquer la lumière de la lune.

– C'est insensé. Es-tu réellement la fille de Léda ?

– Bien sûr que oui ! rétorqua Mari en serrant les poings. Ne me repose jamais cette question !

Réagissant à l'emportement de Mari, Rigel gronda férocement et s'avança vers Sora avec un air menaçant. La jeune fille recula en glissant, ses talons creusant des sillons dans la mousse.

– Arrête-le ! s'écria Sora. J'ai dit ça sans penser à mal !

Mari fit des caresses apaisantes à Rigel et le rassura :

– Tout va bien. Ne la mords pas. Pas encore.

– Pas encore ? glapit Sora.

– Pas encore, confirma Mari.

– Hé, je suis sincèrement désolée. Je ne voulais pas vous contrarier, ni toi ni lui. J'essaie juste de comprendre.

Mari prit une profonde inspiration, puis s'assit lentement près de Rigel. Elle lui passa un bras autour du cou, mais plus pour le confort que pour le maîtriser. À moins que Sora n'attaquât Mari, Rigel ne ferait rien de plus que gronder en montrant les dents. Du moins, c'était ce que Mari pensait.

– D'accord, dit Mari. Pose-moi tes questions. J'y répondrai. Ensuite, on décidera quoi faire.

– Très bien. Un Compagnon a-t-il violé Léda ?

– Non ! Maman et mon père étaient amoureux.

– C'est impossible.

– Pourtant, me voici ; je suis la preuve que c'est possible.

– D'accord, alors si c'est vrai, où est ce Compagnon de père ? s'enquit Sora.

– Il est mort.

– Sans vouloir t'offenser, le fait que ton père soit mort me paraît bien pratique.

– Détrompe-toi. Si Galen n'était pas mort, maman, lui et moi, on serait partis d'ici et on aurait trouvé un endroit où vivre. Mais il a été tué par son propre peuple avant qu'on puisse s'enfuir.

– Comment tu le sais ?

– Maman m'a tout raconté : leur rencontre, leurs projets de départ, et comment Galen a été suivi par les membres de sa tribu et tué parce qu'il avait refusé de nous livrer à eux, ma mère et moi. Elle a assisté à la scène. Moi, je ne me souviens de rien, car je n'étais encore qu'un bébé. Mais maman, elle, se rappelait tout. Et ses souvenirs sont restés intacts jusqu'à son dernier jour.

Sora observa Mari en silence. Celle-ci remarqua un changement dans son regard.

– Quoi ? lui demanda-t-elle.

– Je ne m'attendais pas à trouver cette histoire triste, c'est tout, avoua Sora.

– Tu as d'autres questions ?

– Là, tout de suite, il n'y en a qu'une qui me vient à l'esprit. La vérité, c'est donc que tu t'es préparée toute ta vie à devenir une Femme Lune, et si Léda ne t'a pas choisie comme apprentie pour lui succéder, c'est uniquement à cause de ce canin, de tes yeux et de ta peau ?

– Il n'y a pas que ça. Mon visage aussi est différent, mais je le cache, révéla Mari en effleurant du bout des doigts son front et son nez. Pareil pour mes cheveux. Je les teins. Enfin, je les teignais. J'ai arrêté.

Elle grimaça de dégoût lorsqu'elle toucha sa crinière emmêlée.

Sora la considéra en plissant les yeux.

– Ils sont clairs, comme ceux des Compagnons, n'est-ce pas ? dit-elle.

– C'est ta dernière question ?

– Non, répondit Sora en fronçant les sourcils. C'est juste une observation, ponctuée d'une interrogation.

– Oui, ils sont clairs. Du moins, je le pense. Je ne les ai pas vus propres et au naturel depuis très longtemps.

– C'est pour ça que tu as toujours l'air si sale, commenta Sora, avant de lever les bras pour interrompre Mari. Et tu n'as pas répondu à ma première question ; en tout cas, pas complètement.

– Au début, maman ne m'a pas choisie parce que mes pouvoirs étaient trop imprévisibles. Ça a commencé à changer quand Rigel, grièvement blessé, est venu me trouver. Ensuite, j'ai invoqué la lune sans l'aide de maman et j'ai purifié Xander et Jenna, puis j'ai guéri Léda. Il n'empêche que j'ai été aussi surprise que vous quand elle vous a annoncé qu'elle me prenait comme apprentie en plus de toi.

– Tu ne le savais pas ?

– Non, confirma Mari en secouant la tête. On en avait parlé, mais d'après elle, ça aurait été trop difficile pour moi d'être séparée de Rigel.

– Pourquoi ? l'interrogea Sora en jetant un rapide coup d'œil au canin.

– On est liés. Ce n'est bon ni pour lui ni pour moi qu'on soit séparés.

Mari étreignit Rigel, qui frappait le sol de sa queue et lécha la jeune femme.

– Quand un canin choisit son Compagnon, c'est pour la vie.

– Grande déesse ! s'exclama Sora. C'est à cause de ce monstre que les Chasseurs ont attaqué le Rassemblement !

– Ne le traite pas de monstre ! Et ce n'est pas la faute de Rigel s'il est devenu une obsession pour un type qui n'a pas son propre canin.

– Mais j'ai raison, n'est-ce pas ? C'est lui que les Chasseurs pistaient, pas nous.

– Voilà une nouvelle question, alors que tu n'en avais plus qu'une à me poser. Je ne réponds plus. Il est temps que je réfléchisse à ce que je vais faire de toi.

– Facile ! s'exclama Sora avec un large sourire. Je vais aller vivre avec toi dans ta tanière.

Elle marqua une pause et son sourire s'évanouit lorsqu'elle considéra Rigel.

– Est-ce qu'il reste tout le temps à l'intérieur ?

– Sora, tu ne vas pas venir vivre avec nous. Et, oui, Rigel reste tout le temps près de moi.

– Alors, tu devras trouver une solution pour qu'il arrête de me montrer ses dents, et qu'il ne me morde pas.

– Il est absolument hors de question que tu viennes habiter avec Rigel et moi.

– Bon, je ne voulais pas en arriver là, mais tu ne me laisses pas le choix. Mari, si tu ne me laisses pas habiter avec toi, je révélerai à tout le Clan qui tu es ; je parlerai aussi de Rigel et je dirai que vous êtes responsables des dernières attaques des Compagnons. Ta tanière est cachée, mais combien de temps crois-tu qu'elle le restera si tout un Clan rendu fou par la Fièvre Nocturne se lance à tes trousses ?

– Je ne te laisserai pas faire ça, déclara Mari en se levant. D'ailleurs, tu ne bougeras pas d'ici.

Rigel se mit sur ses pattes et regarda Sora en grondant d'un air menaçant.

– Tu devras me tuer pour m'empêcher de partir d'ici, assura Sora. De toute façon, depuis le jour où tu m'as menacée, j'ai beaucoup réfléchi. On n'a jamais été amies, je ne te connais pas très bien, mais je ne pense pas que tu ferais du mal à une mouche.

– Peut-être, mais je ne peux pas en dire autant de Rigel, bluffa Mari.

– Pourtant, tu m'as assuré qu'il ne me mangerait pas.

– Je n'ai pas dit qu'il ne te tuerait pas, nuança Mari.

– Je suis prête à parier qu'il ne le fera pas. Oh, je le crois capable de me blesser, voire de me tuer, mais je pense que tu l'en empêcherais.

– Ah bon ? Et pourquoi ?

– Parce que tu es la fille de Léda et que tu vaux mieux que ça, affirma Sora. Écoute, Mari, ça pourrait être une bonne chose pour nous deux. Je ne resterai avec toi que le temps nécessaire pour que tu m'apprennes à invoquer la lune. Une fois que je serai une Femme Lune convenable pour le Clan, je m'en irai.

– Tu m'as dit que ta tanière était détruite, se souvint Mari.

– C'est la vérité. Aide-moi à en construire une. Je t'en prie. C'est là que j'irai habiter ensuite, et je prendrai soin du Clan. Toi, tu pourras t'occuper de ce que tu veux.

– Comment puis-je être certaine que tu ne me trahiras pas, que tu ne diras pas la vérité sur Rigel et moi au Clan ?

– Je ne te trahirai pas si tu ne me trahis pas. Tu seras la seule personne à connaître l'emplacement de ma nouvelle tanière. Si tu ne révèles mon secret à personne, je ne révélerai pas le tien.

Mari observa Sora pendant quelques instants.

– Il y a une chose que je ne comprends pas, avoua-t-elle. Pourquoi désires-tu tant être la Femme Lune du Clan ? Si tu penses que c'est un travail facile, tu te trompes. C'est dur, épuisant, et sans fin.

– J'en suis consciente. Ou, du moins, je suis consciente que Léda était une Femme Lune qui travaillait dur.

Sora s'empressa de lever les mains et poursuivit avant que Mari pût l'interrompre.

– Je respectais ta mère. C'était une grande Femme Lune. Moi, je ne me fais pas d'illusions sur ma grandeur. Je me contenterai d'être une bonne Femme Lune.

– Léda estimait qu'être Femme Lune était une vocation, une responsabilité, déclara Mari.

– Oui, je suis consciente de ça, aussi, approuva Sora en hochant la tête. J'ai entendu de nombreux sermons de Léda sur ce sujet en particulier.

Puis, haussant un sourcil, elle ajouta :

– Ne me dis pas qu'elle ne t'a pas sermonnée, toi aussi, sur cette question.

– Maman était passionnée par les dons que la déesse lui avait accordés. Tu aurais pu apprendre plein de choses auprès d'elle.

Mari se rendit compte qu'elle était sur la défensive, mais jamais elle n'avouerait à Sora qu'elle avait éprouvé du dédain pour le dévouement avec lequel sa mère avait servi le Clan.

– Oui, bien sûr, reconnut la jeune fille. Aujourd'hui, c'est de toi que je vais apprendre plein de choses. Je m'efforcerai d'être la meilleure apprentie possible, et toi, tu ne me feras pas la morale sur mes innombrables responsabilités envers le Clan, hein ?

– Aucun risque. Je me fiche du Clan. Je me soucie uniquement de Rigel, de moi, et de garder notre secret.

– Alors, on devrait bien s'entendre, conclut Sora gaiement.

– Tu ne m'as toujours pas expliqué pourquoi tu tenais tant à être une Femme Lune, alors que tu m'as clairement dit que tu n'avais pas la vocation de maman.

Sora ne répondit pas. Elle se mordilla la lèvre en évitant le regard de Mari.

– Écoute, tu n'as aucune chance que je t'accepte dans ma tanière si tu n'es pas totalement honnête avec moi, décréta Mari.

Lorsque les yeux gris de Sora rencontrèrent les siens, elle fut surprise d'y voir de la vulnérabilité.

– D'accord, c'est équitable, admit Sora.

Elle inspira à fond, expira et répondit d'un trait :

– Je souhaite être Femme Lune parce que je veux devenir si importante pour le Clan que personne ne m'abandonnera plus jamais.

Mari écarquilla les yeux ; elle n'était pas certaine d'avoir bien entendu. Elle dévisagea Sora, et lui trouva une mine triste et timide. Où était la jolie fille arrogante qui détestait travailler et n'avait de temps que pour les jeunes hommes du Clan ?

– Que personne ne t'abandonnera plus jamais ? Je ne comprends pas.

– Évidemment que tu ne comprends pas. Tu ne me connais même pas, soupira Sora. Mon père faisait partie du Clan des Meuniers. Il a rencontré ma mère à un Rassemblement de Commerce. Après qu'ils se sont mis en couple et que ma mère est tombée enceinte de moi, mon père est parti ; il est retourné dans son Clan. Dès que je suis née, ma mère l'a rejoint. Sans moi.

– Ta mère t'a abandonnée ? Comme ça, du jour au lendemain ?

Sora détourna le regard et hocha la tête.

– Oui. Et je ne veux plus qu'une chose pareille se reproduise. Personne n'abandonne une Femme Lune. Personne. Elle est trop importante, trop aimée.

– Oh, fit Mari, bouleversée. Je suis désolée.

– Tu comprends maintenant ? Je ne serai pas aussi douée que Léda, mais je prendrai soin du Clan.

– Et, en retour, il prendra soin de toi.

– C'est ce que j'espère, oui, dit Sora en hochant la tête. C'est vraiment tout ce que j'ai toujours souhaité.

– Je comprends.

Lentement, mais d'un air déterminé, Mari se leva et déclara :

– Tu peux emménager avec nous, mais on fera les choses à ma façon.

Le sourire de Sora illumina son visage.

– Ça me va, dit-elle. Je serai une bonne petite apprentie. Quand est-ce que je commence à invoquer la lune ?

– Ce soir, hélas, alors que je préférerais dormir. Mais, d'abord, tu vas m'aider à creuser et à chasser.

– Hein ? Mais pourquoi ? On n'a pas besoin de creuser ni de chasser pour invoquer la lune !

Sora jeta des regards dans la frênaie comme si Mari venait de lui demander de construire une tanière sur place, à partir de rien.

– Eh bien, primo, tu vas me dégoter la plus grande fougère qu'il y a dans les parages et l'arracher. On s'en servira ce soir quand tu t'entraîneras à invoquer la lune.

Mari coupa Sora avant même que sa question franchisse ses lèvres :

– Non ! Je ne vais pas t'expliquer pourquoi maintenant, reprit-elle. Secundo, tu vas m'aider à cueillir des champignons. Pour le dîner. Avant de devenir une véritable Femme Lune et qu'on te paie tribut, tu seras obligée de chasser, de creuser et de rechercher toi-même ta nourriture comme n'importe quelle autre femme du Clan.

Mari tapota la tête de Rigel et ajouta :

– Allez, mon gentil canin, va flairer des champignons pour que Sora puisse travailler ses aptitudes à la cueillette.

Sur ce, elle s'éloigna à grandes enjambées en direction du pin à écorce blanche sous lequel les champignons aimaient se cacher, tandis que Sora la suivait en traînant les pieds.

23

— Ce fourré de ronces est impressionnant, commenta Sora. Le trio se tenait devant l'une des ouvertures cachées du réseau de chemins qui serpentaient autour de la tanière de Mari.

– Combien de temps a-t-il fallu pour qu'il atteigne ces dimensions ? s'enquit Sora.

En gémissant sous l'effort, Mari posa Rigel à terre, puis saisit son bâton de marche afin d'écarter une épaisse branche épineuse. Rigel pénétra dans le roncier et Mari effaça les empreintes de ses pattes avec son pied.

– Je l'ai toujours connu comme ça, répondit-elle, mais il ne conserve cette apparence que grâce à un gros travail et une importante canalisation de l'énergie de la lune.

Fronçant les sourcils, Mari étudia les ronces de plus près. Léda n'était même pas encore partie depuis un cycle complet de la lune que déjà, la nouvelle pousse avait ralenti et certaines branches étaient clairsemées.

– Tu invoques la lune pour ces ronces ? s'étonna Sora.

– Tu ne connais pas grand-chose à la fonction de Femme Lune, hein ? répliqua Mari.

– Non. Léda est morte avant d'avoir pu commencer à me former.

– Je croyais que tu travaillais avec elle depuis un moment déjà.

Sora remua nerveusement et passa sur son autre bras la grande fougère que Mari lui avait demandé d'arracher, grimaçant devant les traces de terre qu'elle avait laissées sur sa peau et sa tunique aux couleurs vives.

– J'étais censée l'observer... tu sais, quand elle purifiait le Clan..., répondit-elle. J'admets que j'aurais pu être plus attentive, mais je ne me rappelle pas l'avoir vue faire quoi que ce soit avec des plantes. Enfin, s'empressa-t-elle d'ajouter, je sais que Léda utilisait des plantes pour guérir les maladies et soigner les blessures. Mais ce n'est pas la même chose qu'invoquer la lune pour une plante.

– En fait, si, c'est exactement pareil. Je te le prouverai dès que la lune se lèvera. Ce fourré a vraiment besoin d'être entretenu.

– Ah bon ? Il m'a l'air bien, pourtant, à moi.

Avec hésitation, elle toucha l'une des innombrables épines qui décourageaient toute intrusion, mais retira vite son doigt en poussant un petit cri aigu et le mit dans sa bouche.

– Qu'est-ce qu'elles sont pointues, ces épines ! s'exclama-t-elle.

Le regard soudain doux et perdu au loin, Mari dit :

– Lucioles et clair de lune. Maman affirmait que ces épines étaient faites de lucioles et de clair de lune.

– C'est bizarre. Pourquoi disait-elle ça ?

– Tu comprendras ce soir, répondit Mari en faisant signe à Sora d'entrer dans le fourré avec le canin. Allez, il va falloir que tu restes près de moi, comme Rigel. On a un autre bâton de marche. Tu finiras par apprendre les moyens d'entrer et de sortir du buisson, mais en attendant, ça va être assez déroutant, dangereux même, pour toi.

– Aïe ! s'écria soudain Sora, en plaquant sa main sur la longue et profonde égratignure qu'elle venait de se faire au bras.

– Voilà le but de ces ronces ! Et je t'ai conseillé de rester près de moi. Je dois écarter les branches pour vous laisser passer tous les deux.

– Je n'ai pas envie d'être trop collée à lui ! murmura Sora avec véhémence en pointant le doigt sur Rigel.

– Tu vas devoir t'y faire. Ne l'embête pas – ne m'embête pas – trop, et il te laissera tranquille, garantit Mari.

– Il est tellement grand. Et ses dents sont ridicules.

– Arrête de chuchoter. Rigel a une meilleure ouïe que nous et il comprend beaucoup plus de choses que tu le crois. Et puis, ses dents ne sont pas ridicules. Elles sont grosses et menaçantes. En grandissant, il va devenir de plus en plus impressionnant. Alors, tu as intérêt à t'habituer à lui et cesse de te comporter comme une Creuseuse idiote.

– Ne m'appelle pas comme ça ! s'indigna Sora.

Rigel la regarda d'un air mauvais en montrant les dents.

– Tu vois ! ajouta-t-elle en désignant le canin. On ne peut même pas avoir une conversation sans qu'il me menace.

Frustrée, Sora soupira. Elle poussa un nouveau petit cri perçant, car une mèche de ses cheveux s'était accrochée à une ronce.

Mari la libéra d'une secousse.

– Essaie d'avancer à la même allure que moi. Et maintenant, tu sais pourquoi j'ai toujours les cheveux tressés.

– Ce n'était pas le cas de Léda, rétorqua Sora obstinément, en se frottant le cuir chevelu.

– Léda était bien plus élégante que moi, et que toi, d'ailleurs. Bon, attention : on va prendre un virage serré à droite, et on tournera tout de suite à gauche. Ensuite, on commencera à monter en zigzag.

– Je peux poser cette fougère ? demanda Sora.

– Non, répondit Mari en écartant une autre branche de ronces. On est bientôt arrivés.

– Ainsi, même si quelqu'un croyait savoir où se trouve ta tanière, il ne pourrait pas franchir ce roncier, conclut Sora en passant prudemment devant Mari.

– C'est l'idée, en effet.

– Peut-on vraiment s'habituer à se déplacer parmi toutes ces ronces ? s'interrogea Sora, en levant les yeux vers le mur d'épines qui, telles les cloisons d'un labyrinthe antique, cachait presque totalement le ciel du soir.

– Elles nous protègent. Non seulement je m'y suis habituée, mais je les apprécie. Tu devrais, toi aussi.

– Oh, oui, je les trouve magnifiques ! C'est juste que je ne sais pas comment je vais créer la même chose aux alentours de ma future tanière.

« Moi non plus, songea Mari, mais je vais trouver une solution. Plus tôt ta tanière sera construite, plus tôt tu quitteras la mienne. »

– À gauche, ici, indiqua-t-elle. Ensuite on descend de cinq pas, on tourne à droite, on remonte de cinq pas, et on arrive.

– Enfin ! Je suis épuisée et affamée.

Sora faillit se heurter à Mari tandis qu'elle regardait, bouche bée, l'entrée de la tanière. Elle contourna la jeune femme en évitant soigneusement les épines et s'approcha de la statue de la déesse qui semblait soutenir l'épaisse porte en bois. Avec déférence, elle la toucha, rappelant ainsi Léda à Mari, l'espace d'un battement de cœur.

– Cette représentation de la déesse est magnifique, commenta Sora à voix basse. Qui l'a faite ?

– La mère de la mère de ma mère. C'était une artiste.

– Je serais très heureuse si la Terre Mère protégeait ma tanière, à moi aussi, confia Sora, avant de regarder par-dessus son épaule et de demander à Mari : tu sais sculpter de telles choses ?

Mari écarquilla les yeux, surprise par la question.

– Je ne sais pas, répondit-elle. Je n'ai jamais essayé. Moi, je... euh... je dessine.

Sora se tourna vers elle.

– Toi aussi, tu es une artiste, alors ?

– Oui, si on veut.

– Pourquoi personne dans le Clan ne le sait ? s'étonna Sora.

– Jenna est au courant.

– Jenna est une enfant. Pourquoi personne d'important ne le sait ?

– Maman le savait. Personne n'était plus important qu'elle.

Sora observa Mari pendant un long moment sans parler.

– Vous aviez beaucoup de secrets, toutes les deux, dit-elle enfin.

– On y était obligées.

– Je connais la Loi, mais crois-tu réellement que deux Femmes Lune auraient été bannies pour un évènement qui s'est passé il y a si longtemps ?

– Léda ne voulait pas courir le risque que je sois exclue du Clan.

– Léda était notre seule Femme Lune. On ne l'aurait pas chassée, affirma Sora d'un ton neutre. Et toi, si tu avais montré que tu étais précieuse au Clan, on ne t'aurait pas chassée non plus.

Elle marqua une pause et jeta un coup d'œil à Rigel avant d'ajouter :

– Je ne peux pas en dire autant pour lui…

Mari leva le menton et répondit :

– C'était pour me protéger que maman avait des secrets. Je protégerai Rigel de la même manière.

– Pendant combien de temps encore le porteras-tu pour arriver à ta tanière et en repartir ? s'enquit Sora.

– Aussi longtemps qu'il respirera, répondit Mari sans hésiter.

– Et quelle taille fera-t-il, adulte ?

– Je ne sais pas, mais peu importe. Je continuerai à le porter.

Sora secoua la tête tristement.

– Tu as choisi une vie difficile, Mari.

– Je ne l'ai pas choisie. Je suis tombée dedans en venant au monde, nuança Mari.

Elle passa devant Sora.

– Entre, je vais te montrer où tu dormiras pendant le peu de temps que tu seras ici. Oh, tu peux laisser cette fougère dehors.

– Je ne comprends pas pourquoi tu me l'as fait porter jusqu'ici.

– Tu comprendras tout à l'heure, affirma Mari d'une voix lasse. Bon, maintenant, fais semblant d'être une bonne apprentie et entre pour qu'on puisse manger et en finir.

– Tu n'es pas une tutrice très sympathique, lâcha Sora d'une voix geignarde qui tapait sur les nerfs de Mari.

Cette dernière contempla Rigel, qui leva les yeux sur elle. Ils soupirèrent en même temps, et la jeune femme chuchota à son jeune canin :

– Ce n'est pas étonnant ; je n'ai jamais envisagé d'être une tutrice…

– Ta tanière est adorable et propre. Je n'en reviens pas que ce soit toi qui aies fait ces magnifiques dessins !

– Vu la façon dont tu le dis, je n'ai pas l'impression d'entendre un compliment, rétorqua Mari en fronçant les sourcils.

– Tu ne peux pas me reprocher d'être abasourdie, répondit Sora en continuant à feuilleter la pile de dessins de Mari, comme s'ils l'hypnotisaient. Je n'en reviens pas non plus que tu possèdes ce talent et que tu ne l'aies pas fait savoir au Clan.

– Qu'est-ce que j'étais censée faire ? Lui dessiner des images ? J'ignorais que les membres du Clan avaient besoin de dessins au fusain...

– Tu es sarcastique, là, remarqua Sora, sans détacher son regard des croquis.

– En fait, non. J'ignorais réellement que quelqu'un pourrait s'intéresser à mes dessins, confia Mari en mélangeant le ragoût, auquel elle ajouta une poignée de champignons.

– Tu n'es jamais allée dans une autre tanière que la tienne ? l'interrogea Sora.

– Si. Je suis allée dans celle que Jenna partageait avec son père.

Sora émit un *pff*.

– Celle-là était à peine plus qu'un taudis d'homme, estima-t-elle. Tu n'es donc jamais allée dans aucune tanière de femme ?

Mari plongea son regard dans les yeux gris de son interlocutrice. Bien que ce ne fût pas un sujet agréable, elle trouva libérateur de pouvoir dire la vérité.

– J'avais à peine cinq hivers quand le motif coloré par le soleil a commencé à apparaître sous ma peau. Jusque-là, maman m'avait teint les cheveux, mais elle n'avait pas eu besoin de faire grand-chose d'autre pour cacher ce que je suis. À l'époque, j'allais partout avec elle. Enfin, pendant la journée. La nuit, je restais enfermée à clé ici.

– Toute seule ? Si petite ?

Mari hocha la tête.

– Je me souviens que je m'endormais près de la porte pour être sûre d'entendre maman frapper quand elle rentrerait à l'aube.

– Ça devait être difficile pour toi, et pour Léda, compatit Sora.

– Pas tant que ça. Maman et moi étions là l'une pour l'autre, et ça nous suffisait, assura Mari avant de se retourner vers le ragoût. Donc, si, je suis allée dans des tanières de femmes, mais j'étais trop jeune pour me rappeler grand-chose. À part qu'elles étaient très spacieuses et remplies d'objets insolites.

– Oui, comme des décorations artistiques : des sculptures, des tapisseries, par exemple. Je suis vraiment étonnée que Léda ne t'ait pas parlé de la beauté des tanières.

Sora promena son regard sur l'habitation aux allures de grotte.

– Je suis également surprise que tes murs ne soient pas décorés de peintures. Tu sais peindre, n'est-ce pas ?

– Bien sûr. Maman et moi avions envisagé que je peigne des paysages sur nos murs, mais on a finalement décidé de les tapisser de mousse phosphorescente et de champis-luisants pour avoir plus de lumière la nuit, pendant que je veillais en attendant son retour. Mais c'est moi qui ai peint ça, indiqua Mari en montrant la cheminée.

– Elles sont jolies, dit Sora en étudiant les fleurs bleues délicates qui paraissaient pousser sur le manteau.

– Ce sont des myosotis. Les fleurs préférées de maman.

– Tu es très douée. Tes talents seraient appréciés du Clan. Tes dessins seraient utiles pour apprendre aux enfants à lire et à écrire.

Mari éplucha une gousse d'ail et l'écrasa avec son poing. Puis elle la jeta dans le chaudron et coupa de la ciboule. Elle réfléchit à ce que Sora venait de dire, se demandant pourquoi Léda avait tenu à garder secret son talent. Elle savait que sa mère vivait dans la terreur qu'il soit découvert, et que Mari soit chassée du Clan. Ses inquiétudes étaient-elles fondées ? Pendant un instant, Mari imagina être appréciée par le Clan pour quelque chose qui lui était propre, et elle fut surprise par l'envie soudaine qui la submergea.

Rigel gémit et colla son corps chaud et robuste contre sa jambe. Elle le regarda en souriant.

– Tout va bien, le rassura-t-elle. Je réfléchissais juste à ce qui aurait pu être.

– Tu lui parles beaucoup, remarqua Sora.

– Il sait écouter.

– Tu te comportes comme s'il pouvait te comprendre.

– C'est le cas.

Lorsque Mari jeta un coup d'œil à Sora et ne vit dans son expression que de la curiosité, elle ajouta :

– Rigel et moi sommes liés pour la vie. Il m'a choisie pour que je sois sa Compagnonne. C'est plus qu'un simple titre. Je ressens ses émotions et il ressent les miennes. Quand je dessine une image dans mon esprit et que je la lui envoie mentalement, il comprend.

– Tu me fais marcher ? demanda Sora en arquant les sourcils.

– Non ! C'est la vérité.

– Tu peux me le prouver ? Par exemple, dessine dans ta tête l'image de Rigel qui va à la porte et qui s'allonge, proposa Sora.

– Facile.

Tout en continuant à remuer le ragoût, et sans regarder Rigel ni prononcer un seul mot, Mari se représenta l'image que Sora lui avait suggérée. Un ou deux battements de cœur plus tard, le Berger s'écarta de sa jambe, se rendit à pas feutrés devant la porte et s'étendit par terre.

– C'est incroyable ! commenta Sora. Crois-tu que tous les canins des Compagnons sont capables de faire ça ?

– Tous, je ne sais pas, mais le Berger de mon père faisait ce genre de choses. Maman me l'a dit.

– C'est ton père, ici, n'est-ce pas ? demanda Sora en levant le dessin représentant Galen, Orion, Léda et Mari bébé.

La jeune femme y jeta un coup d'œil, mais détourna vite le regard. Cela lui faisait mal de voir sa mère en dessin, très mal.

– Oui, confirma-t-elle. C'est Galen et son Berger, Orion, et maman et moi quand j'étais bébé.

– Le Berger n'est pas terminé, constata Sora.

– Avant que Rigel me trouve, je n'avais jamais vu un canin d'assez près pour pouvoir en dessiner un.

Sora s'assit lourdement sur la paillasse de Mari, qui devenait temporairement la sienne.

– C'est vraiment dingue, dit Sora.

– Quoi ?

– Eh bien, toi, ou plutôt tes origines familiales. Et lui.

Sora avança brusquement le menton en direction de Rigel, toujours allongé devant la porte, et qui regardait Mari avec des yeux ensommeillés.

– Son pelage est très épais et il a des couleurs étonnamment belles, reprit Sora. Il ferait une superbe cape, tu sais.

Mari virevolta, brandissant la louche telle une épée.

– Je t'interdis de parler de le dépouiller ! s'écria-t-elle.

Sora rit jusqu'à ce que les grondements d'avertissement de Rigel la fassent taire. Alors, elle s'éclaircit la voix, puis, les yeux encore pétillants, mais d'un ton faussement contrit, elle dit :

– Je n'étais pas sérieuse. C'était un compliment.

Mari et Rigel renâclèrent à l'unisson.

– C'est très étrange de voir combien vous êtes synchronisés, tous les deux, commenta Sora.

Mari versa dans la grande gamelle en bois de Rigel une louche de ragoût, à laquelle elle ajouta du lapin cru. Elle mit le récipient de côté afin qu'il refroidisse un peu pendant qu'elle servait Sora et elle-même. Puis elle donna son dîner au Berger, rejoignit Sora et prit une chaise pour s'asseoir près de la paillasse.

Sora testa le ragoût, hocha la tête et émit un petit son appréciateur. Puis, elle prit une deuxième bouchée et demanda :

– Tu n'as pas de pain frais ?

– Si tu en veux, n'hésite pas à en faire toi-même.

– Entendu. Mon pain est aussi léger que les nuages.

Mari grogna une fois de plus.

– Comme si tu savais cuisiner ! se moqua-t-elle.

– Je sais cuisiner. Et bien, figure-toi. Ce n'est pas parce que je n'aime pas fouiller dans la terre pour déterrer des trucs et que je déteste chasser que je ne sais pas comment transformer ce que les autres ramassent et chassent pour moi en mets délicieux.

Elle prit une autre cuillérée de ragoût, l'air songeur.

– Ce n'est pas mauvais, mais tu as mis trop d'ail et pas assez de sel, commenta-t-elle.

– Es-tu en train de critiquer mon ragoût ?

– Absolument pas. Je fais simplement une observation honnête. Demain, je cuisinerai. Tu verras. Tu as ce qu'il faut pour faire du pain ?

– Oui. Les ingrédients sont dans la réserve, au fond de la tanière.

Mari s'efforça de ne pas paraître trop intéressée, bien qu'elle salivât déjà à la simple pensée d'un pain aussi léger que les nuages.

– Maman faisait le pain et les gâteaux, moi, les ragoûts.

– Aux fourneaux, je peux tout faire. Si tu sais chasser et cueillir la nourriture, moi, je sais la cuisiner.

Quelle importance que Sora sût ou non trouver de quoi manger ? Cela simplifierait incontestablement la vie à Mari si elle faisait la cuisine.

– Marché conclu, annonça-t-elle.

– C'est vrai ?

– Affirmatif.

– Merci ! s'exclama Sora en reprenant une cuillérée de ragoût. Tu ne seras pas déçue.

Mari eut un rire sans joie.

– Je le suis depuis que tu m'as retrouvée sous cet arbre, lâcha-t-elle.

– Ça, c'est méchant, répliqua Sora, les yeux rivés sur son bol.

Mari haussa une épaule, surprise que le commentaire de Sora la mît mal à l'aise.

– J'étais franche, pas méchante. Je... je n'ai pas l'habitude de passer autant de temps avec quelqu'un d'autre que maman. Tu devrais peut-être arrêter d'être aussi sensible.

– Est-ce que tu as envie de changer ta façon d'être, toi ? l'interrogea Sora.

– Non. Pourquoi le devrais-je ?

– Je ne vais pas développer maintenant, ce serait trop long. Je dirai juste ceci : tu n'as pas envie de changer, moi non plus. Alors, au lieu de vouloir changer l'autre, essayons de nous accepter comme on est et tirons le meilleur parti de notre arrangement.

– Entendu, ça paraît raisonnable.

– Marché conclu, alors ?

– D'accord, accepta Mari.

Elles finirent leur ragoût en silence et, avec une feinte camaraderie, firent la vaisselle ensemble. Après le repas, Sora se mit à se frotter les bras, ce qui rappela d'une manière émouvante Léda à Mari.

La jeune femme ouvrit la fenêtre de la tanière orientée vers le ciel et constata, en effet, que la nuit était tombée. Après avoir pris une profonde inspiration, elle se tourna vers Sora et lui dit :

– Bon, il est l'heure de la leçon numéro un. Est-ce que tu connais l'écriture dans la terre ?

Assise sur la paillasse, Sora passait méticuleusement un peigne en bois dans ses longs cheveux.

– Non. Je n'en ai jamais entendu parler.

Mari soupira.

– Maman ne t'a rien appris, ou quoi ?

– Pourquoi ne pars-tu pas simplement du principe que je ne connais rien à la méthode pour invoquer la lune ?

Pendant quelques instants, Sora observa Mari, puis lui demanda :

– Pourquoi tu ne ressens rien au niveau de ta peau ? Il fait nuit.

– Je ne suis pas comme toi. Le coucher du soleil ne m'affecte pas, l'informa Mari.

– Pas du tout ? Ta peau ne te fait pas mal ?

– Non.

– Tu n'as aucune douleur, que tu sortes ou pas au clair de lune ? fit Sora, les yeux écarquillés de stupéfaction.

– Je te le répète : le coucher du soleil ne m'affecte pas. Le lever de la lune non plus, d'ailleurs. Bon, passons à l'écriture dans la terre.

– Attends, es-tu certaine de posséder le pouvoir d'invoquer la lune ? Je veux dire, comment est-ce possible si tu ne la sens pas sous ta peau ?

– Ce sera plus facile de te le prouver que de te l'expliquer.

Mari hésita, puis entra dans l'ancienne chambre de sa mère, devenue la sienne. Elle s'approcha de la pile ordonnée de vêtements de Léda et prit sa cape. Elle s'autorisa un bref instant à serrer l'étoffe multicolore contre elle et respira à plein nez le parfum de romarin et d'eau de rose de sa mère. Puis elle jeta la cape sur ses épaules et la noua avec soin. Elle prit ensuite deux gros bouquets de sauge séchée, qu'elle attacha ensemble à l'aide de bandes de tissu aux couleurs vives trouvées dans le panier de fournitures de Léda, et rejoignit Sora dans la pièce principale.

Elle s'arrêta pour prélever un charbon ardent dans la cheminée et le placer avec précaution dans une petite boîte d'amadou. Tandis qu'elle était penchée au-dessus du feu, Sora effleura de ses doigts la manche de la cape.

– Ce tissu est sublime.

Mari sursauta. Rigel leva la tête et transperça Sora de ses yeux ambrés.

– Du calme, vous deux, grommela Sora. J'appréciais Léda et je lui ai toujours envié cette cape. La teinture est ravissante, ainsi que les fleurs brodées sur la lisière.

– Merci. C'est moi qui la lui ai faite.

– Si c'est vrai, tu devrais te confectionner des habits. Sincèrement, rien ne t'oblige à porter des trucs aussi ternes. Moi, je pourrais t'aider avec tes cheveux.

Sora étudia Mari durant quelques secondes, avant d'ajouter :

– Enfin, je pense.

– Sora, je suis fatiguée. Triste. Et à bout de patience. Maintenant, suis-moi et essaie de te taire pendant un petit moment.

Mari alla ouvrir la porte et tendit à Sora son vieux bâton de marche.

– Tu vas commencer par écarter toi-même les ronces, lui indiqua-t-elle. Et rappelle-toi : il fait nuit. Même si on est cachées ici, tu dois faire attention à ce que tu dis et à ne pas parler trop fort. Comme maman n'est plus là, je ne sais pas du tout où les membres du Clan, enfin, plus particulièrement les *hommes* du Clan, sont la nuit.

– Moi, je le sais. Ils sont autour de ma charmante petite tanière en ruines, révéla Sora, la voix brisée. J'ai eu bien du mal à m'échapper.

Elle ramassa sa propre cape et fit la grimace en voyant qu'elle était toute tachée.

– Déesse ! C'est presque insupportable de ne pas avoir mes tuniques, mes robes et mes capes.

– Sora, concentre-toi. Tu es censée être mon apprentie ; tu devrais être en train de réfléchir à la façon d'invoquer la lune, pas à tes vêtements perdus.

– Mes vêtements ne sont pas perdus. Ils sont retenus en otages, marmonna Sora en brandissant son bâton avec maladresse.

Elle s'arrêta de l'autre côté de la porte et toucha délicatement la représentation de la Sublime Déesse.

– Hé ! fit Mari. N'oublie pas d'emporter la fougère.

En grognant, Sora balança l'immense feuille flétrie sur son épaule, ce qui fit tomber la terre de ses racines dans son dos. Avec une grimace, elle déclara :

– Quand je serai la Femme Lune du Clan, je ne me salirai plus jamais. Je suis sérieuse. Jamais !

Mari continua à avancer à grandes enjambées, et s'abstint de retenir une branche de ronces, qui retomba au-dessus du chemin. Rigel et elle échangèrent un regard amusé en entendant le cri étouffé qui retentit derrière eux.

24

— C'est ravissant ! chuchota Sora avec déférence. Personne ne devinerait jamais que c'est là. Puis-je m'approcher de la Terre Mère ?

Mari ne répondit pas. Elle venait de s'arrêter brusquement, alors qu'elle avait à peine fait un pas dans la clairière, et restait plantée sur place, le regard fixe.

– Mari ? Est-ce que ça va ?

Rigel gémit et lécha la main de sa Compagnonne avec anxiété.

– Ça va aller.

Mari caressa Rigel d'un air distrait, réconfortée par sa présence.

– Je n'en ai pas l'impression, estima Sora. On dirait que tu vas vomir.

– J'ai enterré maman ici, dans les bras de la Terre Mère, confia la jeune femme en regardant Sora. Je... je n'étais pas remontée ici depuis.

– Je suis désolée, Mari. J'aimerais offrir une prière à Léda.

– Ça la toucherait beaucoup.

Avant de pénétrer dans la clairière, Sora pressa la main de Mari un bref instant en lui disant :

– Je sais qu'on n'est pas amies, mais je suis sincèrement désolée pour ta mère.

Incapable d'articuler un mot, Mari hocha la tête. Sora s'avança, respira à fond et lança à Mari par-dessus son épaule :

– Ces fleurs sont incroyables ! Elles sentent le miel. Elles me disent quelque chose, mais je ne me souviens pas de leur nom. Qu'est-ce que c'est ? Et comment as-tu réussi à les faire pousser ici ?

– C'est du myosotis[1], ce que j'ai peint au-dessus de la cheminée, dans la tanière, l'informa Mari. Je ne l'ai pas planté.

Sora s'était arrêtée et retournée vers elle. Mari se pencha et effleura des doigts les délicates fleurs bleues que Rigel reniflait avec enthousiasme.

– D'habitude, il ne fleurit pas avant le milieu de l'été, et jamais à cet endroit.

– Elle l'a envoyé pour toi, affirma Sora.

– Comment sais-tu que c'est maman qui a fait ça ? s'étonna Mari en essuyant une larme.

– Pas Léda, rectifia Sora avant de désigner l'idole d'un signe de tête. C'est la Sublime Terre Mère qui te l'a envoyé.

– Est-ce qu'elle te parle ? s'enquit Mari en étudiant le visage serein de la statue.

– Pas avec des mots, mais je peux sentir la présence de la déesse. Tu l'entends, toi ?

– Non, avoua Mari tristement.

– Mais tu sens sa présence ?

Devant le silence de Mari, Sora lui sourit et dit :

– En tout cas, la déesse se soucie de toi, manifestement. Ce n'est pas rien, de t'avoir envoyé la fleur préférée de Léda.

Sora s'approcha de l'idole de la Terre Mère. Mari la regarda s'agenouiller, lever les mains et murmurer quelque chose.

---

1. Le myosotis est aussi appelé *ne m'oubliez pas*, ce qui est la traduction littérale de son nom en anglais : *forget-me-not*. (N.d.T.)

Mari fixa alors son regard sur le visage de la statue, tentant de s'ouvrir aux signes que la Sublime Terre Mère pourrait lui adresser. Puis elle chuchota :

– Si tu m'as bel et bien envoyé ces fleurs, merci. Je n'oublierai jamais maman. Cela reviendrait à cesser de respirer. Mais merci.

– Ah, ça va beaucoup mieux !

Sora s'était relevée et se tenait dans un bain de clair de lune, les bras tendus vers le ciel, la tête renversée en arrière. La teinte gris argenté qui avait commencé à envahir sa peau était partie et, lorsqu'elle se tourna vers Mari, elle souriait.

– Je suis prête pour ma première leçon.

– Sais-tu dans quelle direction est le nord ? la questionna Mari.

Sora inclina la tête, réfléchit. Puis elle pointa le doigt vers l'idole.

– Là, dit-elle.

– Exact. On commence au nord. Tu sais pourquoi ?

– Parce que c'est le lieu des débuts ?

– Oui. Mais aussi parce qu'on considère la Terre comme un être vivant, et que sa tête repose au nord.

– C'est logique, approuva Sora.

– Qu'as-tu fait de la fougère ?

– Elle est ici, indiqua Sora en la ramassant parmi les fleurs odorantes.

– Mets-la au centre de la clairière.

Pendant que Sora s'exécutait, Mari se plaça devant la déesse, ouvrit la boîte d'amadou et alluma les deux bouquets de sauge.

– Tiens, c'est pour toi, dit-elle à Sora, qui la rejoignit en vitesse et prit avec enthousiasme celui qu'elle lui offrait.

– Et maintenant ?

– Éloigne-toi de quelques pas pour qu'on ait la place de bouger.

– Comme ça ?

– Parfait. Bon, voici ce que m'a expliqué maman quand j'étais petite : la Lune a besoin de savoir qui sont ses Femmes, et, comme la Terre, la Lune apprécie la beauté. Alors, on va se présenter à la Lune en dansant sur la Terre, au clair de lune.

La mine nerveuse de Sora céda la place à un sourire heureux.

– C'est vrai ? Je me présente en tant que Femme Lune en dansant ?

– Absolument. Tes pieds vont tracer les lettres de ton nom, et tu tiendras le bouquet de sauge qui brûle. Sa fumée tournoiera autour de toi en décrivant le même motif que toi. Sais-tu pourquoi j'ai apporté de la sauge et non une autre herbe séchée ?

Sora fit tourbillonner le bouquet autour d'elle et toussa doucement.

– Parce qu'elle émet beaucoup de fumée ?

– Non, c'est une simple et belle coïncidence, je pense. Quand tu la manges, la sauge possède de grandes propriétés médicinales, surtout pour les femmes. L'huile extraite de ses feuilles guérit de nombreux maux. Et quand on la fait sécher et brûler, sa fumée nettoie. C'est bien pour les nouveaux débuts. Comme ce soir. La première fois que je me suis présentée à la Lune, maman m'a fait danser avec un bouquet de sauge semblable à celui-ci.

– Dois-je faire quelque chose de spécial quand je danserai, en plus de ce que tu m'as expliqué ?

« Maman, qu'est-ce que je fais pendant que je danse mon prénom ?

– Sois simplement pleine de joie, ma chérie. Montre à la Lune combien sa future Femme est heureuse de se présenter à elle en dansant. Danse dans toute la clairière, remplis-la de fumée, de rires et de ta beauté unique. »

Les paroles de Léda flottèrent avec la fumée autour de Mari. Celle-ci sourit malgré les larmes qui coulaient sur ses joues.

– Il suffit que tu sois heureuse, répondit-elle à Sora. Montre à la Lune à quel point tu es ravie d'être sa Femme. Et utilise toute la clairière pour danser. Remplis-la de fumée, de danse et de bonheur.

– D'accord. Quand est-ce que je commence ?

– En même temps que moi.

Mari leva son bouquet de sauge, puis, s'imaginant décrire un M, elle se mit à danser.

Elle eut du mal à se laisser aller. Plus de dix hivers avaient passé depuis qu'elle s'était présentée à la Lune. La fillette qu'elle était à l'époque pouffait de rire, tournoyait sur la terre féconde avec ses petits pieds nus et dansait avec sa maman dans la clairière. Au départ, ses mouvements furent difficiles, gauches, même. Cependant, à mesure que la clairière s'emplissait de tourbillons de fumée de sauge, et tandis que les rires essoufflés de Sora accompagnaient ses mouvements, Mari commença à être rassurée par le dessin familier de son prénom. Et par la clairière. C'était un endroit sûr ; chez elle, en quelque sorte. Un lieu à sa mère et elle, où elle était née, avait grandi, et où finalement elle avait enterré Léda. Lorsque ses pieds tracèrent les lettres imaginaires parmi les fleurs bleues, Mari sentit un frémissement l'envahir. Ce n'était pas de la joie, pas encore. C'était sa tristesse qu'elle extériorisait, certes de manière fugace et temporaire, mais suffisamment pour avoir envie d'écarter grand les bras. Et enfin, Mari dansa.

Soudain, un hurlement retentit au loin – sauvage et haineux –, brisant la tranquillité du lieu. Sora rejoignit Mari en courant et s'agrippa à sa main.

– Oh, déesse, non ! Ne les laisse pas m'attraper ! s'écria-t-elle.

Mari observa Rigel. Il était toujours allongé près de l'idole. Hormis ses oreilles dressées et son regard perçant qui fouillait le lointain, il semblait détendu, indifférent aux hurlements.

Mari sentit la tension dans ses épaules se relâcher.

– Ce n'est pas nous qu'ils menacent, dit-elle. Ils ne savent pas qu'on est ici, et même alors, ils ne pourraient pas franchir les ronces. Qui est-ce, d'ailleurs ?

– Les hommes du Clan. C'est à cause d'eux que je me suis cachée dans cet arbre.

Un nouveau hurlement provenant d'une autre direction couvrit le premier.

– Sais-tu où ils sont ? demanda Mari à Sora.

– Le premier, non. Le deuxième, j'ai l'impression qu'il est près de ma tanière. Ou ce qu'il en reste, nuança la jeune fille d'un air sombre.

Un troisième hurlement se fit entendre, plus proche que les précédents.

– Celui-là provient-il de la zone de l'érable où je me cachais ?

En dépit de l'obscurité, Mari vit que Sora avait blêmi.

– Tu comprends la gravité de la situation ? demanda la jeune fille à Mari.

– Bien sûr. Moi aussi, j'ai entendu des hurlements la nuit dernière, mais il m'a semblé qu'ils ne venaient que d'un seul homme.

– Eh bien, non, contesta Sora. Ils hurlent tous. Enfin, tous ceux qui sont encore vivants. Mari, je sais que tu te fiches du Clan, et je ne vais pas faire semblant d'être aussi honorable et aimante que l'était Léda, mais si personne ne les purifie bientôt de la Fièvre Nocturne, il n'y aura plus de Clan.

Mari observa Sora ; la jeune fille avait l'air très sérieuse.

– Tu pourrais purifier les hommes du Clan, suggéra Sora. Au moins jusqu'à ce que je termine ma formation.

– Non. Ils sont trop imprévisibles. Trop incontrôlables. S'il m'arrivait quelque chose, Rigel serait inconsolable. Je ne sais pas exactement ce qu'il ferait, mais je ne crois pas qu'il survivrait longtemps si je ne revenais pas.

– Et il compte plus pour toi que ton Clan.

Bien que la phrase de Sora fût une affirmation et non une question, Mari répondit :

– Oui, il compte plus pour moi que *ton* Clan. Ce Clan n'est pas le mien, Sora. Il ne l'a jamais été. La seule personne à laquelle j'étais liée, c'était maman.

Elle se détourna de Sora et se dirigea vers la fougère, qui attendait, triste et fanée, au centre de la clairière.

– Viens, dit-elle sans regarder la jeune fille. La leçon numéro un porte sur la guérison.

– La guérison ? répéta Sora en traînant les pieds derrière Mari. Mais ne devrais-tu pas juste m'apprendre à invoquer la lune pour purifier le Clan ? Je pourrai apprendre le reste plus tard.

– On fait les choses à ma façon – enfin, à la façon de Léda – ou on ne les fait pas, rétorqua Mari en déposant près de la fougère son bouquet de sauge qui fumait toujours.

Elle fit signe à Sora de l'imiter.

– Assieds-toi à côté de la fougère.

Avec un soupir, Sora obtempéra. Elle souleva l'une des frondes flétries et la lâcha. Levant les yeux vers Mari, elle dit :

– Elle est mal en point.

– Oui. Tu vas utiliser le pouvoir de la lune pour la guérir.

– Pourquoi ? demanda Sora.

– Parce qu'une Femme Lune fait bien plus que purifier son peuple de la Fièvre Nocturne. C'est une accoucheuse. Une guérisseuse. Une herboriste, une thérapeute, une sauveuse et parfois même celle qui accompagne vers la mort ceux qui ne peuvent pas être sauvés.

– Ah ! C'est la description de Léda, ça, commenta Sora.

– Je vais t'enseigner ce qu'elle m'a enseigné. Ensuite, tu pourras décider quel genre de Femme Lune tu veux être. Maintenant, prépare-toi.

Soudain, il y eut une explosion de cris d'hommes lointains et haineux tels des loups enragés qui hurlaient leur colère à la lune.

– Je ne peux pas me concentrer avec *ça*, se plaignit Sora. C'est horrible !

– Tu n'as pas le choix. Comment seront les hommes du Clan, à ton avis, quand ils iront te voir ? Et je ne parle pas juste de la première fois. Mais de *toutes les fois*. J'ai purifié Xander une deuxième nuit – alors que normalement, il s'écoule trois jours entre chaque purification – et il était déjà en train de se transformer en monstre sous mes yeux. Sora, il faut que tu sois capable de te concentrer au milieu du chaos, du danger et de la peur. Sinon ils te blesseront, ou ils te tueront. Je te le garantis.

– Comment as-tu réussi, toi ? Comment as-tu surmonté ta peur ? s'enquit Sora, les yeux écarquillés et remplis de larmes.

– J'ai dessiné mentalement la scène que je voulais voir se produire.

– Mais je ne suis pas une artiste, moi ! Ta technique ne me parle pas.

– Elle te parlerait peut-être si tu voulais bien m'écouter. Quand je dessine, je rends réel ce que j'imagine. Je ne l'ai compris que tout récemment, mais je pense que c'est ce que fait chaque Femme Lune. Elle se représente le pouvoir de la lune qui la traverse pour aller se concentrer dans d'autres personnes, et son imagination est si formidable, si réelle à ses yeux, que la lune exécute sa volonté. Donc, tu dois trouver un moyen de rendre réel ce que tu imagines.

Sora se mordilla la lèvre inférieure.

– Je ne sais pas du tout comment faire.

– Eh bien, essayons et voyons ce qui se passe. Au moins, tu auras un point de départ.

Sora approuvait d'un signe de tête lorsqu'une nouvelle série de hurlements résonna dans la nuit.

– Ces cris sont de plus en plus terrifiants, estima Sora.

– Ils sont très rapprochés. C'est mauvais signe. Je croyais que les hommes sortaient toujours seuls, la nuit ; du moins s'ils n'ont pas été purifiés.

– C'est tout un groupe d'hommes qui a attaqué ma tanière. Et ça s'est passé pendant la journée. Selon moi, ils voyagent ensemble, conclut Sora d'une voix effrayée.

– Ils ne nous trouveront pas ici. On est en sécurité. Tu es en sécurité, affirma Mari.

Sora leva le menton et déclara :

– Je suis prête.

– Bien. D'abord, ancre-toi. Pour ça, le plus facile, c'est de ralentir ta respiration. Respire avec moi en comptant jusqu'à six. Commence par inspirer : un, deux, trois, quatre, cinq, six, dit Mari d'une voix essoufflée. Retiens ton souffle sur un temps, puis expire sur six temps.

Mari compta en observant Sora. Cette dernière suivait ses instructions, mais sans intérêt particulier. « Maman, qu'est-ce que je dois faire ? » Tout en continuant à compter pour Sora, Mari fouilla dans ses souvenirs. « Comment l'amener à s'ancrer véritablement ? »

Soudain, comme une tourterelle triste s'envole dans le ciel, les paroles de Léda s'élevèrent de la mémoire de Mari.

« Ma chérie, faites-vous confiance, à toi et à la Sublime Terre Mère. Tu es plus sage que tu le crois, et la déesse est infiniment compatissante. » Mari reporta son regard sur l'idole, dans l'espoir que la déesse fasse preuve de compassion et la conseille.

Tout à coup, la jeune femme écarquilla les yeux de surprise. Certes, la déesse ne lui parlait pas, ne lui permettait pas de sentir sa présence. Mais, Sora, elle, la sentait ; elle l'avait dit. Mari avait sa réponse.

– Sora, tourne-toi face à la Terre Mère.

Sora la regarda en clignant des yeux.

– On a fini la respiration ? l'interrogea-t-elle.

– Non, pas tout à fait, mais j'ai une idée. Assieds-toi face à l'idole. Très bien... Cette fois-ci, en respirant avec moi, concentre-toi sur la Terre Mère. Sens sa présence remplir la clairière. Elle est dans le doux vent de la nuit. Son souffle a l'odeur suave des fleurs qui nous entourent. Elle est vêtue de terre et voilée de nuit. Elle est partout.

Mari constata tout de suite une différence chez Sora. Ses épaules se détendirent. Son front perdit les rides qui le sillonnaient à peine quelques secondes plus tôt. Elle sembla se fondre dans l'herbe tandis qu'elle respirait profondément, avec aisance, les yeux braqués sur la Terre Mère.

– À présent, reprends une respiration normale, tout en restant concentrée sur la déesse. Donne-moi ta main.

Sans rien dire, Sora obéit.

– Pose l'autre sur la fougère, indiqua Mari.

Sora s'exécuta.

De nouveaux hurlements déchirèrent la nuit, et elle serra plus fort la main de Mari.

– Concentre-toi, s'empressa de lui répéter celle-ci, qui se rappela les paroles de sa mère. Puise de la sérénité dans la Terre

Mère. Tu es peut-être affligée du chaos, de la maladie ou de blessures, mais trouve ton vrai moi dans ton être profond. Évacue ce qui appartient au monde – les peurs, l'inquiétude, la tristesse – afin que le clair de lune argenté puisse te traverser et te purifier. La nuit, il ressemble à une cascade. Et ce soir, la fougère est la vasque qui doit le recevoir. Pense à la fougère. Imagine-la remplie de vie, intacte et vigoureuse.

Sora relâcha la main de Mari, puis annonça doucement :

– Je suis prête.

– Parfait. Tu te débrouilles bien. Quand je vais commencer l'invocation, je veux que tu répètes les phrases en pensant que le clair de lune me traverse, te traverse en nous purifiant et inonde la fougère.

– D'accord.

Lorsque Mari commença l'invocation rituelle, elle eut l'impression que Léda était à ses côtés, lui souriait avec fierté et chuchotait tendrement dans son oreille.

Femme Lune je proclame que je suis
Avec mes grands dons, je me présente à toi.

Sora prononça ces mots d'une petite voix douce, mais à mesure qu'elle répétait les phrases suivantes, son intonation prit peu à peu de l'assurance, et devint tout à fait confiante.

Terre Mère, de ta vue magique aide-moi
Sous cette lune, ta force donne-moi.
Lumièr' d'argent, remplis-moi plus qu'entièr'ment
Ainsi ta guérison, les miens connaîtront.
En vertu de mon sang et de ma naissance

Je te prie de vers moi canaliser
Ce que la Terre Mère proclame ma destinée !

Mari leva une main, ferma les yeux et dessina dans son esprit une scène où le clair de lune coulait en cascade à travers elle et Sora. L'énergie froide argentée se mit à pleuvoir sur Mari et tourbillonna dans son corps. Pas en lui causant la douleur glaciale piquante qu'elle lui donnait auparavant. Avec une force, certes encore étrangère à elle, mais suffisamment réelle pour qu'elle pût compter dessus, l'attirer, la canaliser puis la transmettre à Sora.

– Oh ! C'est si froid ! haleta celle-ci, en tentant de lâcher la main de Mari.

– C'est parce que tu ne dois pas garder cette énergie. Tu n'en as pas besoin. Tu es déjà purifiée. Pense à la fougère. Concentre-toi, Sora !

– J'essaie, mais ça fait mal !

– Tu peux supprimer ta douleur, mais pour ça, tu dois libérer l'énergie. Pense à la fougère. Imagine que le clair de lune, c'est de l'eau, et que tu peux la canaliser en toi et la faire pleuvoir sur cette plante.

– C'est... c'est t-trop dur ! se plaignit Sora en claquant des dents.

Mari pressa davantage sa main et employa un ton plus sévère :

– Si j'y arrive, tu peux y arriver aussi. Essaie encore !

Sora fronça les sourcils. Elle se voûta sous l'effort. Des perles de sueur parsemaient son front. La main qu'elle posa sur la fougère tremblait, mais, juste au moment où Mari envisageait d'arrêter l'exercice, les frondes flétries se redressèrent et s'épanouirent.

– Oh ! souffla Sora. Ça marche ! J'invoque la lune !

Aussitôt, elle relâcha sa concentration. Elle fut prise d'une affreuse convulsion, et arracha sa main de celle de Mari, tomba à quatre pattes et vomit le ragoût de lapin près de la fougère à demi guérie.

– Ce n'est pas grave. Ce désagrément ne va pas durer longtemps, la rassura Mari en lui tenant les cheveux pour qu'elle ne les salisse pas.

Sora tremblait.

– C'était horrible, confia-t-elle entre deux haut-le-cœur. Mais ensuite, c'était mieux. Puis de nouveau affreux.

– Oui, je sais. J'ai connu ça.

– Alors, je ne me suis pas trop mal débrouillée ?

– Tu t'es très, très bien débrouillée. Tu as fait mieux que moi quand j'ai essayé pour la première fois.

Mari prit une profonde inspiration et dit à Sora la vérité :

– Tu es douée. Un jour, tu seras une Femme Lune puissante. Maman a eu raison de te choisir comme apprentie.

– Sincèrement ?

– Sincèrement, confirma Mari en hochant la tête.

– Ce que tu viens de me dire était presque amical, commenta Sora avec un sourire de bonheur.

– Hé ! Ne me fais pas regretter d'avoir été honnête avec toi, répliqua Mari en se levant.

– Attends, dit Sora en lui attrapant la main. Ne le prends pas mal. Ce que j'aurais dû te dire, c'est « merci ».

– De rien, répondit Mari en lisant la sincérité dans le regard clair de Sora. Maintenant, plante ta fougère et allons nous coucher. Je n'ai plus l'habitude de veiller toute la nuit.

– Que je plante ma fougère ? Où ?

– Où tu voudras. Tu l'as sauvée. Elle est à toi.

– C'est ça, la règle ? fit Sora avec un sourire encore plus radieux. Si on sauve une personne ou une chose, elle nous appartient, ensuite ?

Mari ouvrait la bouche pour conseiller à Sora de ne pas s'emballer, lorsqu'une vague de hurlements déferla autour d'elles, emplissant la nuit de sons de folie inhumains. Peu à peu, ces cris terrifiants s'unirent pour former deux mots que les hommes se mirent à hurler encore et encore.

– *FEMME LUNE ! FEMME LUNE ! FEMME LUNE !*

– Oh, déesse ! Où sont-ils ? Ils semblent si proches !

Sora se recroquevilla sur elle-même, les genoux ramenés contre sa poitrine, et se balança d'avant en arrière.

Prise d'horribles frissons, Mari se tourna vers Rigel. Il s'était levé et inclinait la tête, comme s'il essayait de deviner à quelle distance les hommes se trouvaient. Mais les poils de son cou n'étaient pas hérissés, signe que le danger n'était pas proche. Il trottina jusqu'à Mari et s'appuya contre sa jambe. La jeune femme fut tout de suite remplie de confiance, rassurée. Elle l'embrassa sur le museau.

– Que va-t-on faire ? demanda Sora d'une voix apeurée.

– Ces hommes ne sont pas une menace pour nous ce soir. Du moins, pas si on reste ici, dans le roncier. Je vais faire ce que quatre générations de Femmes Lune ont fait avant moi. Je vais canaliser l'énergie de la lune vers le fourré pour être certaine qu'il nous protège.

– As-tu besoin de mon aide ? proposa Sora, hésitante.

Mari lui jeta un coup d'œil. Pâle, en sueur, la jeune fille paraissait épuisée.

– Non. Tu en as assez fait pour ce soir. Je vais m'occuper des ronces. Toi, prends soin de la fougère.

Puis, oubliant qu'elle n'avait encore jamais utilisé seule son pouvoir sur le roncier, elle courut vers la figure de la Terre Mère. Alors, ainsi qu'elle avait vu sa mère le faire à d'innombrables reprises, elle se tint devant l'idole et leva les bras, les paumes face au ciel, comme pour recueillir la lumière argentée de la lune. Elle ferma les yeux et contrôla sa respiration. Elle inspira en six temps, puis expira de même. Elle répéta ce schéma jusqu'à ce que son cœur ne cogne plus dans sa poitrine et que les hurlements des hommes du Clan deviennent aussi indistincts que le vent qui traversait difficilement le roncier.

Au début de l'invocation, les paroles de Mari firent écho à celles de Léda ; cependant, c'étaient les siennes propres, uniques, qui venaient du fond de son cœur. La jeune femme dessina en imagination un magnifique tableau dans lequel les rayons argentés d'énergie se transformaient en de longues et épaisses cordes sur son roncier bien-aimé, jusqu'à ce que les branches de ce dernier poussent, grossissent, et que ses épines tranchantes comme des épées se multiplient et s'étendent, créant ainsi une barrière infranchissable.

Puisque ma mère n'est plus,
Je suis seule devant toi.
Ta protection accorde-moi.
Que ton puissant clair de lune
Fasse grossir les branches et les épines.
En vertu de mon sang et de ma naissance
Je te prie de vers moi canaliser
Ce que la Terre Mère proclame ma destinée !

L'énergie froide afflua dans ses paumes avec une telle intensité que Mari dut serrer les dents pour ne pas crier. Elle faillit perdre sa concentration, mais s'agrippa à son image mentale en se répétant intérieurement : « Je suis juste un canal… Je suis juste un canal. » Elle ouvrit grand les bras et se débarrassa de l'énergie froide en l'envoyant dans le roncier.

Une pensée la frappa avec une telle force qu'elle faillit en tomber à genoux : « Le pouvoir de la lune m'a traversée et a touché les plantes autour de moi comme un feu de forêt... »

Comme le feu du soleil. Cette sensation était si similaire ! Sauf que le clair de lune était froid et qu'il guérissait. La lumière de l'astre diurne – que le chagrin et le désespoir l'avaient conduite à canaliser le jour de la mort de Léda – était chaude et destructrice.

« En canalisant la lumière du soleil, j'ai incendié la forêt ! »

C'est à ce moment-là que Mari commença à se demander non pas *qui* elle était, mais *ce qu'*elle était.

En entendant l'exclamation de surprise de Sora derrière elle, elle rouvrit lentement les yeux, en conservant l'image dans son esprit. Tout autour d'elle, les ronces étincelaient d'une lumière argentée. Toutes les épines scintillaient, telles des lucioles, tandis qu'elles grossissaient, s'allongeaient, se fortifiaient.

– C'est exactement comme lorsque maman attirait la lune, murmura-t-elle.

Puis, tout s'arrêta aussi vite que cela avait commencé, et le fourré reprit son rôle de protecteur en se fondant de nouveau dans les ténèbres.

Mari dévisagea l'idole. Celle-ci était aussi sereine que d'ordinaire. La jeune femme tendit l'oreille et s'ouvrit complètement.

Rien. Elle ne sentait rien. Pas le moindre signe de la présence de la déesse. L'esprit agité, elle appela Rigel et, en attendant que Sora finisse de planter la fougère, elle trouva du réconfort dans l'amour inconditionnel que lui portait son Compagnon.

25

Œil Mort était LA divinité. Bien sûr, le Peuple l'appelait le Champion – ou plutôt *certaines personnes* l'appelaient le Champion. D'autres le désignaient encore respectueusement par le terme de Moissonneur. Il y avait aussi ceux qui l'évitaient totalement, et choisissaient de répandre des rumeurs et la discorde dans son dos. Les dissidents agissaient par confusion et par colère. Ils avaient l'habitude de rendre un culte à une divinité morte, à qui de vieilles femmes égoïstes prêtaient une voix factice. Œil Mort savait quels changements il devait effectuer afin que les membres du Peuple méritant d'être sauvés, et lui-même, puissent entrer dans une nouvelle ère.

Sa première mesure fut de purger le temple.

Le Temple de la Faucheuse se situait au centre de la Ville en ruines. C'était un bâtiment remarquable, comme il convenait pour accueillir une divinité. Tous les édifices voisins s'étaient écroulés sous le poids des années, mais le temple, lui, était encore debout. Il restait même quelques vitres à ses fenêtres. Son enveloppe extérieure aussi était unique. C'était un assemblage de tuiles vertes lisses, de longues bandes verticales métalliques rouges, de verre brisé et de pierre couleur crème.

La statue que le Peuple appelait la Divinité Faucheuse était perchée au-dessus de l'entrée couverte de l'édifice, qu'elle surveillait majestueusement du haut de ses quinze mètres. Œil Mort leva les yeux vers la statue, caressant du bout des doigts, d'un air pensif, la cicatrice en forme de trident qu'il avait au bras. Lorsqu'ils se plantèrent dans le regard froid et fixe de la Faucheuse, Œil Mort fut surpris de constater qu'une partie de lui désirait encore qu'elle lui parle, fût-ce pour le faucher parce qu'il essayait de prendre sa place.

Mais elle ne fit rien. Ce n'était pas une divinité. Ce n'était qu'une splendide statue vide.

Oui, Œil Mort savait ce qu'il devait faire.

Il s'agissait d'un travail sale, dégoûtant. Il avait tué plusieurs Observatrices inutiles le soir où il avait annoncé au Peuple qu'il était le Champion élu de la Faucheuse ; mais à l'intérieur du temple vivait un nid de vieilles femmes exécrables qui tétaient les mamelles du Peuple depuis des générations et des générations.

Œil Mort pénétra dans le temple, et grimaça à cause de l'odeur fétide qui y régnait. Sa vue s'adapta rapidement à la faible lumière du jour qui filtrait timidement à travers les fenêtres cassées. Puis il se dirigea vers l'escalier conduisant au balcon de la divinité et, au-delà, à la chambre où logeaient les Observatrices.

Il se rappelait à quoi la Chambre des Observatrices ressemblait lorsque les Gardiennes l'y avaient amené, quand il était plus jeune, pour le présenter à la divinité. À cette époque, elle était effrayante, splendide et mystérieuse.

Cependant, la pièce dans laquelle il pénétrait aujourd'hui ne présentait presque aucune similitude avec celle de ses souvenirs.

Seuls deux feux y brûlaient. Les autres pots métalliques étaient éteints et remplis de vieilles cendres. Les lianes servant de rideaux n'avaient pas été taillées ni entretenues. Elles paraissaient pleuvoir du plafond et former des vagues de végétation qui menaçaient de noyer les paillasses crasseuses où gisaient les corps endormis des Observatrices. Des tas d'ossements étaient éparpillés tout autour de la pièce. Ils n'avaient pas été nettoyés. Ni disposés de manière plaisante à la vue. Des mouches bourdonnaient avec agitation en allant d'une pile d'os à une autre.

Œil Mort promena un regard dégoûté dans la chambre. Il sentit sa colère commencer à bouillir, et monter, monter, monter…

– Tu n'as pas le droit d'entrer ! dit d'une voix rauque une vieille femme qui s'extirpa d'une paillasse, avant de s'avancer vers lui en boitant. Cette Chambre est consacrée à notre Faucheuse !

Œil Mort baissa la tête et lança un regard furieux et écœuré à la femme.

– Elle est sacrée, en effet ; c'est pourquoi je vais y mettre de l'ordre, déclara-t-il.

Sur ce, il leva son poignard à trois pointes, et commença le travail qui, selon lui, était le plus bénéfique au Peuple. Les Observatrices tentèrent de lui échapper, mais elles étaient faibles, vieilles et malades. Œil Mort ne prit aucun plaisir à les tuer. Il s'agissait d'une simple réduction de la population. Plus vite ce serait fait, mieux cela vaudrait.

– Les tuer toutes. Purger la Chambre de la Divinité. C'est la seule solution.

Il lançait leurs corps par-dessus le balcon de la Faucheuse lorsqu'une voix s'éleva derrière lui. Elle était si musicale, si belle, si forte qu'il crut que c'était la divinité qui, enfin, *enfin*, lui parlait. Il virevolta, tomba à genoux près de la statue colossale et pencha la tête dans une attitude de supplication.

– Je ferai toujours comme tu l'ordonnes, ma Faucheuse, promit-il.

– Alors, on sera toujours d'accord.

La voix ne provenait pas de la statue, mais de la Chambre des Observatrices.

Œil Mort releva brusquement la tête. Une femme se tenait au centre de la pièce ensanglantée. En un éclair, il se remit debout. Tournant le dos à la statue métallique, il fit face à l'intruse en brandissant son trident.

La femme avança d'un pas, et son visage fut éclairé par la lueur des flammes de l'un des braseros.

C'était une jeune fille au corps souple, avec de longs cheveux châtains épais qui lui tombaient dans le creux des reins, vêtue comme une Observatrice : seins et pieds nus. Elle portait une jupe toute simple décorée d'une frange confectionnée à l'aide des cheveux des Autres. Lorsque le regard d'Œil Mort passa de son corps à son visage, il ressentit des frissons d'horreur.

Là où la fille aurait dû avoir des yeux, il n'y avait que des renfoncements sombres qui évoquaient des grottes ; alors que, par ailleurs, son visage était lisse et joli.

– Qui es-tu ? s'enquit Œil Mort afin de gagner du temps et de mettre de l'ordre dans ses pensées.

Bien qu'il ne l'eût jamais rencontrée, il connaissait son nom. Tous les membres du Peuple connaissaient l'aveugle. À sa naissance, seize hivers plus tôt, elle avait été amenée en sacrifice à la divinité, mais les Observatrices l'avaient épargnée.

– Je suis Colombe, se présenta-t-elle en inclinant la tête de côté. Mais tu le sais déjà. En revanche, voici quelque chose que tu ignores, Champion. La divinité m'a appelée pour être ton oracle.

Œil Mort la fixa pendant un moment encore, puis fut incapable de se contenir davantage. Il rejeta la tête en arrière et rit à gorge déployée.

– Tu te moques de ton oracle ? lui lança-t-elle.

– Non. Je me moque d'une fille sans yeux qui a eu assez d'intelligence pour survivre.

– J'ai été touchée par notre divinité, je suis un oracle divin.

Œil Mort aboya de rire à nouveau.

– Il est inutile de faire semblant avec moi, dit-il.

– Je ne fais pas semblant.

– Ainsi, tu parles pour la divinité ?

– Oui. C'est mon rôle.

– Explique-moi comment ça marche.

– Je ne vois pas, mais la divinité m'accorde des visions, affirma la fille.

– Tout ce qu'elle te montre se réalise-t-il ?

– Oui, mais je ne parle pas toujours de tout ce que je vois. Parfois, la divinité souhaite enseigner quelque chose, réprimander, ou récompenser quelqu'un. Je parle uniquement de ce que la divinité me permet de révéler.

– C'est très pratique, commenta Œil Mort. Si tes visions ne se réalisent pas, tu peux toujours raconter plus tard que tu as vu quelque chose que tu as oublié de dire... parce que la divinité te l'avait demandé, bien sûr.

– Tu doutes de moi.

Bien que ce ne fût pas une question, Œil Mort répondit à la fille :

– Je doute de toi. Tu sais pourquoi ?

– Parce que tu aimerais bien prendre ma place.

– Pas du tout. Je joue déjà le rôle de Champion d'une divinité que je sais morte. Par conséquent, être l'oracle de cette même divinité ne m'intéresse pas. Alors que toi, tu m'intéresses. Tu m'intéresses beaucoup.

Colombe se figea. Puis, lentement, elle se mit à sourire d'un air entendu.

– Tu sais.

– Que la divinité n'est qu'une statue vide et que depuis des générations, les Observatrices parlent au nom de leurs propres intérêts ? Oui, je le sais.

– Dans ce cas, à quoi joues-tu en te faisant appeler son Champion et en disant que tu écoutes sa voix ? demanda Colombe.

– Je ne *joue* à rien. Je vais bel et bien mener les membres du Peuple qui en sont dignes hors de cette Ville maudite, vers une nouvelle vie. Si, pour cela, je dois d'abord feindre de suivre une divinité morte, soit ! La fin justifiera cette petite tromperie.

– Parce que tu trompes pour le bien du Peuple, pas seulement pour le tien.

– Ah, maintenant, j'entends la voix de l'oracle ! C'est la divinité qui t'a appris ça ? demanda-t-il d'un ton sarcastique.

– Non, c'est mon intelligence. Il n'y a pas de divinité. Il n'y a que de vieilles femmes égocentriques et irascibles, et le Peuple qu'elles dominent depuis des générations.

– En fait, oracle, à présent, il n'y a plus que le Peuple, toi et moi. J'ai envoyé les vieilles femmes égocentriques et irascibles rejoindre leur divinité morte.

Colombe sourit.

– C'est ce que j'espérais. J'ai senti leur sang et perçu leurs cris. Maintenant, je voudrais te poser une question.

– Je t'écoute, l'invita Œil Mort, intrigué.

Colombe se dirigea vers lui lentement. Loin d'être hésitante ou gauche, sa démarche était langoureuse. Chacun de ses mouvements était précis. Son corps évoluait avec une sensualité qui provoqua des vagues de désir dans le ventre d'Œil Mort. Elle s'arrêta près de lui.

– Est-il vrai que tu as absorbé l'essence d'un cerf et que ta peau mue, comme celle d'un petit animal ?

Œil Mort se débarrassa de sa chemise tachée de sang en haussant les épaules.

– Puis-je prendre ta main ? demanda-t-il.

Sans hésiter, Colombe lui tendit ses paumes ouvertes. Il guida alors ses doigts sur ses bras et son torse très musclés, et les laissa s'arrêter sur ses blessures récemment cicatrisées, là où la peau du cerf et la sienne s'étaient scellées en une seule.

– Incroyable, murmura-t-elle. C'est donc vrai.

– Ça peut l'être aussi pour notre Peuple, affirma Œil Mort. Mais pas ici. On doit partir et construire une nouvelle Ville qui ne sera pas contaminée par des siècles de maladie.

Colombe empoigna les épaules d'Œil Mort. Lorsqu'elle leva vers lui son visage, il se demanda comment il pouvait le trouver si expressif et si ravissant.

– Si tu m'emmènes, je continuerai à parler au nom de la divinité, annonça-t-elle. J'assurerai au Peuple que c'est elle qui souhaite qu'on te suive, toi, son Champion. Je dirai que la Faucheuse m'a envoyé une vision dans laquelle elle réprouvait ce que les Observatrices étaient devenues, et appelait son Champion à les éliminer de son temple.

– Ces vieilles femmes ont été cruelles avec toi, n'est-ce pas ? demanda-t-il doucement.

Elle baissa la tête, et ses longs cheveux châtains se balancèrent majestueusement en avant, touchant presque le torse nu d'Œil Mort.

– Jusqu'à aujourd'hui, la vie a été cruelle avec moi, répondit-elle.

– Dorénavant, ton Champion te protégera de ses cruautés.

Les paroles d'Œil Mort semblèrent lui couper le souffle. Elle eut un hoquet de surprise et se mit à genoux.

– Merci, Champion, dit-elle avec déférence. Je suis prête à t'obéir.

– Non, répondit-il en lui prenant doucement les mains pour la relever. Entre nous, il ne doit pas y avoir d'artifices, de cérémonie superflue, de fausse adoration. Tu ne te soumettras jamais à moi. Jamais.

– Mais je souhaite seulement te vouer l'adoration que tu mérites.

– Ce n'est pas ton adoration que je désire, ma Colombe, assura-t-il.

Elle afficha de nouveau son sourire sensuel.

– Dis-moi ce que tu désires, mon Champion.

– Je préférerais te le montrer.

Œil Mort la prit dans ses bras, et elle l'adora, aussi parfaitement que son corps à lui adora le sien.

Beaucoup, beaucoup plus tard, après qu'ils eurent assouvi leurs besoins corporels, ils travaillèrent côte à côte à purger la Chambre. Œil Mort était impressionné par Colombe. La peau de la jeune fille était blanche, lisse, pure et rare comme une chute de neige. Colombe ne chancelait jamais. Elle se déplaçait dans la Chambre, tirant les paillasses puantes jusqu'au balcon afin qu'Œil Mort les lance dans la cour en dessous. Elle se servit d'un trident sacrificiel pour sectionner les cordes de lierre négligées pendant des années, formant des monticules de végétation qu'il jetait ensuite.

Œil Mort avait du mal à ne pas toucher Colombe. Elle était si douce, si chaude et si accueillante. Plus magnifique, même, que les Observatrices de la divinité dans les légendes, avant qu'elles déclinent et deviennent de vieilles femmes malades, à l'image du Peuple.

Tandis qu'il s'arrêtait un moment de hisser des brassées d'ossements pestilentiels jusqu'au balcon, d'où ils les jetaient, Colombe leva vers lui son visage souriant et ravissant. Il caressa d'un doigt sa joue.

– Colombe, ta peau ne s'est-elle jamais crevassée ? N'est-elle jamais tombée ? s'enquit-il, formulant à voix haute son étonnement.

– Non, répondit-elle.

– Jamais, vraiment ?

– Jamais, assura-t-elle.

– Sais-tu pourquoi ? l'interrogea Œil Mort par simple curiosité.

Il n'attendait pas de véritable réponse, et celle que Colombe lui fournit le bouleversa.

– Oui, je pense. Depuis le jour où je suis née et que les Gardiennes m'ont emmenée à la divinité, je n'ai jamais plus quitté ce temple, et ma peau ne s'est jamais abîmée le moins du monde.

– Mais tu n'as jamais porté une autre peau, c'est sûr ?

Colombe secoua la tête ; ses cheveux bougèrent autour de son visage tel un voile de tulle.

– Non. Les Observatrices ne voulaient pas gaspiller celle des Autres sur moi, expliqua-t-elle. Elles disaient qu'elle était trop précieuse, trop rare, et qu'une personne comme moi n'en avait pas besoin.

– As-tu mangé la chair des Autres ? Le dernier sacrifice a eu lieu il y a quelques hivers seulement, quand on a capturé plusieurs Autres lors de leur grande expédition de glanage. Les Observatrices n'ont-elles pas partagé ce repas avec toi ?

– Je me souviens bien de cet évènement. Les hurlements des Autres ont persisté dans l'air pendant de nombreux jours. Mais, non, je n'ai pas eu le droit non plus de manger leur chair.

La vérité, c'est que je n'étais pas autorisée à manger quelque viande que ce soit.

Elle s'interrompit et prit la voix d'une vieille femme grincheuse :

– Des graines, des noix, du riz et des plantes, c'est bien assez pour l'aveugle !

– Colombe, écoute ! Moi non plus, je n'ai jamais consommé la chair des Autres ! Ça m'a toujours dégoûté, alors, je faisais juste semblant d'en prendre, même si j'ai arraché leur chair pour la placer sur la mienne. Mais mon corps ne l'a pas absorbée comme il a absorbé celle du cerf.

Œil Mort ressentit une grande excitation.

– J'ai choisi d'habiter dans l'un des bâtiments à l'extrême limite de la Ville, reprit-il, je préfère chasser dans la forêt pour me nourrir.

– Le Peuple affirme que tu passes beaucoup de temps en forêt.

– Le Peuple a raison.

– Le cerf que tu as absorbé... Tu ne l'avais pas trouvé dans la Ville, n'est-ce pas ?

– Non. Les bêtes qu'on trouve ici ont toujours quelque chose qui cloche. Loin, dans la forêt, on constate que les animaux sont plus forts. J'y vois rarement des bizarreries telles que des membres manquants, des excroissances qui poussent sous leur peau, des corps tordus.

Œil Mort saisit la fille par les épaules et poursuivit avec ferveur :

– Colombe, c'est pour ça que je suis attiré par la forêt ! Parce qu'elle est propre ; elle n'est pas polluée par ce qui a tué la Ville, et qui continue de nous tuer.

– On doit quitter cet endroit, conclut Colombe.

– Je le sais ! Depuis de nombreuses années !

– Et maintenant, le Peuple aussi va le savoir. Tu es vraiment notre Champion.

Elle se pencha en avant et il s'inclina pour attraper avec les siennes ses douces lèvres qui le cherchaient. Il adorait la perfection avec laquelle le corps de Colombe s'assemblait au sien, et pensa : « C'est bon d'être une divinité. »

Œil Mort et Colombe allumèrent les braseros, qui emplirent la Chambre et le balcon de la divinité d'un parfum de cèdre. Dans la cour, en dessous, Œil Mort rassemblait les cadavres des Observatrices et leurs affaires fétides en un grand tas surmontant des branches de pin mortes. Pendant ce temps, au-dessus, Colombe préparait un énorme chaudron d'un ragoût de légumes. Lorsque tout fut prêt, Œil Mort alluma le bûcher funéraire, puis retourna au balcon avec elle pour attendre le Peuple.

Ils n'eurent pas à patienter longtemps.

Le bûcher attira le Peuple. Les gens sortirent des ténèbres à pas de loup, serrant contre eux les rongeurs et les oiseaux qu'ils apportaient en sacrifice à la divinité. Lorsqu'ils atteignirent le bûcher, Œil Mort les regarda scruter les flammes, puis reculer avec horreur en comprenant ce qui parfumait le pin d'une odeur de viande rôtie.

– Il est l'heure, dit Œil Mort à Colombe d'une voix douce.

Sans hésiter, elle lui tendit la main. Il la saisit et guida la jeune fille jusqu'au bord du balcon.

– Sois courageuse, chuchota-t-il. Le bord est large, et je suis là. Je ne te laisserai pas tomber.

Le sourire de Colombe étincela à la lueur du feu.

– Il m'est facile d'être courageuse quand tu es près de moi, mon Champion.

Puis elle écarta grand les bras et d'une voix pure et forte, s'adressa au Peuple.

– La divinité m'a envoyé une vision et m'a ordonné de la partager avec son Peuple !

Des murmures s'élevèrent de la cour :

– C'est Colombe qui parle ! L'aveugle ! Elle s'exprime au nom de la divinité !

La fille attendit que l'agitation retombe avant de continuer :

– La divinité a été mécontentée !

Le Peuple poussa des cris horrifiés. Colombe leva les mains et, aussitôt, il se tut.

– N'ayez crainte. La Faucheuse m'a envoyé une vision pour me montrer comment le Peuple peut la contenter de nouveau. Votre Champion a déjà commencé à obéir à ses ordres. Il a purgé le temple de l'infection incarnée par les Observatrices.

Colombe pointa le doigt vers le bûcher.

– Ces vieilles femmes et leurs saletés seront purifiées par le feu. La divinité en est satisfaite, mais il faut que les prochaines mesures viennent de son Peuple.

– Dis-nous ce qu'on doit faire ! Comment contenter la divinité de nouveau ! cria le Peuple comme un seul homme.

– Voici votre Champion ! Il connaît la volonté de la divinité, assura Colombe, en désignant Œil Mort d'un grand geste gracieux de son bras.

D'un bond, il la rejoignit au bord du balcon.

– Entendez la volonté de la divinité ! cria-t-il. Elle ordonne à son Peuple de ne plus manger les bêtes qu'il trouve dans la Ville. Elle ordonne à son Peuple de ne plus manger la chair des Autres. Elle ordonne à son Peuple de vivre une vie plus pure.

– Où va-t-on trouver de la nourriture ? Des sacrifices ? De quelle manière peut-on espérer renouveler notre peau ?

Le Peuple frôlait l'hystérie. Œil Mort attendit patiemment qu'il se calme. Lorsque le silence revint et que les visages levés vers lui redevinrent attentifs, il reprit :

– Sachez que la Faucheuse m'a parlé par l'intermédiaire de son oracle, Colombe. J'ai demandé à la divinité comment permettre à son Peuple de retrouver sa force, et elle m'a répondu ! Elle affirme que c'est notre droit d'avoir plus, parce que depuis si longtemps, nous avons si peu.

Œil Mort pointa le doigt en direction des collines lointaines recouvertes de la vigoureuse pinède qui protégeait les Autres.

– Pourquoi sont-ils mieux lotis que nous ?

Œil Mort marqua une pause afin de laisser monter les murmures d'excitation, puis il les fit taire de sa voix.

– S'ils sont mieux lotis que nous, c'est uniquement parce qu'ils peuvent garder ce qu'ils ont ! Par l'intermédiaire de son Champion, la Faucheuse rappelle à son Peuple que la force prime le droit et que la plus grande compassion se trouve sur les pointes d'un trident.

D'un grand geste, il embrassa la Cité dans les Arbres, au loin.

– Sur la terre des Autres, le Peuple trouvera une nouvelle vie !

La voix d'un vieillard coupa le silence consterné comme une lame rouillée :

– Quitter notre Ville ? La Ville de la divinité ? Peut-être est-ce ta solution, mais ce n'est pas celle du Peuple de la Faucheuse !

Œil Mort n'eut aucun mal à identifier celui qui s'était exprimé. C'était Homme-Tortue, bien entendu. Il s'était détaché du Peuple et le considérait d'un air furieux. Œil Mort envisagea d'abord de réfuter son affirmation archaïque par des faits, ceux-là mêmes que Colombe et lui avaient découverts, mais il se ravisa. Le Peuple était habitué à la réalité de la mort et du sacrifice. Sans hésiter davantage, Œil Mort empoigna la lance à trois pointes utilisée pour imprimer au fer la marque de la divinité dans la chair des jeunes, et il la lança sur Homme-Tortue, lui transperçant la poitrine.

Comme si ses os s'étaient soudain transformés en bouillie, le vieillard trébucha et s'écroula sur le bûcher funéraire, où il fut consumé par les flammes.

Tous les membres du Peuple demeurèrent parfaitement silencieux, leurs regards rivés sur Œil Mort et Colombe.

– Tu l'as tué ? chuchota cette dernière.

– Oui.

Colombe leva de nouveau les bras.

– C'est ainsi que notre Champion supprime la dissension au sein du Peuple.

– Qui souhaite marcher vers un nouvel avenir ? enchaîna Œil Mort. Un avenir qu'un Peuple fort, puissant, mérite ?

Aussitôt, un jeune Moissonneur connu sous le nom de Poing de Fer s'avança.

– Moi, je le souhaite !

Quelques secondes plus tard, d'autres membres du Peuple rejoignirent Poing de Fer en criant leur consentement. Œil Mort constata qu'ils furent nombreux à reculer en se fondant dans l'obscurité et les décombres de la Ville. « Soit. Je les considère comme morts. Je les enverrai bientôt rejoindre leur divinité. » Mais, pour l'heure, il devait s'occuper du Peuple qui attendait sous le balcon.

– Venez à moi ! cria-t-il joyeusement. Que tous les Moissonneurs et les Chasseurs me rejoignent sur le balcon de la divinité !

Comme pour compléter sa pensée, Colombe ajouta :

– Femmes du Peuple, rejoignez-moi dans la Chambre qui

n'est plus celle des Observatrices, mais qui appartient désormais au Peuple !

Tandis que ce dernier entrait dans le temple, Œil Mort souleva Colombe et l'embrassa fougueusement.

– Tout est en passe de réussir, mon Champion, chuchota Colombe contre son torse. Les femmes et moi vous encouragerons, toi, tes Chasseurs et tes Moissonneurs.

– Je leur exposerai la nouvelle volonté de la divinité.

– Oui, mon Champion. Oui !

Elle l'embrassa de nouveau et s'arracha à contrecœur à son étreinte lorsque les pas du Peuple retentirent à l'extérieur de la Chambre.

– Va les accueillir, dit-elle à Œil Mort en se tournant vers lui et lui souriant comme s'il était véritablement sa divinité. Ce soir marque le commencement de ta nouvelle vie.

– De *notre* nouvelle vie, rectifia-t-il.

Il caressa doucement sa joue lisse et embrassa ses lèvres une dernière fois avant d'aller à grandes enjambées à l'entrée de la Chambre recevoir son Peuple.

26

— Nik, crois-moi, il n'y a pas de nouvelles traces ! déclara Davis. Je suis désolé, mon vieux. Je sais que tu dois partir demain avec l'équipe de glanage, et j'aurais aimé te donner de bonnes nouvelles avant, mais les seuls signes qu'on trouve ici, ce sont ceux de ces grands mâles Creuseurs cinglés et des dégâts qu'ils causent. Il n'y a pas la moindre trace de ton jeune canin ni de la fille.

– Cousin, ce que je vais te dire ne va pas te faire plaisir, ajouta O'Bryan. Et, purée ! Ça me fait mal de l'avouer. Mais d'après moi, on est dans une impasse. Ce n'est pas que Davis et moi, on ne te croie pas. On sait que tu as vu cette Creuseuse mutante déclencher un incendie. On sait que le canin est en vie, du moins, il l'était il y a deux semaines. Tous les trois, on a trouvé ses empreintes. Mais elles n'ont mené nulle part. C'est vrai, il est encore tôt aujourd'hui, mais selon moi… eh bien… il est peut-être temps de jeter l'éponge.

Nik se doutait que Davis et O'Bryan voudraient tôt ou tard cesser les recherches, mais lorsqu'ils formulèrent leur demande, cela lui fit l'effet d'un coup de poing dans le ventre. Il avala la boule de frustration qui menaçait de le faire suffoquer depuis deux semaines, et, au prix d'un suprême effort, il réussit à garder son calme. Il sortit l'outre qu'il avait remplie au dernier ruisseau et la lança à O'Bryan en lui faisant signe de la partager avec Davis. Ensuite, il prit dans son sac des rouleaux de chou garnis de purée de noix, de riz et de légumes, qu'il passa à ses deux camarades. Il en donna un de plus à Davis pour son Cameron travailleur et toujours affamé. Puis il les invita à le rejoindre sur un rondin.

– Je vous comprends, dit-il. Mais ne trouvez-vous pas, vous aussi, qu'il y a un truc louche avec les mâles Creuseurs ?

O'Bryan et Davis hochèrent la tête tout en mastiquant leur repas de fortune.

– Ouais, il se passe quelque chose de bizarre, reconnut Davis entre deux bouchées. Je suis plutôt inexpérimenté, n'empêche que je n'ai jamais vu de signes comme ceux qu'on a trouvés ; je n'en ai jamais entendu parler non plus.

– Je ne suis pas un Chasseur, enchaîna O'Bryan, mais, Nik, tu sais que je piste depuis que je suis assez grand pour quitter les nids, et je te garantis que ce qui arrive avec les Creuseurs n'est pas bon.

– J'ai beaucoup réfléchi, surtout la semaine dernière, confia Nik, prudent. J'ai envie de tenter le coup une dernière fois aujourd'hui. Si on rentre bredouilles, je reconsidérerai les choses quand je serai à Port City avec l'équipe.

Davis et O'Bryan échangèrent un regard. Le premier haussa les épaules et le second sourit, même si Nik était pratiquement sûr qu'il se forçait.

– Quel est ton plan, cousin ?

– On a fouillé près du ruisseau des Creuseurs, côté Tribu, à la recherche d'un circuit d'empreintes de pattes du canin, en élargissant nos recherches à partir du buisson de houx où on a découvert les traces, il y a deux semaines.

Les deux hommes approuvèrent d'un signe de tête. Nik poursuivit :

– Et on a fait pareil de l'autre côté du ruisseau, ainsi qu'autour de la zone où, cette nuit-là, les araignées-loups nous ont attaqués et où on a tué ce Creuseur.

« Le père de Jenna », songea-t-il.

– Ouais, et chaque fois, c'était la même chose : les traces s'arrêtaient net, commenta Davis.

– Exactement ! s'exclama Nik. C'est curieux, non ?

– En tout cas, c'est frustrant, dit O'Bryan, tandis que Davis mordait dans son rouleau en hochant la tête. Peut-être que c'est lié à ce qui se passe avec les mâles Creuseurs.

– C'est possible... Mais si les traces avaient été arrêtées exprès ? lança Nik.

Les deux hommes lui adressèrent des regards interrogateurs.

– Écoutez-moi, se hâta-t-il de continuer. On cherche une fille peu commune, qui possède un pouvoir étrange. N'est-ce pas ?

– Peut-être, répondit Davis. Aucun de nous n'en est certain. Même pas toi, Nik, alors que tu es le seul à avoir vu ce qu'elle a fait.

– Tu as raison. C'est une simple supposition, mais *si* cette fille est spéciale, et *si* le canin est avec elle, elle est peut-être assez intelligente pour dissimuler ses empreintes et essayer de nous faire perdre leur piste.

O'Bryan et Davis le dévisagèrent, ahuris.

– Je sais que ça a l'air dingue, s'empressa d'ajouter Nik, mais toute cette histoire est dingue.

– Ça, c'est vrai ! confirma Davis.

– Que proposes-tu, alors ? s'enquit O'Bryan.

– On doit réfléchir autrement, changer de méthode, annonça Nik.

– Que veux-tu dire ? l'interrogea Davis.

– Jusqu'à présent, on est partis du principe qu'on pistait une Creuseuse et un canin. Qui seraient ensemble. Ou pas. Mais certainement pas quelqu'un capable de cacher leurs traces et de tenter n'importe quoi pour nous embrouiller. Et si on pensait plutôt à les traquer elle, et le canin, comme s'ils faisaient partie de la Tribu ?

– Comment ça ? demanda Davis en se redressant, intrigué.

– Imaginons que cette fille et le canin soient des Compagnons, et qu'ils se soient enfuis de la Tribu, expliqua Nik.

– Enfuis de la Tribu ? répéta O'Bryan. C'est insensé.

– Oui. Mais on a déjà dit que toute cette histoire était insensée, non ? fit Davis. Continue, Nik. Tu tiens peut-être quelque chose, là.

Soulagé que le Chasseur voulût bien écouter sa curieuse idée, Nik l'exposa rapidement :

– Bon, la question, c'est : que changeriez-vous à notre façon de les chercher si vous saviez que cette personne et ce canin tentaient activement de nous induire en erreur ?

Davis se laissa aller en arrière en mastiquant pensivement, puis répondit :

– Moi, j'arrêterais de suivre leurs traces, puisqu'ils les auraient laissées uniquement pour nous envoyer sur une fausse piste. Et j'essaierais de réfléchir comme la personne qui me duperait. Ensuite, j'irais dans la direction que mon cerveau me dirait de suivre, et non dans celle que les traces voudraient à tout prix me faire prendre.

– C'est ça ! approuva Nik en donnant à Davis une tape dans le dos, à la suite de quoi Cameron bondit autour d'eux, tout excité. Je pense que c'est assez facile de déterminer les endroits où on *ne devrait plus* chercher.

Il rouvrit son sac et en sortit la carte qu'ils avaient suivie jusque-là. Ses deux camarades se rapprochèrent de lui.

– Donc, il ne faut plus qu'on cherche du côté du ruisseau qui appartient à la Tribu, conclut O'Bryan en pointant un doigt sur la carte.

– Ni au sud du ruisseau, ni même vers le territoire des Creuseurs, ajouta Davis. On n'a trouvé que quelques traces là-bas, sur la berge. Au cas où cette fille essaierait bel et bien de nous tromper, je dirais qu'elles sont censées nous entraîner dans la mauvaise direction.

– Ça commence à venir ! l'encouragea Nik.

– Idem pour la piste qui va vers le nord, renchérit Davis.

– Ah bon ? fit Nik.

– On a trouvé beaucoup de traces concentrées dans la zone de l'attaque, et ensuite, plus rien. Si on suit ton raisonnement, voici les déductions que je tire de ces signes : deux femmes ont été attaquées, un canin était avec elles ; elles sont ensuite retournées sur place pour tenter de brouiller les pistes, et de nous embrouiller, nous aussi. Mais c'était compter sans le flair de Cammy.

Davis flatta affectueusement le petit Terrier blond.

– Alors, quand ce flair nous indique que la piste mène au nord et à l'ouest, et même au sud après être revenue au ruisseau, je serais d'avis de ne pas chercher dans ces trois directions.

– C'est précisément le contraire qu'on fait depuis deux semaines, remarqua O'Bryan.

– J'aime comment vous réfléchissez, vous deux, dit Nik en souriant. Il reste donc l'est. La seule région dans laquelle on n'a trouvé absolument aucune trace. Cette fois-ci, inutile de suivre un circuit circulaire. Dépassons la limite est de notre zone de fouilles et commençons à zigzaguer.

– Il faudra agir vite, Nik, conseilla Davis. On ne peut pas courir le risque de se faire surprendre par le crépuscule, dehors. Surtout vu ce qui se passe avec les Creuseurs.

– Entendu, acquiesça Nik. Partons vite.

Ils se dirigèrent vers l'est en terminant leur repas et traversèrent une partie de la forêt si peuplée d'adiantes que Nik eut l'impression qu'elle avait été recouverte de la délicate dentelle crochetée avec la laine des moutons de l'Île-Ferme.

– Je n'ai jamais aimé le territoire des Creuseurs, admit Davis. Ses pins ne sont pas assez imposants, il y a trop de boue, de broussailles et de pourriture. En revanche, cet endroit est beau. On devrait arracher quelques-unes de ces fougères au retour. Si on les replante près d'un de nos cours d'eau, elles pourraient prendre et s'étendre comme ici.

– C'est sacrément humide. C'est pourquoi les adiantes poussent si bien dans cette pagaille, commenta O'Bryan, qui grimaça en tapant sa botte contre le sol pour enlever la boue collante. Je ne comprends pas pourquoi les Creuseurs adorent ces plaines.

– Moi, si, affirma Nik. C'est parce que nous, on les déteste.

– Logique, approuva Davis. En tout cas, ils peuvent les garder. Hé, vous sentez ? Ça pue.

– C'est sans doute cette maudite boue, avança O'Bryan d'un ton inhabituellement grognon. Cousin, je t'aime beaucoup, mais tu vas me devoir une nouvelle paire de bottes, après ça.

– Pas de problème, accepta Nik. Mais l'odeur ne vient pas de la boue.

– Cammy est sur une piste, annonça Davis, en pointant le doigt sur l'arrière-train du Terrier avant qu'il disparaisse dans les fougères.

Les hommes suivirent le canin en trottinant. Parvenus au sommet d'une petite colline, ils découvrirent un cours d'eau qui coulait plus bas à travers une cédraie. La brise tourna et redoubla, leur apportant une telle puanteur que Nik faillit en avoir un haut-le-cœur. Des aboiements excités leur parvinrent également.

– Cammy, stop ! ordonna Davis en descendant au trot, suivi de près par Nik et O'Bryan.

Arrivés au centre de la cédraie, les trois hommes se bousculèrent en s'arrêtant net devant le Terrier, qui était assis sous une carcasse d'animal souillée suspendue aux branches d'un arbre.

– Bravo, Cammy ! Bon travail ! le félicita son Compagnon.

– Pourquoi ce gâchis ? s'interrogea Nik. Les cerfs sont rares, et précieux. On a laissé celui-ci pourrir. Toute cette viande ! Cette peau, et ces boyaux ! Tout est abîmé. Coupez les liens de la bête. Que la forêt l'absorbe.

O'Bryan trouva le bout de la corde par laquelle la carcasse était accrochée au cèdre. D'un coup de couteau, il libéra le cadavre, qui tomba à terre avec un bruit sourd et sinistre.

– Il manque le cœur, le foie, et toute la peau du flanc, du poitrail et du cou, constata Davis.

– Bon sang, pourquoi prélever des bandes de peau aussi fines et laisser le reste ? s'étonna O'Bryan.

– Regardez la gorge, dit Davis.

Plaquant sa manche sur son nez, Nik s'accroupit près du cerf.

– Je ne vois aucune marque de flèche ou de couteau, remarqua-t-il. On lui a fracassé le crâne, et ouvert la gorge et le ventre en le mordant, apparemment.

– Ce ne sont pas des morsures d'animaux, observa Davis.

– Non, ce sont des morsures d'humains, analysa Nik, l'air sombre. Je n'aime pas ça. Mais alors, pas du tout. Ça m'embête beaucoup de dire ça, mais tout ceci me fait penser aux Voleurs de Peaux.

– Les Voleurs de Peaux ?! répéta O'Bryan. Non, cousin ! Ils ne quittent jamais Port City.

– Je sais, mais on ne peut pas nier que ce cerf a été en partie écorché, affirma Nik.

Après avoir regardé le cadavre de plus près, il ajouta :

– Peut-être même alors qu'il était encore vivant.

Davis, en train d'étudier les traces dans la clairière, déclara :

– Ce sont des hommes qui ont fait ça. Nik, ces empreintes de pas larges et plates sont caractéristiques des Creuseurs mâles. Sauf que je ne saisis pas pourquoi ils auraient laissé perdre une carcasse entière.

– Ils sont fous, dit O'Bryan. Qui peut comprendre les raisons qui poussent ces mâles à agir ?

– Mais il ne s'est jamais produit une chose pareille auparavant, n'est-ce pas ? fit Nik.

– Non, jamais entendu parler d'un tel truc, répondit O'Bryan. Et toi, Davis ?

– Nan. Même les Creuseurs ne gaspillent pas une carcasse de cerf.

– La forêt est en train de changer. Les Creuseurs sont en train de changer, affirma Nik, sentant de drôles de picotements sous sa peau. En voilà une autre preuve. Il faut qu'on fiche le camp d'ici. Tout de suite. Mon instinct me dit qu'on ne trouvera pas de signes de la fille ou du canin près d'ici. S'ils ont assez de bon sens pour nous cacher leurs traces, ils se tiennent certainement à l'écart des zones où chassent des mâles enragés.

Il posait un dernier regard triste à la carcasse lorsque Cameron se mit à gronder.

– Il se prépare quelque chose, comprit Davis. Un truc grave.

Les trois hommes levèrent leurs arbalètes et commencèrent à revenir sur leurs pas pour sortir de la clairière, lorsque cinq Creuseurs surgirent de l'ombre.

Ils se déplaçaient avec une grâce sauvage, le corps voûté, les doigts recourbés comme des griffes. L'un d'eux, plus corpulent que les autres, s'adressa à eux en montrant les dents, d'une voix si gutturale qu'elle parut presque inhumaine.

– Maintenant, c'est vous qui êtes chassés ! gronda-t-il.

Cela sembla aiguillonner les autres, qui, comme un seul homme, attaquèrent Nik et ses camarades.

– Allons sur cette crête ! hurla Nik en décochant une flèche qui transperça le mâle l'ayant pris pour cible. On pourra les abattre de là-haut.

– Cammy ! Monte ! ordonna Davis au Terrier, qui gravit la petite colline à toute vitesse, se mettant hors d'atteinte des griffes des Creuseurs.

Lorsque Davis fut à mi-pente, suivi de près par O'Bryan, Nik fit volte-face pour se défendre.

– Allez, O'Bryan, fiche le camp d'ici ! lança Nik.

– Pas question que je te laisse !

Sentant plutôt que voyant son cousin hésiter, Nik lui dit :

– Tu ne me laisses pas ! Va là-haut et tire-leur dessus !

– D'accord ! Je vais...

O'Bryan ne put terminer sa phrase, car il poussa un cri de stupéfaction :

– Ahhh !

Nik planta une autre flèche dans le cou d'un Creuseur, qui s'effondra en se tordant de douleur. Lorsque les trois autres derrière lui marquèrent un temps d'arrêt, Nik en profita pour regarder son cousin, et vit qu'il luttait contre un nouveau Creuseur.

– J'arrive, O'Bryan ! annonça-t-il.

D'un geste aussi fluide que l'eau qui coule sur les cailloux d'une rivière, Nik leva son arbalète, visa et abattit deux des trois Creuseurs d'une seule flèche. Le troisième, apparemment plus jeune et un peu moins bestial, poussa un hurlement de colère avant de disparaître dans la forêt.

Nik se retourna et visa le mâle qui combattait son cousin à mains nues. Il ne pouvait pas tirer, les deux hommes étaient trop près l'un de l'autre. Alors, il se mit à courir à toute vitesse pour rejoindre O'Bryan. En un éclair, il dégaina son poignard et l'enfonça jusqu'au manche dans le dos de la créature devant lui. Elle s'écroula à genoux en poussant des cris atroces, et, avant de rendre son dernier souffle, elle plongea les dents dans la jambe d'O'Bryan.

– Non ! cria Nik en même temps que son cousin hurlait de douleur.

Il jeta sur le côté le Creuseur pris de convulsions, l'envoyant rouler en bas de la pente. Puis il attrapa O'Bryan par la taille et cria :

– Allez ! Allez ! Allez !

Tac ! Tac ! Deux flèches se plantèrent derrière Nik. O'Bryan et lui parvinrent sur la crête où ils trouvèrent Davis, arbalète à la main, Cameron grondant près de lui.

– Je les ai eus tous les deux, dit-il. Je n'en vois pas d'autre.

– J'ai remarqué trop tard celui qui m'a attaqué, déclara O'Bryan qui s'appuyait lourdement sur son cousin en haletant. Il s'est levé du sol d'un coup. Ils étaient cachés. Ils nous ont fait tomber dans une embuscade.

– Sauvons-nous tout de suite ! décida Nik. Davis, envoie Cammy devant. Demande-lui de nous avertir s'il flaire d'autres Creuseurs.

Puis, tenant son arbalète de sa main libre, il ajouta :

– Couvre-nous.

– Entendu, dit Davis, l'air sombre. Cammy ! À la maison ! Aux aguets !

Unis par des liens de sang et d'amitié, les trois hommes avancèrent tant bien que mal. Ils furent attaqués par deux autres mâles, qui moururent chacun d'une flèche, l'une de Davis et l'autre de Nik. Ils ne prirent pas le temps de s'arrêter pour se reposer ou réfléchir avant de parvenir au ruisseau où tout avait commencé plus de deux semaines auparavant.

À l'aide de son poignard, Nik découpa la jambe de pantalon trempée de sang de son cousin, exposant sa vilaine morsure au mollet.

– O'Bryan, mets ta jambe dans l'eau, et lave-la. Vite ! dit Nik. Davis, dis à Cammy de monter la garde ; qu'il nous prévienne si d'autres Creuseurs approchent.

Davis s'adressa en chuchotant à son intelligent petit Terrier, qui sauta sur un gros rocher rond près de la berge. Il flaira l'air dans toutes les directions en fouillant de son regard perçant les broussailles, à l'affût du danger.

– Ça y est ! annonça Davis. Que puis-je faire d'autre, Nik ?

– Va prendre de la mousse sur cette espèce de statue, là-bas, et déchire une bande de ta chemise. Je m'en servirai pour plaquer la mousse sur la blessure d'O'Bryan. Ensuite, on rentrera chez nous.

– Entendu ! répondit Davis en courant vers l'idole creuseuse qui ressemblait bizarrement à une femme s'élevant de la terre.

– Testicules de crache-sang ! jura O'Bryan. Nik, j'ai une méchante plaie !

Il se mit à gratter sa blessure, comme s'il pouvait la supprimer, ainsi que la condamnation à mort qu'elle contenait probablement.

– Arrête, cousin ! Arrête !

Nik empoigna les mains d'O'Bryan pour l'empêcher d'abîmer sa peau davantage.

– Ce n'est pas si grave que ça, le rassura-t-il. Laisse-moi te faire un pansement avant qu'on t'emmène voir les Guérisseuses.

O'Bryan s'effondra sur le dos, les jambes dans le ruisseau, le reste du corps tremblant sur la berge.

– Elles ne pourront rien faire, tu le sais, dit-il. Je suis fichu.

Nik secoua son cousin par les épaules.

– Tu n'as pas intérêt à baisser les bras ! répliqua-t-il.

– Tiens, Nik ! dit Davis en lui lançant un paquet d'épaisse mousse verte.

Nik l'appliqua sur la blessure d'O'Bryan, en s'efforçant de faire abstraction du trou sanguinolent.

– Ça va aller, affirma-t-il. Aucune grosse veine n'a été coupée.

O'Bryan se couvrit les yeux avec un bras.

– Ne mens pas ; ça ne va pas aller, contesta-t-il. Et ça n'ira plus jamais ; en tout cas, pas pour moi.

– Ne te décourage pas, je te dis ! répéta Nik. Davis, passe-moi une bande de tissu.

Celui-ci déchira un morceau long et fin de sa chemise et le tendit à Nik, qui en enveloppa la blessure recouverte de mousse et le noua serré.

– Bois ça, dit-il à son cousin en lui tendant l'outre.

Les mains tremblantes, O'Bryan obtempéra.

– Cammy nous alerte ! annonça Davis. D'autres Creuseurs arrivent. Il faut filer.

– Partez sans moi, dit O'Bryan. Laissez-moi juste une arbalète. Je les occuperai.

– Hors de question ! refusa Nik sévèrement. Maintenant, donne-moi ta main et sors tes fesses de ce ruisseau. On rentre chez nous.

Ils ne virent pas l'homme de grande taille et les deux plus petits – mais non moins dangereux – qui les observaient depuis les profondeurs de la forêt. Ni l'expression satisfaite d'Œil Mort, tandis qu'il caressait la cicatrice en forme de trident sur son bras et imaginait le nouvel avenir qui commençait à se déployer devant lui.

– Tu avais raison, Champion, dit Poing de Fer. Les Creuseurs mâles ont été infectés.

– Ce qui signifie que les Autres le seront aussi, estima le deuxième homme, connu sous le nom de Traqueur. La seule chose qu'il faut faire, c'est continuer à écorcher les créatures de la forêt, mais pas au point, c'est vrai, de les envoyer dans le Lieu Sacré de la mort.

– En effet, on doit s'arrêter avant qu'elles n'aient plus assez de force pour vivre, se déplacer dans la forêt, ajouta Poing de Fer.

– Comme ça, ils s'entretueront encore plus merveilleusement qu'aujourd'hui, renchérit Traqueur.

– Exactement, confirma Œil Mort. Je suis content que vous compreniez, maintenant. Le leurre est-il prêt ?

– Oui, il est conforme à tes ordres, répondit Poing de Fer.

– On a veillé à ce que l'équipe de glanage des Autres soit attirée par la ruse sur le lieu de l'embuscade, sans qu'elle voie aucune trace de notre passage, précisa Traqueur.

– Vous vous êtes bien débrouillés, très bien débrouillés, les complimenta Œil Mort, avant de soulever le piège qui contenait plusieurs grosses dindes. À présent, rapportons notre prise non contaminée à Colombe et à la divinité. Ce soir, le Peuple organise un festin pour célébrer l'abondance que demain nous apportera !

27

Ce n'est que bien après le crépuscule – après avoir conduit O'Bryan au nid des Guérisseuses, et fait examiner Davis et Cameron pour être certain qu'ils n'avaient pas été écorchés – que Nik vit ses mains cesser de trembler.

– C'est ma faute, s'accusa-t-il. O'Bryan était là uniquement à cause de moi.

– Fils, bois ceci.

Sol mit entre les mains du jeune homme une chope de bière chaude infusée aux herbes.

– Non, je ne peux pas dormir, refusa Nik en secouant la tête. Il faut que je retourne chez les Guérisseuses pour veiller O'Bryan.

– Nikolas, bois. Repose-toi. Demain, tu pars avec l'équipe de glanage, et tu ne peux pas y aller sans avoir dormi. Pas si tu comptes en revenir, et moi, je compte bien là-dessus.

– Père, je ne peux pas laisser O'Bryan là-bas, comme ça ! insista Nik.

– Il n'y a rien que tu puisses faire pour lui. Seul le temps dira s'il a attrapé la rouille ou pas. Je demanderai sa grâce au Soleil et je m'occuperai de lui pendant ton absence, mais l'expédition ne peut pas attendre, et tu dois y participer.

– Mais O'Bryan...

– O'Bryan connaissait les risques, le coupa Sol. Il était volontaire. Tu as fait de ton mieux pour le protéger. Tu as réussi à le ramener à la Tribu, ainsi qu'un jeune Chasseur, son Terrier et toi-même, alors que des Creuseurs vous ont tendu une embuscade et attaqués. L'expédition de glanage a besoin de toi, et la Tribu a besoin de l'expédition de glanage. Tu partiras demain.

– Pourquoi faisons-nous ça ? demanda Nik à son père en le regardant. Est-ce à cause de ta culpabilité ?

– Réponds à cette question toi-même.

– Je ne connais pas la réponse. Je ne sais plus rien. Seulement que, parce que j'ai insisté pour courir après des fantômes, mon cousin – mon meilleur ami, l'homme que je considère comme mon frère – va sans doute mourir d'une mort terrible provoquée par la rouille, après avoir connu seulement dix-huit hivers !

– Nik, quelque chose a été mis en branle, ici. Quelque chose qui dépasse largement la recherche d'un jeune canin dont tu aurais souhaité qu'il te choisisse, et de la vérité au sujet d'une fille hybride. C'est cette *chose* qui est responsable de la blessure de ton cousin. Tu as sauvé O'Bryan, fils ! Tu l'as ramené chez nous.

– Et pour quoi ? Tu sais ce qui l'attend. On a vu mère en mourir. J'aurais peut-être dû laisser ce Creuseur le tuer. Au moins, il n'aurait pas souffert longtemps.

– Et si la rouille ne l'infecte pas ?

– Père, la blessure est profonde. Tu sais combien ses chances sont minces.

– Mais il en a quand même une, et c'est parce que tu l'as ramené chez nous. Bois. Et reste ici ce soir. On rendra visite aux Guérisseuses ensemble, demain matin, avant ton départ.

Nik soupira et céda à son père. Il inclina la chope et but à longs traits. Les herbes agirent rapidement, de sorte que sa vue se troubla et son élocution devint traînante.

– Je regrette de ne pas être à sa place, murmura Nik, tandis que son père le conduisait à la paillasse qu'il avait préparée près de la cheminée.

– Et moi, je me réjouirai éternellement que ce ne soit pas le cas, déclara Sol. Laru, reste avec Nik.

Le grand Berger se coucha en rond tout près du jeune homme, le réchauffant de son corps et l'apaisant avec son amour et sa fidélité, si bien que Nik ne put lutter plus longtemps. Il ferma les yeux et succomba à un sommeil sans rêves.

– O'Bryan a bonne mine, commenta Sol, tandis que Nik et lui se dirigeaient vers l'ascenseur. Comme l'a dit la Guérisseuse, il ne montre pas de signe d'infection. Ça signifie qu'il a une chance. En plus, son attitude positive peut l'aider à s'en sortir.

– Je l'espère, se contenta de répondre Nik.

Il n'avait pas envie de parler d'O'Bryan ni de la vérité, à savoir qu'une absence d'infection et une bonne attitude ne pourraient pas le sauver. La *vérité*, c'était que six membres de la Tribu sur dix contractaient la rouille après avoir reçu une simple écorchure. Et plus la blessure était grave, plus les risques étaient élevés. Le Creuseur avait arraché du mollet d'O'Bryan un morceau de chair de la taille d'une bouche. Par conséquent, le jeune homme était très probablement condamné. Les spéculations de Sol n'étaient que de faux espoirs.

– Combien de paires as-tu décidé d'envoyer dans l'expédition de glanage ? s'enquit Nik, pour changer de sujet.

– Six : Wilkes et Odin seront en tête, bien sûr. Il y aura aussi Monroe et Viper, Sheena et Captain, Crystal et Grace, Winston et Star, Thaddée et Ulysse. Et toi, évidemment.

– Attends, dit Nik en fronçant les sourcils. Tu as autorisé Thaddée à faire partie de l'équipe ?

– Nik, le fait qu'il t'agace n'est pas une raison suffisante pour ne pas prendre le meilleur Chasseur de la Tribu.

– Le fait qu'il refuse systématiquement de m'écouter en est une.

Sol s'arrêta et se tourna vers son fils.

– Thaddée est arrogant, et vous ne vous aimez pas, mais il ne fera rien qui risquerait de compromettre la sécurité d'Ulysse. En plus, le chef de l'expédition sera Wilkes. Il t'écoutera, lui.

Nik poussa un nouveau soupir et se passa une main dans les cheveux.

– D'accord, dit-il. Mais ça ne me plaît pas. Et les deux femmes ? Est-on obligés de mettre leurs vies en péril ?

– Fils, d'après toi, qui a tracé l'itinéraire préliminaire ?

– Wilkes, supposa Nik en haussant les épaules.

– Non. Ce sont Sheena et Crystal. Elles sont parties ensemble dresser la carte des ruines au cours des derniers cycles de la lune. Ne les sous-estime pas. Elles connaissent le fleuve mieux que les Pêcheurs – qui, eux, évitent Port City –, mieux que leur propre nid. Ne t'inquiète pas, elles n'auront pas besoin de protection particulière. Oui, elles sont menues, mais ça leur permet d'aller là où les hommes ne peuvent pas se faufiler. Et leurs Bergers sont parmi les plus robustes de la Tribu. Ils protégeront leurs Compagnonnes.

– Très bien, c'est toi le mieux placé pour en juger, convint Nik, qui pressentait pourtant que l'expédition tournerait mal.

– Fils, ne laisse pas ce qui est arrivé à O'Bryan biaiser ton jugement. Utilise les pouvoirs d'observation que je te connais, et l'habileté à l'arbalète que la Tribu entière te connaît, et fais en sorte, avec Wilkes de ramener l'équipe saine et sauve à la maison.

Nik poussa un long soupir.

– Tu as raison, reconnut-il. L'accident d'O'Bryan m'embrouille réellement l'esprit. Père, il se passe des choses si étranges dans la forêt ! Ça ne t'inquiète pas ?

– Si, bien sûr. Mais il se passe toujours quelque chose d'étrange dans la forêt. On vit dans un monde dangereux. Fils, je pense que tu es déprimé de ne pas avoir pu remettre la main sur le jeune canin.

– Ouais. J'étais persuadé de les retrouver, lui et la fille, avec l'aide de Davis, Cameron et O'Bryan. Ou au moins de découvrir de solides traces. Or, tout ce à quoi on a eu droit, c'est une embuscade de Creuseurs et le chaos.

– Tu continueras tes recherches au retour de l'expédition ? demanda Sol.

– Honnêtement, père, je n'ai pas encore pris de décision. Et c'est peut-être ça qui me déprime réellement. Je ne veux pas renoncer au canin. Mais je commence à penser que mes recherches sont aussi imprudentes que l'ensemble de la Tribu le pense.

– Tous les membres de la Tribu ne te jugent pas imprudent. Certains te trouvent loyal et tenace. Au cas où tu te poserais la question, je fais partie de ceux-là, même si je suis de plus en plus préoccupé par le nouveau comportement des Creuseurs mâles.

– On découvre donc, aujourd'hui seulement, qu'ils sont capables de tendre une embuscade ? fit Nik.

– Oui. Même Cyril n'a jamais entendu parler de ça. Hier soir, il a parcouru les archives des Chasseurs, sans en trouver aucune mention non plus. C'est inédit. Je subis une pression grandissante des Aînés pour ordonner un nettoyage de la population des Creuseurs, ajouta Sol, l'air hagard. Et compte tenu de cette attaque, je ne sais pas combien de temps je vais pouvoir continuer rationnellement à leur dire non.

– Un nettoyage ? Ils veulent vraiment tuer tous les mâles ?

– Oui. J'en suis malade, avoua Sol.

– Que vas-tu faire ?

Le père de Nik soupira.

– Je vais prier pour qu'on ait affaire uniquement à une poignée de voyous, en espérant que tes camarades et toi en avez tué la plus grande partie hier.

– Et si les hurlements nocturnes et les embuscades ne s'arrêtent pas ?

– Dans ce cas, je crains de devenir responsable de l'extermination des Marcheurs de la Terre mâles.

Nik posa la main sur l'épaule de son père.

– Tu n'en serais pas responsable, le réconforta-t-il. Cela serait la volonté de la Tribu.

– Je suis le Chef de la Tribu, Nik. Cela en ferait ma responsabilité.

Ils étaient arrivés à l'ascenseur. Les attendaient à l'intérieur Wilkes et son Berger, Odin, qui échangea des aboiements joyeux avec Laru.

– Te voilà, Nik ! s'exclama Wilkes. Bonjour, Sol.

– Bonjour, Wilkes. Odin a l'air en pleine forme, commenta Sol en serrant la main du grand homme.

– Merci, Prêtre du Soleil. En effet, je n'ai pas à me plaindre.

– Content de te voir, Wilkes, dit Nik en lui serrant aussi la main et en donnant une petite tape amicale à Odin.

– Le reste de l'équipe est déjà sur le dock, annonça Wilkes. Mais je voulais t'attendre, Nik. Je suppose que tu étais avec O'Bryan ?

– Oui, on est allés le voir, répondit Sol. Et il se porte bien.

– J'en suis ravi. Tu es prêt, Nik ?

– Oui.

– Fils, je te dis au revoir ici, annonça Sol. Je dois conduire la Célébration du Lever du Soleil ; ensuite, Cyril veut que je rejoigne le Conseil pour discuter du problème des Creuseurs plus en détail.

Il serra fort Nik dans ses bras.

– Sois prudent, fils. Et reviens vite à la maison.

– Je t'aime, père, dit le jeune homme, en lui rendant son étreinte.

– Moi aussi, Nikolas.

Après avoir adressé un signe de tête à Wilkes, Sol et Laru se dirigèrent à grands pas vers le nid du Conseil.

– Ce truc avec les Creuseurs, c'est bizarre, non ? fit Wilkes en cherchant à engager la conversation, tandis que l'ascenseur descendait.

– Ouais, confirma Nik dans l'espoir que la brièveté de sa réponse dissuaderait son interlocuteur de poser d'autres questions.

– Ils vous ont vraiment tendu une embuscade ?

Réprimant un soupir, Nik répondit :

– Oui.

– J'ignorais qu'ils étaient si intelligents, admit Wilkes.

– Apparemment, ils le sont, convint Nik en haussant les épaules avec dédain.

– Intelligents et méchants. C'est une combinaison dangereuse. Un peu à l'image de mon dernier amant, confia Wilkes en gloussant et en donnant un coup de coude à Nik.

Celui-ci saisit cette occasion de changer de sujet.

– Ethan et toi avez rompu ? demanda-t-il.

– Non ! Si j'ai dit « dernier amant », c'est parce que je pense qu'il va me rendre fou ! Si je rompais avec lui, là, je *sais* qu'il me tuerait.

Wilkes rit gentiment, et Nik en fit autant, content que l'ascenseur fût descendu et qu'ils eussent terminé la discussion sur les Creuseurs, même momentanément.

Ils se frayèrent un chemin à travers la forêt, descendirent vers l'Île-Ferme et le puissant fleuve qu'ils suivraient jusqu'aux ruines de la grande ville appelée Port City.

– Alors, c'est quoi, le plan, pour l'expédition ? s'enquit Nik.

– Ça va être un bon voyage. Sheena et Crystal ont découvert un bâtiment au sud-ouest, juste sur les quais, auquel on n'a jamais accédé.

– Sur les quais ? répéta Nik, étonné.

La Tribu glanait dans la Ville depuis d'innombrables générations. Les membres des expéditions s'efforçaient de demeurer aussi près que possible de la voie de secours que fournissait le large cours d'eau, connu officiellement sous le nom de Willum, et officieusement et plus funestement sous celui de Killum. Cependant, à mesure que passaient les hivers, les décennies, la Tribu avait été forcée de glaner de plus en plus à l'intérieur de la ville morte. Par conséquent, de moins en moins d'expéditions avaient été autorisées. Port City, située sur le territoire des Voleurs de Peaux, était beaucoup trop dangereuse ; on ne pouvait risquer des vies pour des casseroles, des miroirs et des chaînes.

– Il est rare de faire une trouvaille près du Killum, estima Nik. Comment est-ce arrivé ?

– On a longtemps pris ça pour un banal monceau de plantes grimpantes et de pourriture. En réalité, c'est un long édifice en métal qui, jusqu'à la fin de la reconnaissance de Sheena et Crystal, il y a deux jours, était si bien dissimulé que personne n'avait pris la peine de l'examiner de plus près.

– Qu'est-ce qui a changé ? demanda Nik.

– Il semble que le gros orage d'il y a quelques nuits a fait effondrer une partie du toit, comme si la foudre y était tombée. L'ouverture n'est pas large, mais elle est visible du fleuve. Les filles sont allées y jeter un œil. Selon elles, ce bâtiment regorge de câbles en acier, de chaînes et même de verre.

– Ça m'a l'air trop beau pour être vrai, déclara Nik, qui avait la chair de poule.

– Eh bien, ce n'est pourtant pas une première. Tu te rappelles, il y a une dizaine d'hivers ? Si mes souvenirs sont bons, une équipe menée par le père de Monroe avait découvert un passage à l'intérieur de la gare en pierre, près de la voie ferrée. L'endroit était condamné depuis des lustres, mais un jour, un mur s'était écroulé et avait révélé des réserves colossales de miroirs et de casseroles.

– C'est vrai. Ma mère avait récupéré l'un de ces miroirs. Père l'a gardé précieusement.

– Et tout ça dormait là, à deux pas du fleuve, pratiquement, ajouta Wilkes. Apparemment, cette fois-ci, la trouvaille est encore plus formidable, d'autant qu'elle semble répondre exactement à notre besoin de nouveaux nids.

– Ça paraît prometteur, approuva Nik en se débarrassant de son mauvais pressentiment.

La Ville en ruines était un être vivant, qui changeait, grandissait, mourait et renaissait indéfiniment. C'était une bonne chose que l'équipe de reconnaissance eût trouvé si près du fleuve ce dont la Tribu avait besoin. Cela signifiait une arrivée et un départ faciles, et moins de danger.

– Absolument ! approuva Wilkes avec un sourire enjoué. On devrait même pouvoir se passer du clair de la pleine lune pour pagayer sur le fleuve. Je prédis qu'on sera de retour pour le coucher du soleil et les festivités.

– Ta prédiction me plaît, fit Nik.

– Crois-moi : cette mission est bénie.

– Je ferai de mon mieux pour vous être utile, promit Nik, se sentant bête de s'être autant inquiété.

Il savait que son humeur sombre avait davantage à voir avec O'Bryan, le canin égaré et la fille mystérieuse qu'avec l'expédition de glanage. Il fit l'effort de se ressaisir. Il allait remettre ses idées en place et s'engager sans états d'âme dans la mission, et il déciderait plus tard quoi faire à propos de tout ce qui le tracassait.

Le quai pour la mise à l'eau était situé près de la base du pont de l'Île-Ferme. Tandis que Nik et Wilkes descendaient en trottinant la petite colline, les membres de l'équipe, tournés vers l'est, ouvraient les bras face au soleil levant.

– Ah, bien ! On est à l'heure pour absorber l'aube, constata Wilkes. C'est toujours une bonne façon de commencer une expédition de glanage.

Nik et lui se joignirent aux autres ; ils levèrent leurs visages et leurs bras en direction de la lumière dorée et propre du nouveau jour. Nik inspira à fond, laissant l'énergie des rayons du soleil consumer le reste du mauvais pressentiment qui le hantait depuis qu'il était entré dans la cédraie du cerf profané. De délicats motifs de frondes apparurent sous la peau nue de ses bras à mesure que la chaleur l'envahissait, lui procurant un sursaut d'énergie bienvenu.

– Bonjour, Nik, dit Winston. J'ai été désolé d'apprendre ce qui est arrivé à ton cousin.

– Merci, répondit le jeune homme en caressant brièvement Star, le Berger de Winston.

– Comment va-t-il ?

– Il se maintient. C'est gentil de prendre de ses nouvelles.

– Hé, salut, Nik ! Content que ton arbalète et toi vous joigniez à nous, lança Monroe en lui donnant une tape dans le dos, tandis que Viper, son Berger tout noir, le reniflait amicalement.

– Tout le plaisir est pour mon arbalète et moi, Monroe. D'après ce que Wilkes m'a expliqué, cette mission sera un jeu d'enfant.

– On y compte bien, intervint Sheena. Salut, Nik !

– Ravi de te voir Sheena, et toi aussi, Crystal. Vos Bergers ont bonne mine.

Marquant une pause, Nik observa plus attentivement Captain et Grace, qui étaient allongés sur le quai.

– Surtout Grace, ajouta-t-il.

– Elle a de quoi, répondit Crystal avec un sourire joyeux.

– Ça, c'est vrai : elle porte l'avenir en elle, révéla Sheena, qui donna à Crystal un rapide baiser, avant de lancer un sac de provisions dans leur kayak.

– Grace est pleine ? devina Nik.

– Pas de panique, le rassura Crystal, en lui tapotant la joue d'une manière étonnamment maternelle. C'est encore assez récent pour qu'elle puisse nous accompagner sans risque.

– Il n'y a aucun danger, approuva Wilkes. En plus, la fertilité porte bonheur.

– Père est-il au courant ? s'enquit Nik.

Il avait du mal à croire que son père donnerait l'autorisation d'emmener une canine pleine, même au premier stade de sa gestation, lors d'une mission potentiellement dangereuse.

– Eh bien, non. Pas encore. Sheena et moi pensions le lui annoncer après...

Sheena fut interrompue par l'intervention sarcastique de Thaddée :

– Nikolas, il n'y a que toi qui penses qu'on doit tout dire à ton papa.

Le groupe se tut, observa Nik en attendant sa réponse. Personne n'ignorait que Thaddée avait passé les deux dernières semaines à creuser des latrines à cause de son comportement lors de la mission de pistage de Nik. Mais combien de personnes savaient-elles qu'il avait joué un rôle déterminant dans la sanction infligée à Thaddée ?

– Je ne t'ai pas beaucoup vu ces derniers temps, Thaddée, lança Nik en feignant de paraître amusé. Ah, c'est vrai : tu étais occupé à creuser des trous.

– À cause de ta sale gueule, espèce de...

– Ça suffit ! ordonna Wilkes, qui s'interposa entre les deux hommes. Je ne tolérerai pas de querelles pendant cette mission. Enterrez votre animosité réciproque jusqu'à notre retour, sinon, je vous abandonnerai tous les deux en chemin.

Nik s'efforça de se détendre. Puis il sourit à Wilkes.

– Je suis d'accord, accepta-t-il. Je suis ici pour vous aider. C'est tout.

– Thaddée ? demanda Wilkes avec insistance.

– J'ai déjà participé à cinq missions de glanage. Ulysse et moi, on fera notre travail, comme toujours. Vous voulez qu'on piste un truc ? On le pistera. Ce n'est pas le fils de Sol qui changera ça.

– Bien. Alors, terminons de charger les kayaks et larguons les amarres, décida Wilkes.

Thaddée passa devant Nik en appelant Ulysse, son Terrier, auquel il fit signe de monter dans le kayak. Tandis qu'il l'effleurait, il lui dit tout bas :

– Je n'en ai pas fini avec toi.

Le regardant avec un sourire froid, le jeune homme murmura :

– C'est bon à savoir.

– Nik, tu vas avec Sheena et Crystal ! décida Wilkes depuis le quai. Elles ont de la place dans leur kayak.

– Ça nous arrange, commenta Sheena en adressant un large sourire à Nik. C'est lui qui pagaiera le plus.

– Pas de problème, répliqua-t-il en lui rendant son sourire. Vous êtes si légères, toutes les deux, que j'aurai l'impression de flotter sur l'eau.

Nik décida d'ignorer Thaddée, qui le fusillait toujours du regard, et songea : « Que l'équipe se rende compte à quel point c'est un emmerdeur ! Peut-être qu'il arrivera à énerver suffisamment Wilkes pour écoper d'une autre corvée de chiottes. » Cette pensée le fit sourire et il siffla gaiement en aidant les deux femmes à achever le chargement de leur kayak. Après tout, cette mission pouvait espérer le succès, et à plus d'un titre.

28

Les six kayaks furent chargés sans délai et des civières flottantes fixées à l'arrière de chacun, pour le butin de la mission. Ensuite, Wilkes demanda à son équipe de se rassembler autour de la carte qu'il avait dépliée sur une grosse pierre plate, sur le quai.

– Une dernière fois, pour que ce soit bien clair pour tout le monde, commença-t-il. On suit le Willum, on traverse Port City et on arrive au quai sud-ouest. Ça signifie qu'on doit passer tous les ponts en restant bien vigilants. Rappelez-vous : ce qu'on ne voit pas autour de ces épaves est pire que ce qu'on voit. L'entrepôt est juste devant ces îles, ici.

Wilkes désigna sur la carte, au centre du fleuve, un signe en forme de larme, qui figurait un groupe de petites îles.

– Sur la rive ouest, ajouta-t-il avant de jeter un coup d'œil à Sheena. Tu as dit qu'il y avait un endroit, tout près, où échouer les kayaks ?

– Ouais, c'est là, grosso modo, dit Sheena en posant le doigt sur la carte.

– De là, on n'a pas à grimper longtemps pour accéder à l'ouverture du bâtiment, ajouta Crystal.

– Ça devrait être facile d'accrocher des câbles de remorquage autour des pièces métalliques qu'on va prendre, de les traîner jusqu'à l'eau, de les charger ; ensuite, hop, on file ! estima Sheena en échangeant un sourire avec Crystal.

– La mission s'annonce bien, déclara Wilkes. Des questions ?

Nik faillit garder le silence, mais les paroles de son père, qui titillaient sa conscience, le poussèrent à prendre la parole :

– Sheena, tu as dit qu'on voyait l'ouverture du bâtiment depuis le fleuve ?

– Affirmatif. Même si elle reste assez cachée par les plantes grimpantes et des trucs comme ça. On aurait pu ne pas la remarquer, sans le verre.

– Le verre ? releva Nik.

– Ouais, il a dû se coincer dans les lianes quand le toit s'est effondré, lui expliqua Crystal. Il se trouve qu'il a attrapé le soleil juste au moment où on passait devant en kayak.

– Tu as une autre question, Nik ? lui demanda Wilkes.

– Non. Je trouve juste ça bizarre. Ça fait dix hivers ou plus que cette trouvaille considérable dort tout près du fleuve, n'est-ce pas ?

– Oui. On dirait qu'on a de la chance, commenta Wilkes avec un sourire décontracté.

– Comme les filles l'ont dit, le Soleil les a bénies. Ça ne devrait pas être difficile, pour le fils du Prêtre du Soleil, de l'accepter, déclara Thaddée avec un sourire ironique.

– Oh, je n'ai aucun problème à accepter les bénédictions du Soleil, affirma Nik. Si ce sont bien des bénédictions.

– Tu veux faire quoi ? Pourchasser des fantômes, encore ? le railla Thaddée, une lueur malveillante dans les yeux.

– Non, Thaddée. J'essaie juste de faire mon travail, comme toi. Je suis ici pour décocher des flèches et observer. Pour l'instant, il n'y a personne que je sois autorisé à descendre, alors, j'observe.

– Eh bien, espérons que ton rôle se limitera à ça jusqu'à notre retour dans la Cité, quand on sera chargés de métal, conclut Wilkes.

– Et de verre, compléta Crystal. J'ai repéré une pièce presque parfaitement ronde, totalement intacte. Je vais la rapporter et l'utiliser comme fenêtre pour notre nouveau nid.

Sheena glissa sa main dans celle de Crystal.

– Notre nouveau nid *spacieux*, appuya-t-elle. J'ai hâte qu'on ne soit plus forcées de s'entasser dans ce minuscule logement de célibataire. Après tout, on aura bientôt des petits canins !

– Sur cette note heureuse, mettons les kayaks à l'eau, décida Wilkes.

Les embarcations en bois luisant glissèrent aisément sur les eaux du Willum, fendant le courant comme un poignard chaud glisse dans un seau de graisse de porc. Les canins s'installèrent confortablement sur les tapis de lest. Ils ne tardèrent pas à sommeiller dans la chaude lumière du soleil matinal.

Nik était heureux d'avoir été associé à Sheena et Crystal. Il les aimait bien. Elles étaient en couple depuis plusieurs hivers et, contrairement à Wilkes et Ethan, elles se disputaient rarement. En outre, leur kayak était moitié moins lourd que ceux des hommes, même avec leurs grands Bergers, qui ronflaient déjà bruyamment.

– Vous allez donc avoir des petits ? leur lança-t-il depuis son siège, à l'arrière du bateau, tandis qu'ils pagayaient tous les trois. C'est une bonne nouvelle. Captain et Grace feront une belle portée.

– On est si excitées ! s'exclama Crystal.

– On croirait que c'est elle qui va mettre bas, commenta Sheena en adressant par-dessus son épaule un sourire chaleureux à son amie.

– Oh, ne fais pas semblant de ne pas être aussi enthousiaste que moi, rétorqua Crystal. Sheena a *pleuré* quand Captain et Grace se sont accouplés !

– De bonheur. Oui, je le reconnais. Et je pleurerai de nouveau quand les petits naîtront.

– Félicitations, dit Nik. Je suis vraiment heureux pour vous. Et ça tombe bien que de jeunes canins arrivent bientôt, vu la vitesse à laquelle la Tribu s'agrandit.

– Sans blague ! Ainsi, tu auras une chance supplémentaire d'être choisi par l'un d'eux, hein ? lança Thaddée de son kayak.

– Ce genre de remarque est totalement injustifié, protesta Sheena en transperçant Thaddée d'un regard noir.

– Ne t'inquiète pas, lui dit Nik, en riant jaune. En plus, la vérité, c'est que je serais honoré si un petit de votre Captain et votre Grace me choisissait.

Thaddée renâcla.

– Tu serais honoré si n'importe quel petit canin te choisissait, insista-t-il.

Nik considéra Thaddée. Celui-ci l'observait méchamment en se grattant les bras, l'air bougon et mal à l'aise. « Eh bien, oui, il fait chaud. Cet idiot n'aurait pas dû mettre cette tunique à manches longues. » Mais avant que Nik eût le temps d'ouvrir la bouche pour remettre Thaddée à sa place, Crystal, regardant ce dernier en fronçant les sourcils, dit :

– Nik, allons-y avec un peu plus de nerf et montrons le chemin aux autres. La compagnie sera plus agréable devant qu'ici.

– Wilkes, ça te dérange si on prend de l'avance ? demanda Sheena.

– Non, mais restez à portée de vue, et attendez-nous avant de dépasser le Pont Triangle. Crystal et toi, vous connaissez le fleuve mieux que nous tous réunis, et cette partie est assez dangereuse.

– Entendu !

Le trio se mit à pagayer énergiquement, laissant derrière lui les cinq autres bateaux.

– Je ne supporte pas ce type, éclata Sheena.

– Ouais, et si son Terrier n'avait pas un excellent flair, il n'aurait aucun statut dans la Tribu, déclara Crystal.

– C'est exaspérant, hein ? ajouta Sheena.

– Que ce soit un con ? Ouais, fit Nik.

– Surtout qu'il ait été choisi par un canin – même si c'est un Terrier, pas un Berger – et pas toi, confia Sheena.

N'étant pas habitué à ce que quiconque hormis O'Bryan parlât sans détour de cette délicate question, Nik demeura sans voix.

– Sheena, ma chérie, Nik n'a pas envie d'aborder ce sujet, dit gentiment Crystal.

– Ce n'est pas grave, assura le jeune homme. Ça ne me dérange pas. Je sais que les gens parlent de moi, du fait que je n'ai pas été choisi et que je suis obsédé par la piste d'un jeune canin depuis longtemps disparu, au point que c'en est ridicule.

– Nous, on ne te trouve pas ridicule, affirma Crystal. On est d'accord avec toi. Si on était dans la même situation que toi, Sheena et moi n'arrêterions jamais de chercher Grace et Captain.

– Merci, ça me touche beaucoup, dit Nik, avant de changer de sujet. Alors, parlez-moi du nid que vous allez construire.

Crystal attrapa sa question au vol comme un Berger attrape une balle, et bientôt, les deux femmes discutèrent avec animation afin de savoir où placer leur fenêtre de verre et si elles souhaitaient un nid à un ou deux étages. Ravi de n'avoir pas à participer activement à la conversation, Nik s'appliqua à pagayer et à sonder le fleuve.

Sa mère adorait observer ce cours d'eau. Nik se rappela qu'elle en parlait comme si c'était un être vivant dépositaire d'innombrables secrets, et bien qu'elle en respectât la force, les vestiges d'un monde disparu cachés sous le masque innocent de sa surface le lui rendaient plus intrigant qu'effrayant.

Nik n'avait jamais partagé son point de vue. Le fleuve ne l'intriguait pas, il l'effrayait totalement. La Tribu considérait le Killum comme un mystère, un mystère qui apportait la mort pour ceux qui passaient trop de temps dessus. Nik l'avait vu. La première fois, il était si jeune qu'il n'aurait dû en conserver aucun souvenir ; pourtant, l'image de pêcheurs avançant tranquillement en kayak et jetant leurs grands filets avec légèreté par une journée d'été au temps clair était restée gravée dans sa mémoire. Un pêcheur avait lancé son filet trop près d'un rondin à demi submergé qu'ils appelaient *rondin-balai*. Le filet s'y était accroché, et avant que l'homme eût pu le dégager, il avait perdu l'équilibre et était tombé à l'eau. Le tourbillon de courants l'avait entraîné vers le fond, où les racines de cette souche, cachées sous l'eau trouble du fleuve grossi par les pluies printanières, l'avaient attrapé et étreint, tel un amant démoniaque, jusqu'à ce qu'il se noyât.

Nik réprima un frisson au souvenir encore très vif de la Tribu hissant le rondin-balai sur la berge afin de libérer le corps blême et gonflé.

Mais, en réalité, ce n'étaient ni les rondins-balais, ni les courants imprévisibles, ni même les vestiges de navires autrefois puissants, inutiles épaves rouillées qui obstruaient le fleuve au cœur de la Ville en ruines, qui terrifiaient Nik. C'étaient les ponts : de véritables pièges à rats.

D'après les archives et les Constructeurs de la Cité, spécialistes de la résolution d'énigmes, Port City comptait autrefois douze ponts massifs, qui enjambaient le large Willum. Pas un seul n'avait survécu intégralement à la mort de la Ville, même s'ils avaient tous, à des degrés divers, laissé leurs empreintes sur – ou sous – le fleuve.

– Attention ! prévint Crystal à l'avant du kayak. Le Pont aux Arches, devant !

Nik serra les dents et essuya ses paumes moites, l'une après l'autre, sur son pantalon avant de se mettre à pagayer avec une vigueur accrue. Étant donné qu'il se trouvait à l'arrière du kayak – d'où on le dirigeait –, il n'allait pas les laisser dériver près des énormes arches vertes brisées qui dépassaient de l'eau telles les mâchoires d'un géant noyé. Il se força à respirer profondément, lentement, et réussit à dominer la panique qui le guettait, tout en suivant les indications que lui criait Sheena : « Plus à gauche ! Plus à droite ! Plus vite ! Plus lentement ! »

– Bravo, Nik ! le félicita-t-elle. On a presque dépassé le pont. Dirige-nous plus vers le milieu. Ce pont n'est pas si dangereux que ça, mais le rapide va nous aspirer si on ne fait pas attention.

Nik se courba sur ses pagaies et propulsa le kayak au centre du fleuve, évitant de loin et à toute vitesse le mortel rapide. Ce faisant, il jeta un coup d'œil à sa droite juste à temps pour voir un énorme rondin-balai emporté par le contre-courant, puis renversé et jeté dans les rapides écumants, comme s'il ne pesait pas plus lourd qu'un petit bâton, avant d'être englouti et de disparaître.

Nik tressaillit et continua à pagayer.

Du pont suivant, il ne restait que des piliers décrépits de forme oblongue, en pierres qui avaient tendance à se détacher. Deux hivers plus tôt, un Compagnon et son Berger avaient été tués en pagayant trop près de l'un d'eux alors qu'ils tentaient de se tenir à l'écart d'un rapide. Une chute de pierres les avait si complètement ensevelis que la Tribu n'avait jamais retrouvé leurs corps.

– Arrêtons-nous ici, décida Sheena après qu'ils eurent dépassé sans encombre les carcasses de pierre. Il est préférable de franchir le Triangle en groupe.

– Certaines parties de ce pont ont encore bougé, expliqua Crystal tandis qu'ils immobilisaient le bateau. Sheena va nous guider jusqu'à l'autre côté. Le groupe devra nous suivre de près.

– D'accord, pas de problème, dit Nik.

Il espérait avoir un ton insouciant, alors qu'il ne cessait d'essuyer ses paumes en sueur sur son pantalon et de faire rouler ses épaules afin d'en libérer un peu la tension avant de se remettre à pagayer.

– Les rapides me donnent la chair de poule, à moi aussi, avoua Crystal.

– Ouais, ils sont casse-pieds, et c'est surtout à cause d'eux que ce maudit fleuve change autant, approuva Sheena.

– Je croyais que le Killum ne vous impressionnait pas, dit Nik.

– Tu rigoles ? répliqua Crystal. Tu sais à quoi ils me font penser ? On dirait que les ponts ont transpercé la peau de la terre, et l'ont fait saigner au fond du fleuve. Les rapides sont les veines coupées de la terre ; ils produisent des courants qui avalent des saletés, des rondins-balais et des cadavres…

La femme frissonna de dégoût.

– Je vois ce que tu veux dire, dit Nik, en lorgnant l'écume autour des fondations du pont suivant.

Même à cette distance, il voyait les moutons à la surface du fleuve qui ballottaient des débris flottants.

– Je n'ai jamais vu de tels rapides dans d'autres parties du fleuve, ajouta-t-il.

– Il n'y en a qu'ici, autour de ce qui reste des ponts de Port City, révéla Sheena. Il y a un peu plus de cinq hivers, quand j'ai commencé à m'intéresser au fleuve, j'ai parlé à l'un des Aînés. Selon lui, les rapides sont apparus pendant les derniers grands tremblements de terre. Cependant, il ne savait pas expliquer qu'il n'y en a que dans cette section du fleuve, et uniquement près des ponts.

Sheena haussa les épaules et ajouta :

– Pour moi, c'est juste un problème de plus à gérer quand on navigue.

– Sheena a un courage à toute épreuve, affirma Crystal en adressant un sourire radieux à son amie.

– C'est seulement parce que tu es avec moi, assura Sheena.

Nik détourna le regard afin de donner aux deux amantes un peu d'intimité pendant qu'elles échangeaient un baiser, et il se demanda comment ce serait d'être en couple avec quelqu'un qui le trouverait d'un courage à toute épreuve.

– Ça y est, on vous a tous rattrapés et on est fin prêts à nous attaquer au Triangle ! cria Wilkes en arrivant en tête du groupe.

– Sheena saura nous le faire franchir, garantit Crystal. Restez bien derrière nous et tout ira bien. Bon, Nik, on a besoin de ta force !

– Entendu !

Le jeune homme se remit à pagayer, en se concentrant sur les directions que Sheena lui indiquait. Il respectait et appréciait l'assurance avec laquelle les deux femmes naviguaient sur le fleuve, bien qu'à cet instant, il eût ardemment souhaité être ailleurs.

Ils approchèrent du Triangle avec précaution. Le pont présentait peu de parties visibles, beaucoup étaient dissimulées juste sous la surface. On l'avait surnommé le Triangle en raison de la forme de ses énormes fragments d'acier qui encombraient le fleuve. Coupants, dangereux, ils oscillaient comme si l'ouvrage détruit était doté d'une conscience et poursuivait ceux qui osaient tenter de le franchir.

– Vous allez avoir l'impression qu'on s'approche trop du rapide, cria Sheena pour couvrir le bruit de l'eau. Mais c'est juste pour pouvoir contourner une grande pièce métallique là-bas, à notre gauche. Quand je dirai : « Maintenant ! », Nik changera de cap et nous dirigera – très vite – vers le centre du fleuve. Mais mettez toute votre énergie dans vos pagaies. Je ne veux pas que ce rapide attrape l'un de vous.

Sentant une boule dans son estomac, le jeune homme déglutit difficilement.

– Nik, maintenant ! hurla Sheena.

Il fit exactement ce qu'elle lui demandait, et ils passèrent à toute vitesse devant les contours tranchants de la pièce métallique rouillée.

– Bravo, Sheena ! lança Wilkes après qu'ils furent tous sortis de la zone du Triangle. Fais-nous passer les autres ponts avec autant de succès.

Toujours à moitié endormi, Captain battit de la queue, laquelle effleura la surface de l'eau. Il se réveilla alors complètement dans un sursaut qui faillit l'envoyer par-dessus bord. Puis il coinça sa queue sous lui, faisant rire les deux femmes, qui le taquinèrent.

Le pont suivant, couleur sang séché, avait perdu d'énormes plaques d'acier. Seules deux d'entre elles étaient restées coincées sur la coque d'un bateau chaviré contre les restes d'une gigantesque colonne de pierre. Tandis qu'ils le dépassaient, Nik se réjouit qu'il n'y eût depuis longtemps plus rien à récupérer des épaves rouillées de la voie navigable de Port City.

À présent, ils pénétraient dans le cœur de la Ville en ruines. Sheena lui ayant demandé de ralentir l'allure afin que les autres puissent les rattraper facilement, Nik promena son regard sur les vestiges de Port City.

Un épais manteau de végétation vivante recouvrait tout. Les conteurs narraient encore des récits sur les anciens et leurs villes de verre, de béton et de métal. L'on savait que Port City avait été différente des autres. Il était également connu que les bâtisseurs et les habitants de cette ville appréciaient la forêt, de sorte qu'ils avaient inclus à l'intérieur de leur monde de métal, de verre et de béton des arbres et des espaces verts. Les Aînés s'accordaient même à dire que les premiers membres de la Tribu étaient venus de Port City, fuyant dans les forêts en espérant que les arbres pourraient leur venir en aide.

Nik observa la ville attentivement. Port City n'était qu'un gros tas de décombres ensevelis sous la végétation. Les plantes grimpantes et les fougères luxuriantes, les ronces et les arbres étaient comparables aux rondins-balais du fleuve. Toute cette verdure dissimulait d'innombrables dangers mortels, et pas simplement à cause des ruines et des êtres mutants qui avaient choisi de vivre là. Les plantes elles-mêmes étaient différentes. À l'image des traîtres rapides, elles étaient anormales et dangereuses.

– Bon, tout le monde est prêt à continuer ? lança Sheena.

– On te suit, lui répondit Wilkes.

Nik se courba sur ses pagaies et se prépara tandis que le Pont d'Acier se dressait, menaçant, devant eux. C'était le plus intact de tous. Seul son centre était entièrement détruit. Les deux tours étaient tombées en biais, cassant l'ouvrage en deux, et l'eau sombre qui clapotait contre des poutres en treillis métallique donnait l'impression d'une gueule diabolique sans dents de devant. Nik frémit. Mais le convoi glissa facilement devant les rapides.

Presque aussitôt après, le groupe approcha du pont suivant. Il se situait près des ruines du chemin de fer et du bâtiment qui, dix hivers plus tôt, avait procuré un si riche butin à la Tribu qu'elle en faisait encore le récit. Il avait entièrement disparu, hormis d'épaisses colonnes carrées de pierre qui se dressaient au-dessus de l'eau. Cependant, Nik savait qu'en dessous, des poutres en acier attendaient d'accrocher tout ce qui oserait s'aventurer trop profondément sous les remous de la surface. Tandis qu'ils avançaient entre deux énormes colonnes et pénétraient dans la partie du fleuve engorgée de carcasses de bateaux rouillées, Nik sentit des fourmillements courir le long de sa colonne vertébrale, comme si derrière lui se tenaient les gardiens de pierre d'un cimetière aquatique, qui attendaient la moindre erreur de sa part pour se réunir et condamner leur issue de secours.

Un seul pont possédait encore des éléments au-dessus de l'eau ; et les yeux de Nik, comme mus par leur propre volonté, se levèrent vers les tours qui surplombaient le fleuve à plus de trente mètres. De gros câbles en acier y étaient fixés. Certains s'étaient brisés, tordus, et étaient tombés avec le centre du pont, donnant à l'ouvrage l'allure gracieuse, mais macabre, des côtes d'un danseur qui se serait effondré des siècles plus tôt après de trop nombreuses pirouettes ratées.

– C'est curieux que ce pont-ci soit encore blanc, hein ? chuchota Crystal, comme si elle craignait de réveiller les morts.

– Chaque fois que je le vois, il me fait penser à des os, confia Sheena.

– Exactement ce que j'étais en train de me dire, approuva Nik.

– Ici, le rapide n'est pas très important, mais reste quand même vigilant, dit Sheena. Juste après le prochain coude, il y a le dernier pont ; ensuite, on arrivera à la trouvaille. Et bien qu'il ne reste presque plus rien de ce pont-là, les rapides y sont quasiment aussi horribles qu'au Triangle. Ne laisse pas le fleuve nous entraîner trop près de la berge, sinon, on sera aspirés.

– Wilkes, tu as entendu ? lança Crystal.

– Oui. On vous suit.

Nik se focalisait tant sur les directions que Sheena lui indiquait qu'il fut surpris lorsque Crystal se retourna et lui dit, avec des yeux rieurs :

– C'est bon, c'est bon ! On a dépassé le pont ! Tu vas nous propulser dans les cascades si tu ne ralentis pas.

– Oh, désolé, fit Nik, en essayant de détendre les articulations blanchies de ses doigts.

– Là-bas ! Vous voyez ? s'écria soudain Crystal, en désignant un endroit juste au-dessus de la berge ouest.

Tous les regards suivirent son doigt. Nik repéra aisément l'ouverture du bâtiment, mais seulement parce qu'un éclair lumineux attira son attention. Après s'être habitué à cet éclat éblouissant, il vit que les plantes grimpantes s'étaient effondrées, créant un trou sombre dans la végétation.

« Comme une tombe », songea-t-il, et les picotements sous sa peau réapparurent.

– Nik ! l'appela Sheena en montrant la berge ouest. Regarde !

Là-bas, ce qui n'était pas recouvert de broussailles et de lianes était rocailleux et jonché de débris d'arbres.

– Tu vois les premiers roseaux et massettes ?

– Ouais.

– Tu vas échouer le kayak tout près. Le chemin n'est pas loin.

Nik les conduisit sur place rapidement. Bien qu'il n'eût aucun désir de s'introduire dans le trou que les autres étaient si impatients d'explorer, il avait hâte de sortir du fleuve, ne fût-ce que pour un court répit. Les cinq autres kayaks se rangèrent à côté du sien, puis les canins, à présent complètement réveillés, bondirent de leurs tapis avec enthousiasme, de toute évidence aussi contents que Nik de retrouver la terre ferme.

– Sheena, chapeau de nous avoir amenés ici sans encombre ! la félicita Wilkes. Quand on rentrera, je vais proposer au Conseil qu'on construise en premier votre nid, à toi et Crystal.

– Et je pense que ce devrait être un nid à deux étages, ajouta Monroe. Surtout si Captain et Grace continuent à offrir des portées à la Tribu.

Crystal poussa un cri aigu de petite fille et prit dans ses bras Sheena, qui afficha un sourire heureux.

– On ne demande rien ; on apporte simplement notre contribution à la Tribu, comme vous tous, déclara Sheena.

– Mais c'est d'accord pour le nid à deux étages ! s'empressa d'ajouter Crystal, ce qui déclencha les rires du groupe.

– Bon, allons prendre ce qu'il nous faut et rentrons au bercail ! décida Wilkes. Levez vos armes ! Surtout toi, Nik, insista-t-il en lançant au jeune homme un carquois plein de flèches. Garde ton arbalète prête à tirer et tes yeux perçants bien ouverts. Les autres, je veux que vous emportiez des câbles de remorquage. Rappelez-vous : les Voleurs de Peaux vivent plus loin, à l'intérieur des ruines, mais ils viennent quand même au fleuve pour pêcher et glaner. Restez vigilants, à moins d'avoir envie que l'un d'entre eux se taille un costume dans votre peau.

– Le simple fait de penser à eux me dégoûte, avoua Crystal en frémissant légèrement.

– Vous en avez vu, Sheena et toi, pendant que vous étiez en reconnaissance ? s'enquit Nik.

– Non, et j'en remercie le Soleil béni.

Nik plissa les yeux et contempla, le long des quais, les énormes masses de verdure, sortes de gigantesques tumulus, qui recouvraient les vestiges de grands immeubles.

– Wilkes, est-ce que l'un d'entre vous a vu des signes des Voleurs de Peaux pendant le trajet ? demanda Nik en se frottant l'avant-bras qui le picotait comme si une brise glaciale soufflait dessus.

Les hommes secouèrent la tête. Wilkes sourit et donna une tape à Nik sur l'épaule.

– Je te l'ai dit : cette mission est bénie, répéta-t-il.

Nik continua à scruter les alentours.

– Winston, Star et toi, vous restez près des kayaks et vous nous couvrez. On va faire l'aller-retour aussi vite que possible.

Son arbalète au creux du bras, Winston hocha la tête et dit :

– Si vous trouvez une casserole, n'importe quel genre de casserole, j'aimerais bien que vous me la réserviez. Mon Allison chérie fêtera son anniversaire la semaine prochaine, et elle adorerait ne plus être obligée d'emprunter la marmite de sa mère.

– La première qu'on trouvera sera pour toi, promit Wilkes.

– Bon, l'entrée, c'est par là, indiqua Sheena.

Elle partit en tête du groupe, se frayant prudemment un chemin entre les rochers et les gravats. Tous les membres de la Tribu gardèrent leurs canins près d'eux, conscients que les sens de leurs Compagnons les préviendraient bien avant que les leurs commencent à repérer le danger. Les yeux et les oreilles grands ouverts, Nik tenait son arbalète prête, tout en s'efforçant de se convaincre que le mauvais pressentiment qui lui donnait des fourmillements était dû aux ponts et aux rapides tout proches, et à rien d'autre.

En quelques mètres seulement, la berge suivait brusquement une pente anormale, ce qui rendit Nik extrêmement perplexe. Ici, le fleuve prenait la forme d'un long rectangle. Son eau, saumâtre, était plus calme et envahie de roseaux. Deux longues et épaisses barres en métal jaillissaient de la surface. L'on pouvait y accéder depuis la berge en marchant sur des restes de supports métalliques à moitié cassés et des blocs de béton dispersés çà et là.

– Ce sont des rails de chemin de fer ? demanda Monroe.

– Oui, confirma Sheena. Vous voyez comment ils montent au bâtiment et descendent jusqu'au fleuve ?

Nik le voyait, en effet, et il trouvait cela très étrange.

– Hé ! C'est excellent ! se réjouit Thaddée. On peut se servir des rails pour grimper jusqu'à l'ouverture, et quand on aura fini, on n'aura qu'à avancer les kayaks ici, descendre les pièces de métal les plus lourdes en les faisant glisser sur les rails et les charger dans les bateaux.

– J'y ai pensé, moi aussi, dit Sheena.

– Ouais, Sheena et moi, on est montées par les rails. C'était mieux que crapahuter à travers ces horribles plantes grimpantes et ces broussailles, confia Crystal en frissonnant. On ne sait jamais ce qui se cache sous ces trucs.

– Pourquoi les rails ne sont-ils pas recouverts de plantes grimpantes ? s'étonna Nik, s'attirant tous les regards. Est-ce que Sheena et toi les en avez débarrassés avant de grimper dessus ?

– Non, on les a trouvés comme ça, l'informa Crystal.

– Et la zone autour ? demanda Nik en désignant les blocs et les supports.

– Idem, répondit Crystal. On n'a rien fait.

– Quel est le problème, Nik ? s'enquit Wilkes.

– Je ne sais pas. J'ai l'impression qu'il y a quelque chose qui cloche.

– Il y a beaucoup de cailloux et d'eau ici, dit Wilkes en

haussant les épaules. Peut-être que les plantes grimpantes ne peuvent pas pousser sur les rails.

– Là-bas aussi, il y a profusion de cailloux et d'eau, pourtant c'est envahi de plantes, remarqua Nik en montrant le reste de la berge.

– Tu as raison, concéda Wilkes en se frottant le menton. Ces rails sont peut-être toxiques. On ne sait jamais quelles saloperies le métal rouillé peut dégager.

Avec précaution, Nik monta sur un large bloc de ciment qui lui permit d'atteindre un rail. Il s'accroupit et constata qu'on avait façonné une grosse cannelure dans les barres, comme pour y fixer un dispositif capable de coulisser tout le long jusqu'au fleuve. Bien que rouillées sur presque un mètre, elles semblaient solides ; on aurait dit qu'elles avaient servi la veille. Nik cogna le haut de la première avec les articulations de ses doigts.

Il marqua une pause et leva les yeux en direction du bâtiment auquel menaient les rails.

– On construisait peut-être des bateaux ici, vu la proximité du fleuve. L'endroit n'a pas l'air d'être toxique. Les autres plantes se développent bien.

– Où veux-tu en venir ? le questionna Thaddée. Tu nous fais perdre notre temps.

Nik l'ignora et s'adressa de nouveau à Wilkes :

– On dirait que les rails ont été déblayés pour qu'on puisse les utiliser. Et, là-haut, ça ne m'inspire pas plus confiance qu'ici, ajouta-t-il en désignant la zone de verdure où un morceau de verre clignotait de façon attrayante.

– Comment ça ? fit Wilkes.

– J'ai l'impression qu'on a été conduits ici par un miroir placé à un endroit stratégique et par une zone qui, comme par hasard, a été débroussaillée.

– C'est ridicule ! Tu recommences à chasser des fantômes ! le railla Thaddée avec dégoût, en levant les bras.

– Nik, Sheena et moi sommes montées là-haut, rappela Crystal. On a regardé dans le trou. Il s'agit juste du toit démoli d'un gigantesque entrepôt, rien de plus.

– Je comprends, Nik, et je suis d'accord avec toi sur la nécessité d'être prudents, convint Sheena, mais il y a plein de tiges métalliques, de chaînes et de verre dans ce bâtiment. Et aucune trace de quoi que ce soit d'autre. À l'intérieur, tout est recouvert de poussière et de débris. Personne n'y est entré depuis des siècles, à part des rongeurs et des insectes.

– Je vous crois, dit Nik. Mais je maintiens qu'il y a quelque chose de louche. Je pense qu'on devrait y mettre le feu avant d'y pénétrer.

– Couilles de crache-sang ! jura Thaddée. Tu plaisantes ! Ça nous retarderait beaucoup trop.

– Mourir nous retarderait encore plus, rétorqua Nik, avant de se tourner vers Wilkes : tu sais pourquoi je suis ici, et moi, je te dis que je perçois quelque chose que personne d'autre ne voit. Ça ne ferait pas de mal de mettre le feu à cet endroit, de le laisser brûler ; ensuite, on reviendra avec des Guerriers pour monter la garde pendant qu'on récupérera le verre et le métal.

– Sauf que le verre sera très probablement endommagé par le feu, précisa Thaddée en secouant la tête. Non. Si on fait les choses à la façon de Nik, on va perdre des jours et des jours. C'est maintenant que la Tribu a besoin de nouveaux nids, pas quand Nik décidera que ce n'est pas dangereux de glaner.

– Nik, de quoi as-tu peur ? s'enquit Wilkes.

– Hier, Davis, O'Bryan et moi sommes tombés dans une embuscade tendue par des Creuseurs. Tout ça me paraît en être une autre, insista Nik en embrassant d'un geste les rails rouillés, l'étrange plan d'eau rectangulaire et le bâtiment qui les dominait.

– Nik, tu sais bien que les Creuseurs ne vont jamais dans la ville, rappela gentiment Crystal.

– Je ne parle pas des Creuseurs, mais des Voleurs de Peaux.

– On n'a vu aucune trace d'eux ! dit Monroe. Absolument aucune.

– C'est justement l'une des choses qui me tracassent, avoua Nik. D'habitude, on aperçoit au moins leurs feux, ou une pauvre bête morte qu'ils ont prise au piège, écorchée vivante avant de la suspendre à une branche d'arbre comme trophée. Quelqu'un a-t-il vu l'un de ces signes en venant ici ?

Tous les membres du groupe secouèrent la tête.

– Ce qui pourrait signifier que ces bouffeurs de charogne se sont enfoncés plus loin dans les terres, ou simplement qu'ils n'ont pas chassé par ici dernièrement, conclut Wilkes. En réalité, c'est une bonne chose, Nik.

Le chef de l'expédition s'approcha du jeune homme et posa une main sur son épaule.

– Je comprends l'épreuve que tu viens de traverser, lui dit-il. Cette sortie était sans doute prématurée pour toi. Je crois que tes soucis biaisent ton jugement.

– J'espère que tu as raison.

– J'ai raison. N'empêche, restons tous vigilants. Écoutez vos canins. S'ils sentent le danger, alertez tout le monde et retournez aux kayaks. Bon, Sheena et Crystal, ceci est votre trouvaille. Vous avez le droit d'aller devant.

– Youpi ! s'exclama Crystal, et Grace sauta de joie autour d'elle. Ma gentille canine, allons chercher notre nouvelle fenêtre !

29

Après avoir exécuté une petite danse joyeuse, Crystal monta sur le premier rail, talonnée par Grace. La pièce métallique était si large que le canin ne chancela même pas.

– L'autre jour, on a grimpé sur celui-ci, et on est redescendues par celui-là, expliqua Sheena. Donc, les deux sont sûrs.

– Très bien, dit Wilkes. Monroe et Viper, allez-y. Thaddée, suis-les avec Ulysse. Odin et moi, on fermera la marche. Nik, tu viens avec nous ou tu préfères rester ici ?

– C'est toi qui décides, répondit le jeune homme en scrutant les environs.

– On a assez d'archers, là-haut. Reste ici au cas où quelqu'un voudrait nous prendre par surprise.

– Entendu.

– Hé, Sheena, pourquoi vous n'avancez pas ? demanda Monroe.

Nik et Wilkes se tournèrent et virent Captain qui allait et venait près du rail. Alors que sa Compagnonne se tenait déjà sur la pièce métallique, le grand Berger ne cessait de jeter des regards nerveux à l'eau trouble entre les roseaux.

– Viens, Captain ! l'encouragea Sheena. Avance, mon grand !

Captain gémit d'un ton plaintif et demeura là où il était.

La femme fronça les sourcils, déconcertée par le comportement de son canin.

– Qu'y a-t-il ? Hier, tu as grimpé là-dessus comme un champion. Je ne sais pas ce qu'il a, avoua-t-elle à Wilkes. Il n'aime pas trop l'eau, mais il ne s'est jamais dérobé comme ça avant.

– Il y a un problème ? s'enquit Crystal.

Elle était montée jusqu'à la moitié du rail, au-dessus de la partie la plus profonde du plan d'eau.

– Captain est inquiet, désorienté et même effrayé, l'informa Sheena. Mais j'ignore pourquoi.

Nik se rapprocha de Wilkes et lui chuchota à l'oreille :

– Dis à Crystal de revenir ici avec Grace. Captain sent la même chose que moi. Il y a un truc qui ne va pas. Il faut qu'on...

Nik ne put achever sa phrase parce que l'eau saumâtre sous les rails devint brusquement un cauchemar de chaos et de mort. Lâchant les roseaux à travers lesquels ils respiraient, les Voleurs de Peaux émergèrent de l'eau, leurs tridents ruisselants, et passèrent à l'attaque en poussant leurs terrifiants cris de guerre.

La première lance transperça Grace derrière l'épaule. La violence du coup la fit tomber du rail et, avec un glapissement d'agonie, la magnifique femelle Berger tomba à l'eau.

– *NON !* hurla Crystal.

Elle dégaina un couteau du fourreau en cuir fixé à sa taille, sauta dans l'eau sans hésiter et se retrouva encerclée de Voleurs de Peaux.

– Crystal ! s'écria Sheena en saisissant à son tour son couteau.

Mais Wilkes la plaqua sur la berge pour l'empêcher de sauter vers la mort à la suite de son amie.

Nik s'agenouilla et décocha flèche après flèche dans l'eau, tandis que les lances passaient devant lui en sifflant. Il tenta de repérer Crystal, mais il y avait trop de roseaux et de remous.

Un autre canin hurla à l'agonie, mais Nik ne se retourna pas. Il tirait sans relâche. Les Voleurs de Peaux qui s'étaient cachés sous la surface de l'eau étaient si nombreux !

– Ils visent les canins ! cria Wilkes. On doit retourner aux kayaks, sinon, ils vont les tuer et nous capturer ! Fuyons tout de suite ! Nik, couvre-nous.

– D'accord !

– Je ne partirai pas sans Crystal et Grace ! cria Sheena en se débattant, tandis que Wilkes essayait de l'emmener de force.

– Alors, Captain et toi allez mourir, comme eux ! répliqua Wilkes.

– Ne les laissez pas me prendre vivante ! hurla Crystal.

Elle était dans l'eau saumâtre colorée de sang jusqu'à la poitrine. D'un bras, elle entourait le corps de Grace, et de l'autre, elle cinglait l'air de son poignard devant le cercle de Voleurs de Peaux.

Nik tira une première flèche, puis une seconde, et deux assaillants disparurent sous l'eau. Une autre paire vint aussitôt les remplacer en nageant vers l'étau qui se resserrait sur Crystal.

Nik savait qu'ils ne la tueraient pas. Pas tout de suite. Les Voleurs de Peaux croyaient pouvoir absorber le pouvoir d'un Compagnon en portant sa peau, et que ce pouvoir ne leur était transféré que si ce Compagnon était vivant quand ils le dépouillaient. Ils emmèneraient Crystal dans leur temple, au cœur de la Ville en ruines, et là, ils arracheraient la peau de son corps précautionneusement, méticuleusement, la gardant en vie aussi longtemps que possible. Ensuite, ils dévoreraient sa chair.

– Il y en a d'autres qui arrivent de l'entrepôt ! avertit Monroe.

Nik prit le temps de lever les yeux. Des Voleurs de Peaux sortaient en masse du trou dans le bâtiment.

– Crystal ! hurla Sheena.

– On ne peut pas la sauver ! répondit Wilkes. Nik, abrège ses souffrances et suis-nous.

Le temps sembla s'arrêter. Dans l'air criblé de lances, Nik se releva et visa le plan d'eau, plus bas. Au même moment, Crystal leva la tête et croisa son regard. Elle jeta son poignard, blessant au cou le Voleur de Peaux le plus proche. Puis elle serra fort le corps de Grace contre elle, sourit et fit un signe de tête à Nik.

Il ne s'autorisa pas à réfléchir. Il pressa la détente de son arbalète et observa sa flèche s'enfoncer jusqu'aux plumes au beau milieu du front blanc et lisse de Crystal. Avec un soupir qu'il entendrait dans ses cauchemars pendant le reste de sa vie, elle s'écroula sur le corps de Grace et disparut sous l'eau avec son canin.

Ensuite, Nik couvrit Wilkes et Sheena, tirant sans discontinuer dans les hordes qui convergeaient vers eux.

Lorsqu'il regagna les kayaks, tous étaient déjà à l'eau, hormis ceux de Wilkes et Monroe, et de Sheena et lui-même. Grâce à sa vision périphérique, il vit Monroe tirer, s'interrompant pour porter Viper, son Berger, qui avait une lance plantée dans l'arrière-train, vers le tapis de lest.

– Ulysse ! cria soudain Thaddée, à moins de vingt mètres de Nik.

Un homme immense, comme Nik n'en avait jamais vu, venait d'émerger de sous le kayak de Thaddée. L'embarcation tangua dangereusement, et le Terrier glissa dans l'eau, où il fut immédiatement récupéré par un Voleur de Peaux.

– Non ! hurla de nouveau Thaddée, avant que l'homme gigantesque lui assénât un coup du revers de la main.

Thaddée tomba à la renverse, se cogna la tête contre le siège en bois du kayak et perdit connaissance. Le Voleur de Peaux l'empoigna par le dos de sa tunique comme il aurait attrapé un jeune canin par la peau du cou, et le sortit sans mal du bateau.

Tandis qu'une lance sifflait à son oreille, Nik décocha encore quatre flèches vers le colosse qui nageait vers la rive en tenant Thaddée sous son énorme bras. Mais les Voleurs de Peaux continuaient à émerger de l'eau en masse et formaient un mur vivant entre ses flèches et le géant qui s'éloignait.

– Fuis, Nik, fuis ! cria Wilkes, tandis qu'Odin bondissait dans le kayak où se trouvait Viper et s'installait sur l'autre tapis, équilibrant ainsi le bateau.

Monroe et Wilkes le poussèrent dans le fleuve et sautèrent à bord avant d'être emportés à toute vitesse par le courant.

– Hé, Nik ! Aide-moi ! appela Sheena.

Le jeune homme jeta un coup d'œil derrière lui. Le visage ruisselant de larmes, la femme tentait d'arracher les sacs de lest des flancs du kayak. Captain était déjà à bord, assis près du siège de Crystal. Nik comprit aussitôt ce qui se passait. Sans Grace pour faire contrepoids à Captain, le kayak chavirerait. Il fallait donc se débarrasser du lest si Sheena et lui voulaient s'échapper.

Nik se lança immédiatement dans l'eau peu profonde et rejoignit l'embarcation. Avec le talon de sa botte, il donna de violents coups dans le sac de lest, le brisant en même temps que Sheena arrachait l'autre.

– Monte ! Je vais mettre le kayak à l'eau, dit Nik.

Sheena s'installa en hâte à l'avant et Nik se courba sur ses pagaies, utilisant toutes ses forces pour propulser le canot. Alors que ses pieds quittaient le lit du fleuve et qu'il bondissait à l'arrière du kayak, une lance s'enfonça dans le haut de son dos.

Une douleur cuisante explosa dans l'ensemble de son corps. Nik dut fournir de gros efforts pour s'asseoir, puis soulever la pagaie fixée à la coque. Mû par l'adrénaline, il s'en servit pour fendre l'eau, se mordant la lèvre jusqu'au sang pour s'empêcher de crier de douleur. Tout autour, les lances pleuvaient.

L'une d'elles se planta – *tac !* – dans le flanc en bois du bateau. Une autre plongea juste derrière Nik.

Faisant abstraction de sa douleur et des forces qui le quittaient avec le sang qui dégoulinait le long de son dos, Nik pagaya.

Peu après, il s'aperçut confusément que les lances ne s'abattaient plus sur eux. Ils avaient été emportés par le courant, qui les éloignait du lieu de l'attaque. Il continua néanmoins à pagayer.

– Nik, aide-moi à contrôler le kayak ! On est trop près des rapides !

Il était vaguement conscient que Sheena lui criait quelque chose, et que la petite embarcation avait commencé à se soulever et à tourner à toute vitesse. Clignant les yeux et tentant d'y voir plus clair, il put brièvement concentrer son attention sur Sheena, qui se retourna et le regarda avec des yeux exorbités. Son visage livide était sillonné de larmes.

– Je suis désolé, tenta-t-il de lui dire, mais il ne maîtrisait plus son élocution.

– On va chavirer ! cria Sheena pour couvrir le grondement des rapides. Essaie de t'agripper au kayak. On a une chance de s'en sortir si on reste accrochés au bateau.

Le courant les fit tournoyer de nouveau, et la proue pencha dangereusement sur le côté. Avant de tomber à l'eau, Nik leva les yeux et vit qu'ils étaient aspirés vers un passage étroit sous l'arche métallique à peine submergée d'un pont en ruines.

Il perdit aussitôt de vue Sheena, Captain et le kayak. Le courant le propulsa violemment en avant, de sorte que son corps se fracassa contre la poutre en treillis. Nik hurla de douleur au moment où la hampe de la lance se cassa net, laissant la pointe enfoncée dans son dos. Puis le tourbillon l'attrapa, et l'engloutit.

Il tenta de retenir sa respiration. Il tenta de lutter contre le courant, mais une léthargie presque douce commença à l'envahir à mesure que l'eau froide pénétrait dans son corps. Lorsqu'il finit par succomber aux ténèbres bénies, sa dernière pensée fut non pas pour sa mère, son père, ou sa trop courte vie, mais pour le petit canin – son petit canin. « Je suis désolé de t'avoir laissé tomber. Désolé de ne pas t'avoir retrouvé. Mais je suis content, très content, que tu ne meures pas avec moi aujourd'hui. »

30

— Allumez les braseros ! Rassemblez le Peuple ! Nous allons offrir un sacrifice ! brailla Poing de Fer, tandis que les Moissonneurs et les Chasseurs entraient dans la cour du temple.

Œil Mort vit Colombe sur le balcon de la Faucheuse. Elle se tenait exactement au même endroit que lorsqu'il était parti avec le Peuple pour tendre une embuscade aux Autres. Son expression attentive et tendue lui procura une vague de plaisir quand il comprit qu'elle avait attendu, et attendait encore, d'entendre sa voix et de savoir qu'il était sain et sauf.

– Colombe ! l'appela-t-il. Je rapporte une victime !

Son visage – son magnifique visage lisse sans yeux – s'illumina d'un sourire aussi flamboyant et féroce que les braseros de la divinité.

– Notre Champion est de retour ! se réjouit-elle. Rassemblez-vous dans la cour pour que la divinité puisse assister au sacrifice !

Il vit alors les mains des jeunes filles que Colombe avait recrutées comme suivantes se tendre vers elle et la guider depuis le balcon. Impatient d'être de nouveau près d'elle, Œil Mort replaça l'Autre sur son dos et pressa le pas.

– Érigez l'échafaud sacrificiel ! ordonna-t-il.

Les Chasseurs et les Moissonneurs revenus avec lui de l'embuscade lui obéirent aussitôt : ils sortirent la plate-forme en bois tachée et la tirèrent jusqu'au centre de la cour, à l'endroit marqué de suie où il avait dressé le bûcher qui avait purifié le temple. Œil Mort hocha la tête avec satisfaction en examinant l'échafaud. Pendant que les hommes et lui tendaient l'embuscade et se battaient contre les Autres, Colombe et ses suivantes avaient frotté la vieille plate-forme avec de l'eau, puis l'avaient enduite de cire d'abeille. Le bois luisait d'une riche couleur rouille – témoin d'effusions de sang régulières depuis des générations –, et les cercles de fer brillaient d'un éclat argenté à la lueur des braseros.

Lorsque tout fut prêt, Œil Mort déposa l'Autre, inconscient, sur l'échafaud et attendit. Enfin, Colombe apparut sous le balcon de la Faucheuse entourée d'une douzaine de jeunes filles parfaites. Elles avaient toutes les seins nus et étaient vêtues seulement de jupes longues décorées des cheveux des Autres, sacrifiés pour le Peuple à travers les âges. Œil Mort appréciait le spectacle qu'elles offraient, d'autant plus qu'il avait été créé par une fille sans yeux.

– Enchaînez-le et dressez l'échafaud ! ordonna-t-il.

Tandis que le Peuple s'exécutait à toute vitesse, Œil Mort rejoignit Colombe. Ici, elle n'évoluait pas avec la même assurance et la même liberté de mouvement que dans la chambre qu'elle n'avait pas quittée pendant les seize hivers de sa vie. Mais lorsqu'il lui présenta son bras en disant : « Oracle, puis-je te conduire au sacrifice ? », elle n'hésita pas une seconde. Elle posa sa douce main blanche sur son avant-bras musclé, et se laissa guider jusqu'aux marches de l'échafaud. Ensemble, ils gravirent les quatre premières, et s'arrêtèrent devant l'homme accroché, bras et jambes écartés, à la large structure en forme de T.

– Qui a son canin ? demanda Œil Mort au Peuple.

– Lui ! répondit le Peuple en s'écartant pour permettre à Poing de Fer de rejoindre la plate-forme.

Ce dernier tenait le petit Terrier noir, ficelé et muselé.

Œil Mort remarqua l'intelligence qui brillait dans le regard de l'animal, et le fait que ce dernier ne se débattait ni ne gémissait. Il avait simplement les yeux rivés sur l'homme inconscient ligoté à la plate-forme.

– Réveillez-le ! ordonna Œil Mort.

Deux Moissonneurs s'avancèrent en portant des seaux d'eau qu'ils renversèrent sur l'homme. Aussitôt, celui-ci crachota et essaya de se libérer des anneaux en fer qui emprisonnaient ses poignets et ses chevilles.

– Si tu continues à t'agiter, tu ne réussiras qu'à te faire mal, le prévint Œil Mort.

L'homme s'arrêta de bouger. Il cligna les yeux plusieurs fois, pour ajuster sa vue. Il lança à Œil Mort un bref regard, qui dériva aussitôt sur Poing de Fer et le canin qu'il avait dans les bras.

– Fais ce que tu veux de moi, mais laisse partir Ulysse, grogna-t-il, les dents serrées.

– Tu n'es pas en position de négocier, rétorqua Œil Mort.

– Bien sûr que si, sale mutant ! Tu crois que la chair vivante possède une propriété magique qui te sauvera de ta vie répugnante, donc tu veux que je reste en vie aussi longtemps que possible. Je te jure de combattre la mort, même pendant que tu m'arracheras la peau, mais seulement après que tu auras laissé partir mon Terrier.

– Sinon, tu feras quoi ? demanda Œil Mort, curieux.

– C'est simple : j'abandonnerai. Je me concentrerai sur ma douleur et mon sang, et je m'adjurerai intérieurement de mourir pour pouvoir rejoindre Ulysse dans le monde suivant. Le plus tôt sera le mieux.

L'homme cracha une grosse boule de mucosité aux pieds d'Œil Mort.

– Ce canin est-il si important pour toi ? s'étonna celui-ci.

Les yeux de l'homme lancèrent des éclairs de rage.

– Puisque tu as l'air d'être le chef, je vais supposer que tu as plus de cervelle qu'eux et que tu connais l'importance d'une paire canin-Compagnon. Donc, oui, je donnerais ma vie pour Ulysse.

– Intéressant…, commenta Œil Mort, songeur, avant de chuchoter à Colombe : Tu avais raison, ma chérie. Il fallait qu'on capture le canin avec l'homme.

La jeune fille sourit sereinement et lui caressa le bras.

– Continue selon notre plan, Champion. Je veillerai à ce que la divinité soit avec toi. Le Peuple suivra ton exemple, aujourd'hui et toujours.

Sur ces mots, elle se tourna face à la foule, qui attendait avec une excitation presque palpable, et annonça :

– Vous allez assister à un sacrifice auquel vous n'êtes pas habitués, mais la divinité m'a montré comment la contenter, et votre Champion exaucera sa volonté.

Il y eut un remous au sein du Peuple, puis les Moissonneurs tombèrent à genoux, imités par les Chasseurs, et finalement, par les hommes et femmes plus âgés qui avaient commencé à émerger de l'obscurité entourant le temple.

– Ils nous font une révérence, murmura Œil Mort à Colombe.

Celle-ci hocha la tête de façon à peine perceptible, sortit le trident sacrificiel de la gaine fixée à sa taille, puis cria :

– Que le sacrifice commence !

– Que le sacrifice commence ! répéta le Peuple.

Œil Mort lui prit le trident en s'inclinant devant elle avec déférence. Ensuite, il fit signe à Poing de Fer de le rejoindre sur la plate-forme. Flanqué d'un côté du Moissonneur qui portait le canin et, de l'autre, de l'oracle sans yeux, Œil Mort s'approcha de l'homme attaché.

– J'aimerais connaître ton nom avant de commencer, lui dit-il.

– Tu libéreras Ulysse ?

– Oui. Tu as ma parole que ton canin pourra quitter la Ville vivant.

L'homme parut si soulagé qu'il sembla expirer tout l'air de son corps.

– Je m'appelle Thaddée, déclara-t-il.

– Thaddée, je suis le Champion, et je te rends honneur pour ce que tu vas apporter à mon Peuple.

Œil Mort tendit la main, saisit le devant de la tunique trempée de Thaddée et la lui arracha.

Il demeura les yeux rivés sur le torse nu de l'homme, incrédule, puis rejeta la tête en arrière et se mit à rire. Derrière lui, la foule, nerveuse, s'agita et fut parcourue de chuchotements interrogateurs. Œil Mort s'écarta afin qu'elle puisse voir distinctement Thaddée. Découvrant la peau crevassée qui tombait de ses bras et de son buste, le Peuple poussa des cris de stupéfaction et d'épouvante.

– C'est l'un des nôtres ! cria Œil Mort, avant de se retourner vers le captif, qui le regardait avec des yeux froids et durs. Ainsi, tu as mangé de la chair de cerf.

Bien qu'il n'eût pas formulé sa phrase comme une question, l'Autre répondit :

– Non. Mais le sang de l'animal est entré dans mes yeux et ma bouche.

– Ensuite, ta peau a commencé à se crevasser et à tomber, devina Œil Mort, incapable de s'arrêter de sourire.

– Oui. Bon, écoute, assez de ces bavardages inutiles. Laisse partir Ulysse et finissons-en.

– Oh, non ! Non ! s'esclaffa Œil Mort. Tu ne comprends pas. Je ne vais pas te tuer. Je vais te sauver. Apporte-moi le canin, dit-il à Poing de Fer.

Le Moissonneur s'approcha. Œil Mort lui prit le petit Terrier, le retourna de sorte que son flanc et son ventre fussent exposés. Puis il commença à couper le canin d'un geste expert si fluide qu'Ulysse hurla et se débattit seulement après que la première bande de peau sanguinolente eut été découpée proprement de son corps.

– Non ! Arrête ! Tu avais juré de le laisser partir ! hurla Thaddée en essayant de se libérer de ses fers.

– Et je tiendrai parole… une fois que j'aurai terminé le sacrifice.

Avec la même dextérité, Œil Mort découpa deux autres minces bandes sanglantes du canin et les tendit à Colombe, qui les tint avec déférence dans ses mains.

– Bande les blessures du canin, ordonna-t-il ensuite à Poing de Fer.

Puis il se mit face à Thaddée, qui sanglotait et hurlait avec la même hystérie que l'animal.

– Chuuuut ! le calma Œil Mort. Ton Ulysse se rétablira. Il a servi mon but. Et toi aussi, tu te remettras.

Ensuite, il prit à Colombe les rubans de chair, dont il fit soigneusement de petits morceaux qu'il appliqua un à un sur les vilaines crevasses de Thaddée.

– Que fais-tu ? lui demanda ce dernier en serrant les dents de colère et de douleur.

– Je te sauve.

Méticuleusement, Œil Mort combla chacune des crevasses de Thaddée avec la chair encore chaude du Terrier. Lorsqu'il eut fini, Colombe appela ses suivantes et leur ordonna d'enrouler des bandes de tissu sur les blessures. Œil Mort se tourna ensuite de nouveau vers le Peuple.

– Vous voyez maintenant ce que la divinité a montré à Colombe. Apportez de l'eau à Thaddée et à son canin. Ils sont libres de regagner leur Cité dans les Arbres !

Œil Mort ôta les fers de Thaddée, qui s'effondra sur la plateforme couverte de sang. Puis Poing de Fer revint avec Ulysse pansé, qu'Œil Mort prit pour le donner à Thaddée. L'homme serra le petit Terrier contre son torse sanglant, le berça et le contempla avec des yeux paniqués, plissés par la douleur.

Dans un silence agité, l'un des Chasseurs les plus âgés, connu sous le nom de Serpent, prit la parole :

– Champion, nous entendons et nous obéirons à la volonté de la divinité, mais nous ne comprenons pas.

Œil Mort sourit, heureux que le Peuple continuât à lui accorder un soutien sans faille, même s'il ne partageait pas sa vision.

– Puisque vous êtes loyaux, je vais vous expliquer, déclara-t-il. Dis-moi, Thaddée, que feraient les Autres s'ils savaient que ta peau est crevassée et qu'elle tombe ?

La pomme d'Adam de Thaddée bougeait convulsivement tandis qu'il buvait d'un trait l'eau que les suivantes de Colombe lui avaient apportée. Après s'être essuyé la bouche d'une main tremblante, son Terrier toujours dans les bras, il planta ses yeux dans ceux d'Œil Mort et répondit :

– J'ignore ce que la Tribu ferait.

– Allons ! Tu peux mieux faire, l'encouragea Œil Mort.

Thaddée observa son canin et prit une profonde inspiration. Lorsqu'il releva les yeux, son expression avait complètement changé.

– Elle m'isolerait, admit-il. Si elle ne pouvait pas me guérir, elle nous exécuterait, Ulysse et moi.

– Oui, fit Œil Mort en hochant la tête d'un air satisfait. Parce que ce serait la meilleure solution pour les Autres.

– C'est ce qu'ils penseraient, en effet, concéda Thaddée.

– Mais ce n'est pas ce que je pense, moi, reprit Œil Mort. Pour moi, tu n'es pas malade. Je crois que tu es transformé, amélioré, et qu'une fois que tu auras compris ce que tu es en train de devenir, tu fuiras tout prétendu remède. Mais ce sera ta décision à toi seul. Maintenant, tu es libre de t'en aller avec ton secret.

– Pourquoi ? demanda Thaddée.

– Parce que la Faucheuse l'ordonne, et on ne conteste pas sa volonté.

Œil Mort lui lança sa tunique et ajouta :

– Raccompagnez Thaddée et son Ulysse à leur bateau, au fleuve. Rendez-leur leur liberté.

Un groupe afflua sur la plate-forme et aida Thaddée à se lever, puis le soutint en le conduisant hors de la cour avant de commencer le périple dans le cœur de la Ville en ruines. Thaddée se retourna une seule fois, pour regarder l'immense statue de la divinité qui se dressait, menaçante, au-dessus d'eux.

Œil Mort caressa d'un doigt la joue de Colombe.

– Ça a été encore plus simple que je l'espérais, lui confia-t-il. Quelle surprise providentielle de découvrir qu'il était déjà infecté ! Et maintenant, le processus est réellement enclenché.

– Tout se passera exactement comme tu l'as dit.

Colombe lui prit la main, qu'elle porta à sa taille, et se blottit avec enthousiasme dans ses bras.

– Oui, ce Thaddée est déjà rempli de colère aussi sûrement qu'il est rempli de l'infection de notre Ville polluée. Il sèmera la dissension et la destruction parmi les Autres, et quand son fruit empoisonné sera enfin mûr, nous moissonnerons une nouvelle Ville, une nouvelle vie, un nouveau monde !

Œil Mort se pencha et pressa ses lèvres contre celles de Colombe. Puis, en harmonie parfaite, ils pénétrèrent dans leur temple où, entourés des suivantes de Colombe, ils festoyèrent et se divertirent.

31

Mari prit sa décision juste après s'être réveillée. Elle bâilla et s'étira en savourant la chaleur que dégageait Rigel, couché près d'elle sur l'ancienne paillasse de Léda. Tout en songeant qu'elle avait vraiment, *vraiment* besoin de faire la lessive – tâche qui l'avait toujours rebutée –, elle pensait à sa propre toilette. Après s'être étirée une dernière fois, elle enjamba Rigel, et ses cheveux sales et malodorants lui tombèrent sur le visage.

Elle souleva sa crinière emmêlée et tenta de la peigner avec ses doigts. Elle remarqua alors la saleté sous ses ongles, sur ses mains et ses bras. D'elles-mêmes, ses mains crasseuses touchèrent son visage. Il était dégoûtant. Mari le savait. Son camouflage s'était en grande partie estompé. Par habitude, elle se mit debout, prête à se diriger vers le pot d'argile afin de dissimuler ses traits. Elle songea également qu'elle ferait bien de se préparer une nouvelle teinture. Elle n'avait pas besoin de se regarder dans le miroir pour savoir que la vraie couleur de ses cheveux transparaissait sous la dernière. À la simple idée d'étaler l'infecte mixture sur ses cheveux déjà puants, elle se voûta. Elle avait envie de retourner au lit et de dormir éternellement.

« Ce serait tellement formidable si je n'étais pas forcée de me couvrir d'argile, de crasse et de teinture ! »

C'est alors que Mari se figea.

Pourquoi ne pas cesser tout ce camouflage ? Pourquoi ne pas être elle-même, tout simplement ?

Percevant le changement qui s'était opéré en elle, Rigel se réveilla complètement. Il bondit de la paillasse, s'étira, puis la rejoignit à pas feutrés en la considérant avec une expression interrogatrice comique.

Mari adressa un large sourire à son Compagnon et lui expliqua :

– Avant, je cachais mon apparence parce que c'était préférable pour maman et moi. Mais maman n'est plus là. Sora sera la nouvelle Femme Lune. Ça signifie que je ne serai jamais obligée d'être acceptée par le Clan. Jamais !

Rigel remua la queue et exprima son approbation en aboyant. Mari passa la tête hors de la petite pièce qui avait été la chambre de sa mère et jeta un coup d'œil à Sora, qui semblait dormir à poings fermés. Elle se retourna vers Rigel.

– Bon, ça suffit. J'ai pris ma décision. Finie la saleté. Finie la teinture. Finie l'argile. J'arrête de faire semblant d'être quelqu'un que je ne suis pas.

Tout en fredonnant, Mari chercha des vêtements propres. Ensuite, elle alla au placard à pharmacie et en sortit un bulbe entier de saponaire. Elle en profita pour tâter les couteaux alignés sur l'étagère et choisit le plus aiguisé. Puis elle mangea et nourrit Rigel en rêvant au plaisir de laisser sa peau et ses cheveux nus.

Ce serait merveilleux !

Elle retourna dans la pièce principale et poussa du pied la jambe de Sora, deux fois. La jeune fille marmonna et se pelotonna en ramenant ses jambes contre son buste. Mari soupira, alla à la porte et saisit son bâton de marche. Puis, avec un sourire malicieux, elle en donna un coup dans les fesses de Sora.

– Arrête ! grommela celle-ci en battant l'air de sa main comme pour chasser un insecte.

– Je sors, et tu devrais venir avec moi.

Sora se retourna et la regarda avec des yeux ensommeillés.

– Non. Je devrais continuer à dormir. Va-t'en.

Mari songea à attraper la fourrure dans laquelle Sora s'était enveloppée et à tirer dessus, mais elle se ravisa. « Comme le disait maman : je dois me servir de ma cervelle avant de me servir de mes muscles. »

– D'accord. Reste ici. Mais plus tard, quand tu te plaindras de l'odeur, c'est de toi que tu parleras, pas de moi.

– Tu vas te *laver* ? l'interrogea Sora, en écarquillant ses yeux gris.

– Inutile d'avoir l'air si étonnée.

– Bien sûr que je suis étonnée. Je ne t'ai jamais vue propre.

– Tu m'as vue propre plein de fois. C'est juste que tu n'as jamais vu ma peau, mon visage et mes cheveux au naturel.

Sora renifla, puis fronça le nez.

– Mon odorat me dit que tu es sale, affirma-t-elle.

– Ma mère est morte. Je suis en deuil.

– Les gens en deuil ne se lavent pas ? répliqua Sora en gloussant.

– Sora, tu n'es pas drôle. Lève-toi et accompagne-moi. Je regrette d'avoir à le dire, mais j'ai besoin de ton aide.

– Vraiment ? fit Sora, avant de brosser ses épais cheveux en arrière et de commencer à se faire une grosse tresse.

– Vraiment ! confirma Mari en observant les doigts habiles de la jeune fille. Pour mes cheveux.

– Enfin ! Je suis contente pour toi, Mari.

– Eh bien, comme je n'ai plus de raison de vouloir m'intégrer au Clan, je n'ai plus de raison de me cacher.

Mari se demanda pourquoi elle se sentait aussi vide en formulant devant Sora ce qu'elle pensait depuis des semaines sans aucun remords.

– Il y a d'autres solutions, tu sais, répondit la jeune fille. Toi et moi, on pourrait s'entraider. Beaucoup.

– Comment ça ?

– Pourquoi n'y aurait-il pas deux Femmes Lune dans le Clan ? suggéra Sora. On se partagerait le travail.

– Non. Je viens de te dire que j'avais décidé d'être moi-même.

– C'était juste une idée.

– Bon, tu viens avec moi ou pas ?

– J'arrive, j'arrive !

Sora se leva et, comme si elle vivait là depuis toujours, se dirigea vers la boîte à plantes et commença à remplir sa chope pour préparer son infusion du matin.

Mari poussa un soupir et s'assit sur la chaise de sa mère.

– Si tu prends de la camomille, autant m'en faire une tasse.

– Il reste du ragoût, ou ton monstre a tout mangé ?

– Rigel préfère le lapin cru, alors oui, il en reste. C'est dans le chaudron.

– Tu en veux, aussi ? proposa Sora, en versant de la camomille dans une seconde chope.

– Non, j'ai déjà mangé. Tu dors beaucoup, observa Mari en frottant les oreilles de Rigel.

– Mon petit doigt me dit que, quand je vais sortir, le soleil sera à peine levé. Je n'appelle pas ça « dormir beaucoup ». C'est toi qui te réveilles à une heure anormalement matinale.

– C'est aussi l'avis du reste du Clan ; voilà pourquoi je me lève et sors à ce moment-là. J'ai quasiment l'assurance de ne croiser personne.

– Aujourd'hui, je ne sais pas s'il y a encore beaucoup de gens à croiser, estima Sora. Hier, les hurlements étaient horribles. On aurait dit qu'on tuait quelqu'un. Des tas de gens, même.

– Encore une raison de se lever tôt, insista Mari.

– Encore une raison pour que notre Clan ait deux Femmes Lune.

– Laisse tomber, dit Mari. Je t'en prie.

Quelque chose dans son regard força Sora à tourner la tête, et elle pinça les lèvres d'un air triste.

Mari sirota son infusion en silence pendant que la jeune fille rompait le jeûne ; puis elles se partagèrent les vêtements sales, saisirent leurs sacs et leurs bâtons de marche et commencèrent à se faufiler à travers le roncier.

– Tu es sûre qu'on prend le bon chemin ? demanda Sora.

– On prend le bon chemin pour aller au ruisseau qui est derrière la tanière.

À l'aide de son bâton, Mari souleva une énième grosse branche d'épines afin que Rigel et Sora puissent marcher à ses côtés.

– On va sortir des ronces après le prochain virage, mais reste juste derrière moi, conseilla Mari à Sora. Ne touche rien jusqu'à ce que je te donne mon feu vert.

– Pourquoi ? Que se passe-t-il ?

– C'est plus facile de te le montrer que de te l'expliquer.

Mari suivit un nouveau coude dans le labyrinthe et écarta une branche semblable à un mur d'épines. Puis elle sortit du fourré et s'engagea sur une petite pente broussailleuse.

Sora écrasa un énorme moustique sur son bras et grimaça devant la tache de sang qu'il avait laissée.

– Je ne vois aucun ruisseau, par ici, commenta-t-elle. Il n'y a rien que des moustiques, beaucoup de boue et de mauvaises herbes dans un bouquet d'érables bizarres.

– C'est tout ce que tu es censée voir, en effet. Mais les mauvaises herbes ne sont pas que des mauvaises herbes. Idem pour les érables bizarres. Regarde de plus près.

Avec un soupir, Sora fit ce que Mari lui conseillait.

– Pouah ! Ces plantes rampantes basses, partout, là, sont en fait du sumac vénéneux. Et ces buissons, des orties. Je n'en ai jamais vu de si grandes !

Plissant les yeux, elle observa les drôles de plantes aux feuilles disproportionnées qui ressemblaient à celles des érables. Puis elle recula brusquement en faisant une nouvelle grimace.

– Douce Déesse Mère, ce ne sont pas des arbres ! s'exclama-t-elle. C'est du bois piquant ! Si on touche sa tige ou qu'on marche sur ses pousses, on est couvert d'épines. Cet endroit est horrible. Je ne vois toujours pas de ruisseau et je n'ai pas envie de franchir ce truc. On ne peut pas emprunter un autre chemin ?

– Ta réaction est parfaite, commenta Mari. C'est exactement dans ce but que maman et moi nous sommes occupées de ce fourré d'aussi loin que je m'en souvienne. Le plus dur a été de transplanter le bois piquant, mais ce bouquet dissuade quiconque d'explorer cette zone. Le ruisseau coule juste un peu à l'ouest d'ici, et le sumac vénéneux et les orties se développent bien tout du long. Il n'y a qu'un chemin sûr pour traverser tout ça, alors, suis-moi de près.

– Il faut traverser ce machin chaque fois qu'on va au ruisseau ? s'enquit Sora.

– C'est facile une fois qu'on connaît la route, la rassura Mari. Quand tu verras le ruisseau et la piscine, tu comprendras que ça en vaut la peine.

Avançant avec précaution, Mari se fraya aisément un passage parmi le bois piquant et les orties, passa devant les tas de sumac vénéneux – en veillant à ne pas les toucher – et descendit vers un ruisseau large et peu profond. Bien que gonflée par les pluies printanières, son eau était claire et scintillait dans la lumière du soleil matinal. Mari y entra, et grimaça un peu lorsque l'eau froide clapota contre ses mollets.

– Comment va-t-on pouvoir se baigner là-dedans ? demanda Sora. Ce n'est pas assez profond.

– Ce n'est pas ici qu'on se baigne. Du moins, pas quand on veut prendre un vrai bain. Ici, c'est surtout pour remplir nos seaux. La piscine est là-haut, indiqua Mari en pointant le doigt plus loin. C'est plus rapide et plus sûr d'y aller en marchant dans le ruisseau. Ainsi, on évite tout ça, ajouta-t-elle en désignant l'étendue de sumac vénéneux et d'orties qui peuplait les deux berges. Quand tu auras trouvé où construire ta propre tanière, tu devras y faire pousser ces plantes, plus les ronces et le bois piquant, bien entendu.

– Comment suis-je censée faire ça sans me piquer ou m'empoisonner ?

– Tu te sers de gants, de bon sens et du pouvoir de la lune, répondit Mari, en parlant étrangement comme sa mère. Viens, on est presque arrivées.

Les seuls êtres vivants que les deux jeunes femmes virent furent les nombreux geais bruyants et plusieurs écureuils gris qui crièrent sur Rigel avant de disparaître dans les arbres.

– On n'a presque plus de viande ; il faudra qu'on vérifie les pièges, plus tard dans la journée, déclara Mari.

– Je suis contente de ne pas avoir à franchir un autre coin d'orties pour y accéder, confia Sora en se grattant la jambe. Je suis passée trop près de l'un de ces buissons.

Mari allait lui dire qu'elle s'habituerait à cette végétation difficile lorsque le bruit d'une cascade leur parvint. Elle accéléra l'allure et bientôt, elles arrivèrent sous une triple chute d'eau qui remplissait un bassin rond et clair. Rigel courut, lapa l'eau étincelante, puis s'allongea sur un rocher inondé de soleil, soupira avec contentement et ferma les yeux.

– N'est-il pas censé monter la garde ? s'enquit Sora.

– Il est capable de le faire les yeux fermés, assura Mari. Essaie donc de m'attraper, tu verras sa réaction.

– Je te crois sur parole, dit Sora en observant la cascade et la piscine naturelle en dessous. Cet endroit est incroyable. J'ignorais totalement qu'il y avait ça ici.

– C'est parce que, là-haut, notre joli petit ruisseau est un flot d'écume qui traverse une gorge rocheuse. Sur une longue distance, il est presque impossible de l'atteindre parce que les flancs de la gorge sont très glissants. Un barrage s'est formé, sans doute suite à un éboulement très ancien. C'est ce qui a rendu la série de cascades suffisamment calme pour qu'elles forment ce plan d'eau et notre ruisseau qui en déborde. Ça peut devenir dangereux s'il pleut trop, surtout au printemps, mais le barrage a toujours tenu, et même s'il cédait, l'eau inonderait seulement les orties et le sumac. Une fois qu'elle serait redescendue, tout se remettrait à pousser.

Mari avança en traînant les pieds dans le ruisseau vers la partie la plus basse du plan d'eau. Sur un large rocher plat, elle disposa ses vêtements propres et le bulbe de saponaire.

– Apporte-moi les habits sales, lança-t-elle à Sora. On pourra les faire tremper pendant qu'on se lavera. Ils seront ainsi plus faciles à nettoyer, et si la matinée reste belle, ils sécheront sur ces rochers en un rien de temps.

Sora la rejoignit et, comme Mari, plongea le linge sale dans l'eau peu profonde. Puis Mari sortit de son sac un petit couteau et le tendit à Sora.

– Je veux que tu me coupes les cheveux, lui dit-elle.

– Tu es sûre ? la questionna Sora d'un air perplexe.

– Tu vois bien : ils sont dégoûtants. Je ne les supporte plus.

– Je les coupe jusqu'où ?

Mari réfléchit quelques secondes, puis elle posa une main sur son cou, juste sous sa mâchoire.

– Jusqu'ici.

– C'est court, remarqua Sora.

– Ils repousseront. Et, cette fois, ils ne seront pas emmêlés par la teinture et la saleté. Vas-y.

– D'accord, ce sont tes cheveux. Tes cheveux très, très sales.

Avec une grimace, Sora empoigna la crinière de Mari d'une main, la tendit et, de l'autre main, se mit à manier le couteau.

Mari ferma les yeux et s'efforça d'ignorer les tiraillements douloureux sur son crâne. Lorsque Sora eut fini, les mains de Mari touchèrent automatiquement ses cheveux. Sa tête lui paraissait drôle, légère ; la jeune femme avait l'impression de n'être pas vraiment elle-même.

– Ils sont assez droits, nota Sora. En fait, ils ont été faciles à couper une fois que j'ai eu éliminé tous les nœuds. Va les laver. Je veux voir comment ils sont en vrai.

Mari se leva, se dévêtit et lança ses habits sales sur le tas de linge à tremper. Puis elle prit un gros morceau de saponaire et se dirigea vers la partie profonde de la piscine.

Elle sentait le regard de Sora dans son dos, mais elle ne se retourna pour lui faire face que lorsqu'elle put s'asseoir dans l'eau, immergée jusqu'aux épaules.

– Tu me fixes ; ça me rend mal à l'aise, dit Mari.

Sora cligna les yeux et Mari la vit rougir avant de tourner la tête.

– Désolée, s'excusa la jeune fille. C'est juste que je découvre la vraie couleur de ta peau.

– Je t'ai déjà tout expliqué.

– Eh bien, comprendre et voir sont deux choses différentes. En plus, comme tu es au soleil, ces étranges motifs sont visibles.

Mari constata que les délicats dessins en filigrane de la fronde de la Plante Mère affleuraient à la surface de sa peau. Tendant un bras, elle s'émerveilla du miracle qui vivait en elle.

– Ça te fait mal ? s'enquit Sora d'une voix étouffée.

– Non, pas du tout, répondit Mari. Je n'en ai jamais parlé avant, même pas à maman.

– Pourquoi ?

– Ça la rendait nerveuse. Elle avait toujours peur que quelqu'un me voie. Je... je crois qu'elle voulait oublier cette partie de moi, confia Mari, refoulant ses larmes d'un battement de paupières.

– Léda ne reniait pas qui tu es, affirma Sora. Elle voulait seulement te protéger.

– Oui, c'est vrai, reconnut Mari, un sourire timide aux lèvres. Merci de me le rappeler.

– Quand tu veux, professeure.

Mari s'immergea totalement puis remonta à la surface en crachotant, le gros morceau de saponaire collant dans les mains. Elle ferma les yeux et le fit mousser avant de se laver le visage, encore et encore. Elle nettoya ensuite ses bras et ses mains, frottant les couches d'argile et de saleté qui avaient caché la vraie couleur de sa peau. Enfin, elle s'attaqua à ses cheveux. Elle les savonna et les rinça un nombre incalculable de fois, jusqu'à ce que ses doigts glissent dedans sans peine. Alors, elle sortit de l'eau en frissonnant et alla se sécher sur le rocher ensoleillé où était Rigel.

Sora, qui n'avait pas été si longue à faire sa toilette, était confortablement installée, déjà rhabillée, sur un autre rocher plat.

Mari attendit d'être assise près de Rigel pour la regarder. Non pas qu'elle fût pudique ; cela eût été ridicule. Comme Léda le lui avait appris, il n'y avait absolument pas à avoir honte de son corps nu. C'était un cadeau de la Sublime Déesse, et qu'ils fussent petits ou grands, gros ou maigres, tous les corps avaient de la valeur. Mais Mari ne pouvait pas deviner ce que serait la réaction de Sora. Hormis sa mère, personne ne l'avait jamais vue nue et les cheveux propres. Elle demeura donc là, à absorber la lumière chaude du soleil, à la fois excitée et nerveuse.

– Tu luis encore, constata Sora. Ce n'est pas que je te fixe, mais c'est difficile de ne pas le remarquer.

Mari observa sa peau. Bien qu'encore toute rougie d'avoir été frottée, elle était dominée par la lueur dorée qui se propageait en dessinant une fronde sur l'ensemble de son corps. Puis elle considéra Sora.

– Tes yeux aussi sont différents, reprit la jeune fille. Ils sont très brillants et de la couleur du soleil, l'été… comme ceux de ton monstre. C'est bizarre, sans vouloir te vexer.

Elle marqua une pause puis ajouta :

– Mais tes cheveux sont beaux. Ils sont frisés et leur teinte me rappelle celle du blé. Même si ton visage est très différent de celui des autres membres du Clan, je te trouve bien plus jolie quand tu es propre.

– Merci, dit Mari en passant les doigts dans ses cheveux, se délectant de les sentir si doux et vigoureux. Ça me fait plaisir.

– Que ressens-tu quand le soleil brille sur toi, comme ça ? demanda Sora.

– C'est chaud. Agréable. J'ai l'impression que je pourrais courir jusqu'à l'océan et revenir sans même être essoufflée.

Mari songea soudain au feu qui avait traversé son corps avant de se propager à la forêt, mais elle chassa vite cette image de son esprit. Elle y réfléchirait plus tard, lorsqu'elle se serait habituée à son nouveau moi.

– Tu en aurais peut-être la force, dit Sora. Qui sait ce que les Compagnons sont capables de faire ?

– Je ne suis pas une Compagnonne, affirma Mari.

– En tout cas, une chose est sûre : tu ne ressembles plus à une Marcheuse de la Terre.

Mari se mordit la lèvre. Elle ne savait pas quoi répondre à cela ; elle ignorait qui, ou ce qu'elle était en train de devenir. Elle se rhabilla, en regrettant de ne pas avoir de réponse aux questions qui affluaient à son esprit.

Tandis que le soleil montait dans le ciel dégagé, les deux jeunes femmes lavèrent leurs vêtements et les disposèrent sur les rochers baignés de soleil qui entouraient le plan d'eau. Une fois cette tâche accomplie, Sora bâilla à s'en décrocher la mâchoire. Mari s'apprêtait à suggérer de faire un somme pendant que le linge séchait lorsque Rigel, qui avait passé la matinée à sommeiller paresseusement, la rejoignit d'un bond. Il se mit à marcher de long en large devant elle en gémissant et en glapissant.

– Que se passe-t-il ? Est-ce que des mâles approchent ? Ou des Compagnons ? s'inquiéta Sora en scrutant la forêt autour d'eux, prête à courir se réfugier dans la tanière.

– Il n'est pas en train de me prévenir d'un danger. Il a du mal à tenir en place, car il est impatient.

Sora eut un petit rire et se détendit un peu.

– Eh bien, c'est peut-être parce qu'il a dormi toute la matinée. Je le trouve un peu paresseux.

– Il est jeune ; les petits canins dorment beaucoup, déclara Mari, qui ignorait si c'était vrai. Quel est le problème ? demanda-t-elle néanmoins à Rigel en s'accroupissant devant lui. Qu'est-ce qui te perturbe ?

Le canin aboya deux fois et courut sur une petite distance le long du chemin rocailleux, comme s'il voulait monter au sommet de la cascade. Puis il s'arrêta et se retourna pour regarder Mari en gémissant pitoyablement.

– On dirait qu'il veut que tu le suives, devina Sora. Il fait souvent ça ?

– Non. D'habitude, je comprends exactement ce qu'il essaie de me dire.

Mari rejoignit Rigel, mais celui-ci repartit en flèche, s'arrêta cette fois à mi-pente et aboya.

– D'accord, je viens avec toi, accepta Mari, avant de se tourner vers Sora. Tu peux rester ici, mais il vaut mieux que j'aille voir ce qu'il veut me montrer.

– Il n'est pas question que je reste ici toute seule. Si je te perds, je ne retrouverai jamais le chemin du retour à travers ces plantes vénéneuses et collantes. Non, où tu vas, je vais.

– Très bien. Bon, de toute façon, il faut que les habits sèchent. Va ! ajouta Mari à l'intention de Rigel, avec un geste du bras. Je te suis.

Rigel gravit les rochers à toute vitesse. Parvenu en haut, il regarda Mari et aboya à nouveau, comme pour l'encourager.

– Chuuut ! Ne fais pas tant de bruit !

Le canin se tut instantanément, mais continua à gémir plaintivement.

– J'espère que ça en vaut la peine, râla Sora, essoufflée, derrière Mari.

Avec un grognement, celle-ci se hissa au sommet de la crête. Puis elle tendit la main à Sora et l'aida à la rejoindre.

Elles avaient à peine repris haleine que Rigel repartit en trombe, toujours en se retournant et geignant. Elles lui emboîtèrent le pas et durent le suivre à une cadence épuisante. Le canin attendait qu'elles le rattrapent, et sans leur laisser le temps de reprendre leur souffle, il repartait à toute allure.

– Il va continuer comme ça longtemps ? demanda Sora, qui essuya la sueur de son visage et souleva ses cheveux pour aérer sa nuque.

– Aucune idée, répondit Mari en avançant avec précaution parmi les cailloux et en veillant à ne pas s'approcher des versants glissants de la gorge. En tout cas, je le sens de plus en plus impatient. J'espère que ça signifie qu'on est presque arrivées.

– Moi aussi. Au moins, ici, la berge n'est pas trop terrifiante. Ça ressemble plus au Ruisseau aux Écrevisses, sauf que le courant est beaucoup plus fort.

– Oui, ce n'est pas difficile de descendre à l'eau, dans le coin. Maman et moi venions ici voir ce qui avait été rejeté sur la berge, en provenance de la Ville.

– La Ville ? répéta Sora. Ce ruisseau vient de là-bas ?

– Oui, c'est en quelque sorte un bras du fleuve qui la traverse.

– Léda et toi l'avez suivi jusqu'à la Ville ?

– Non ! Maman ne m'a jamais autorisée à m'approcher de cet horrible endroit. Je le sais simplement parce que des objets ont été rejetés sur la berge en aval, et ils venaient forcément de la Ville : par exemple, la marmite en fer dans laquelle on prépare les ragoûts. Maman et moi l'avons trouvée il y a quelques hivers, non loin d'ici. Et, une autre fois, on...

Mari fut interrompue par des aboiements en rafale. Elle fonça pour rattraper Rigel, qu'elle découvrit dans l'eau, tourné vers une masse de débris accrochés au squelette d'un arbre abattu.

– Rigel, chut ! Tu es trop bruyant ; et puis, je suis là, maintenant. Qu'est-ce que tu voulais me montrer ?

Le canin se déplaça un peu, de sorte que Mari puisse mieux voir le tas de résidus. Elle en eut le souffle coupé. Au milieu des rondins, des plantes rampantes et des habituels déchets transportés par le ruissellement printanier se trouvait le corps d'un homme.

– C'est un Compagnon ! s'exclama Sora, estomaquée, derrière Mari.

Cette dernière s'approcha, les yeux rivés sur le visage de l'homme. L'ayant reconnu, elle sursauta de dégoût. C'était Nik ! Le Compagnon qui avait pisté Rigel.

– Il est mort, dit Sora. On devrait prendre le couteau attaché à sa ceinture, là, tu vois ? Et jetons un coup d'œil autour de lui. On dénichera peut-être autre chose qui a flotté avec lui jusqu'ici.

– D'accord, acquiesça Mari avec un signe de tête.

Bien que trouvant l'idée horrible, elle devait faire ce que Sora disait. N'était-ce pas pour cela que Rigel les avait conduites jusqu'à ce corps ? Les couteaux étaient précieux, et celui-ci semblait être en métal. La ceinture de cuir aussi valait la peine d'être récupérée. Mari lança un regard aux pieds de l'homme. Elle ne le déshabillerait pas – c'était au-dessus de ses forces – ; néanmoins, elle pourrait lui prendre ses chaussures. Faisant abstraction de son nœud à l'estomac, elle s'arma de courage et se pencha pour saisir le couteau lorsque Nik toussa et, avec un grognement douloureux, vomit l'eau du fleuve sur sa chemise.

– Sublime Déesse Mère ! Il est vivant ! s'écria Sora.

Puis elle s'évanouit.

32

Lorsque le Compagnon vomit, Mari recula précipitamment, glissant sur les rochers. Mais il n'ouvrit pas les paupières. Il demeura immobile, blessé, le souffle court et tremblant.

Du coin de l'œil, elle vit Sora remuer.

– Est-ce que ça va ? la questionna-t-elle, sans quitter l'homme des yeux.

Sora se rassit en se frottant le coude, puis demanda :

– Que s'est-il passé ?

– Tu es tombée dans les pommes.

– Je suis tombée dans les pommes ?!

Elle avisa l'amas de débris où gisait l'homme, et écarquilla les yeux.

– Oh, déesse. Je n'ai pas rêvé. Cette créature est réelle, et vivante, en plus.

Rigel s'approcha du Compagnon en gémissant doucement.

– Rigel ! Recule ! ordonna Mari, qui avança pour attraper le canin.

Alors, l'homme ouvrit les yeux. Il les cligna plusieurs fois, comme s'il ne voyait pas clair, puis il aperçut Rigel et les commissures de ses lèvres s'étirèrent.

– Je t'ai retrouvé, dit-il.

Sa voix, faible, donnait l'impression que sa bouche était pleine de gravier. Il leva la main pour toucher le canin. La douleur s'inscrivit soudain sur son visage, qui blêmit tant que ses lèvres, en comparaison, parurent bleues. Il referma les yeux en serrant fort les paupières et haleta. Rigel s'assit et considéra tour à tour le Compagnon et Mari avec, dans son regard intelligent, une expression plaintive.

– Tue-le ! ordonna Sora, debout près de Mari, son regard plein d'un violent dégoût braqué sur l'homme. Prends son couteau et tranche-lui la gorge. Vu son état, tu n'as rien à craindre.

– Je ne peux pas faire ça, répondit Mari.

– Dans ce cas, c'est moi qui vais le zigouiller, décida Sora en s'avançant.

– Non, attends ! dit Mari en l'attrapant par le poignet.

Sora s'immobilisa et observa Mari, la tête inclinée.

– C'est plus cruel de le laisser souffrir, affirma-t-elle. Au coucher du soleil, les cafards viendront le dévorer vivant. C'est un acte de charité de l'achever maintenant.

Mari s'approcha de l'homme. Elle caressa la tête de Rigel qui était assis près de lui et lui chuchota des mots doux afin de calmer l'anxiété qu'il dégageait. Elle scruta le visage de l'homme. Il n'y avait pas de doute : c'était bien le Compagnon dénommé Nik, celui qui recherchait Rigel. Pendant qu'il avait encore les yeux fermés, elle lui prit son couteau. Il ne réagit pas.

– C'est du métal ? s'enquit Sora.

– Je ne sais pas, répondit Mari en lui passant l'instrument. Vérifie.

– Oui ! Et il est drôlement aiguisé. Quelle heureuse trouvaille !

Dans une attitude pragmatique, elle contourna Mari et se dirigea d'un air décidé vers l'homme à terre.

Mari allait l'arrêter, mais Rigel la devança. Il se plaça entre l'homme et Sora, fit quelques pas en arrière et s'étendit sur les jambes du blessé, montrant les dents à la jeune fille d'un air menaçant.

– Ton monstre est devenu fou, dit Sora en reculant, elle aussi.

Mari s'approcha de Rigel, qui gémit pitoyablement et battit de la queue, sans cependant bouger, protégeant l'homme. Mari s'accroupit et sonda les yeux du canin, qui la submergea d'émotions diverses : de l'impatience, de l'excitation et une très grande inquiétude.

Mari lui prit la tête entre ses mains. Rigel gémit de nouveau et lui lécha le visage. Ils n'avaient pas besoin de mots pour communiquer clairement, et elle était de plus en plus certaine de la raison pour laquelle il l'avait amenée ici, et de ce qu'il désirait qu'elle fasse.

– D'accord. Pour toi, je vais l'examiner, décida-t-elle.

– Quoi ?! Pourquoi veux-tu faire ça ?

– Sora, tu devrais avoir compris, maintenant, que je ferais n'importe quoi pour Rigel. Il m'a conduite jusqu'ici. Il ne te laissera pas tuer cet homme. Je ne pense pas qu'il s'y prendrait autrement pour me faire comprendre qu'il veut que j'aide ce Compagnon. C'est donc *pour Rigel* que je vais l'examiner.

À ce moment-là, le canin se déplaça légèrement pour permettre à Mari d'examiner Nik, et il demeura planté entre lui et Sora, décochant des regards menaçants à la jeune fille dès qu'elle faisait le moindre mouvement.

Mari ne remarqua pas immédiatement le fer de la lance. Elle nota seulement que Nik avait une vilaine entaille sur la tête, de laquelle s'écoulait du sang. Elle vérifia en vitesse ses jambes et ses bras. Le Compagnon était blessé à la cuisse droite, mais c'était une simple entaille, qu'il faudrait suturer. Il avait en outre une grave blessure à l'épaule gauche, qui bleuissait déjà. C'est lorsqu'elle voulut le soulever que Mari en comprit la gravité.

– Oh, ça, ce n'est pas beau ! dit-elle à Rigel. La lance est cassée, mais la pointe est enfoncée dans son épaule.

– La chose la plus charitable que tu puisses faire, c'est prendre ce couteau et lui trancher la gorge, insista Sora.

Rigel lui adressa un grognement.

– Explique à ton monstre que je suis logique, c'est tout, ajouta-t-elle.

– Oui, je sais que tu es tenté de la mordre, dit Mari à Rigel. Mais je ne peux pas m'occuper de deux personnes blessées en ce moment.

– Deux *personnes* blessées ? Mari, ce n'est pas une personne, c'est un Compagnon. Notre ennemi. Tu crois que lui, il nous aiderait si on avait été rejetées sur les berges, blessées ? La réponse est : NON.

Mari s'assit sur les talons et leva les yeux vers Sora.

– J'ai déjà vu ce Compagnon. Il cherchait Rigel.

– Grande déesse ! Voilà une raison supplémentaire de le trucider.

– Il était là quand maman est morte, révéla doucement Mari. Il a été gentil avec elle.

– Lui ? Tu en es sûre ?

– Absolument, confirma Mari en essuyant une larme.

Sa décision prise, elle se leva et frotta ses mains sur son pantalon.

– Sora, je ne vais pas le tuer. Tu ne vas pas le tuer. Et on ne va pas le laisser ici pour qu'il soit dévoré par les colonies d'insectes.

– Tu n'es pas sérieuse ! Fais preuve de bon sens. Où le soignerait-on ?

– Chez moi, bien sûr, déclara Mari.

– Mais c'est complètement stupide ! Tu ne peux tout de même pas emmener un Compagnon agonisant chez nous !

– Sora, ce n'est pas chez *nous*, c'est chez *moi*. Chez moi et Rigel, et c'est précisément là que je vais l'emmener.

– Tout ça parce qu'il a eu l'air de faire preuve de compassion envers ta mère mourante et parce que ton cinglé de canin est attaché à lui ? Tu te rends compte que ton raisonnement est ridicule ? Les Compagnons nous traquent, nous réduisent en esclavage et nous tuent depuis des générations et des générations. Faire entrer celui-ci dans ta tanière, dans ta vie, est une faute qui pourrait te coûter – et me coûter – la vie ! Je t'ai dit que je pensais que le Clan t'accepterait en raison de ton talent ; je continue à le penser. Mais je sais avec *certitude* ce qu'il ferait s'il savait que tu as sauvé un Compagnon. Et tu connais sûrement les histoires qui racontent comment nos ancêtres ont tenté d'aider les Compagnons. Les Marcheurs de la Terre les ont traités avec générosité, mais les Compagnons les ont récompensés en les tuant, ou en les réduisant en esclavage.

– Je suis à moitié Compagnonne. Depuis que je suis née, je me pose des questions auxquelles ma mère n'a jamais pu répondre que par des suppositions. Cet homme – Nik – pourra me fournir des explications satisfaisantes. Donc, il va venir dans la tanière et je vais le guérir. Si ça ne te plaît pas, tu peux aller vivre ailleurs.

– Je n'ai nulle part où aller, tu le sais très bien.

– Alors, aide-moi. J'apprendrai de lui ce que j'ai besoin de savoir ; ensuite, je le renverrai, déclara Mari. S'il te plaît, Sora.

– Et tu ne crois pas qu'il reviendra nous attaquer avec sa Tribu ?

– Je ne lui permettrai pas de le faire, assura Mari. Je vais lui dissimuler l'emplacement de la tanière.

– Et comment comptes-tu t'y prendre ?

– De la même façon que maman s'y prenait quand une femme du Clan était grièvement blessée et devait séjourner dans notre tanière le temps qu'on la soigne. C'était rare, mais quand ça arrivait, elle bandait les yeux de la femme et la faisait marcher en rond jusqu'à ce qu'elle soit totalement désorientée.

Sora se mordilla la lèvre inférieure, les yeux rivés sur la silhouette immobile du blessé.

– Je n'ai pas vraiment le choix, n'est-ce pas ? fit-elle.

Mari soupira.

– Sora, je suis désolée. Je suis consciente du risque, mais je dois essayer de le sauver pour en apprendre davantage sur cette autre partie de moi.

Mari leva son bras tout propre. Les délicats motifs en fronde ne luisaient pas, mais sa peau était bel et bien brune.

– Je ne sais pas pourquoi, parfois, ma peau flamboie au soleil, et pourquoi, à d'autres moments, comme maintenant, ce n'est pas le cas. Je ne sais pas non plus quelle taille fera Rigel, adulte, ni comment je suis censée m'occuper de lui. J'ignore même la moitié de mon identité.

– Est-ce si dur… ? l'interrogea Sora, les yeux dans les yeux.

– C'est atroce. J'ai l'impression d'être une étrangère pour moi-même.

– Une étrangère pour toi-même…, répéta Sora. En effet, ça doit être horrible. D'accord. Je vais t'aider.

– Merci, lui dit Mari avec un sourire.

– De rien, professeure. Que commence-t-on par faire ?

– D'abord, on doit sortir cet homme de ce ruisseau, empêcher ses blessures de saigner, puis le sécher et le réchauffer, pour qu'il ne meure pas d'une commotion ou d'hypothermie.

– D'accord, mais s'il se réveille et essaie de nous attaquer, je suis d'avis de le lâcher et de s'enfuir.

– Rigel nous défendra, affirma Mari.

– Il *te* défendra, tu veux dire.

Mari sourit.

– J'ai bien dit *nous*, insista-t-elle. Rigel nous protégera toutes les deux. Hein, mon gentil canin ?

Rigel battit de la queue.

– Ah..., fit Sora avec un large sourire. Ça fait... plaisir à entendre.

Docile, le Berger partit s'asseoir près de Sora. Mari s'accroupit au côté de l'homme.

– Nik, tu m'entends ?

Il ne bougea pas.

– Nik ?

Le Compagnon battit des paupières, puis ouvrit les yeux. Fixant Mari, il lui demanda :

– Qui es-tu ? *Qu'est-ce* que tu es ?

Il tenta de se redresser, mais s'effondra de nouveau sur le tas de débris en grognant de douleur.

– N'essaie pas de t'asseoir, lui conseilla Mari. Tu es gravement blessé. Tu t'appelles Nik, n'est-ce pas ?

Les yeux clos, il hocha la tête faiblement.

– Moi, je suis Mari.

Ayant décidé de ne pas répondre pour le moment à sa seconde question, elle enchaîna :

– Et voici Sora. On va te dégager d'ici. Ça va te faire mal. Sans doute très mal, le prévint-elle.

Elle marqua une pause, avant d'ajouter :

– Reste immobile. Je vais m'efforcer de faire vite, car si je te laisse dans ce ruisseau, tu vas mourir.

Nik entrouvrit les yeux, hocha la tête péniblement et murmura :

– D'accord.

– Bon, Sora, prends-le par les jambes.

Mari grimpa sur le tas de feuilles et de racines sales, se pencha en avant et mit les mains sous les épaules de Nik, en prenant soin de ne pas toucher la pointe de la lance.

– Allez, on le soulève ! ordonna-t-elle.

Nik cria, une seule fois, puis son visage devint aussi blanc que le ventre des poissons morts. Mari était persuadée qu'il avait perdu connaissance.

– Vite, Sora ! Il s'est évanoui. Posons-le sur la mousse.

Mari eut du mal à le porter. Il était beaucoup plus grand qu'un Marcheur de la Terre, et même s'il avait des muscles longs et fins, il était assurément aussi lourd qu'un homme du Clan.

Mari travailla ensuite rapidement.

– Donne-moi son couteau, dit-elle à Sora.

Elle découpa le pantalon de Nik pour exposer sa blessure à la jambe, puis déchira sa chemise.

– J'ai besoin que tu retournes vite sur le sentier, dit-elle à Sora. Je suis presque sûre d'avoir vu des millefeuilles, après le dernier virage. Arraches-en une touffe et rapporte-la-moi. J'aurai découpé des bandes de mousse dont on enveloppera ses blessures pour qu'il ne se vide pas de son sang pendant le trajet.

– Les millefeuilles, c'est grand comme ça, hein ? fit Sora en plaçant la main à environ quatre-vingt-dix centimètres du sol. Elles ont beaucoup de petites fleurs blanches, une drôle d'odeur et leurs feuilles ressemblent à un adiante miniature ?

– Oui, confirma Mari, qui s'occupait toujours de Nik. J'en ai vu un paquet qui débordait sur le chemin. Va vite en chercher !

– Je reviens tout de suite ! dit Sora, partant en courant.

– Je suis mort ?

Mari sursauta.

– Non. Pas encore. Ne parle pas. Économise tes forces. Je vais encore devoir te déplacer, mais d'abord, il faut que je panse tes blessures.

– Le canin… indemne ?

– Oui, Rigel est indemne.

– Rigel ?

– C'est son nom, expliqua Mari.

– Tu es sa Compagnonne.

Bien que Nik n'eût pas formulé sa phrase comme une question, Mari s'empressa d'y répondre :

– Oui, je suis sa Compagnonne.

À cet instant, Rigel vint mettre la tête entre eux et renifla le visage de Nik. Ce dernier sourit faiblement et dit :

– Content qu'il ne soit pas mort.

– Eh bien, c'est grâce à lui si tu n'es pas mort, toi non plus. Tu pourras le remercier plus tard, si tu survis.

Sur ce, elle poussa Rigel, mais le canin s'allongea aux pieds de Nik et observa intensément sa Compagnonne. La jeune femme s'émerveilla devant la dévotion de Rigel envers cet homme qui le connaissait manifestement bien, qui avait probablement vécu avec lui dans leur Cité dans les Arbres sophistiquée, et elle en éprouva une douloureuse jalousie. Risquait-elle de perdre Rigel s'il lui préférait Nik ? Son Berger souhaiterait-il retourner dans sa Tribu et vivre la vie qu'elle avait prévue pour lui ?

Mari regarda fixement la mousse. Ses mains s'immobilisèrent et elle eut l'impression que son cœur se brisait.

Rigel s'empressa de s'appuyer contre elle, leva les yeux vers elle et fourra son museau contre son corps en la remplissant d'amour – d'un amour infini, inconditionnel. Mari lui entoura vivement le cou avec ses bras et enfouit son visage dans son pelage doux et chaud.

– Je suis désolée, s'excusa-t-elle. Je ne douterai plus de toi.

– Pouah ! J'avais oublié à quel point les millefeuilles puent ! s'exclama Sora en reparaissant.

Elle fronça les sourcils.

– Je croyais qu'on était pressées ; c'est pourquoi je suis revenue en courant, alors que je déteste courir. Or, je te trouve en train de faire un câlin à ton monstre. On dirait que tu ne te presses pas beaucoup, toi.

– Donne-moi les plantes et continue à découper des bandes de mousse, répondit Mari. Au fait, il est réveillé. Enfin, de temps en temps. Il ne faut pas que ça te surprenne.

– Après ce qui s'est passé aujourd'hui, je crois que plus rien ne peut me surprendre.

Mari adressa un sourire amer à Sora, puis elle se mit à mâcher un gros morceau de millefeuille. Elle recracha la pâte dans sa main, l'appliqua sur les plaies suintantes de Nik et fit signe à Sora de poser la mousse par-dessus. Les yeux toujours clos, l'homme demeura parfaitement silencieux jusqu'à ce que Mari le soulevât afin d'atteindre la plaie où était enfoncé le fer de lance ; alors, il gémit et ouvrit les yeux en battant les paupières.

Mari considéra la blessure et secoua la tête.

– Je ne peux pas soigner ça correctement avant de rentrer à la tanière, dit-elle, plus pour elle-même que pour Nik ou Sora. Si je lui enlève cette pointe maintenant, il va perdre trop de sang. Et il faudra cautériser la plaie.

– Que vas-tu faire en attendant ? demanda Sora. Cette blessure est très vilaine, toute sanglante, enflée, dégoûtante. L'eau du fleuve n'a sans doute rien arrangé.

– Je vais devoir la nettoyer et la surveiller attentivement, même après que je l'aurai cautérisée. Pour le moment, je vais juste la bander avec des millefeuilles et de la mousse. Ensuite, on rentrera.

Plus le temps passe, plus ça sera difficile de lui retirer la lance et pire risque d'être l'infection.

Mari mâcha le dernier morceau de millefeuille, le recracha autour du fer ensanglanté, appliqua de la mousse par-dessus et reposa Nik. Puis elle se leva et alla se laver les mains dans le ruisseau.

– On fait quoi, maintenant ? s'enquit Sora.

– Rigel va rester avec lui pendant que tu iras chercher les habits. Habille-le confortablement.

– Et toi, où seras-tu pendant ce temps-là ?

– À la tanière, pour prendre la civière de maman. Je reviendrai dès que possible.

Mari s'accroupit près de Rigel et lui commanda :

– Reste ici. Surveille Nik et ne mords pas Sora.

Jetant un coup d'œil à celle-ci, elle ajouta :

– Et si Nik se réveille et s'en prend à Sora, mords-le.

– Vraiment ? fit Sora avec un large sourire.

– Vraiment, répéta Mari, en souriant à son tour. Mais inutile de t'emballer. Je suis quasi certaine que Nik n'est même pas capable de s'asseoir, alors t'attaquer...

– Eh bien, ça me fait plaisir quand même, confia Sora.

Elle tendit la main et caressa timidement Rigel sur la tête. Juste une fois. Le canin battit de la queue. Juste une fois.

– Surveille Nik et Sora, mais si quelqu'un vient, pars te cacher, dit Mari à Rigel en plantant ses yeux dans les siens.

Elle dessina mentalement des images afin d'illustrer ce qu'elle voulait – et ne voulait pas – qu'il fasse. Le jeune canin remua la queue et émit des gémissements approbateurs en lui envoyant des sentiments chaleureux et apaisants.

– D'accord, je te crois, dit Mari. Je serai bientôt de retour. Très bientôt. Je t'aime.

Après avoir embrassé Rigel, Mari passa à toute vitesse devant Sora.

– Viens ! lui lança-t-elle.

Durant tout le trajet jusqu'à la piscine naturelle, elle précéda la jeune fille, qui semblait n'avoir aucune endurance.

– Tu ne fais jamais d'exercice ? lui demanda-t-elle lorsqu'elle la vit descendre la berge en trébuchant, courbée en deux d'essoufflement.

– Pas... si... je... peux... l'éviter ! répondit-elle entre deux inspirations.

– Emporte-lui ça, dit Mari en lui lançant l'une de ses vieilles tuniques et une chemise de nuit. Sèche-le à l'aide de la tunique, sans toucher ses plaies. Ensuite, couvre-le avec la chemise de nuit. Je te rejoindrai avec la civière et quelque chose qui, je l'espère, le fera dormir jusqu'à la tanière.

– On va le transporter en civière jusque là-bas ? En redescendant tout ça ?

Sora regarda derrière elle les rochers escarpés qui s'élevaient jusqu'au sentier.

– Eh bien, c'est toujours mieux que s'il fallait le transporter en *remontant* tout ça, répondit Mari, taquine.

Puis, sans attendre la réaction de Sora, elle finit de rassembler les vêtements propres et partit vers la tanière au petit trot.

33

Tout le long du chemin, Mari fouilla dans sa mémoire pour essayer de se rappeler tout ce que Léda lui avait enseigné sur les soins à prodiguer à une personne aussi grièvement blessée que Nik. Mari avait mal au cœur à la simple idée de ce qu'elle allait devoir faire : extraire le fer de lance, laver la blessure, puis, avec l'une des tiges de cautérisation de Léda, brûler les veines qui saignaient et tuer l'horrible infection qui s'était peut-être déjà installée dans la plaie.

C'était grave, mais moins qu'une blessure interne. La mère de Mari surnommait ces dernières « la mort silencieuse ». La jeune femme, qui savait les repérer, avait jeté un coup d'œil rapide à Nik et ne lui avait trouvé aucun signe de saignement intérieur.

– Mais je ne suis pas une vraie Guérisseuse, admit-elle. Quelque chose a pu m'échapper.

Parvenue au roncier, elle saisit son bâton de marche et traversa rapidement le labyrinthe conduisant à la tanière.

Elle s'efforça de se débarrasser de ses sentiments de peur et d'incompétence. Se déplaçant avec une assurance bien plus apparente que réelle, elle se rendit au placard à pharmacie de sa mère et choisit soigneusement les produits en listant à voix haute ce dont elle avait besoin, afin de ne rien oublier.

– Une racine de valériane pour l'aider à perdre connaissance pendant qu'on le ramènera ici.

Mari prépara à la hâte une infusion forte qu'elle verserait dans l'outre médicale.

– Une couverture et des cordes, pour l'attacher à la civière et le faire glisser en bas des rochers.

Elle marqua une pause et marmonna en secouant la tête :

– Ça va lui faire mal.

Puis elle retourna au placard et resta plantée devant avec un sentiment d'impuissance. Elle souffrait si cruellement de l'absence de Léda qu'elle faillit en tomber à genoux. Elle eut alors envie de céder au désespoir. De rentrer en elle-même et de pleurer sans plus jamais s'arrêter...

Mais elle ne pouvait pas se le permettre. Personne ne la sauverait. Personne ne les aiderait, elle, Rigel, Sora, et même ce Compagnon, Nik. « Réfléchis, Mari ! Ta mère était une excellente professeure. Elle t'a enseigné tout ce que tu as besoin de savoir. Il faut juste que tu t'en souviennes. »

Soudain, se trouvant ridicule et puérile, Mari se détourna du placard à pharmacie et se précipita sur le coffre en bois joliment sculpté, disposé au bout de la paillasse de sa mère, qui avait été transmis d'une Femme Lune à une autre depuis tant de générations que même Léda ne pouvait dire combien exactement. Mari fit une pause. Elle n'avait pas ouvert le coffre depuis la mort de sa mère. Lentement, elle souleva le couvercle et aspira une grande bouffée de la délicate odeur de romarin qui, jusqu'à la fin de ses jours, lui rappellerait sa maman.

Sur des plaids et des vêtements d'hiver soigneusement pliés reposait le journal de Guérisseuse de Léda. Elle le toucha doucement, palpant la texture de la vieille couverture du bout des doigts. L'on enseignait aux enfants du Clan à lire, à écrire et à découvrir leurs talents individuels tout au long de leur croissance. Les femmes encourageaient la créativité et le travail acharné, et chaque fois qu'un enfant montrait un don particulier – par exemple, pour la poésie, la menuiserie, la chasse, le tissage ou la teinture –, on lui dispensait une instruction approfondie, même si cela impliquait de le confier à un Clan voisin. Cependant, dès leur naissance, les filles des Femmes Lune étaient formées différemment. Elles étaient éduquées tout spécialement par leurs mères, parce que, dans leurs vies futures, elles détiendraient les clés de la santé – physique et mentale – du Clan et, en définitive, de son histoire, qu'elles consigneraient dans leurs journaux de Guérisseuse.

– Maman, ton journal magique, chuchota Mari. Tu as eu beau m'expliquer un nombre incalculable de fois qu'il n'était pas rempli de récits fantastiques, qu'il ne contenait rien de plus, et rien de moins, que la vérité du Clan, je l'ai toujours considéré comme ton journal de magie.

En l'ouvrant, elle tomba sur la page marquée par une plume de geai d'un bleu éclatant. Elle suivit de ses doigts tremblants l'écriture familière de Léda.

Mari, ma chérie, fais de ton mieux, mais ne critique pas tes actes après coup. L'indécision est aussi dangereuse que l'inaction. Si tu crois en toi ne serait-ce que deux fois moins que je crois en toi, tout ira bien. Je t'aime.

L'espace d'un instant, ce fut comme si Léda était aux côtés de Mari, lui apportant de la confiance en elle par la force de la croyance qu'elle avait toujours eue en sa fille. Mari serra le journal contre son buste. Puis elle s'essuya les yeux, se ressaisit et se mit à tourner les pages.

Les Voleurs de Peaux conduisirent Thaddée à travers leur Ville en ruines à une telle vitesse qu'il peinait à les suivre avec Ulysse dans les bras. Mais il se produisit bientôt une chose étrange. À peu près au moment où les quais apparurent, Thaddée eut un regain d'énergie. Ulysse ne lui paraissait plus aussi lourd. Et la douleur et les brûlures qui l'avaient secrètement accompagné pendant des semaines, depuis que le sang du cerf avait pénétré dans son corps par ses yeux et sa bouche, disparurent.

Aussi subitement qu'elles avaient commencé.

Lorsque Thaddée prit une profonde inspiration – indolore –, il sentit quelque chose. Beaucoup de choses, en réalité. Il sentit l'eau, bien qu'elle fût trop loin pour être visible. Il sentit une chose sale à l'odeur âpre, puis, à la limite de son champ de vision, il vit un rongeur de la taille d'un lapin s'élancer d'un bâtiment délabré à un autre.

« J'ai perçu l'odeur du rongeur ! Comment donc est-ce possible ? »

Il distingua également un parfum suave lorsque le vent changea de direction. Cela ressemblait à du jasmin, mais il n'en vit pas dans les plantes grimpantes qui l'entouraient. Le groupe prit un tournant, puis un autre. Thaddée faillit ne pas les voir tant elles étaient petites. Deux minuscules lianes étouffées par du lierre, mais qui portaient quatre fleurs blanches flétries.

« À cette distance, je n'aurais pas dû pouvoir sentir le jasmin, même un buisson en pleine floraison. Qu'est-ce qui m'arrive ? »

– Par ici. On a échoué le bateau là-bas, lui indiqua le Voleur de Peaux dénommé Poing de Fer, en désignant le fleuve.

Thaddée hocha la tête et prit la direction qu'il lui montrait. Les Voleurs de Peaux se déplaçaient dans un silence quasi total. Ils n'étaient vêtus que de pantalons fabriqués à partir de peaux d'animaux grossièrement tannées. Leurs têtes étaient rasées et leurs torses nus, peints d'étranges lignes et de symboles qui décoraient également leurs bras et même leurs cous et leurs crânes. En y regardant de plus près, Thaddée remarqua que tous ces motifs étaient reproduits trois fois, à l'image de la triple pointe de l'immense lance que la statue de leur divinité brandissait. Son escorte était uniquement composée d'hommes, mais Thaddée n'oublierait pas de sitôt les femmes qui l'avaient regardé sur l'échafaud : debout, silencieuses, elles étaient étrangement séduisantes. La plus bizarre était la fille aveugle, de toute évidence en couple avec leur Champion. Les trous où auraient dû se trouver ses yeux hanteraient ses rêves aussi sûrement que le souvenir de son attirante poitrine, de ses lèvres charnues et de l'épaisse et brillante crinière châtain qui frôlait sa fine taille cambrée.

– Ton bateau est là, annonça Poing de Fer en s'arrêtant au sommet de la berge qui s'inclinait vers le fleuve.

Thaddée hocha la tête et se mit à descendre avec précaution, son Terrier blessé dans les bras. Se déplaçant beaucoup plus vite qu'il ne l'avait prévu, il atteignit facilement le kayak. Là, il se retourna, sans trop savoir ce qu'il était censé dire aux Voleurs de Peaux. Il s'attendait presque à ce qu'ils changent d'avis au dernier moment et lui fassent retraverser leur Ville morte jusqu'à l'échafaud ensanglanté.

Or, ils étaient déjà partis.

Thaddée ne perdit pas de temps à s'en étonner. Il se précipita sur son kayak, y installa Ulysse aussi confortablement que possible, détacha l'un des sacs de lest ayant survécu à l'attaque, empoigna la pagaie qui était toujours fixée au siège arrière et, en poussant fort, mit l'embarcation à l'eau et sauta dedans avec l'aisance d'un Terrier.

Il pagaya avec zèle contre le courant. Au début, il craignit de ne pas être suffisamment fort pour faire passer le kayak devant les débris et les rapides du pont ; cependant, il fut vite détrompé. Il manœuvra avec aisance le bateau, qui remonta le fleuve comme propulsé par une équipe de Chasseurs.

« C'est certainement l'effet de l'adrénaline. Dès que mon corps comprendra que j'ai été libéré, mon énergie diminuera, c'est sûr. »

Il n'en fut rien. Au contraire, la puissance de Thaddée, sorte de miroir de sa colère, ne fit que croître.

Lorsque Ulysse gémit plaintivement, il s'arrêta un moment pour le caresser et lui murmurer des paroles rassurantes. Thaddée considéra alors son bras. Les bandages aux plis de son poignet et de son coude avaient séché. Lentement, il défit le tissu enroulé autour de son poignet.

La plaie avait déjà commencé à cicatriser. Elle se refermait sur la lamelle de chair que le Champion avait prélevée sur le petit Terrier. Tout autour, la peau morte était en train de se détacher. Thaddée la gratta avec dégoût, et elle tomba, révélant une peau rose et saine. Il ne put en détacher les yeux, captivé. Avec des mains tremblantes d'impatience, il ôta son bandage au coude. Là aussi, c'était la même chose ! Ses crevasses se refermaient en absorbant la chair d'Ulysse, et la peau infectée tombait.

Thaddée leva son bras et banda ses muscles. Il se sentait indemne et puissant.

– Un remède ? Non, je n'ai pas besoin d'un fichu remède, déclara-t-il. Pas le moins du monde.

Il se pencha pour reprendre sa pagaie en songeant : « Le Champion avait raison. Je ne suis pas malade. Je suis transformé. Et ça me plaît. Énormément. »

Lorsque Mari rejoignit Rigel, Sora et Nik, elle était en sueur et épuisée d'avoir porté la civière, certes légère, mais encombrante. Avec un soupir de soulagement, elle posa le dispositif et la sacoche médicale de Léda par terre, près de Nik. Puis elle s'approcha de Rigel et le félicita d'avoir été sage et courageux en montant la garde.

– Moi aussi, je surveillais, tu sais, affirma Sora.

– Merci, dit Mari en lui adressant un large sourire. Tu veux une caresse, toi aussi ?

Sora gloussa et répondit en désignant Nik :

– Je pense que tu devrais économiser tes forces pour lui.

– Est-ce qu'il est conscient ? l'interrogea Mari en s'agenouillant près du blessé.

– Je ne sais pas, dit Sora en haussant les épaules. Il était éveillé pendant que je le séchais et quand je l'ai couvert avec ta chemise de nuit, qui est d'ailleurs beaucoup trop courte pour lui. Mais il n'a rien dit, il a juste grogné un peu. Depuis, il a ouvert les yeux plusieurs fois, mais tout ce qu'il a fait, c'est contempler ton monstre.

Mari appuya les doigts sur le poignet de Nik et trouva facilement son pouls. Il était fort, mais trop rapide, et sa peau, froide et moite. Elle allait prononcer son nom lorsqu'il ouvrit les yeux.

– Gris, dit-il doucement, d'une voix suggérant qu'il n'était pas complètement réveillé. Tes yeux sont gris.

– Comment ça va, Nik ? s'enquit Mari, sans tenir compte de son commentaire.

– Je me suis déjà porté mieux, admit-il. J'ai mal au dos. J'ai été blessé par la lance d'un Voleur de Peaux.

– Oui, je l'ai constaté. Je t'ai apporté quelque chose contre la douleur. Bois ça.

Ensuite, Mari indiqua à Sora :

– Soulève-lui un peu les épaules, mais fais attention.

Pendant que Sora tenait Nik, Mari porta l'outre contre ses lèvres.

Le jeune homme la regarda avec un air hésitant. Puis, ses commissures se relevèrent légèrement et il dit :

– Y a plus facile pour me tuer que le poison.

– Moi, j'ai voté pour qu'on te tranche la gorge avec ton couteau, mais Mari et son monstre m'ont mise en minorité, déclara Sora.

– N'écoute pas ce qu'elle dit, conseilla Mari à Nik. C'est ce que je fais la plupart du temps.

Nik but en observant Mari avec un sourire dans les yeux. Lorsqu'il eut vidé l'outre, elle aida Sora à l'allonger de nouveau en douceur.

– Bien. Maintenant, on va te déplacer pendant que l'infusion fait effet, lui annonça Mari.

– Me déplacer ?

– Tu ne peux pas rester ici, lui expliqua Sora. Les colonies d'insectes te dévoreraient. Non pas que ce serait une mauvaise chose, à mon goût, mais, comme je te l'ai dit, j'ai été mise en minorité.

– Je t'emmène dans ma tanière, ma maison, l'informa Mari. Elle n'est pas loin d'ici, mais ça ne veut pas dire que le trajet sera facile. On est très haut, et il faut qu'on descende très bas.

– Comment comptes-tu t'y prendre ? s'enquit Nik.

Mari jeta un coup d'œil en biais à la civière posée près de lui.

– Eh bien, je vais t'attacher là-dessus ; ensuite, Sora et moi, on va te porter et, peut-être, te traîner jusqu'en bas.

– J'ai l'impression que je vais déguster, devina Nik.

– Ah, ça, c'est sûr ! confirma Sora en jubilant.

– Ça ira une fois que l'infusion aura commencé à agir. Dis-moi quand tu te sentiras engourdi.

– Pourquoi ? demanda Nik.

Mari le regarda en fronçant les sourcils, se demandant si elle n'avait pas sous-estimé la gravité de sa blessure à la tête.

– Parce que je n'ai pas envie de te secouer avant que l'analgésique fasse effet, lui expliqua-t-elle.

– Non, je veux dire : pourquoi tu me sauves au lieu de me tuer ?

– J'avais voté pour la seconde option, rappela Sora.

Mari lui décocha un regard signifiant «Tais-toi», puis se tourna de nouveau vers Nik.

– Je ne suis pas une meurtrière, affirma-t-elle.

– Pas besoin d'être une meurtrière, répliqua Nik. Tu pourrais me laisser mourir ici.

– Disons simplement que Rigel n'aimerait pas que tu meures, expliqua Mari. C'est une raison suffisante pour que j'essaie au moins de te sauver.

Elle fit signe à Sora de la suivre jusqu'à la civière. Elle fouilla dans les cordes de chanvre, puis dans la sacoche pour trouver un petit bâton à mordre.

– D'abord, on va le faire glisser sur la civière, murmura Mari à Sora pour éviter que Nik l'entende. Ensuite, on l'attachera bien. Il ne doit pas tomber quand on le portera pour descendre la cascade.

– Pourquoi on ne se contente pas de le mettre dans la civière et de le faire flotter sur le ruisseau jusqu'à la chute d'eau ? suggéra Sora. En fait, on pourrait même la lui faire franchir de cette façon. S'il survit, ce sera la volonté de la déesse. Sinon, il mourra, ajouta-t-elle en haussant les épaules.

– Je ne veux pas le faire flotter, car j'ai peur qu'il ne supporte pas la température de l'eau une fois de plus. Il n'est pas question de lui faire franchir la cascade ainsi, parce que ça le tuerait à coup sûr, ce qui ne serait pas la volonté de la déesse. En plus, je crois qu'elle est trop occupée pour s'inquiéter d'un Compagnon à moitié mort et d'une paire d'apprenties Femmes Lune.

Mari leva les yeux au ciel, secoua la tête puis ajouta :

– Ça irait mieux si tu m'aidais vraiment.

– D'accord. Désolée. Je plaisantais. Enfin, pas complètement. Dis-moi ce que je dois faire.

– Comment te sens-tu, maintenant ? demanda Mari à Nik en lui jetant un coup d'œil.

Il la regarda vaguement de ses yeux vert mousse, devenus vitreux.

– J'ai ssssommeil, dit-il.

– Parfait. Sora et moi, on va te poser sur cette civière. Ensuite, on t'y attachera pour que tu n'en tombes pas. On sera aussi douces et rapides que possible, mais bon…

– Faut espérer que je m'évanouisse ? devina Nik d'une voix pâteuse.

– C'est bien là-dessus que je compte, marmonna Mari.

Elle déplaça la civière de façon à l'accoler au corps de Nik, puis elle fit signe à Sora de lui prendre les jambes.

– À trois, on le soulève et on le fait glisser là-dessus, annonça-t-elle. Un, deux, trois !

Nik ferma les yeux et grogna, mais Mari agit rapidement et l'attacha fermement à la civière avec les cordes tissées.

Elle s'agenouilla ensuite près du jeune homme.

– Nik ?

Il battit des paupières, puis entrouvrit les yeux.

– On est déjà arrivés ? demanda-t-il d'une voix donnant l'impression que sa langue était trop grande pour sa bouche.

– Euh… non. Mais on arrive bientôt. Je veux que tu mordes là-dedans. C'est une écorce de saule. En plus de t'empêcher de te transpercer la langue, ça atténuera ta douleur. Et il faut que je te mette ça sur les yeux.

Mari sortit un bandeau de sa poche.

– Pourquoi ? s'étonna Nik.

– Parce que, même si je vais te guérir, je refuse de te laisser voir où je vis. Tu comprends ?

Nik hocha la tête faiblement.

– Tu es trèssss intelligente – on ne dirait pas du tout un grand enfant.

Mari le considéra en fronçant les sourcils, et Sora, regardant Nik par-dessus son épaule, commenta :

– Quelle drôle de remarque !

Nik voulut répondre, mais Mari lui cloua le bec en lui fourrant le bois entre les lèvres. Docile, il mordit dedans. Elle s'empressa alors de lui couvrir les yeux avec le tissu, qu'elle noua autour de sa tête.

– Tu es prêt, Nik ?

Le jeune homme acquiesça.

– Bien. Sora, je passe devant. Préviens-moi quand tu auras besoin de te reposer, mais ne te repose pas trop souvent.

– Et si je suis souvent fatiguée ?

– Regarde le ciel, lui conseilla Mari.

Perplexe, Sora jeta un coup d'œil vers le haut, puis reporta son regard sur Mari.

– Où est le soleil ? la questionna cette dernière.

– Oh, sublime déesse ! s'exclama la jeune fille. Il baisse. Si on est surprises avec ce Compagnon par le crépuscule, son sang attirera les cafards, les scarabées, les araignées-loups et...

– Et c'est pourquoi tu ne vas pas te reposer souvent, décréta Mari.

Sur ce, elle saisit une extrémité de la civière et dit à Sora :

– Pense à plier les jambes en le soulevant.

Mari n'était pas près d'oublier cet épouvantable trajet de retour à sa tanière, bien qu'elle en eût profité pour se faire deux promesses. Premièrement, elle s'était juré de trouver un moyen de contraindre Sora à développer sa forme physique. Cette fille n'était que courbes et mollesse, une enveloppe douce sans muscle en dessous.

Elle se jura ensuite de se simplifier la vie. Elle ne voulait pas de Sora. Ni du Compagnon Nik. Rien ni personne qui risquât de lui causer du stress, de la confusion et de l'angoisse existentielle. Elle remettrait Nik sur pied, obtiendrait des réponses à ses questions, et le renverrait dans ses pénates. Ensuite, elle apprendrait à Sora à invoquer la lune, puis elle la renverrait chez elle, elle aussi. Alors, enfin, Rigel et elle retrouveraient une paix bien méritée.

– Je ne peux pas, déclara Sora d'une voix haletante en lâchant la civière, suite à quoi Nik mordit son écorce en grognant pour la énième fois. Je regrette, mais je ne peux pas le transporter plus loin.

Derrière elle, Rigel gémit doucement. Avec plus de délicatesse que Sora, Mari posa son extrémité de la civière au sol, caressa le jeune canin et lui fit comprendre en silence qu'ils rentreraient bientôt à l'abri, chez eux.

Ensuite, elle observa Sora, afin d'évaluer si elle avait réellement dépensé toute son énergie. La jeune fille dégoulinait de sueur. Ses épais cheveux bruns étaient plaqués sur son visage et son cou. Ses bras tremblaient et elle avait le souffle court.

Heureusement, elle avait lâché la civière juste devant l'entrée du roncier. Avec encore plus de douceur, Mari se pencha au-dessus de Nik, dont les yeux étaient toujours bandés, et lui demanda :

– Te sens-tu capable de marcher ? On n'est plus très loin, maintenant.

Il était si pâle, si immobile que Mari se demanda l'espace d'un instant s'il était mort durant la dernière partie du trajet. Elle tendait la main pour tâter son pouls lorsqu'il marmonna :

– Chais pas.

– Eh bien, tu vas devoir essayer. Sora, prends mon bâton de marche. Je vais aider Nik à marcher, et je t'indiquerai les directions pour qu'on puisse traverser les ronces.

– Je ferais n'importe quoi pour pouvoir m'asseoir et me reposer devant une bonne tasse de thé, répondit Sora.

Mari faillit lui répliquer que le repos ne serait pas au programme ce soir-là, mais lorsqu'elle lut dans les yeux gris de Sora un épuisement véritable, elle se ravisa. Elle lui sourit et la félicita :

– Tu m'as vraiment beaucoup aidée. On est presque arrivés. Va t'asseoir là-bas, près de l'entrée du roncier, à l'écart du sumac vénéneux. Repose-toi pendant que je détache Nik.

Sora hocha la tête d'un air las et se laissa tomber sur le derrière. Mari défit les cordes en vitesse. Puis, chuchotant des paroles encourageantes à l'homme à demi conscient, elle l'attrapa par la taille et le bras, qu'elle passa autour de ses épaules.

– Une fois à l'intérieur du fourré, tourne tout de suite à gauche, dit Mari à Sora. Quand tu soulèveras la première branche, tu verras le chemin. Suis-le sur dix pas environ, jusqu'à ce qu'il ait l'air de tourner de nouveau vers la gauche. En réalité, c'est une impasse, il débouche juste sur d'autres ronces. Tu prendras donc à droite.

– Compris, dit Sora, en avançant à contrecœur.

– Nik, appuie-toi sur moi. On y va !

Ce fut plus difficile que Mari l'eût cru. Nik chancelait et trébuchait sans cesse. Il sembla au bord de l'évanouissement à deux ou trois reprises, mais elle lui parla constamment, tout en continuant à indiquer les directions à Sora. Enfin, ils parvinrent à la porte de la tanière avec seulement quelques égratignures, à son grand étonnement.

– Où vas-tu l'allonger ? demanda Sora à Mari en s'écroulant devant la cheminée.

Elle tisonna le feu avec lassitude jusqu'à ce qu'il se ranime et se mette à flamber.

– Sur mon lit. Il faut qu'il soit près de la cheminée.

– Je croyais que c'était mon lit, à présent, fit remarquer Sora.

– Tu dormiras sur la paillasse de Léda. Je m'en confectionnerai une autre que je mettrai à côté de la cheminée. Il va avoir besoin de soins toute la nuit.

« Et je devrai veiller à ce qu'il ne se réveille pas et ne s'échappe pas d'ici », ajouta Mari intérieurement.

Elle guida Nik vers l'étroite paillasse sur laquelle elle avait dormi durant la majeure partie de sa vie. Il s'y allongea en poussant un long soupir.

– Je vais t'enlever le bandeau, lui annonça-t-elle, joignant aussitôt le geste à la parole.

Nik la regarda en clignant ses yeux troubles.

– Où suis-je ?

– À la maison. Enfin, chez moi. Repose-toi pendant que je prépare toutes les affaires pour m'occuper de ta blessure à l'épaule. Sora, fais bouillir de l'eau.

– Ah, déesse, oui ! C'est l'heure du thé.

– Pas vraiment. Enfin, pour lui, si. Mais toi et moi, on va devoir attendre. Je dois extraire ce fer de lance.

Sora fronça les sourcils et ses épaules s'affaissèrent sous le coup de la déception, mais elle remplit la casserole d'eau fraîche et la suspendit au-dessus de l'âtre. Mari se précipita vers le placard à pharmacie de sa mère. Elle y avait laissé le journal médical, dont elle avait corné les pages des instructions qu'il lui faudrait suivre. Agissant vite, avec de plus en plus d'assurance, elle sortit ensuite les tiges de cautérisation du coffre, ainsi que plusieurs longues compresses et la petite boîte en bois renfermant les aiguilles en piquants de porc-épic de Léda, plus le fil en boyau de lapin qu'elle utilisait pour recoudre les plaies. Elle se dirigea enfin vers le panier rempli de racines d'hydraste du Canada, en prit une, qu'elle apporta avec les fers à cautériser et trois grands bols à Sora.

– Coupe trois morceaux gros comme le pouce de cette racine et mélange-les à un peu d'eau chaude, un morceau dans chaque bol. Ensuite, remplis les bols d'eau bouillante et plonge ces fers dans le plus grand.

– Pourquoi ? demanda Sora.

– Cette racine est surnommée « sceau d'or ». Elle élimine les infections. Les fers vont me servir à cautériser la plaie de Nik après que j'en aurai enlevé la pointe de lance ; ils doivent donc être aussi propres que possible. Je vais me laver soigneusement les mains dans ce mélange quand il aura suffisamment refroidi pour ne pas me brûler ; tu feras comme moi dans un autre bol. Le troisième récipient servira à rincer la plaie une fois que j'en aurai sorti la lance. Mais veille à refaire bouillir de l'eau. Je vais concocter à Nik quelque chose que tu devras faire macérer : un truc plus fort que l'infusion de valériane que je lui ai donnée tout à l'heure.

Puis Mari ajouta à voix basse :

– Ça devrait l'assommer, mais je ne sais pas combien de temps il restera inconscient, alors, on va devoir travailler vite.

– On ? releva Sora en chuchotant.

– Tu veux toujours devenir une Femme Lune ?

– Bien sûr.

– Alors, c'est *on*, confirma Mari.

– D'accord, mais je vais réchauffer du ragoût. Il faut qu'on mange pour être aussi attentives que possible.

Sora lança un regard interrogateur à Nik, qui avait reperdu connaissance.

– Non, il n'a pas besoin de manger maintenant, estima Mari. Il risquerait de vomir son repas. En revanche, plus tard, il lui faudra un bouillon. Tu pourras gratter la viande sur les derniers os de lapin et...

– Stop, l'interrompit Sora. La cuisine, je comprends. Toi, tu t'occupes de lui. Moi, je m'occupe de nous nourrir tous.

– Merci, ça m'aide, dit Mari en adressant à Sora un sourire reconnaissant.

Elle se leva, s'essuya les mains sur sa tunique et retourna en vitesse au placard à pharmacie pour prendre la précieuse bouteille en verre remplie du liquide que Léda gardait en réserve pour les urgences. Cette potion, obtenue à partir de jus de pavot, était puissante. Après avoir relu les instructions de Léda concernant le dosage, Mari décida quelle quantité ajouter à l'infusion de cannabis qui, selon le journal de sa mère, soulageait les nausées, l'anxiété et la douleur.

« Ce breuvage devrait le faire tomber dans les pommes, se dit-elle. S'il ne le tue pas. »

Elle prit d'autres compresses et feuilleta le journal de Léda jusqu'au chapitre qui traitait d'une perforation particulièrement profonde qu'elle avait soignée plusieurs hivers auparavant. La Femme Lune avait noté des remarques extrêmement précises sur la cautérisation, ce qu'elle avait fait aussitôt après, et sur le cataplasme à base de miel, de fleurs d'hamamélis, de sauge et de calendula qu'elle avait ensuite appliqué sur la plaie. Mari sourit en lisant la dernière note du journal de sa mère : *Blessure bien guérie, pas d'infection. Merci à la Sublime Terre Mère et au pouvoir de la pensée positive !*

S'efforçant de penser uniquement de façon positive, Mari rassembla du miel, des fleurs d'hamamélis, de sauge et de calendula. Après avoir versé de généreuses portions de chaque ingrédient au fond du plus grand mortier en pierre de sa mère, elle retourna dans la pièce principale tout en les broyant.

– Son infusion est prête, et j'ai ajouté l'eau bouillante aux trois bols contenant la racine d'or, annonça Sora.

– Le *sceau* d'or, corrigea Mari, avec la même intonation que sa mère. Je vais prendre la tisane. Continue à broyer ce mélange pour moi.

Elle marqua une pause, puis ajouta :

– S'il te plaît.

– Avec plaisir, répondit Sora, un sourire fatigué aux lèvres. Tiens. Quand il aura bu, reviens t'asseoir ici un moment pour manger un bol de ragoût.

Mari la remercia d'un signe de tête puis alla au chevet de Nik. Le jeune homme ouvrit les yeux quand elle prononça son nom en s'asseyant sur la paillasse près de lui.

– Bois ça, lui dit-elle. C'est infect, mais ça va te faire dormir. Pendant ce temps, je t'enlèverai le fer de lance qui est enfoncé dans ton dos et je te recoudrai.

– Heureusement que je dormirai.

Les yeux de Nik avaient retrouvé un peu de leur limpidité, et il parvint à se redresser suffisamment pour avaler l'amère mixture. Il se rallongea lourdement sur la paillasse, mais lorsque Mari se leva, il lui saisit la main avec une force surprenante.

– Est-ce que le jeune canin pourrait venir près de moi ? demanda-t-il. Jusqu'à ce que je m'endorme ?

Mari ne lui répondit pas. Elle se contenta de fixer sa main prisonnière de la sienne, qu'il lâcha au bout d'une respiration.

– Oui, Rigel peut s'asseoir près de toi.

Elle jeta un coup d'œil à son canin. Il était étendu à sa place habituelle, devant la porte. Elle remarqua à ses côtés sa grosse gamelle en bois, qui semblait avoir été récemment nettoyée à coups de langue. Elle considéra Sora d'un air interrogateur.

– Oui, j'ai donné à manger à ton monstre pendant que tu t'occupais de l'autre monstre mâle de notre tanière, déclara Sora. Je savais que tu ne nous laisserais pas manger avant lui. Je parle du canin, pas de l'homme.

– Mmh, fit Mari, trop étonnée pour formuler une vraie réponse.

Elle se retourna ensuite vers Rigel et lui adressa un léger signe de tête. Il la rejoignit immédiatement à pas feutrés. Elle l'étreignit et enfouit son visage dans la peau de son cou épaisse et douce, puisant en lui force et sécurité. Rigel la lécha avant d'aller se coucher tout près de la paillasse. Alors, Nik laissa tomber sa main et caressa le canin, les yeux clos.

Mari rejoignit devant la cheminée Sora, qui lui tendit un bol.

– Merci, dit-elle.

Elles mangèrent toutes les deux en silence et avec voracité. Ayant avalé la moitié de sa portion, Mari jeta un coup d'œil à Sora et lui dit :

– Merci aussi d'avoir nourri Rigel.

– Je t'en prie. Je suis contente qu'il ne m'ait pas mordue.

– Moi aussi.

Avec un sursaut de surprise, Mari s'aperçut qu'elle était sincère.

– Je vais avoir besoin de ton aide pour la suite, et ça va être beaucoup plus difficile que de porter Nik.

Soutenant le regard de Mari, Sora répondit :

– C'est une bonne chose que je sois là, donc.

Mari s'entendit admettre l'étonnante vérité :

– Oui, c'est une bonne chose que tu sois là, en fin de compte.

34

Sora poussa l'épaule de Nik du bout du doigt, trois fois. Le jeune homme ne bougea pas.

– Il est parti. Très loin, conclut-elle en regardant Mari.

– Bien, répondit celle-ci en hochant la tête, l'air sombre. Il faut agir vite. Aide-moi à le tourner sur le côté pour qu'on puisse glisser la natte sous lui.

Les deux jeunes femmes prirent l'une des nattes tissées que Léda utilisait aussi bien pour pique-niquer que pour se protéger de la pluie et du vent lorsqu'elles partaient à la chasse et à la cueillette.

– Faisons-le rouler sur le ventre, indiqua Mari. Selon moi, ce serait une bonne idée de lui attacher les bras et les jambes. Car s'il se réveille pendant que je cautérise sa plaie, il risque de remuer trop et d'aggraver sa blessure.

– Tu as raison, approuva Sora.

– Fais-le ; moi, je vais me laver les mains. Rejoins-moi ensuite.

Mari se dirigea vers le bol rempli d'eau chaude et de sceau d'or, sortit les fers, les plaça avec précaution dans le feu et commença à se laver les mains, en se rappelant les recommandations de sa mère : « Ma chérie, lave-toi les mains jusqu'à ce que tu les trouves propres, puis recommence. N'oublie pas le dessous de tes ongles. »

Lorsque Sora la rejoignit, Mari versa le mélange dans un autre récipient et lui dit :

– Lave-toi les mains beaucoup plus longtemps que tu le crois nécessaire, sans oublier le dessous de tes ongles.

Elle sourit intérieurement. Plutôt que de la rendre triste, l'écho des paroles de Léda avait commencé à la rassurer. C'était comme si sa maman était toujours là, dans la tanière, la regardait et l'aimait.

– Ça y est, je suis propre ! Et maintenant ? lança Sora, les mains sur les hanches et les yeux posés sur Nik.

Mari avait déjà disposé près de la paillasse les aiguilles, le fil de boyau, le couteau le plus petit et le mieux affûté de sa mère, ainsi que les compresses. Ce faisant, elle les avait nommés et avait expliqué à Sora à quoi ils servaient. La jeune fille avait été très attentive, ce qui avait apaisé la nervosité de Mari. Elle regrettait juste d'avoir mangé, car son estomac faisait des bruits étranges.

– Bon, maintenant, tu vas t'asseoir derrière la tête de Nik et tu lui tiens les épaules, indiqua-t-elle à Sora. Quand je te demanderai quelque chose, passe-le-moi aussi vite que possible.

– Et s'il se met à bouger ? Je vais te chercher ce dont tu as besoin, ou je continue à le tenir ?

– Ça dépend. Si j'ai introduit un couteau, un fer brûlant ou une aiguille dans sa chair, tiens-le. Sinon, tu peux le lâcher.

– Compris.

– Tu es prête ?

– Et toi ?

– Je ne pourrais pas l'être plus, déclara Mari. Je vais commencer, maintenant, ajouta-t-elle en regardant Nik fixement.

– Tu vas y arriver, lui assura Sora.

Mari cligna les yeux de surprise et dévisagea la jeune fille.

– Tu en es sûre ?

– Certaine, répondit Sora sans hésiter. Tu es une Femme Lune, la descendante de générations de Femmes Lune. Il n'y a rien que tu ne puisses faire.

– Merci, Sora.

D'un battement de paupières, Mari refoula des larmes inattendues. Puis, portée par la foi de Sora, elle s'assit sur la paillasse à côté de Nik et entreprit d'ôter les bandages qui couvraient sa blessure.

– Ce n'est pas beau, commenta Sora lorsque la mousse et les millefeuilles furent enlevées.

– C'est pourquoi on doit se dépêcher. C'est déjà si enflé que je serai peut-être obligée de couper un morceau de chair pour extraire le fer de lance.

Mari inspira profondément, gardant à l'esprit que Nik ne sentirait rien – jusqu'à plus tard – si elle se hâtait.

Au début, elle travailla avec hésitation, mais la chair où la pointe était logée saignait beaucoup, et les gestes doux de Mari ne faisaient que gonfler et saigner davantage la blessure.

– Passe-moi le couteau !

Sora obtempéra. Mari découpa la chair près de la tige de cautérisation, glissa les doigts dans la plaie et réussit à attraper la pointe de la lance. Elle tira dessus en grognant, et l'objet à triple pointe se détacha en produisant un son humide répugnant.

– L'eau au sceau d'or et les compresses, vite !

Sora lui tendit ce qu'elle réclamait. Mari rinça la plaie à de nombreuses reprises, veillant à repérer l'origine des plus importants saignements. Les notes de sa mère étaient très claires. Il fallait déterminer où se trouvaient les grosses veines afin de pouvoir les refermer en les brûlant.

– OK, maintenant, j'ai besoin de la tige moyenne. Attrape-la avec du tissu. Ces trucs sont très, très chauds.

Sora hocha la tête, se précipita vers la cheminée, et revint en tenant précautionneusement la tige luisante avec ce qui sembla être à Mari un lambeau d'une de ses chemises propres.

– Maintenant, je veux que tu nettoies la plaie encore une fois ; ensuite, tu presseras une compresse dessus, bien fort, et à mon signal, tu l'enlèveras et tu tiendras fermement Nik par les épaules. C'est à ce moment-là qu'il risque de se réveiller.

Sans quitter Mari des yeux, Sora versa l'eau jaune désinfectante sur la blessure, puis elle appliqua une compresse dessus en exerçant une pression.

Craignant de renoncer si elle hésitait, Mari lui lança aussitôt :

– Maintenant !

Sora souleva le tissu et, avant que la plaie eût le temps de se remplir de sang à nouveau, Mari y plongea le fer à cautériser.

La douleur arracha un cri guttural à Nik, mais Sora le maintint fermement sur la paillasse. Quelques instants plus tard, il reperdit connaissance et son corps s'affaissa.

– Va me chercher l'autre fer, le plus petit, commanda Mari à Sora.

Soupirant de soulagement, elle écarta de son visage ses cheveux trempés de sueur avec son avant-bras. Sora s'empressa de lui présenter la deuxième tige, que Mari lui échangea contre celle qui refroidissait, avant de l'appliquer sur les autres grosses veines.

Le corps de Nik fut agité de spasmes irréguliers, réaction automatique à la cautérisation. Cependant, le jeune homme demeura totalement muet, et dès que Mari retira le fer, il redevint immobile.

– Apporte-moi le cataplasme.

Sora lui donna le bol en bois dans lequel elles avaient préparé le mélange de miel, d'hamamélis, de sauge et de calendula. Mari y avait ajouté un peu de racine de sceau d'or, tant elle redoutait une infection. Avec des gestes rapides, elle appliqua sur la blessure cautérisée la mixture poisseuse.

– Bon, maintenant, je n'ai plus qu'à recoudre, déclara-t-elle.

Sora lui tendit une aiguille munie d'un fil. Mari constata, étonnée, que cela ne la dérangeait pas de recoudre de la chair. Certes, elle avait vu Léda le faire à d'innombrables reprises, mais elle s'était entraînée uniquement sur des lapins morts et des peaux d'animaux. « Je suis douée pour ça, songea-t-elle avec un petit tressautement de surprise et de joie. Je suis très douée pour ça. »

Ensemble, Mari et Sora enveloppèrent soigneusement de compresses propres la plaie recousue, puis elles allongèrent Nik sur le dos. Mari avait déjà renoncé à suturer sa blessure à la tête. Lorsque celle-ci avait cessé de saigner, elle s'était rendu compte qu'elle n'était pas aussi grave que les écoulements l'avaient laissé supposer. Il en allait différemment de la blessure que Nik avait à la jambe.

– Cette plaie est très profonde, constata Sora, qui alla tenir Nik par les chevilles, bien qu'il demeurât inconscient.

– Oui, je vais la nettoyer et y appliquer les restes du cataplasme avant de la recoudre. Elle m'inquiète presque autant que sa blessure à l'épaule.

Mari se mit au travail, et le temps parut se figer. Elle était si concentrée, dans sa petite bulle, qu'elle ne remarqua pas l'agitation grandissante de Sora avant que ses mains tremblent au point de faire bouger les jambes de Nik.

– Sora, il ne faut pas que tu bouges. Je ne peux pas…

Mari leva les yeux vers la jeune fille. Son visage avait blêmi, et contrastait sinistrement avec la teinte argentée qui était en train de s'étendre sur le reste de sa peau.

– Je suis désolée, s'excusa Sora. J'essaie de lutter, mais...

– Ce n'est pas ta faute. Tu dois te mettre au clair de lune. Pars maintenant.

– Mais tu as besoin de mon aide, dit Sora en serrant les dents pour lutter contre la douleur.

– Il faut que tu sois en forme. Pas que tu aies mal partout et que tu sois déprimée.

– Je crois que je vais vomir, prévint Sora en plaquant une main sur sa bouche.

– Sors !

Mari considéra son canin, qui avait repris sa place devant la porte. Sans enlever les mains de la blessure de Nik, elle déplaça son attention, imaginant son jeune Berger, suivi de Sora, se frayer un chemin à travers le dédale de ronces.

– Rigel, conduis Sora au-dessus, lui ordonna-t-elle.

– Il ne voudra pas ! s'exclama Sora.

– Bien sûr que si !

Sora ouvrit la porte, le canin sortit, puis se retourna et attendit que la jeune fille le suive. « Merci, Rigel ! Tu es si intelligent, beau, courageux et gentil ! » Mari lui envoya cette pensée, accompagnée d'une vague d'amour. Puis elle se remit à suturer la vilaine plaie à la jambe de Nik.

– Ça s'est mieux passé que je le pensais, déclara Mari.

Sora, avec Rigel, était rentrée à temps pour l'aider à bander la plaie fraîchement recousue. Les deux jeunes femmes avaient mis Nik dans la position la plus confortable possible, à moitié sur le côté, à moitié sur le dos. Après avoir placé les instruments dans un bain de sceau d'or et rassemblé les pansements ensanglantés, elles s'autorisaient enfin un moment de détente auprès de la cheminée, sirotant du thé et contemplant le corps immobile de leur patient.

– Oui ; j'étais certaine qu'il se réveillerait et se débattrait, dit Sora. Qu'y avait-il dans l'infusion que tu lui as donnée ?

– Du jus de pavot et du cannabis, répondit Mari avec un sourire. C'est efficace, hein ?

– Ha ! Je devrais t'encourager à te préparer une délicieuse potion soporifique, puis traîner Nik hors d'ici pendant que tu serais inconsciente, mais je suis si fière de ce qu'on vient de réaliser que je n'oserais rien faire qui risquerait de gâcher le résultat.

– Me voilà rassurée.

Après avoir pris une profonde inspiration, Mari se tourna vers Sora et lui dit :

– Tu as fait du bon travail. Ton aide m'a été précieuse.

– Merci ! s'exclama Sora, manifestement surprise de ce compliment.

– Tu feras une excellente Femme Lune.

– Je suis très touchée..., répondit Sora en rougissant, avant d'ajouter, presque timidement : Tu m'as rappelé Léda, ce soir. Elle aurait été fière de toi.

– Elle non plus ne t'aurait pas laissé tuer Nik, affirma Mari avec un sourire.

– Je le sais. N'empêche, je lui aurais quand même conseillé de lui trancher la gorge.

– Je n'en doute pas ; et maman t'aurait fait un sermon sur la gentillesse et l'humanité, qui t'aurait chauffé les oreilles.

– Je te crois volontiers, répondit Sora en reportant son regard sur Nik. Ça ne marchera jamais.

– Si, ça marchera peut-être. Si je peux prévenir l'infection, je suis presque sûre qu'il guérira. Enfin, à moins qu'il n'ait une blessure interne mortelle qui m'aurait échappé.

– Je ne parle pas de ça. Je veux dire que les Marcheurs de la Terre et les Compagnons ne coexisteront jamais en paix. Il y a trop de souffrance, trop de violence entre nous. Comment pourrais-tu jamais leur faire confiance ?

– Maman et un Compagnon sont tombés amoureux, rappela Mari. Je suis née de leur union. Ils voulaient bien coexister en paix, eux.

– Résultat : ton père a été tué. Mari, tu ne peux pas tout avoir, être à la fois une Marcheuse de la Terre et une Compagnonne.

Mari regarda Rigel, qui dormait comme un loir près de la paillasse de Nik.

– Pourtant, c'est précisément ce que je suis : à moitié l'une, à moitié l'autre.

– Tu seras obligée de choisir lequel de ces mondes est le tien, avertit Sora.

– J'ai fait mon choix quand Rigel m'a trouvée, expliqua Mari, les yeux toujours posés sur le canin.

– Non, ce n'est pas parce que tu as un canin que tu dois vivre comme un Compagnon. Tu peux toujours faire partie du Clan. Mari, je pense qu'il t'acceptera – comme tu es –, en raison de tes talents.

Mari renâcla.

– C'est toi qui seras leur Femme Lune, pas moi.

– Mais toi aussi, tu pourrais le devenir ! Et je ne parlais pas seulement de tes talents de Femme Lune. Si tu ne veux pas invoquer la lune, alors très bien, n'invoque pas la lune. Tu possèdes plein d'autres atouts. Tes dessins sont superbes. Tu es une Guérisseuse talentueuse, sincèrement. Et même si tu es parfois grognon, tu es une excellente pédagogue. Le Clan attache de l'importance à toutes ces qualités. Je pense qu'il fermerait les yeux sur tes origines et ce canin si tu le faisais profiter de tes remarquables aptitudes. Ce n'est pas comme si c'était ta faute ; en plus, puisque tes deux parents ne sont plus là, il n'y a plus personne à bannir.

Mari sirota son thé en réfléchissant.

Lorsque Nik gémit, elle se leva aussitôt.

– Sora, filtre la mixture que j'ai fait infuser et apporte-la-moi dès qu'elle aura suffisamment refroidi pour que Nik puisse la boire.

Elle se rendit au chevet du blessé et posa doucement la main sur son épaule.

– Nik, essaie de bouger le moins possible, lui conseilla-t-elle. Je t'ai enlevé la pointe de la lance et j'ai recousu tes plaies, mais tu risques de les rouvrir et de les faire saigner si tu remues trop.

Il tourna la tête et ses yeux voilés se posèrent sur les siens.

– J'ai le dos en feu, confia-t-il.

– Je sais. Je suis désolée.

Sora revint à la hâte et tendit à Mari une chope en bois remplie d'une infusion à l'odeur âcre.

– Bois ça, dit Mari à Nik. Ça va te soulager.

Sora l'aida à soulever le blessé, qui s'étrangla, toussa et crachota, mais but néanmoins tout le breuvage. Ensuite, il s'écroula en geignant de douleur.

– Soif, dit-il faiblement.

– Je vais te chercher de l'eau, proposa Sora.

Elle lui prit la chope, qu'elle alla remplir au seau et revint. De nouveau, Mari et elle firent boire Nik. Puis elles le réinstallèrent aussi confortablement que possible.

Lorsque les herbes commencèrent à faire effet, le corps de Nik se relâcha. Juste avant que sa respiration devienne plus profonde, sa main se tendit vers Rigel. Alors, avec un soupir de contentement, il s'endormit en le touchant.

– Est-ce que ça te dérange ? demanda doucement Sora en leur servant l'odorante tisane à la camomille et à la lavande qu'elle avait préparée.

Puis, elle se mit à son aise, en repliant les pieds sous elle, à ce qui devenait sa place habituelle près de la cheminée.

– Est-ce que *quoi* me dérange ?

– Qu'il soit manifestement obsédé par ton monstre.

– Tu sais, tu pourrais l'appeler Rigel, dit Mari.

– Je le pourrais, mais « monstre » me plaît de plus en plus.

À cet instant, le jeune canin pointa les oreilles en direction de Sora, qui afficha un large sourire.

– Je crois que ça lui plaît de plus en plus, à lui aussi, dit-elle.

– Comment tu sais que son regard ne signifie pas : « J'ai envie de te dévorer » ? plaisanta Mari.

– Parce qu'il ne m'a pas montré ses horribles dents. Tu n'as pas répondu à ma question.

– Rigel et moi sommes liés pour la vie. Rien ni personne ne peut changer ça. Je le tiens en grande partie de ce que mon père a raconté à maman, et de ce que maman m'a raconté. Pour le reste, je le sais grâce à ça.

Mari toucha sa poitrine, à l'endroit du cœur.

– Et aussi grâce à ça, ajouta-t-elle en portant une main à sa tête. Donc, je ne suis pas jalouse. Mais c'est l'obsession de Nik en elle-même qui me dérange.

– Tu vois, on aurait dû le tuer ! déclara Sora.

– Tu as peut-être raison.

– Quoi ? Ai-je bien entendu ?

– Ne t'emballe pas. Tu as *peut-être* raison, et uniquement sur ce point, la taquina Mari, en souriant gentiment. La vérité, c'est qu'on ne saura pas si on a fait une erreur colossale en le sauvant avant qu'il soit guéri et s'en aille.

– Est-ce que tu regrettes qu'on ne l'ait pas tué ?

Mari réfléchit un moment.

– Non, déclara-t-elle enfin. Ce n'est pas ça que je regrette. Sora, j'ai vu des Compagnons tuer notre peuple avec moins d'émotions que je n'en ai quand j'étripe un lapin. Même si j'ai pris la mauvaise décision concernant Nik, j'ai eu raison d'attacher plus d'importance à la vie qu'eux.

– Si on se comporte comme les Compagnons, on n'est pas mieux qu'eux, affirma Sora lentement. Je suis d'accord avec toi en théorie ; j'espère juste que tu as raison dans la pratique. Notre Clan n'en peut plus.

Mari soupira et dit :

– Jenna me manque.

– Je sais que vous étiez proches, toutes les deux.

– Je les ai vus la capturer. Sora, Nik faisait partie de cette équipe de chasseurs, ce qui me donne une idée…

Sora haussa vivement les sourcils, et comme Mari ne développait pas, elle lui demanda :

– À quoi penses-tu ?

– Je pense qu'une faveur devrait conduire à une autre.

35

Sans sa douleur déchirante au dos, Nik aurait cru être mort et avoir été condamné à une sorte d'enfer particulièrement bizarre. Depuis le moment où il avait repris connaissance après que le fleuve l'eut vomi des rapides sur le tas de débris flottants, son monde était devenu un endroit franchement étrange.

Au début, il lui parut trop onirique pour être vrai. Le jeune canin l'avait trouvé ! Rigel – c'était son nom – avait également trouvé une Creuseuse qui voulait le tuer, et sa Compagnonne, une dénommée Mari.

Mari aussi était trop onirique pour être vraie. Au premier regard, l'on eût pu croire qu'elle faisait partie de la Tribu. Elle était grande et mince. Ses cheveux, de la couleur du soleil, étaient coupés court, si bien qu'ils bouclaient autour de sa tête, lui donnant un air enfantin. Mais c'était son visage qui la trahissait. Ses traits ne ressemblaient pas du tout à ceux des membres de la Tribu. Bien qu'elle eût de jolies pommettes saillantes et des lèvres charnues en forme d'arc, quelque chose clochait avec ses yeux. Ils étaient plus gros et presque en forme d'amande. Leur couleur, surtout, n'allait pas du tout. Au lieu d'être de l'une des nombreuses nuances de vert qui caractérisaient la Tribu, ils étaient d'un gris si vif et si clair qu'ils en étaient presque argentés.

Ces yeux rappelaient quelque chose à Nik, sans qu'il pût cependant mettre le doigt dessus.

Malgré ses nombreux évanouissements pendant que les deux jeunes femmes le transportaient du ruisseau à leur logis, et son esprit embrumé par la douleur, il était conscient de la tension qui existait entre elles, et du fait indéniable que c'était Mari le chef.

Après qu'ils eurent atteint leur maison, qu'elles appelaient « tanière », Nik ne fut plus absolument certain de pouvoir se fier à sa mémoire. Il était tenté de comparer sa récente expérience à un évènement flou de l'enfance, dont on ne sait pas trop si on l'a réellement vécu ou si l'on s'en « souvient » parce qu'on nous l'a raconté maintes et maintes fois.

Il n'était pas possible que des Creuseuses l'eussent sauvé.

Il n'était pas possible qu'elles l'eussent transporté sur une civière jusqu'à leur jolie petite tanière souterraine bien rangée, qu'elles eussent extrait la pointe de la lance de son dos et soigné toutes ses blessures.

Cela n'était pas possible. Et, cependant, il était là, enfin complètement réveillé, sur une confortable paillasse, avec, couché à portée de main, le jeune Berger qu'il avait recherché pendant des semaines, et sa Compagnonne, une Creuseuse, qui somnolait près d'un bon feu bien chaud.

– Pourtant, je suis ici, chuchota Nik pour lui-même.

Le canin leva la tête vers lui. Il lui sourit et caressa son doux pelage, sans se soucier des élancements douloureux que ce mouvement lui causait jusque dans le dos.

– Es-tu vraiment réveillé ?

Nik déplaça son regard sur la jeune femme. Encore à moitié endormie, elle se frotta les yeux, s'étira, puis tisonna le feu et versa de l'eau à la louche dans une casserole.

– Oui, je crois, répondit-il. À moins que tu ne me dises que je suis en train de rêver.

– Tu ne rêves pas. Comment te sens-tu ?

– Je me sens troublé, avoua Nik, honnête.

Elle l'observa en inclinant la tête. Ses yeux parurent sourire, mais son expression demeura sérieuse.

– Troublé, c'est pas mal, commenta-t-elle. Je m'attendais plus à ce que tu dises quelque chose du genre : « J'agonise ! » ou que tu me demandes pour la centième fois si tu es mort.

– Eh bien, j'ai mal au dos. Et à la jambe et à la tête. Mais mon trouble est plus important que mes douleurs. Et… c'est toi que je dois remercier.

– Tu me remercies d'être troublé ?

– Oui et non. C'est bien toi la cause de mon trouble, mais je dois te remercier de m'avoir sauvé.

– De rien.

– C'est toi, Mari, hein ?

– Oui.

– C'est ce que je pensais. Mais me souvenir d'hier, c'est un peu comme se souvenir d'un rêve. Enfin, d'un cauchemar, si je veux être totalement sincère.

– Hier ? répéta Mari.

– Ouais, quand tu m'as dégagé des débris flottants dans le ruisseau et que tu m'as amené ici.

Mari versa l'eau fumante dans un bol en pierre et la remua avant de dire :

– Le « hier » dont tu te souviens s'est en réalité passé il y a cinq jours.

– Ça fait cinq jours que je suis ici ? demanda Nik, stupéfait.

– En fait, tu entames ton septième jour. L'aube n'est pas loin.

– Je n'ai pas l'impression d'avoir été inconscient pendant presque sept jours.

– Pas complètement. Tu as perdu et repris connaissance plusieurs fois, principalement parce que tu avais de la fièvre. Mais elle a disparu, à présent. Tu as beaucoup parlé d'un certain O'Bryan.

– C'est mon cousin et mon meilleur ami.

– Quand tu avais la fièvre, tu t'inquiétais pour lui.

– Réveillé je m'inquiète aussi pour lui, affirma Nik. Il a été blessé récemment.

– Tu as parlé de ton père, également.

– Qu'est-ce que j'ai dit ? s'enquit Nik, à la fois curieux et se sentant bizarrement violé dans son intimité.

– C'était assez difficile de te comprendre, expliqua Mari en haussant les épaules, mais j'ai clairement distingué les mots *père* et *O'Bryan*.

– Père me croit sans doute mort, dit Nik, plus pour lui-même que pour Mari.

– Tu guéris bien. Je suis surtout contente que tu aies enfin repris complètement connaissance.

Elle souleva le bol en pierre et versa la mixture fumante à travers un délicat torchon dans une grande chope en bois, qu'elle apporta à Nik.

– Bois ça, lui dit-elle. Ça calmera tes douleurs.

– Peux-tu m'aider à me redresser, d'abord ?

Elle hocha la tête et il s'appuya sur elle pendant qu'elle arrangeait les oreillers derrière lui. Lorsqu'il s'y adossa, Nik constata, sidéré, que suite à cet effort minime, il haletait et que sa douleur au dos irradiait au point de lui enlever le peu de forces qui lui restaient.

– Bois l'infusion, répéta Mari.

Mais Nik hésita.

– Ça va me refaire dormir, non ? l'interrogea-t-il.

– C'est le but.

Il posa alors la chope sur le rebord du mur.

– Peut-on discuter un peu, d'abord ? demanda-t-il.

Haussant les épaules, Mari lui répondit :

– C'est ta douleur ; c'est toi qui décides.

– Mari, où suis-je ?

– Tu es chez moi. Dans ma tanière.

– Où est l'autre fille ? Il y avait une fille avec toi avant, n'est-ce pas ?

– Oui, c'est Sora. Elle est dehors, en ce moment. Elle rentrera bientôt.

– Elle voulait me tuer ?

Le sourire dans les yeux gris de Mari gagna brièvement ses lèvres.

– Oui, confirma-t-elle. Elle le veut sans doute encore, mais elle ne le fera pas.

– Pourquoi ?

– Elle t'expliquerait que c'est parce que je ne la laisserais pas faire, mais la vérité, c'est que ce serait inhumain de te tuer, et nous ne sommes pas inhumaines, affirma Mari, en soutenant le regard de Nik, comme si elle avait prononcé ces paroles dans le but de le défier.

– Mais c'est une Creuseuse !

– N'emploie jamais ce terme devant moi, lui dit Mari d'un ton brusque, ses yeux gris lançant des éclairs de colère. Nous sommes des Marcheuses de la Terre. Si tu veux parler de nous, même quand tu auras rejoint ton peuple, appelle-nous comme ça.

– Mais le petit canin t'a choisie, ce qui signifie que tu n'es absolument pas une…

– Si ! l'interrompit Mari. Je suis une Marcheuse de la Terre, exactement comme ma mère l'était avant moi, et sa mère avant elle.

Mari retourna à sa place près de la cheminée. Réagissant à son agitation, Rigel s'approcha d'elle à pas feutrés et s'appuya contre elle en la regardant avec des yeux remplis d'adoration. Alors, toutes les pièces du puzzle s'assemblèrent.

« C'est elle ! La fille en feu ! Et elle s'est liée au canin, comme père et moi l'avions deviné. » Nik observa Mari tandis qu'elle murmurait doucement quelque chose au jeune Berger, puis se préparait une tisane.

Son souvenir de la fille, lors de l'incendie, était-il inexact, ou avait-elle changé radicalement depuis ? Non, il ne s'était pas trompé. Ce jour-là, il n'avait pas eu besoin de la voir de près pour savoir qu'elle avait l'allure de n'importe quelle Creuseuse, avec ses longs cheveux bruns et ses traits grossiers.

Alors, quel changement physique s'était-il produit chez elle ? Ou bien Nik était-il réellement embourbé dans un cauchemar qui le rendait fou ? Il n'y avait qu'un moyen d'en être sûr.

– Est-ce toi qui as mis le feu à la forêt le jour où une vieille femme est tombée et s'est cassé le cou ? lâcha-t-il.

– Elle n'était pas vieille, nuança Mari d'une voix dénuée de toute émotion.

– Je suis désolé. Je ne voulais pas être insultant, dit Nik, en choisissant ses mots avec soin. Mais c'était toi, hein ?

– Oui, confirma Mari. Et la femme s'appelait Léda. C'était ma mère.

Cette révélation s'imposa pleinement à Nik. C'était donc cela qui lui était familier : les yeux de la fille ! Ils étaient de la même couleur que ceux de la femme qui était morte. Mari était réellement une métisse, l'enfant d'un Compagnon et d'une

Creuseuse, ou plutôt, d'une Marcheuse de la Terre, se reprit Nik intérieurement.

– Je suis navré pour ta mère, dit-il en regardant Mari dans les yeux.

– Moi aussi.

– Je ne voulais pas que ça arrive. C'était un accident.

– Je sais. J'étais là, avoua Mari, qui marqua une pause avant d'ajouter : Je t'ai vu t'approcher d'elle. T'a-t-elle dit quelque chose avant de mourir ?

– Elle m'a appelé Galen. Elle… elle croyait qu'il était revenu la chercher.

Mari tourna la tête en clignant rapidement les yeux, puis s'éclaircit la voix.

– Galen était mon père, déclara-t-elle, d'une voix rauque d'émotion.

– Il faisait partie de la Tribu. C'était un Compagnon.

– Oui, confirma Mari en regardant Nik de nouveau. Et vous l'avez tué parce qu'il aimait ma mère.

– Mari, ce n'est pas moi qui l'ai tué, se défendit le jeune homme.

– Qu'est-ce que tu fabriques sur notre territoire, Nik ?

Il hésita, mais pas longtemps. Il n'avait pas envie de mentir. Cette fille moitié Compagnonne, moitié Marcheuse de la Terre, à qui il devait la vie, méritait mieux qu'un tissu de mensonges et de demi-vérités. Son père serait d'accord avec lui, même s'il serait bien le seul de la Tribu. Par conséquent, il lui dirait la vérité, du moins autant que possible. Cependant, il fallait qu'elle lui donnât des informations, elle aussi.

– Je répondrai à toutes tes questions, mais je vais te demander quelque chose en échange, prévint-il.

Mari haussa les sourcils.

– C'est très arrogant de dire ça à la personne qui vient de te sauver la vie.

Nik soupira, avant de grimacer de douleur, et chercha nerveusement une meilleure position.

– Je ne voulais pas avoir l'air arrogant, dit-il enfin. Je sais que je te suis redevable. Mais tu peux imaginer, je pense, que moi aussi, j'ai des questions à te poser.

– Oui, reconnut Mari en hochant légèrement la tête. Que veux-tu savoir ?

– Pourquoi n'es-tu pas puérile ou remplie de mélancolie ? Pourquoi Sora et toi êtes-vous normales ?

Mari écarquilla les yeux de surprise, puis se mit à rire – de bon cœur et bruyamment –, alors Rigel sauta et aboya de joie. Elle dut calmer le canin et s'essuyer les yeux avant de répondre à Nik, ses yeux gris brillant toujours d'un amusement contenu.

– Désolée. Je trouve juste assez comique que tu nous juges normales, Sora et moi.

– Donc, les autres Creus... euh... je veux dire, les autres Marcheuses de la Terre sont effectivement déprimées et sans énergie, voire catatoniques ?

– Bien sûr que non. Mais Sora et moi sommes... euh..., hésita Mari, désireuse de bien choisir ses mots. Je suppose que le terme qui nous définirait le mieux, c'est *Guérisseuses*. Et, en général, il n'y a qu'une Guérisseuse par Clan, chez les Marcheurs de la Terre.

– C'est pour ça que vous êtes peu communes ? Parce que vous êtes deux Guérisseuses pour votre Clan ?

– En quelque sorte, oui. Avant, notre Clan n'avait qu'une Guérisseuse, c'était ma mère. Elle est morte avant d'avoir formé complètement une apprentie. On pourrait dire que Sora et moi travaillons ensemble pour essayer de succéder à maman, mais aucune de nous n'en sait autant qu'elle devrait. C'est peu commun, parce qu'en général, les Guérisseuses n'ont qu'une apprentie.

– Vu que je suis toujours en vie, je pense que tu te débrouilles bien, souligna Nik.

– Je fais de mon mieux, mais je n'arrive pas à la cheville de maman, et je ne peux pas faire plus.

– Excuse-moi, je suis toujours troublé. Tu me parles normalement, comme n'importe quel membre de la Tribu. Je ne me rappelle pas tout ce qui s'est passé au cours des derniers jours, mais je crois que je m'en souviendrais si Sora était extrêmement déprimée. La seule chose que j'ai en mémoire, c'est qu'elle était en colère et voulait me tuer.

– Ça résume les sentiments que tu inspires à Sora. Et, non, elle n'est pas déprimée.

– Mais pourquoi ? insista Nik en levant les bras en l'air.

Il se figea aussitôt, ferma les yeux en serrant fort les paupières et respira, pris de douleur et de nausées. Lorsqu'il les rouvrit, Mari s'était approchée de sa paillasse et le regardait d'un air inquiet.

– Tu devrais boire l'infusion et arrêter de bouger, lui recommanda-t-elle. Je te rappelle qu'il y a sept jours, tu as frôlé la mort.

– D'accord, mais c'est important, insista-t-il d'une voix si faible qu'il en fut effrayé. Puis-je avoir de l'eau ?

Mari alla au seau remplir une chope, qu'elle lui apporta.

– Merci, dit-il, avant de boire à longs traits. Voici pourquoi je suis troublé : les seules... euh... Marcheuses de la Terre que j'ai connues étaient incapables de soutenir une conversation à cause de leur dépression. Elles étaient aussi immatures, dans le sens où elles étaient incapables de s'occuper d'elles-mêmes.

Les hommes ont sérieusement essayé de me tuer, contrairement à Sora, qui affirmait *vouloir* me tuer, mais qui ne m'a même pas attaqué. Alors, pourquoi êtes-vous différentes, vous deux ? Et cette tanière ! Elle est ravissante. Elle est décorée de façon incroyablement artistique. C'est l'œuvre de qui ? Toutes vos habitations sont-elles comme ça ?

Mari planta ses yeux dans ceux de Nik et secoua la tête en lui décochant un regard incrédule.

– Laisse-moi deviner : les seules Marcheuses de la Terre que tu as connues, à part Sora et moi, ce sont vos prisonnières.

– Eh bien, oui. C'était sur l'Île-Ferme, dit Nik, très mal à l'aise.

– L'Île-Ferme ? C'est ainsi que vous appelez l'endroit où vous emprisonnez les femmes de mon peuple pour en faire vos esclaves ?

– Ces femmes… euh… travaillent pour nous là-bas. Oui.

– Non, Nik. Si elles travaillaient pour vous, elles seraient libres de partir à tout moment. Or, si elles tentent de s'enfuir, vous les tuez. Retenir des gens contre leur volonté et les forcer à travailler pour soi, c'est de l'esclavage.

Nik soutint le regard furieux de Mari.

– Tu as raison, reconnut-il. Oui, l'Île-Ferme, c'est l'endroit où on retient les femmes qui s'occupent de nos champs. Elles sont toutes déprimées. Tellement, qu'elles finissent par s'allonger et se laisser mourir. Mais elles ne sont pas comme toi. Elles ne…

– Elles seraient comme moi si elles étaient libres !

Ces mots parurent exploser dans la bouche de Mari.

– On ne peut pas vivre enfermées dans des cages, reprit-elle. Ça nous tue. Ton peuple nous tue. Pourquoi nos hommes ne vous attaqueraient-ils pas dès qu'ils vous voient ? Ils nous protègent, exactement comme Xander a protégé Jenna quand ton groupe l'a capturée. Vous l'avez tué pour ça. C'était son père.

– Je… je sais, dit Nik, à présent incapable de regarder Mari en face. J'étais avec elle, cette nuit-là. Elle est comme toi. Elle m'a parlé, en fait.

– As-tu vu Jenna depuis que vous l'avez attrapée ? l'interrogea aussitôt Mari.

– Non. Mon travail, ce n'est pas de m'occuper de la Ferme ou des Creuseuses… enfin, des Marcheuses de la Terre. Je suis Sculpteur, en réalité. Je…

– Va voir Jenna quand j'aurai fini de te soigner et que je t'aurai renvoyé dans ta Tribu. Je te garantis qu'elle sera déprimée et que son esprit aura l'air vide. C'est une esclave, et ça va finir par la tuer aussi sûrement que vous avez tué son père. Tu sais quel âge elle a ?

– Non.

– Elle n'a connu que *seize* hivers.

– Je… je suis navré.

– Ça ne l'empêchera pas de mourir de désespoir. Ça ne lui rendra pas son père, non plus. À moi de poser les questions, maintenant. Que fichais-tu sur notre territoire ?

– Ce n'est pas sur votre territoire que j'ai été blessé. Je participais à une expédition de glanage à Port City. Des Voleurs de Peaux nous ont tendu une embuscade. Je ne sais absolument pas si mes camarades ont pu rejoindre la Tribu. J'ai été pris dans un rapide après avoir été touché par une lance.

Nik marqua une pause lorsqu'une image fugace de Crystal et Grace apparut à son esprit.

– Je ne parle pas de ce moment-là, précisa Mari, mais d'avant, quand tu étais avec les Chasseurs. La nuit où vous avez capturé Jenna, et le lendemain, quand maman est morte. Pourquoi étais-tu sur notre territoire ?

– Je cherchais Rigel.

En entendant son nom, le canin dressa les oreilles et inclina la tête, attentif. Le jeune homme se ressaisit mentalement, chassant les images de ceux qui avaient péri lors de l'embuscade. Il y repenserait plus tard, si cette fille le laissait réellement retourner à la Tribu. S'il survivait.

– C'est bien ce que je pensais, commenta Mari.

– Tu as effacé vos empreintes – les tiennes et les siennes –, car tu voulais nous faire perdre votre trace. N'est-ce pas ?

– Oui, maman et moi les avons toutes effacées. On est retournées au ruisseau exprès, ce jour-là.

Un silence gêné s'installa entre Nik et Mari. Ils prenaient conscience que, parce que Nik pistait le jeune canin, Mari avait perdu sa mère. Se sentant atrocement coupable, Nik changea de sujet.

– Rigel a bonne mine, très bonne mine, affirma-t-il.

À cette remarque, Mari changea d'expression ; elle devint presque chaleureuse.

– Tu le penses vraiment ? Je ne sais jamais trop quoi lui donner à manger et en quelle quantité. Et ses poils… Ils sont si épais ! Il en laisse partout. J'ai peur d'avoir fait une bêtise, parce qu'ils ont commencé à tomber en grosses touffes.

Nik gloussa, puis dut serrer les dents pour lutter contre un élancement qui lui parcourut le dos. Tout son corps se mit à suer, et il crut qu'il allait vomir. Mari fut près de lui en un instant et porta la chope de tisane médicinale à ses lèvres. Il secoua la tête.

– Pas encore. J'ai… j'ai d'autres questions.

Il hésita, puis ajouta :

– Pourrais-je manger quelque chose ?

– Je vais te réchauffer du bouillon, mais ne tarde pas à boire l'infusion. Si tu ne préviens pas la douleur, tu vas le regretter.

– Je vais la boire bientôt, promit Nik.

Mari retourna près de la cheminée et remplaça la casserole par un petit poêlon noirci par les ans. Pendant qu'elle en mélangeait le contenu, les odeurs alléchantes de viande, d'ail et d'oignons flottèrent jusqu'à Nik, qui saliva et essaya de se redresser un peu.

– C'est normal que Rigel perde ses poils, surtout aux changements de saison, assura-t-il à Mari. Tu ne fais pas de bêtise. Nous, on utilise de petits peignes en arêtes de poisson pour brosser les Bergers. Il faut le faire quotidiennement. Que lui donnes-tu à manger ?

– Du lapin, principalement.

– Donne-le-lui cru, c'est ce qu'il y a de mieux pour un canin. Ajoutes-y des œufs crus – de n'importe quel oiseau –, avec la coquille et tout, et des légumes verts à feuilles. Aussi des pommes, des carottes et du céleri quand tu le peux. Et ne le sers pas autant que ce qu'il voudrait. Certains de nos grands Bergers mangeraient jusqu'à en mourir si on les laissait faire, et Rigel est issu d'une longue lignée de très grands Bergers qui sont très gloutons.

Nik sourit au jeune canin, qui partageait son attention entre Mari et lui.

– La règle générale à suivre pour qu'un canin soit en bonne santé, c'est qu'on doit pouvoir voir le dessin de ses côtes, mais pas chaque côte séparément. Rigel m'a l'air bien : ni trop ni trop peu nourri.

– Tu connais ses parents ?

– Bien sûr ! Sa mère, c'est Jasmine. Elle est presque toute noire et est aussi grande que de nombreux Bergers mâles. Son père, c'est Laru, que je connais très bien.

– Laru est grand, lui aussi ?

– C'est le plus grand Berger de la Tribu, affirma Nik avec un large sourire. Son Compagnon, c'est mon père.

– Ton père ! C'est donc pour ça que tu n'as pas arrêté de pister Rigel.

Nik ouvrit la bouche, mais la referma immédiatement, n'étant pas sûr de ce qu'il pouvait s'autoriser à dire à cette étrange fille. Lorsqu'il la regarda de nouveau, elle avait cessé de mélanger le bouillon et elle l'observait attentivement.

– Ce n'est pas pour cette raison que j'ai pisté Rigel sans relâche, s'entendit-il avouer. Mais parce que…

Il était incapable d'admettre l'embarrassante vérité.

– Tu n'as pas de canin, n'est-ce pas ? devina Mari.

– Non.

– Oh ! fit Mari en haussant les sourcils. Tu voulais que Rigel te choisisse.

Après un moment d'hésitation, Nik lâcha :

– Oui, c'est vrai. C'est ma faute s'il s'est échappé de la Tribu. Presque tout le monde me trouvait fou de penser qu'il pourrait survivre aux colonies de scarabées crache-sang et de cafards, mais moi, je n'ai jamais abandonné l'idée de le retrouver.

– Il était gravement blessé quand il a débarqué ici, révéla Mari.

– Il a donc trouvé ta trace jusqu'à chez toi ? déduisit Nik en écarquillant les yeux de surprise.

– Exact, confirma Mari en caressant le jeune canin, dont la queue frappa le sol de la tanière. Ensuite, maman et moi l'avons guéri.

– Y a-t-il toujours eu des Guérisseuses dans ta famille ?

À cet instant, la porte de la tanière s'ouvrit et l'autre jeune femme entra en trombe.

– Ne lui dis rien sur nous, lança-t-elle d'un ton brusque, en fusillant Nik du regard. Mari, j'ai réussi ! La fougère est vivante !

Le visage de Mari se fendit d'un large sourire qui fit pétiller ses yeux gris et apparaître deux petites fossettes sur ses joues.

– C'est super, Sora ! se réjouit-elle. Maintenant, tu es prête pour la prochaine étape.

– Des personnes ?

– Absolument, confirma Mari en hochant la tête.

– Sora, j'aimerais te remercier, toi aussi, dit Nik. De m'avoir sauvé.

La Marcheuse de la Terre lui décocha un regard noir et répliqua :

– Ce n'est pas moi qui t'ai sauvé. C'est Mari. Je l'ai juste aidée.

Puis, se tournant vers Mari, elle ajouta :

– Préviens-moi quand il sera de nouveau tombé dans les pommes ; je ressortirai pour venir dîner avec toi.

Sur ce, elle disparut à l'arrière de la tanière.

Après un nouveau silence gêné, Nik dit :

– Vous êtes sœurs ?

– Non, on est amies, précisa Mari au bout d'un moment.

– Elle n'a pas l'air très sympathique.

– En réalité, elle l'est beaucoup plus que moi. C'est juste qu'elle ne te fait pas confiance, avoua Mari en versant le bouillon dans un petit bol en bois, qu'elle apporta à Nik.

– Merci, dit-il.

Ensuite, toute l'attention du jeune homme fut concentrée sur le délicieux liquide qu'il se mit à siroter et sur la chaleur que celui-ci répandit dans son corps meurtri. Nik l'avala en un rien de temps, puis se rallongea avec précaution, rassasié et épuisé.

– Maintenant, bois ça, lui dit Mari en lui tendant l'infusion refroidie.

Enfin, il prit la chope et avala d'un trait l'amère mixture.

– Bien, fit-elle. Avant que tu te rendormes, il faut que je change tes bandages.

Avec un grognement, Nik roula légèrement sur le côté, afin de lui montrer son dos. Il serra les dents, se cuirassa contre la douleur à venir. Cependant, Mari fut incroyablement douce, et il ne sentit qu'une délicate traction de sa peau autour du bandage.

– Non, non, non. Ce n'est pas normal, fit-elle.

– Quoi ? demanda Nik, qui tenta de tourner la tête, avant qu'un regard sévère de Mari l'en dissuadât. Qu'est-ce qui n'est pas normal ? demanda-t-il alors, la tête contre l'oreiller.

– La plaie guérissait bien, très bien, même. Il n'y avait pas de signe d'infection hormis la fièvre, qui a disparu en début de journée. Mais maintenant, la chair autour de la plaie est jaunâtre, comme si elle était sale. En plus, il y a de petits boutons noirs sur la plaie, qui ressemblent à des croûtes.

– Est-ce qu'une odeur rance s'en dégage ? s'enquit Nik, l'estomac noué et le visage perlé de sueur.

Il sentit Mari se pencher au-dessus de la plaie. Elle la renifla, puis eut un haut-le-cœur. Elle se détourna alors de Nik, qui tendit le cou et la vit s'essuyer la bouche et secouer la tête. Plus pour elle-même que pour lui, elle marmonna :

– On dirait que la chair est en train de pourrir.

Elle remit le bandage sur la blessure et dit :

– Montre-moi ta jambe.

Sans rien dire, Nik roula prudemment sur le dos.

Lorsque Mari souleva le bandage de sa jambe, il la sentit : l'odeur écœurante familière de rouille et de mort. Il s'adossa et ferma les yeux, tentant de contrôler la panique qui menaçait de l'étouffer.

– Je ne comprends pas, dit Mari en se penchant sur la plaie. Il y a un début d'ulcération, un jaunissement de la chair et une odeur nauséabonde. Ça n'a pas de sens. J'ai changé les bandages hier et il n'y avait aucun signe précurseur de tout ça.

– Ce n'est pas ta faute, affirma Nik, qui se sentait déjà aussi mort que sa voix. Et tu ne peux rien y faire.

– Que veux-tu dire ?

– Ceci va me tuer. Ça s'appelle la rouille, et ça accable la Tribu depuis de nombreux hivers maintenant. On perd de plus en plus de vies à chaque saison qui passe. Tu peux m'aider à rentrer chez moi ? Je veux revoir mon père avant de mourir.

Mari posa les deux mains sur ses hanches et plissa les yeux d'un air obstiné.

– Je ne t'emmènerai nulle part avant que tu m'expliques exactement ce qu'est la rouille et comment tu l'as attrapée.

– La seule chose dont on est certains à propos de la rouille, c'est que c'est une sorte de mycose. Elle peut nous infecter quand on s'est écorchés.

– Chaque fois que vous vous égratignez, vous risquez de l'attraper ? le questionna Mari, les yeux écarquillés.

Nik hocha la tête avec lassitude.

– Oui, mais en réalité, plus la plaie est profonde, plus le risque d'infection est grand.

Le choc passé, Nik se sentit fatigué, triste et le cœur lourd. Il n'avait qu'une envie : avaler une autre chope de la potion soporifique de Mari et dormir pour l'éternité.

– Ta Tribu est en train de mourir ? le questionna Mari.

Il la regarda attentivement. Elle ne semblait pas jubiler. Ni peinée. Elle paraissait simplement curieuse.

– En fait, la Tribu augmente, mais la rouille se propage de plus en plus. Avant, elle infectait uniquement les très jeunes et les très vieux. Et seulement environ un tiers des blessés. Mais ça change. Désormais, elle touche un nombre croissant de gens. Ma mère en est morte juste après mon dixième hiver.

– Je suis désolée, compatit Mari. Je sais ce que c'est, de perdre sa mère.

– Merci. Tu m'aideras à rentrer chez moi avant que la rouille me tue ? Je n'en ai plus pour longtemps. Quand ça commence à sentir mauvais et à s'ulcérer, ça signifie que le sang est contaminé. La rouille se répandra bientôt dans tout mon corps. Si je suis chanceux, la blessure causée par la lance est suffisamment près de mon cœur pour me tuer rapidement.

– Nik, je n'ai pas renoncé à l'idée de te guérir.

– C'est gentil, Mari. Sincèrement. Mais tu ne comprends pas. Ça fait des générations et des générations que nos Guérisseuses tentent de traiter la rouille. Or, elles ne peuvent même pas ralentir sa progression. C'est pour ça qu'on a commencé à capturer ton peuple et à le forcer à s'occuper de nos cultures. Trop de membres de la Tribu mouraient de la rouille après s'être fait de petites blessures dans les champs.

Mari dévisagea Nik comme s'il venait de lui pousser une queue et qu'il s'était mis à aboyer.

– Vous nous réduisez en esclavage parce que vos Guérisseuses n'arrivent pas à traiter une maladie ? demanda-t-elle.

– Eh bien, oui. Enfin, c'est la raison principale. C'est pour ça qu'on a commencé à capturer les… euh… Marcheuses de la Terre. Et une fois qu'elles sont devenues nos prisonnières, on a bien vu qu'elles étaient incapables de s'occuper d'elles-mêmes.

– C'est uniquement parce qu'on meurt si on est réduites en esclavage ! protesta Mari.

– Personne ne savait ça, chez nous.

Nik s'abstint de mentionner d'autres raisons. Lorsqu'il pensa à Thaddée, à Claudia et même à Wilkes, il ne put les imaginer labourer et planter, désherber et moissonner.

– C'est tout simplement ridicule, et ça va s'arrêter aujourd'hui ! décréta Mari. Pas étonnant que Rigel m'ait conduite à toi. Nik, je vais changer ton monde.

Sur ce, elle se dirigea à grands pas vers le rideau qui séparait les pièces du fond de la tanière, l'écarta et appela :

– Sora ! On a du pain sur la planche.

36

— J'ai vraiment très sommeil, cria Nik d'une voix pâteuse.

Mari et Sora échangèrent un regard. Depuis le placard à pharmacie, Mari lui lança :

– C'est bien d'avoir sommeil. Mais ne t'endors pas. Pas tout de suite.

– Pas sûr que je puissse contrôler ça, cria-t-il de nouveau.

Mari passa la tête par le rideau.

– Nik, je suis juste ici. Tu n'as pas besoin de hurler. Je t'ai dit que je feuilletais le journal de maman pour essayer de trouver un moyen de te guérir. Et il faut que tu restes éveillé.

– Mais j'ai envie de dormir.

– Tu dormiras plus tard, répliqua Mari en roulant des yeux.

Elle jeta un coup d'œil au jeune canin, assis derrière elle.

– Rigel, va auprès de Nik.

Tandis que le canin obéissait, Mari dit au jeune homme :

– Caresse Rigel. Ou parle-lui. Fais ce que tu veux, mais reste éveillé.

– D'accord ! cria-t-il en la saluant de la main.

Mari roula des yeux à nouveau et disparut derrière le rideau. Elle alla vite s'asseoir devant le coffre de sa mère, près de Sora, et lut attentivement le journal médical de Léda. Elle chercha des traitements contre tout ce qui ressemblait de près ou de loin à la rouille de Nik.

– Pourquoi ne le laisses-tu pas dormir ? fit Sora. Il est trop bruyant quand il est éveillé.

– Tu peux le porter ? lui demanda Mari en levant les yeux de sa page.

– Bien sûr que non, répondit la fille en s'étranglant de rire. On a déjà essayé et j'ai échoué lamentablement. En plus, mes bras et mes jambes, qui étaient atrocement courbaturés, commencent juste à ne plus me faire mal.

– Ton seuil de tolérance à la douleur est bas, commenta Mari.

– Je sais, mais je ne considère pas ça comme un inconvénient. Honnêtement, Mari, qui a *envie* de souffrir ?

– Sora, de temps en temps, tu fais des remarques pertinentes.

– Merci ! dit la jeune fille, radieuse.

– On peut se remettre à chercher un traitement pour Nik, maintenant ?

– D'accord, mais je ne comprends toujours pas pourquoi tu y tiens tant. Sans vouloir paraître inhumaine, lui-même affirme qu'il est en train de mourir. Pourquoi ne pas lui poser toutes tes questions, puis lui donner quelque chose qui supprimera sa douleur assez longtemps pour lui permettre de rentrer mourir dans sa Tribu ?

– Sa Tribu capture des femmes du Clan sous prétexte qu'elle est affligée de la rouille et qu'elle ne peut pas s'occuper de ses propres plantations. Je vais guérir la rouille, afin que les Compagnons n'aient plus de raison de nous réduire en esclavage.

– Je crois que je ne suis pas aussi optimiste que toi. Je doute qu'ils puissent se mettre subitement à libérer notre peuple.

– Ça y est ! Je crois que j'ai trouvé !

Mari se leva d'un bond et courut dans l'autre pièce.

– Nik ! Ouvre les yeux !

Le jeune homme la considéra en clignant des paupières.

– Ils sont ouverts, là ? demanda-t-il.

– Maintenant, oui. Bon, écoute ça.

Mari lut une page du journal de sa mère :

– *Callie a eu une épouvantable infection fongique, qui m'a fait penser à la rouille d'un arbre, c'est pourquoi j'en fais une note spéciale ici. De petites spores noires étaient apparues autour d'une plaie propre, en voie de guérison. Ensuite, la chair a commencé à prendre une couleur jaunâtre, des ulcérations se sont formées, accompagnées d'une odeur rance.*

Mari regarda Nik et lui demanda :

– Est-ce que cela décrit l'évolution de la rouille ?

– Affirmatif, approuva Nik en lui adressant un large sourire et en hochant la tête. Alors, les Creuseurs – oups, je veux dire, les Marcheurs de la Terre – l'attrapent, eux ausssi ?

– L'attrapaient. C'est du passé, rectifia Mari d'un ton suffisant. Ma mère l'a guérie, et je vais la guérir aussi. Je reviens.

Elle se précipita vers Sora et lui dit :

– C'est bien ça !

– J'ai entendu. Qu'est-ce que le journal dit d'autre ?

– Voyons… *J'ai essayé plusieurs cataplasmes, sans succès. Finalement, je me suis souvenue d'un remède puissant que ma mère avait utilisé pour une terrible infection fongique. Je l'ai essayé, et l'infection a été guérie, grâce toutefois au pouvoir de la lune et à la bienveillance de notre Terre Mère. Voici comment préparer le cataplasme : infuser une racine d'indigotier frais avec de l'eau bouillante. Y ajouter du miel chaud et appliquer avec parcimonie sur la plaie. La guérison est rapide, mais attention ! À fortes doses, ce cataplasme est toxique ; il provoque des nausées, des diarrhées, des palpitations cardiaques, une paralysie respiratoire et la mort. Une application a suffi pour traiter la maladie. Je pense qu'une de plus aurait été fatale.*

– Ça a l'air simple, commenta Sora. Sais-tu ce qu'est une racine d'indigotier ?

– Oui, bien sûr. J'en utilise pour les teintures. Ça pousse près des ruisseaux et donne de magnifiques fleurs bleues qui font penser à des cosses qui s'entrechoquent dans le vent.

– Ah, oui, je vois de quoi tu parles !

– Bien. Va en cueillir et rapporte-moi les racines.

Sora fronça les sourcils :

– Tu ne m'as pas répondu quand je t'ai demandé pourquoi tu ne le laissais pas dormir.

– Maman a écrit que son patient avait été guéri grâce au *pouvoir de la lune*.

Sora demeura bouche bée.

– Non. Tu n'as quand même pas l'intention d'invoquer la lune pour lui !

– Si, absolument, et tu vas m'aider. C'est la prochaine étape de ta formation, rappelle-toi. Tu as guéri la fougère.

– Mais il ne doit pas savoir qu'on est des Femmes Lune ! chuchota Sora, si fort qu'elle siffla presque.

– Et c'est pour ça que je vais lui faire infuser une autre potion identique à celle que je lui ai donnée avant qu'on lui enlève cette pointe de lance. Sauf que je ne veux pas qu'il s'endorme comme une masse avant d'être sorti d'ici en marchant tout seul et d'être monté jusqu'à la clairière.

Déconcertée, Sora plissa le front.

– Donc, tu veux qu'il aille dehors en marchant ; ensuite, tu lui administreras ton breuvage – il perdra conscience –, puis on invoquera la lune et on le guérira. Et après ?

– On le portera jusqu'à la tanière, répondit Mari avec un grand sourire.

– Oh, la bonne nouvelle ! ironisa Sora. Bon, je vais te cueillir cette racine d'indigotier.

Elle s'arrêta à la porte et demanda doucement :

– Quand tu l'auras guéri, il pourra partir ?

– Oui.

– Enfin ! Allez, je fais vite.

– Explique-moi ça encore, dit Nik d'une voix pâteuse.

Fournissant de gros efforts pour ne pas perdre patience, Mari lui répondit pour la énième fois :

– J'ai recouvert tes plaies avec le cataplasme qui, selon ma mère, traite la rouille. Mais elle précise que le patient doit aussi passer du temps au clair de lune. C'est pourquoi Sora et moi allons te bander les yeux une fois de plus, et te guider dehors, dans un endroit où tu seras en sécurité. Je te donnerai alors une potion et tu pourras t'asseoir sous la lune et guérir. Compris ?

– Nan, répondit-il d'un ton endormi. Comprends pas.

– Écoute, intervint Sora. Tu fais ce que Mari te dit et tu vis. Sinon, tu meurs. C'est aussi simple que ça. Tu piges ?

Nik considéra Sora en plissant les yeux, les cligna plusieurs fois, puis répondit :

– Tu ne m'aimes pas.

– Ce n'est pas que je ne t'aime pas, c'est que je ne te fais pas confiance, rétorqua la jeune fille.

– J'aime mieux Mari que toi, déclara Nik lentement et avec circonspection.

Mari dissimula son rire en toussotant.

– Ce qu'on te demande te paraît peut-être étrange, mais ma mère était une grande Guérisseuse. Nik, je sais que je peux te guérir ; crois-moi.

Le jeune homme la regarda et, pendant un instant, ses yeux vert mousse furent complètement limpides.

– Je te fais confiance, Mari, affirma-t-il.

La gorge soudain sèche, Mari déglutit avec peine. Nik était sincère.

– Je ne vais pas te laisser tomber, assura-t-elle. Je suis désolée de t'obliger à marcher. Je sais que tu souffres.

– Oooh, si peu ! ironisa Nik.

– Parfait. Bon, on va te conduire jusqu'à la porte.

Il s'appuya sur Mari et ils avancèrent à petits pas. Avant que Sora ouvrît la porte, Mari cala Nik contre le mur de la tanière et leva la bande de tissu qu'elle allait lui nouer sur les yeux.

– Ce n'est pas nécessaire, estima-t-il en lui souriant. Je ne dirai à personne où tu habites.

– Personne ne doit savoir où vivent les Guérisseuses, l'informa Mari. Pas même les membres du Clan.

– Dans ce cas, je m'incline. Aveugle-moi !

Il oscilla en avant de sorte que Sora et Mari durent le redresser pour l'empêcher de tomber. Ensuite, Mari lui noua rapidement le tissu sur les yeux.

– Rigel peut-il venir ? s'enquit Nik, en tournant la tête à l'aveuglette dans tous les sens.

– Oui, bien sûr. Il sera près de toi pendant que tu absorberas le clair de lune, lui assura Mari.

– Et la potion, ajouta Sora, dans un murmure exaspéré.

– Sora, je ne te fais pas confiance, répéta Nik.

– Chuuut, lui dit Mari. Applique-toi à rester droit et à marcher. Garde les bras près du corps. On va traverser beaucoup de ronces. Tu as compris ?

Nik hocha la tête, ce qui le fit chanceler, et grogna de douleur lorsqu'il reposa trop brutalement sa jambe blessée à terre.

– Accroche-toi à moi, lui conseilla Mari.

Elle lui prit le bras et le passa autour de ses épaules, avant de glisser le sien autour de sa taille, pour alléger son poids sur sa jambe.

– C'est mieux, commenta Nik. J'aime bien m'accrocher à toi.

Sora secoua la tête. Elle avait envie d'empoigner son bâton de marche pour l'abattre sur Nik.

– Je suis prête, Sora, annonça Mari.

La jeune fille ouvrit la voie. Elle n'hésita qu'à deux reprises, et chaque fois, elle choisit le bon chemin sans que Mari eût à le lui rappeler. Cette dernière fut surprise de ses progrès pour se déplacer dans le dédale de fourrés, et nota dans un coin de sa tête qu'elle la féliciterait plus tard.

Le trio progressait lentement et devait se reposer souvent, mais il parvint tout de même à la clairière. Mari conduisit Nik à la statue de la déesse et l'aida à s'asseoir devant, sur l'herbe épaisse qui tapissait le sol. Elle dénoua le bandeau et, pendant que Nik clignait les yeux et se les frottait, elle prit des mains de Sora la chope d'infusion additionnée de cannabis et de jus de pavot.

– Nik, bois ça et mets-toi à l'aise.

Le jeune homme saisit la chope, mais se figea au moment où sa vision devint nette. Les yeux écarquillés, il contempla les alentours, embrassant du regard la jolie petite clairière, les murs de ronces et la déesse qui semblait émerger du sol.

– Suis-je en train de rêver ?

– Absolument, mentit Sora.

– Rigel peut-il entrer dans mon rêve ?

– Oui, répondit Mari, après avoir considéré Sora en fronçant les sourcils.

Sans qu'elle eût besoin de lui dire quoi que ce soit, le jeune canin rejoignit Nik et s'étendit près de lui. L'homme sourit et posa la main sur son doux pelage. De façon inattendue, Mari ressentit un petit choc devant le spectacle qu'ils formaient ensemble. Au clair de lune, Nik ne semblait pas aussi pâle et malade. Ses cheveux blonds, décoiffés, lui tombaient sur un œil. Il tenta en vain de les écarter, puis poussa un gros soupir. Mari trouva que cette attitude lui donnait un air de jeune garçon – de très beau jeune garçon. Elle se ressaisit.

– Bois cette infusion, s'il te plaît, Nik, insista-t-elle.

Clignant les yeux, il regarda tour à tour le canin et Mari.

– Rigel a confiance en toi, alors, moi ausssi, finit-il par dire. Je boirai tout ce que tu voudras.

Il prit la chope et avala l'amère potion d'un trait. Puis il s'allongea, les yeux rivés sur la déesse, caressant doucement Rigel.

– Jolie, commenta-t-il d'une voix rêveuse, redevenue étonnamment distincte. Elle est si jolie. Elle me fait penser à toi, Mari. Solide. Digne de confiance. Mais étrange. Très étrange...

Sa voix s'estompa en même temps que sa main s'immobilisa ; ses yeux se fermèrent et sa respiration devint plus profonde, se changeant en doux ronflements.

Sora s'approcha et lui donna un petit coup de bâton dans le pied. Devant son absence de réaction, elle sourit à Mari et lui dit :

– Ça a été drôlement rapide ! Tu as dû lui mettre une sacrée dose de somnifères !

– Oui. En tout cas, assez pour être sûre qu'il ne se réveillera pas pendant qu'on sera en train d'invoquer la lune.

Mari essuya la sueur de son front avec sa manche.

– Il est beaucoup plus lourd qu'il n'en a l'air, ajouta-t-elle.

– C'est vrai, confirma Sora. Et il a un faible pour toi.

– N'importe quoi ! Il est malade, il souffre atrocement, et je l'ai assommé de drogues. Il ne sait plus ce qu'il dit.

Sora s'étrangla de rire.

– Bon, tu es prête à invoquer la lune ? l'interrogea Mari.

– Si ça peut nous débarrasser de lui, je suis plus que prête.

– Très bien.

Mari alla s'asseoir à côté de Nik, près de Rigel. Délicatement, elle tourna le jeune homme afin de pouvoir appuyer une main sur sa blessure au dos, et tendit l'autre à Sora.

– Commençons, lui dit-elle.

– Mais on devrait échanger nos places, remarqua Sora.

– Tu es capable de faire ça, affirma Mari en lui souriant. C'est exactement comme avec la fougère ; imagine juste que je suis la fougère et que tu attires l'énergie de la lune pour qu'elle coule à travers toi et s'accumule en moi. Ensuite, je l'enverrai à Nik.

– Es-tu sûre qu'il ne vaudrait pas mieux que tu… ?

– Je crois en toi, Sora.

La jeune fille cligna rapidement ses yeux gris et les détourna de Mari. Celle-ci crut y voir briller quelques larmes, mais lorsque Sora la regarda de nouveau, elle souriait.

– Je suis prête, déclara-t-elle.

Elle pressa fort la main de Mari et commença à réciter l'incantation. Mari ferma les yeux et écouta avec plaisir la voix assurée de Sora, qui n'hésita pas une seule fois. Elle avait mémorisé toute la formule pour invoquer la lune. Tandis qu'elle récitait ces mots familiers, Mari respira profondément. Glissant avec aisance dans son imagination, elle dessina mentalement un clair de lune argenté tombant en cascade, telle une splendide chute d'eau, dans la paume levée de Sora. Elle se représenta la jeune fille flamboyante, puis cette lumière se déversa en elle-même, qui lui purifia le corps de part en part, avant de se concentrer en Nik. Lui aussi resplendissait de la majesté de la lune. Les yeux toujours clos, Mari visualisa sa blessure putride, qui se transformait en une chair rose et saine. Sans rouvrir les yeux ni lâcher son image mentale, elle promena sa main sur le corps de Nik jusqu'à sa plaie à la jambe. Elle pressa sa paume dessus et l'imagina guérir, elle aussi.

Mari ignorait combien de temps ils étaient restés ainsi tous les trois, reliés par le toucher, le pouvoir et l'imagination. Elle ne sortit de cette espèce de bulle que lorsque Sora s'effondra à genoux près d'elle et qu'elle lâcha la main de Mari.

– C'est fait. Je n'en peux plus, dit Sora doucement, l'air complètement épuisé.

Mari rouvrit les yeux et revint à elle. Elle était affamée et assoiffée. Son regard se porta sur Nik. Il dormait à poings fermés.

– Crois-tu que ça a marché ? l'interrogea Sora.

– Portons-le jusqu'à la tanière, on verra là-bas.

Mari se pencha et saisit Nik sous les bras pendant que Sora lui soulevait les jambes.

– Tu sais ce qu'il faudrait qu'on trouve ? lança Sora qui avançait en haletant.

– Quoi ?

– Il faudrait qu'on trouve un moyen d'enrouler une corde autour du poitrail de ton monstre pour qu'il puisse nous aider à tirer des corps et ce genre de choses.

– Ce n'est pas une mauvaise idée, estima Mari, avant d'éclater de rire devant l'expression de son jeune Berger.

– Ça a marché ! s'exclama Sora.

Nik remua et murmura des paroles inintelligibles.

Mari replaça le bandage sur le cataplasme de sa jambe, avant de se redresser et de s'étirer.

– On peut manger, maintenant ?

– Tout à fait, et j'y ai ajouté des épices, cette fois-ci.

Sora se précipita vers la cheminée et versa des louches de ragoût odorant dans leurs bols.

Salivant d'avance devant la cuisine de plus en plus délicieuse de Sora, Mari s'assit près d'elle et attaqua son repas avec enthousiasme.

– C'est bon, très bon, jugea-t-elle entre deux bouchées.

– Merci, répondit Sora en jetant un regard en biais à Nik. Combien de temps va-t-il encore dormir ?

Mari haussa les épaules.

– La dernière fois, il est resté inconscient une journée entière. Aujourd'hui, c'est dur à dire, mais ses blessures guérissent vite. Dormir ne peut que l'aider, mais quand il se réveillera, il devra partir sans tarder. Sora, il connaît Jenna.

– Quoi ? s'exclama la jeune fille, les yeux écarquillés. Comment ça se fait ?

– Il m'a avoué qu'il faisait partie du groupe de Chasseurs qui l'a capturée.

Mari lança un coup d'œil à Nik. Bien qu'il parût dormir comme un loir, elle se rapprocha de Sora et continua à voix basse :

– Il m'a demandé pourquoi toi et moi, on n'est pas désespérées, on ne se laisse pas mourir de tristesse comme les autres qu'ils attrapent, et pourquoi Jenna lui avait parlé.

– Ah bon ? Elle lui a parlé ?

– Cette nuit horrible, où les Compagnons ont tué Xander et capturé Jenna ; je venais juste de les purifier tous les deux. Jenna était donc totalement elle-même.

– Et Xander savait exactement ce qu'il faisait quand il les a attaqués pour tenter de sauver Jenna.

Mari prit une grosse bouchée de ragoût et hocha la tête. Elle se rappela avec un pincement au cœur que Xander avait voulu la sauver, elle aussi. Elle revit en pensée son regard incrédule et haineux lorsqu'il s'était aperçu que Rigel était avec elle.

– Que lui as-tu répondu ?

– Pardon ? fit Mari, revenant au moment présent.

– Que lui as-tu dit quand il t'a demandé pourquoi on était normales ? demanda Sora.

– Je lui ai expliqué que l'esclavage nous tuait.

– Eh bien, c'est une version de la vérité. Crois-tu que tu pourrais, d'une façon ou d'une autre, le convaincre de libérer Jenna ? s'enquit Sora.

– Je ne sais pas, mais je vais essayer.

– Tu ne dois pas lui dire qu'on est des Femmes Lune, chuchota Sora.

– Ne t'inquiète pas.

– Tu sais qu'un Compagnon ne doit absolument rien savoir au sujet des Femmes Lune, insista Sora.

– Oui, Sora ! Ne t'affole pas. Je vais poser à Nik le maximum de questions sur Rigel et Jenna ; puis, quand ses blessures auront suffisamment guéri, je lui banderai les yeux et je le ferai sortir d'ici.

Les deux femmes continuèrent à manger en silence jusqu'à ce que Mari ajoutât :

– Tu as fait du bon travail, ce soir. Je suis fière de toi.

– Merci ! s'exclama Sora, qui se couvrit aussitôt la bouche, car Nik venait de s'agiter. C'était tellement plus facile, cette nuit, murmura-t-elle. J'ai suivi tes conseils : j'ai imaginé que l'énergie de la lune me traversait et te remplissait, exactement comme avec la fougère, et c'est ce qui s'est passé en vrai.

– Tu progresses, conclut Mari. Tu es en train de devenir une Femme Lune.

– Grâce à toi, affirma Sora, radieuse. C'est entièrement grâce à toi.

– Non, pas vraiment. Je mets juste en pratique les enseignements de maman. D'ailleurs, elle t'aurait enseigné les choses mieux que moi.

– Je ne suis pas sûre que tu aies raison, mais je ne veux pas me disputer avec ma professeure.

– Ah bon ? Depuis quand ? la taquina Mari.

– Maintenant. Mais ne te tracasse pas, ça changera certainement.

Elles échangèrent un sourire. Avec un sursaut de surprise, Mari se rendit compte qu'elle ne se forçait pas. Et qu'elle appréciait la compagnie de Sora. « Je ne suis plus aussi seule », songea-t-elle. Puis, pas certaine de vouloir s'attacher à quiconque à part Rigel, elle chassa vite cette pensée et dit :

– Je n'ai entendu aucun hurlement de mâles errants, ce soir. Et toi ?

– Moi, si, quand j'étais en train de guérir la fougère, mais ils étaient faibles. Ils venaient du sud-ouest, et j'ai eu l'impression qu'il n'y avait que deux ou trois voix différentes, au lieu de la demi-douzaine qu'on a entendue jusqu'à présent.

Mari s'essuya les mains et alla reprendre le journal qu'elle avait commencé à rédiger lorsqu'elle avait perçu les premiers cris.

– Trois voix différentes, lointaines, venant du sud-ouest, répéta-t-elle en levant brièvement les yeux vers Sora. C'est tout ?

– Oui. Sauf que…

Mari posa sa plume et alla s'asseoir près de Sora.

– Sauf que quoi ? l'interrogea-t-elle.

– Mari, je pense qu'il est temps d'essayer de trouver des femmes du Clan.

Lorsque Mari ouvrit la bouche, Sora la stoppa net :

– Attends, écoute-moi jusqu'au bout.

Mari recula et croisa les bras sur sa poitrine.

– Tu m'as dit que ma prochaine étape, ce serait de guérir des gens, lui rappela Sora. Donc, j'ai besoin de gens à guérir.

– C'est ce que tu m'as aidée à faire cette nuit.

– Je t'ai demandé de m'écouter jusqu'au bout.

Mari hocha la tête et fit signe à Sora de poursuivre.

– J'ai beaucoup réfléchi à ça dernièrement. Depuis le temps que Léda est partie, les femmes doivent être submergées de tristesse. Je pourrais essayer de les purifier. Ce ne serait pas très différent de ce qu'on a fait ce soir, si ?

– Eh bien, c'est un peu plus compliqué que ça, surtout si une horde de femmes grouille autour de toi en te suppliant de les purifier.

– Je veillerai à ne pas me retrouver dans cette situation. Voici mon plan : demain, avant le coucher du soleil, j'irai à la tanière d'accouchement. Il y a... combien... ? Quatre femmes, dans le Clan, qui sont proches de leur terme ?

– Je n'en suis pas sûre, dit Mari en haussant les épaules, mais ça doit être ça.

– Je leur parlerai pour voir si elles sont en forme. Ensuite, je reviendrai te faire un compte rendu, et tu me conseilleras sur la marche à suivre.

– Elles auront toutes besoin d'être purifiées, avertit Mari. Et il leur faudra peut-être un autre type de guérison. Je ne sais pas ce qui arrive à une femme qui commence à avoir des contractions si elle n'a pas été régulièrement purifiée de la Fièvre Nocturne. Sora, j'ignore si, dans ce cas, elle aurait la force d'accoucher.

– Viens avec moi, alors ! dit Sora. Prends la sacoche médicale de Léda. À nous deux, on pourra gérer tout ce qui risque de se passer dans la tanière d'accouchement.

– Je dois rester ici.

– Tu m'as pourtant dit que tu ne voulais plus te cacher.

– Je ne reste pas ici parce que je me cache. Mais à cause de lui, précisa Mari en lançant le menton vers Nik.

– Demande à Rigel de le surveiller. Les femmes du Clan sont plus importantes que lui.

– Et si on dormait un peu avant que je voie comment il va ? proposa Mari.

– Oui, d'accord, on a besoin de sommeil. S'il est réveillé quand on voudra partir, drogue-le de nouveau. De cette façon, tu pourras m'accompagner sans craindre qu'il s'échappe.

Sora jeta un coup d'œil à Rigel, qui était étendu près de la paillasse de Nik.

– Je comprends que tu sois inquiète, ajouta-t-elle. Ton monstre a l'air de beaucoup l'aimer.

Le canin leva la tête, considéra tour à tour Mari et Sora, comprenant manifestement qu'elles parlaient de lui. Mari lui sourit.

– Comme je te l'ai déjà dit, Rigel ne me quitterait jamais, si c'est ce que tu insinues. C'est juste que je n'ai pas envie qu'il soit forcé d'empêcher Nik de partir. Tu imagines ? Qu'est-ce qu'il lui ferait ?

– Ton monstre pourrait le mordre. Je donnerais cher pour voir ça, dit Sora.

– Je n'ai pas envie que Rigel le morde. Je veux simplement que Nik se rétablisse assez pour pouvoir partir tout seul, après avoir répondu à mes questions.

Rigel se leva, s'étira, puis vint se faufiler entre les deux jeunes femmes. Sora grimaça et tenta de s'écarter.

– Chaque fois que ton monstre s'approche de moi, il me couvre de poils.

– D'après Nik, c'est à cause du changement de saison que Rigel perd ses poils. Il m'a expliqué qu'il fallait le brosser, et comment.

– Ah, c'est rassurant !

Rigel regarda Sora, puis éternua dans son bol de ragoût presque vide.

– Oh, beurk ! Ton monstre est dégoûtant, se plaignit Sora en posant lourdement le sien devant le canin, qui, remuant la queue, engloutit le reste de son repas.

– En tout cas, une chose est sûre : il sait comment obtenir du rab ! D'ailleurs, Nik m'a également conseillé de ne pas lui donner trop à manger, ajouta Mari en flattant Rigel affectueusement.

Elle se leva et alla poser son bol près de la cheminée.

– Bon, allons dormir un peu ; ensuite, j'irai voir si Nik est en forme.

– Faites de beaux rêves, dit Sora en adressant un petit signe de main à Mari et Rigel.

– Merci, toi aussi, chuchota Mari en se pelotonnant contre le canin sur sa paillasse de fortune installée près de la cheminée.

Tandis que la flambée se réduisait à une lueur rouge, Mari observa Nik et se mit à rédiger mentalement une liste de questions à son intention, mais celles-ci ne cessaient de lui échapper, tant elle était distraite par la façon dont les cheveux blonds de son hôte luisaient dans cette faible clarté. Lorsque ses yeux se posèrent sur son visage, elle fut encore plus intriguée. Ses traits étaient si différents de ceux des hommes du Clan ! Nik était plus raffiné, avec ses pommettes saillantes et ses lèvres charnues ; même si sa mâchoire était carrée, et son cou et ses épaules massifs.

Dormant d'un sommeil agité, le jeune homme repoussa l'une des couvertures de sorte que son bras nu doré par le soleil, aux muscles longs et fins, se posa sur la fourrure. Mari sentit alors un émoi dans son bas-ventre tandis qu'une montée de désir chaud lui parcourait le corps.

Presque sans réfléchir, elle se rendit près de Nik. Elle replaça la fourrure sur lui. Puis elle jeta un coup d'œil furtif vers la pièce du fond. Sora était bien au lit. Lentement, Mari tendit la main et toucha du bout des doigts les cheveux de Nik.

« Ils sont si doux ! »

Surprise par un ronflement étouffé de Sora, Mari recula près de la cheminée où Rigel la rejoignit et posa la tête sur son genou. Ils continuèrent tous deux à observer Nik.

– Tu veux que je te confie un secret ? chuchota la jeune femme au canin. Je le trouve beau. Mais, surtout, ne le répète pas à Sora !

Rigel émit de joyeux petits jappements approbateurs, puis il s'étendit devant Mari et s'endormit. La jeune femme mit plus longtemps à trouver le sommeil, et lorsqu'elle y succomba, elle rêva de cheveux blonds luisants, de longs muscles hâlés et de pins oscillant doucement dans le vent…

37

— Je n'en reviens pas ! C'est parti ! Vraiment parti ! s'exclama Nik, les yeux rivés sur sa blessure à la jambe.

La veille au soir, elle était encore putride et noire à cause de la rouille, alors qu'à présent, elle était rose de santé et visiblement en voie de guérison.

– Et ma plaie dans le dos ? Elle est guérie, elle aussi ?

– Je te répète que la rouille est partie, dit Mari avec un sourire.

Elle appliqua sur sa peau une dernière couche de cataplasme d'indigotier, avant de remettre le bandage.

– Mais est-ce qu'elle reviendra ? s'enquit Nik.

– Fais-moi confiance, Nik, elle est partie pour de bon.

– Je te fais confiance.

Les yeux clairs du jeune homme allèrent de Mari à Sora, qui considérait son amie avec un drôle d'air entendu. Nik l'ignora et interrogea Mari :

– Tu ne vas pas t'absenter longtemps, n'est-ce pas ?

Sora émit un grognement sonore.

– Oh, ne fais pas comme si tu ne voulais pas profiter de cette occasion pour t'emparer de son monstre et filer rejoindre ta Tribu ! l'accusa-t-elle en fronçant les sourcils sévèrement.

– Je suis incapable de filer où que ce soit, rappela le jeune homme en copiant sa mimique. Je peux à peine marcher. De toute façon, jamais je ne volerais le canin de quelqu'un !

– C'est ça, ironisa Sora. Et je suppose que jamais tu ne tuerais la mère de quelqu'un ? Ou son père ? Attends, pour toi, un *Creuseur* n'est pas *quelqu'un*, mais *quelque chose*, alors ce n'est pas grave de le tuer.

– Je ne te considère pas comme une chose, et je...

– Sora et moi, on doit partir, mais on reviendra très vite, l'interrompit Mari. Il faut que tu boives ça ; ainsi je n'aurai pas à m'inquiéter de savoir si tu seras là à notre retour.

Comme d'habitude, elle avait des paroles raisonnables, contrairement à Sora, que Nik avait secrètement surnommée l'amie cinglée de Mari. Donc, lorsqu'elle lui tendit une chope pleine d'une potion à l'odeur nauséabonde, il la but en plusieurs longues gorgées.

– Oups ! Il se pourrait que j'aie mis de la belladone dans cette infusion. Était-ce la plante qu'il ne fallait pas utiliser, Mari ? demanda Sora, avec une innocence feinte.

Nik sentit son estomac se contracter. La belladone ne le tuerait pas, mais elle le ferait certainement vomir, et sa blessure au dos lui ferait alors tellement mal qu'il regretterait peut-être de ne pas être mort. Il contempla le fond de sa chope avec inquiétude.

– Arrête, dit Mari à Sora.

Elle se tourna vers lui.

– Elle ne ferait jamais ça ; de toute façon, c'est moi qui ai préparé cette tisane. Elle ne contient rien de toxique ; néanmoins, elle va te faire dormir. Tu sais qu'on est des Guérisseuses. On doit aller voir d'autres patients. On ne sera pas longues.

Mari se pencha et serra Rigel dans ses bras en lui ordonnant :

– Reste ici avec Nik. Ne le laisse pas partir.

Le jeune Berger lui lécha le visage et battit de la queue. Elle l'embrassa sur le museau, puis Sora et elle, chargées de sacs d'herbes et de cataplasmes, quittèrent la tanière.

Rigel alla près de la porte close et s'assit en gémissant d'un ton plaintif.

– Ouais, je sais ce que tu ressens, mon canin, compatit Nik. Mais toi, au moins, tu sais où on est.

Rigel regarda Nik par-dessus son épaule, puis se retourna face à la porte, en geignant de nouveau. Même si l'infusion le mettrait bientôt KO, Nik se sentait pour le moment totalement revigoré. « Mari a guéri la rouille ! Je ne vais pas mourir ! Aucun membre de la Tribu n'en mourra plus ; tout ce que j'ai à faire, c'est convaincre Mari de me révéler le secret de son cataplasme. »

– Je lui en parlerai quand sa cinglée d'amie sera hors de portée de voix. Cette fille est comme un caillou dans ma chaussure, maugréa-t-il.

Cependant, même cette Creuseuse ne pourrait pas lui gâcher sa bonne humeur aujourd'hui.

– Hé, Rigel ! Et si on explorait un peu le coin ? J'ai bien dit « un peu ». J'ai assez d'énergie pour clopiner jusqu'à ce bureau. M'asseoir à une chaise, ne serait-ce que pendant une poignée de minutes avant que l'épouvantable infusion de Mari m'assomme, sera une grande aventure.

Nik sentit le regard de Rigel sur lui tandis qu'il se tenait au bord de la paillasse pour garder l'équilibre. Il réussit à parcourir, en traînant les pieds, les quelques pas qui le séparaient du bureau, puis il se laissa lourdement tomber sur la chaise en grognant. Bien que ses blessures lui fissent moins mal, ce déplacement lui avait causé une douleur lancinante dans le dos et un élancement sourd dans la jambe, qui palpitait en rythme avec les battements de son cœur. Il demeura immobile, en s'efforçant de ralentir sa respiration et de combattre les vertiges qui l'assaillaient.

Le canin lui donna un petit coup de museau. Celui-ci était froid et humide, et merveilleusement familier. Nik sourit et rouvrit les yeux.

Rigel était en effet un beau canin. Nik caressa sa tête noire et regarda ses yeux intelligents.

– Je n'ai pas eu l'occasion de te remercier de m'avoir sauvé la vie. J'ignore comment tu t'es débrouillé pour que Mari vienne à moi, et qu'en plus, elle m'emmène chez elle et me guérisse, mais je te remercie. Mon père, Sol, te remercierait, lui aussi. Tu te souviens de Sol ? Le Prêtre du Soleil ?

Rigel remua la queue et, la langue pendante et haletant, fit la version Berger d'un sourire. Nik lui sourit à son tour.

– Tu m'étonnes, que tu te souviens de lui ! Je parie que tu te rappelles tout, et pourtant, tu as choisi d'être ici, de rester avec elle.

Le sourire de Nik laissa transparaître une certaine amertume.

– Ta décision ne me surprend pas, reprit-il. Ta Compagnonne a beaucoup de chance.

Rigel lécha la main de Nik, puis retourna à son poste d'observation habituel devant la porte, bâilla et s'étendit sur le sol.

– Bon, assez exploré ! Il est temps de regagner ma paillasse.

En prenant appui d'une main sur le bureau, Nik éparpilla malencontreusement les notes de Mari. Il se rassit dans l'intention de remettre les feuilles en tas, et jeta un coup d'œil à l'écriture soigneuse. Il s'agissait du chapitre d'un journal traitant de ses blessures. Mari détaillait ce qu'elle avait appliqué dessus, la fréquence à laquelle elle avait changé ses pansements et faisait des commentaires sur l'extraction du fer de lance et les potions qu'elle avait fait infuser pour l'aider à dormir et à guérir.

Éprouvant des picotements d'excitation, Nik parcourut les annotations à la recherche d'une mention des ingrédients du cataplasme qu'elle avait utilisé pour traiter la rouille. Il poussa un soupir de frustration et marmonna :

– Elle n'a pas encore consigné ça. Mais elle le fera.

« Il me suffira de voler ces feuilles pour rentrer à la Cité avec la recette du cataplasme », songea-t-il.

Un accès de culpabilité le fit rougir. Non, il ne ferait pas quelque chose d'aussi déshonorant. Il demanderait à Mari de partager avec lui et son peuple le secret de la composition du cataplasme. Si elle refusait, il pourrait toujours envisager une solution moins loyale.

Il fallait qu'il obtienne la recette de ce cataplasme. Pour la Tribu. C'était impératif.

Nik reporta son attention sur les notes et les relut intégralement en s'assurant que rien ne lui avait échappé. Soudain, de sous les pages vierges, il vit dépasser le coin d'une épaisse feuille, qui paraissait différente des autres. Il tira dessus et hoqueta de surprise.

C'était un dessin de Rigel, réalisé avec un talent si exquis qu'il aurait pu être l'œuvre de l'un des Maîtres-Artistes de la Tribu. S'efforçant de lutter contre l'étourdissement provoqué par le breuvage qu'il avait avalé, Nik feuilleta rapidement les autres pages, saisi par leur beauté. Il observa ensuite les peintures décorant le manteau de la cheminée, et les quelques autres qui étaient éparpillées entre des pans de mousse phosphorescente et de champis-luisants.

– Ces peintures sont belles, mais pas autant que ces dessins, estima-t-il.

Il y avait une petite signature à peine visible au bas de chacun. Nik plissa les yeux et réussit à déchiffrer : *Mari*. Il continua à feuilleter la pile jusqu'à la dernière feuille, qui lui coupa le souffle. Ce dessin représentait une Creuseuse serrant fort un nouveau-né emmailloté dans les frondes d'une Plante Mère. Souriante, elle levait la tête vers un beau et grand Compagnon, aux pieds duquel se tenait un Berger, et qui la contemplait avec une expression remplie d'amour.

– C'est Galen. Forcément. Et voici la mère de Mari, qui la tient dans ses bras, dit Nik en secouant la tête. Quand je vois ce bébé, je vois Mari adulte ; j'ai beau connaître la vérité, elle est dure à croire. Tout ceci est si inconcevable !

Lentement, Nik rangea les papiers. Puis il boitilla prudemment jusqu'à la paillasse où il s'écroula, essoufflé et affaibli.

En fermant les yeux, il pensa à Mari et se demanda ce que son père dirait quand il lui raconterait tout ce qu'il avait appris sur elle, et sur les Marcheurs de la Terre.

Il devinait sa réaction. Il pouvait presque entendre sa voix, là, dans la tanière, tandis qu'il succombait à un sommeil artificiel apaisant. « Ramène-la chez elle, fils. Ramène-la dans la Tribu. »

– Il fait très chaud, aujourd'hui.

Mari fit une pause, essuya son visage en sueur et but de l'eau de l'outre qu'elles avaient emportée.

– Et ce n'est même pas encore l'été, reprit-elle.

– Il n'a pas plu depuis des jours et des jours, rappela Sora. C'est agréable de ne pas avoir à patauger dans la boue, mais cette chaleur est horrible.

– La tanière d'accouchement est toujours fraîche et confortable, et il y a un joli petit ruisseau qui coule tout près. J'ai hâte de plonger les pieds dedans.

– Oui, ce sera merveilleux. Les femmes de cette tanière ont toujours la meilleure nourriture, aussi, ajouta Sora. Tu l'as remarqué ?

– Tu as sans doute raison. Les femmes enceintes mangent beaucoup, alors, ceci explique cela. Et ça me donne envie de me dépêcher !

– On est presque arrivées. Hé, j'ai une idée. Je vais essayer de prendre des pousses de leur jardin d'aromates. Le tien manque cruellement d'herbes comestibles. Résultat : ce que je cuisine pour nous est assez fade.

– J'approuve à l'avance tous tes prochains plats et la façon dont tu veux les accommoder ! s'exclama Mari. Tu es une excellente cuisinière.

– Je suis d'accord ! s'exclama Sora, avant de demander, sur un ton plus sérieux : Que vas-tu raconter aux femmes du Clan ?

D'un geste circulaire, elle désigna les cheveux courts et blonds de Mari, ses traits délicats et sa peau propre dépourvue de camouflage.

– Je vais leur dire la vérité, affirma Mari d'un ton ferme.

– Toute la vérité ? Tu vas aussi leur parler de ton monstre, Rigel, j'entends, pas Nik.

– Nik n'est pas à moi, mais non, je ne mentionnerai ni lui ni Rigel. Du moins, pas tout de suite. Je pense que les femmes auront assez de choses à digérer avec ce que je vais leur révéler sur mon compte, sans y ajouter un canin et un Compagnon blessé.

– Il vaudrait peut-être mieux que tu ne nommes jamais Nik, estima Sora.

– Ce que j'espère, c'est que, très bientôt, je serai forcée de leur parler de lui pour leur annoncer que les Compagnons ne réduisent plus le Clan en esclavage.

– Tu sais, au début, je t'ai prise pour une parfaite pessimiste. Mais tu es aussi étrangement idéaliste. D'après moi, tu tiens ça de ton père.

– Je ne sais pas. Léda regardait toujours ce qu'il y avait de positif dans chaque situation, se souvint Mari.

– Eh bien, moi, j'essaie d'être réaliste ; alors, ça te dérange si, pour une fois, je suis la professeure et si je te donne un petit conseil ?

– Non.

– Ne révèle pas à Nik comment traiter la rouille. Ni à lui, ni à aucun membre de sa Tribu. Jamais.

– Même s'ils connaissaient la recette du cataplasme, ils ne pourraient pas la traiter, puisqu'ils ne peuvent pas invoquer la lune, rappela Mari.

– Mais ne sont-ils pas capables d'invoquer le soleil ? Je t'ai observée, quand ta peau flamboie. N'attires-tu pas le soleil à ce moment-là ?

– C'est possible ; je n'ai pas encore interrogé Nik à ce propos.

Mari pensa à la poussée d'énergie et de chaleur qui s'était produite en elle le jour où sa mère était morte, et où elle avait accidentellement mis le feu à la forêt.

– Je crois que tu as raison, ajouta-t-elle. Le flamboiement de ma peau est une réaction au pouvoir du soleil. Par contre, je ne sais absolument pas comment le contrôler.

– Je parie que la Tribu le sait, elle, ironisa Sora.

– Sans aucun doute. Je vais suivre ton conseil et ne pas dire à Nik ce que j'ai utilisé pour son cataplasme. Du moins, pas pour l'instant.

– Mari, le savoir, c'est le pouvoir. Garde ton pouvoir.

La jeune femme hocha la tête d'un air sombre.

Elles continuèrent à marcher en silence, perdues dans leurs pensées, jusqu'à ce que Mari distinguât le bruit de l'eau.

– Voici le ruisseau, constata-t-elle. La tanière d'accouchement est juste après ce tournant. Je ne sens pas encore la cuisine. Et toi ?

– Moi non plus, répondit Sora en humant l'air. Pourtant, je ne suis jamais venue ici sans qu'il y ait un plat délicieux prêt à déguster.

Elles prirent le tournant et s'engagèrent dans un escalier de larges pierres plates, qui menait commodément à la tanière. Mari leva les yeux, souriant à l'avance, mais son visage s'assombrit brutalement.

La porte était cassée. Elle pendait de travers, comme si un géant l'avait ouverte à la volée. La déesse féconde gravée dans le chambranle était fêlée sur toute sa longueur.

Sora monta en hâte les dernières marches et s'immobilisa sur le seuil. Elle suivit doucement des doigts la figure endommagée, comme si elle pouvait la réparer d'un simple toucher.

– Attends, Sora, murmura Mari, en sortant de son sac sa fronde et plusieurs cailloux. Laisse-moi passer la première.

– Oh, déesse ! chuchota Sora, en jetant des coups d'œil effrayés dans la tanière. Tu ne crois tout de même pas qu'il y a des hommes du Clan, là-dedans ?

– Je ne sais pas. Mais je regrette que Rigel ne soit pas là.

– Je n'aurais jamais pensé dire ça un jour, mais moi aussi, je regrette que Rigel ne soit pas là.

Sora fit un pas de côté et laissa passer Mari.

La jeune femme s'était rendue à la tanière d'accouchement à maintes reprises avec sa mère. Il s'agissait d'une immense pièce évoquant une caverne, équipée d'une grande cheminée et de nombreuses paillasses confortables. Elle était généralement pleine de bruits de femmes et de nouveau-nés, mais ce jour-là, tout était silencieux. La vue de Mari s'ajusta rapidement à la faible lumière intérieure. L'endroit était dévasté. Les lits avaient été jetés contre les parois si bien que leurs cadres en bois fendus en éclats jonchaient le sol, ainsi que d'épaisses fourrures et couvertures qui auraient dû envelopper les parturientes.

– Je ne vois personne. Et toi ? murmura Sora, quelques pas derrière elle.

– Moi non plus, mais il y a un grand placard à pharmacie dans le fond. Je vais aller vérifier.

– Pas question que tu y ailles toute seule.

Sora avança à grandes enjambées, ne s'arrêtant que pour ramasser un pied de lit cassé, qu'elle brandit comme une massue.

Ensemble, les deux femmes traversèrent le théâtre du carnage. À l'arrière de la tanière, une tapisserie tissée par les meilleurs artisans du Clan servait de rideau entre la pièce principale et le placard à pharmacie. Elle représentait un groupe de femmes du Clan entourant une idole de la Terre Mère voluptueuse et fertile, ornée de fleurs et de fougères, qui s'élevait du sol moussu. Toutes les femmes souriaient, des nourrissons en bonne santé et heureux dans les bras. L'ouvrage, en lambeaux, ne pendait plus que par quelques fils à une baguette en bois. Mari l'écarta.

– Non, je vous en supplie, ne me touchez pas ! Je ferai tout ce que vous voudrez, mais épargnez-moi !

– Oh, déesse ! chuchota Sora. C'est Danita.

Si cette fille, que Léda avait, quelques jours plus tôt seulement, appelée devant le Clan, comme candidate à son héritage de Femme Lune, n'avait pas levé son regard gris, quoique vitreux et choqué, Mari ne l'aurait pas reconnue.

Sora passa devant Mari en la bousculant et s'approcha de la fille recroquevillée dans le coin le plus éloigné du placard, coincée entre des étagères vides brisées et les décombres.

– Non ! Non ! hurla Danita, se couvrant le visage avec ses bras.

– Chuuut, Danita, c'est moi, Sora. Je suis avec Mari. Tu n'as plus rien à craindre. Tout ira bien, maintenant.

Sora s'agenouilla près d'elle. La fille jeta un coup d'œil entre ses bras. Elle commença à les écarter de son visage, mais lorsque ses yeux paniqués se posèrent sur Mari, elle fut prise de petits sanglots haletants et recula tant bien que mal comme si elle voulait disparaître dans le coin.

– Hé, c'est juste Mari ! la rassura Sora, en touchant gentiment son épaule tremblante. Je lui ai coupé les cheveux, c'est pourquoi ils sont si courts. Et elle s'est lavée de la tête aux pieds. Enfin ! Tu te rappelles à quel point elle était sale, avant ?

Mari considéra Sora en fronçant les sourcils, mais ne répondit rien. Danita avait cessé de pleurer et la contemplait de ses grands yeux épouvantés.

– Oui, je... je me rappelle, fit-elle, la voix chevrotante.

– Eh bien, quand ses cheveux sont propres, ils sont d'une couleur bizarre.

Voyant Mari froncer de nouveau les sourcils, Sora s'empressa d'ajouter :

– Enfin, « bizarre », ce n'est pas le mot. Je voulais dire *différente*. Et tu n'as pas à avoir peur de ce qui est différent, n'est-ce pas ?

– Non, fit timidement Danita.

– Salut, Danita. Si tu sortais du placard et que tu nous racontais ce qui s'est passé ? suggéra doucement Mari.

– Je crois que je n'en suis pas capable.

Les yeux gris de Danita étaient inondés de larmes. Mari remarqua également des taches de sang sur sa tunique.

– Danita, ma chérie, tu es blessée ? s'enquit-elle.

Le visage de la fille se décomposa et elle hocha la tête.

– Ils m'ont fait du mal.

– Qui ça, « ils » ? la questionna Sora.

– Les hommes du Clan, murmura Danita, avant de ramener les jambes contre sa poitrine et de se balancer d'avant en arrière.

Mari aperçut alors ses cuisses. Elles étaient couvertes d'ecchymoses violettes et de sang séché.

– Danita, est-ce que les hommes du Clan sont encore ici ? la questionna-t-elle rapidement.

– Non. Ça fait des jours que je ne les ai pas vus. Il n'y a personne ici.

– Nous, on est là, maintenant, assura Sora en lui caressant l'épaule. Et on va prendre soin de toi.

– Sora et moi, on va t'arranger une paillasse et allumer un feu dans la cheminée.

Mari déboucha l'outre et la lui tendit.

– Tiens, bois de l'eau et attends ici pendant qu'on prépare tout.

D'une main sale et tremblante, Danita saisit l'outre et but à longs traits. Mari fit signe à Sora de la suivre dans la pièce principale.

– Je crois qu'elle a été violée, murmura Mari dès qu'elles furent hors de portée de voix de Danita.

– Quoi ?!

– Elle a plein de bleus et de sang sur les cuisses.

Mari se mit à fouiller dans le sac médical qu'elle avait apporté.

– Tu peux allumer le feu ? J'ai besoin d'eau bouillante.

– Oui, bien sûr, répondit Sora en se précipitant vers la cheminée.

– Je ne vais pas essayer de réassembler un cadre de lit. Je vais juste empiler ces fourrures et ces couvertures, et improviser une paillasse. Je n'ai pas pu voir si Danita saignait toujours…

– Je suis sûre que tu vas pouvoir l'aider, déclara Sora en regardant Mari par-dessus son épaule.

La jeune femme hocha la tête et finit de préparer la paillasse. Puis elle donna à Sora un bouquet d'herbes en disant :

– Fais-lui infuser ça. Mince ! Je n'ai presque pas apporté de médicaments. D'habitude, ce placard à pharmacie en est rempli. Je n'ai pris que des choses contre la nervosité et la mélancolie.

– Qu'est-ce que c'est ? s'enquit Sora en reniflant la botte d'herbes. À l'odeur, ça ressemble à un truc que tu pourrais administrer à Nik.

– Il y a de la valériane. Ça devrait calmer Danita.

Mari fouilla dans sa sacoche et fit une moue dépitée.

– Bon, il reste peut-être un truc utile dans ce placard en pagaille.

– Qu'est-ce qu'il te faut ? s'enquit Sora. Le jardin d'herbes aromatiques est près du ruisseau.

Mari réfléchit un moment.

– Si tu pouvais dénicher de la sauge. Plus les feuilles seront grandes, mieux ce sera. Ça stoppe les saignements.

– J'espère pouvoir en trouver. J'espère encore plus que tu n'en auras pas besoin.

– Garde cette massue avec toi, lui conseilla Mari. Moi, je garde ma fronde à portée de main. Si tu crois entendre ou voir un homme du Clan, hurle. À tue-tête.

– Oh, ne t'inquiète pas. Rigel m'entendra sans doute jusque dans la tanière.

Sora fonça dehors. Mari prit une profonde inspiration, puis retourna au placard à pharmacie.

En la voyant, Danita se crispa, terrifiée. Elle émit de petits bruits affolés et tenta de reculer encore davantage, comme si elle pouvait disparaître dans la paroi de la tanière.

– Danita, ce n'est que moi : Mari.

Elle s'agenouilla devant la fille, prenant soin de ne pas s'approcher trop vite.

– Sora va te faire une infusion ; moi, je t'ai arrangé une paillasse pour que tu puisses t'allonger. Tu veux bien venir dans l'autre pièce avec moi ?

– Et si les hommes reviennent ?

Mari sortit son lance-pierres de sa tunique.

– Je suis une excellente tireuse. Je les attaquerai avec ça.

– Tu pourras les tuer ? demanda Danita.

– S'il le faut, dit Mari en déglutissant avec peine. Sora et moi, on ne laissera personne te faire du mal.

– C'est trop tard.

– Tu veux bien que je t'examine ? Je peux t'aider.

– Où est Léda ? s'enquit Danita.

– Elle est morte.

– C'est ce que les hommes m'ont dit, mais je ne voulais pas les croire ! Je ne le voulais pas !

Danita secoua la tête pendant plusieurs secondes, et se couvrit le visage de ses mains en sanglotant par à-coups.

– La violence ne s'arrêtera pas, alors, ajouta-t-elle.

Mari s'approcha d'elle, lui enleva gentiment les mains du visage, puis les tint fermement dans les siennes.

– Maman m'a formée, lui révéla-t-elle. Et je suis en train de former Sora. Elle aussi pourra t'aider. Tout ira bien maintenant, je te le promets. Viens avec moi dans l'autre salle, s'il te plaît.

– Je ne pense pas pouvoir me lever, dit Danita.

Mari se mit debout et la tira doucement par les mains. Lorsqu'elle lui passa un bras autour de la taille, elle constata combien elle était mince, et sa peau froide et moite. Elle la conduisit lentement jusqu'à la paillasse.

Danita cria de douleur en s'asseyant sur le tas de couvertures et de fourrures. Avec précaution, Mari lui souleva les jambes et plaça des oreillers sous ses genoux.

Sora revint d'un bon pas et tendit à Mari une poignée de feuilles de sauge odorantes. Elle portait un seau métallique troué en plusieurs endroits qui laissait couler de l'eau sur le sol.

– C'est tout ce que j'ai trouvé pour faire bouillir de l'eau. Il n'y a pas une seule bouilloire ou un seul poêlon, ici. Et je n'ai vu personne dehors, ni homme ni femme.

– Parties, affirma Danita.

– Les hommes du Clan ? demanda Mari.

– J'espère bien, dit Danita en ramenant la couverture sous son menton, tremblant de nouveau. Mais je n'en sais rien. Ce sont les femmes qui sont parties. Toutes.

– Quoi ? fit Sora qui suspendait le seau au-dessus de la cheminée, et se retourna.

– Les femmes du Clan sont parties, répéta Danita. Elles ont dit que Léda était morte. Et toi aussi, Sora.

– Moi ? Eh bien, c'est faux, comme tu peux le constater.

– Certaines femmes sont allées à ta tanière, dans l'espoir que tu puisses invoquer la lune pour elles. En revenant, elles ont expliqué que ta tanière était détruite.

– Oui, ce sont les hommes qui ont fait ça, mais je n'étais pas là. J'étais avec Mari.

– Elles pensent que Mari aussi est morte. Et Jenna.

– Jenna a été capturée, elle n'est pas morte, précisa Mari. Danita, es-tu sûre que toutes les femmes sont parties ?

– Certaine. Il n'y avait plus rien pour les retenir. Il y en a qui sont allées au sud, dans le Clan des Meuniers. D'autres sont allées sur la côte, dans le Clan des Pêcheurs. Et les hommes sont tous complètement fous. On a été obligées de les fuir.

Les larmes se remirent à ruisseler sur le visage de Danita. Mari s'assit près d'elle sur la paillasse et lissa ses cheveux en arrière.

– Pourquoi tu n'es pas partie avec elles ? la questionna-t-elle doucement.

– C'est ce que j'ai fait ! s'exclama Danita en hoquetant et en sanglotant. J'étais avec le groupe qui avait choisi la côte, mais ensuite, je me suis souvenue de la belle tapisserie, là.

Sa main tremblante désigna l'ouvrage déchiqueté.

– C'est ma grand-mère qui l'a tissée spécialement pour la tanière d'accouchement. Elle me manque... ma grand-mère.

– Bien sûr, je te comprends, compatit Sora en faisant infuser la tisane. C'était une merveilleuse tisseuse et une brave Marcheuse de la Terre.

– Quand je me suis aperçue que les femmes avaient oublié la tapisserie, je me suis portée volontaire pour retourner la chercher.

Danita recroquevilla sa main tremblante sur son cœur, comme pour tenter de calmer ses battements affolés.

– Ils sont entrés pendant que je descendais la tapisserie de son support. Ils... ils m'ont hurlé d'invoquer la lune, de les purifier. Ce n'était même pas la nuit !

Les yeux écarquillés et liquides de Danita allaient de Mari à Sora.

– Je leur ai répondu que je ne pouvais pas faire ça. Pas même la nuit. Ensuite, ils... ils m'ont attaquée.

Ses épaules tremblaient sous la violence de ses sanglots.

– Ils m'ont fait mal.

Mari attira la fille dans ses bras et, comme Léda l'avait si souvent fait pour elle quand elle était blessée, triste ou effrayée, elle lui frotta le dos et l'étreignit, pour lui dire qu'elle la comprenait, qu'elle n'était pas seule et qu'elle n'avait plus rien à craindre.

– L'infusion est prête, annonça doucement Sora.

– Danita, Sora t'a préparé une bonne tisane. Ça va t'aider à te sentir mieux. Tu veux bien la boire ?

La fille hoqueta et hocha la tête. Comme ses mains tremblaient très fort, Mari porta la tasse à ses lèvres, puis l'aida à s'allonger.

– Sora a fait chauffer de l'eau. Ça t'embête si je te lave un peu ?

– J'ai mal. Surtout ici, confia Danita en pointant le doigt entre ses jambes.

– Je sais, ma chérie, dit Mari. Je vais faire attention.

Sur un signe de tête de Mari, Sora trempa des bandes de pansement dans l'eau chaude et les lui tendit, puis elle se déplaça vers la tête de Danita à qui elle prit la main. Pendant que Mari la lavait et l'examinait, Sora débita un flot de paroles ininterrompu sur tous les sujets, des recettes de pain sans levain au manque de pluie, jusqu'à ce que Danita battît des paupières et fermât enfin les yeux.

Mari fit signe à Sora de la suivre jusqu'à la cheminée, puis elles se rendirent toutes les deux sur la pointe des pieds de l'autre côté de la pièce.

– C'est grave ? s'enquit Sora.

– Oui. La plaie date de plusieurs jours, elle est trop ancienne pour être suturée. J'ai nettoyé Danita et j'ai bandé sa blessure avec des feuilles de sauge, mais ils ont abusé d'elle de façon horrible. Sora, je ne sais pas si elle pourra avoir des enfants.

– Que peut-on faire pour elle ?

– Il lui faut du repos et des cataplasmes pour lutter contre une infection.

Sora secoua la tête.

– Je ne peux qu'imaginer les souffrances qu'elle a endurées. Mari, elle ne peut pas rester ici. Elle doit rentrer à la tanière avec nous.

– Je sais.

– Mais il ne faut pas qu'elle soit au courant pour Nik. Si le Clan découvrait que tu as sauvé un Compagnon, j'ignore ce qu'il nous ferait, à toi ou à moi.

– Tu as raison, approuva Mari.

– Donc, que vas-tu faire de lui ?

Mari poussa un long soupir.

– Je vais le renvoyer dans sa Tribu, décida-t-elle. Tout de suite.

38

— Nik, réveille-toi ! dit Mari en lui secouant suffisamment fort l'épaule pour tirer sur sa plaie.

Nik fronça les sourcils et repoussa la main de Mari.

– Je n'ai pas besoin d'infusion, déclara-t-il. J'ai déjà sommeil.

– Ce n'est pas le moment. Il faut que tu te lèves. Tu dois retourner dans ta Tribu. Maintenant.

Il ouvrit les yeux.

– Retourner dans ma Tribu ? Maintenant ?

Mari hocha la tête et lui tendit les vêtements les plus grands qu'elle avait pu trouver.

– Oui. Habille-toi immédiatement, sinon tu n'arriveras pas avant la nuit, et ce sera dangereux pour toi.

Avec raideur et lenteur, Nik se rassit.

– Pourquoi je ne peux pas attendre demain matin ? demanda-t-il. Ce serait plus sûr.

– Parce que Sora va ramener ici une fille qui a été gravement blessée et n'a nulle part où aller.

– C'est une Marcheuse de la Terre ?

– Évidemment. Et ce sera déjà assez compliqué de lui expliquer la présence de Rigel. Je ne vais pas, en plus, la laisser te voir.

– Pourquoi pas ? Tu es une guérisseuse. Elle comprendra que tu m'as soigné, de la même manière que tu vas la soigner, elle.

– Nik, le Clan risquerait de me tuer, ainsi que Sora, s'il découvrait que je t'ai sauvé.

– Oh. Je n'avais pas pensé à ça.

– Je sais que tu es encore faible, et tu ne devrais raisonnablement pas effectuer ce trajet avant plusieurs jours, mais je n'y peux rien, dit Mari en l'aidant à enfiler la tunique. Je vais t'accompagner jusqu'au Ruisseau aux Écrevisses, mais ensuite, tu devras continuer tout seul.

– Le temps est-il nuageux ou ensoleillé, aujourd'hui ? s'enquit Nik.

– Il y a du soleil et il fait chaud.

– Bien. Ça va m'aider.

– De quelle façon ?

– Conduis-moi dehors et je te montrerai, promit Nik avec un sourire.

Mari obligea Nik à dire au revoir à Rigel à la tanière. Lorsqu'il s'en plaignit, elle lui répondit :

– Je sais que c'est beaucoup plus facile pour toi de suivre la trace de Rigel que la mienne. Me donnes-tu ta parole que tu ne reviendras pas pour essayer de le pister ?

Après un long soupir, Nik déclara :

– Je ne peux pas te faire cette promesse sans mentir.

Mari le considéra d'un regard mauvais.

– Je t'ai sauvé la vie et tu veux toujours me prendre mon Rigel ?

– Non ! Un canin et son Compagnon ne doivent jamais être séparés. Mari, ça ne t'a pas traversé l'esprit que si je retrouve

Rigel, je te retrouverai toi aussi, et qu'il se pourrait que je veuille te retrouver ?

– Non, ça ne m'a pas traversé l'esprit, admit Mari en plissant le front.

– Je pensais qu'on était en train de devenir amis. Je ne mets pas mes amis en danger, du moins, j'essaie de ne pas le faire. Je ne mènerai jamais la Tribu sur ton territoire pour tenter de te retrouver.

– Je te crois, Nik, assura Mari en remuant, nerveuse. Ou, en tout cas, je crois réellement que tu me dis la vérité, mais une fois que tu seras rentré auprès de ton peuple, cette vérité pourrait facilement changer.

– Je te promets de ne jamais rien faire qui puisse provoquer une séparation entre Rigel et toi. Quel que soit l'endroit où je me trouverai, quels que soient les gens avec qui je serai, je tiendrai ma promesse.

– Même quand tu seras de retour chez toi et que tu diras à tout le monde que tu as été guéri de la rouille par une Creuseuse ?

– Une *Marcheuse de la Terre*, rectifia Nik en souriant à Mari d'un air effronté, avant d'ajouter, sérieux : Mari, s'il te plaît, donne-moi les recettes du cataplasme et de l'infusion que tu as utilisées pour me guérir. Tes remèdes sauveraient des vies et changeraient radicalement toute ma Tribu.

– D'accord, mais seulement après que toutes les Marcheuses de la Terre que vous retenez esclaves auront été libérées et que ta Tribu aura accepté de ne plus jamais nous pourchasser.

– Je ne peux pas m'engager à la place de ma Tribu, admit Nik. C'est aux Aînés et au Prêtre du Soleil de le décider.

– Alors, je garderai le traitement de la rouille pour moi. Quand tu pourras me faire cette promesse, ou encore mieux, quand je verrai de mes propres yeux les femmes du Clan captives rentrer dans leurs tanières, je réfléchirai à la possibilité de vous donner ces informations, à toi et à ta Tribu. Bref, dis au revoir à Rigel à l'intérieur, parce que je ne vais pas le laisser nous suivre.

– Rigel, viens ici, mon petit bonhomme, lança Nik, assis sur la chaise devant le bureau.

Le canin regarda Mari, qui hocha la tête, puis il trottina jusqu'à Nik. Celui-ci se pencha, le caressa et plongea ses yeux dans les siens.

– Je suis tellement content de t'avoir retrouvé vivant et en bonne santé, lui dit-il. Je ne t'ai jamais oublié. Je ne t'oublierai jamais. Prends soin de ta Compagnonne. Elle a l'air d'en avoir grand besoin. Et ce serait sympa si tu mordais Sora, juste un petit peu, de ma part.

Nik serra fort Rigel et ébouriffa son épais collier. Lorsqu'elle vit des larmes couler sur ses joues, Mari tourna la tête pendant qu'il s'essuyait les yeux et se ressaisissait.

– Bon, je suis prêt, annonça-t-il.

Après lui avoir mis un bandeau sur les yeux, Mari le fit sortir de la tanière. Elle était heureuse de constater qu'il était capable de se déplacer seul, même s'il s'appuyait lourdement sur un bâton de marche. Elle lui avait recommandé de la suivre de près à cause des ronces. Nik suivit son conseil en boitant, une main posée sur son épaule.

Lorsqu'ils eurent traversé le roncier, Mari passa le bras de Nik autour de ses épaules, afin d'alléger le poids de son corps sur sa jambe blessée. Ils allaient doucement, transpiraient et haletaient. Lorsqu'ils furent suffisamment loin de la tanière, Mari fit tourner Nik sur lui-même encore et encore pour le désorienter complètement et lui ôta son bandeau.

Le jeune homme essuya la sueur de son front et cligna des yeux à cause de la lumière.

– Parfait, on n'est pas encore sous la canopée ; ce sera plus facile ici, dit Nik en jetant un coup d'œil vers le ciel, avant de se placer face au soleil. Tu devrais faire comme moi. Tu auras sans doute besoin d'énergie pour soigner la fille blessée. J'imagine que tu n'as pas beaucoup dormi dernièrement.

– Que faut-il que je fasse ?

– Absorber le pouvoir du soleil, bien sûr, répondit Nik. Tu ne l'as jamais fait ?

– Je ne sais pas trop, dit Mari en haussant les épaules.

– Pourtant, tu as incendié la forêt avec le pouvoir du soleil, rappela-t-il.

– Je ne l'ai pas fait exprès. Et toi, tu peux mettre le feu à la forêt ? lui demanda-t-elle timidement.

Nik rit, avant de grimacer à cause de la douleur dans son dos.

– Non. Il n'y a pas beaucoup de membres de la Tribu qui sont capables d'attirer le feu du soleil. Mon père peut le faire. Quelques Aînés aussi. Et c'est tout. Si on avait plus de temps, je pourrais te montrer comment père s'y prend.

– J'aurais bien aimé, mais on n'a pas le temps du tout. Alors, fais vite. Tes plaies sont très récentes ; tu dois être prudent. Si tu te laisses surprendre dans la forêt par la nuit, les colonies d'insectes te trouveront en moins de deux, et je t'aurai guéri pour rien.

– D'accord, j'ai compris. Tout ce que je dois faire, c'est ça, annonça Nik en renversant la tête en arrière et en écartant grand les bras. Remplis-moi, soleil béni ! Prête-moi ta force pour que je puisse retourner dans la Cité sain et sauf.

Fascinée, Mari vit les yeux de Nik passer progressivement d'un vert mousse profond à une teinte ambrée brillante qui lui rappela ceux de Rigel. Ensuite, sur les paumes du jeune homme levées face au soleil, un délicat motif familier commença à apparaître à la surface de sa peau, en émettant une lueur dorée.

Alors, soudain, l'étranger blessé au visage blafard se métamorphosa en un jeune homme grand et fort, et étonnamment beau. Déconcertée par ce changement soudain, Mari se força à détacher son regard de Nik et fixa ses bras nus où le même dessin en filigrane commençait à luire.

– Sur toi aussi, Mari, ça fait ça !

– J'ignore comment, confia la jeune femme, en évitant toujours de croiser les yeux de Nik.

Elle se sentait curieusement timide.

– Il n'y a rien de plus facile. Tu as juste à ouvrir les bras et à accepter le cadeau qui te revient en vertu de ton sang.

Mari ouvrit les bras avec hésitation. Ils brillaient légèrement, mais ce fut l'unique chose qui se produisit ; elle ne ressentit rien hormis la chaleur du soleil.

– Tes yeux ne changent pas de couleur, remarqua Nik. Tourne le visage vers le soleil et lève les bras. Écarte aussi les paumes et ouvre-les, comme ça.

Il fit une démonstration exagérée.

Mari reproduisit ses gestes.

– OK, je t'imite, mais ça ne fonctionne pas. Peut-être que je ne suis pas capable de faire ça.

– Bien sûr que si ! Absorber le soleil est beaucoup plus simple que d'attirer le feu du soleil, mais tu dois l'accepter, Mari. Et ça signifie que tu acceptes la part de toi qui appartient à la Tribu des Arbres !

À ces mots, Mari baissa les bras, littéralement.

– Ça, ce n'est pas une mince affaire ! avoua-t-elle.

– Vois les choses de cette façon : si tu n'étais pas à moitié

Compagnonne, Rigel ne t'aurait pas recherchée et ne t'aurait pas choisie. Ce n'est pas difficile à accepter, ça, si ?

– Non.

Elle prit une profonde inspiration, écarta et leva de nouveau les bras, ouvrit les mains et dirigea les paumes vers le haut. Puis elle regarda la boule de feu brillante dans le ciel et pensa : « J'accepte la part de moi qui m'a donné Rigel. En vertu de mon sang, remplis-moi. »

La chaleur et l'énergie pénétrèrent en grésillant dans son corps par ses paumes, ce qui lui coupa le souffle.

– Oui, c'est exactement ça ! Bravo, Mari !

Elle observa ses bras, fascinée par les détails des tourbillons et des motifs qui brillaient sur l'ensemble de son corps, tandis que celui-ci absorbait les rayons du soleil et commençait à transformer la chaleur en énergie.

– J'éprouve des sensations incroyables ! s'exclama-t-elle.

– Tes yeux flamboient comme si tu y avais incrusté des morceaux de soleil. Tu possèdes un don. Je n'ai pas vu beaucoup de gens capables d'absorber la lumière du soleil aussi complètement que toi. Mari, la Tribu pourrait t'apprendre tellement de choses sur toi-même !

À contrecœur, la jeune femme baissa les bras et se détourna du séduisant soleil.

– Je ne pars pas avec toi, déclara-t-elle.

– D'accord, je comprends. Mais ne te ferme pas à un monde entier dont tu pourrais faire partie.

– Tu t'es engagé à ne me dire que la vérité. Alors, Nik : la Tribu m'accepterait-elle totalement ?

Le jeune homme la fixa, et Mari perçut des émotions contradictoires dans son regard. Finalement, il répondit avec honnêteté et réserve :

– Je ne sais pas. La Tribu n'a jamais eu à accepter quelqu'un comme toi.

– Merci de ta franchise.

– Je ne te mentirai jamais, Mari.

Leurs regards se croisèrent et demeurèrent rivés l'un sur l'autre jusqu'à ce que Mari sentît un trouble nerveux dans son estomac. Elle fut la première à détourner les yeux.

– Viens, dit-elle. Je vais te conduire au ruisseau. Il faut que je rentre à la tanière. Sora doit déjà y avoir amené la fille blessée et elle a besoin de moi.

Nik passa un bras autour de l'épaule de Mari, ce qu'elle trouva bizarrement intime, même si elle se gronda pour sa bêtise. Elle avait été la guérisseuse de cet homme. Elle avait *tout* vu de lui, pendant des jours et des jours. Elle n'en avait ressenti aucune gêne. Pourquoi, à présent, était-elle embarrassée ?

À son tour, Mari enlaça Nik, et ils reprirent leur marche.

Ils mirent moins de temps que Mari l'avait prévu. Nik était visiblement revigoré après avoir absorbé la lumière du soleil et, même s'il marchait avec peine et lenteur, il marchait. Mari le mena à la partie inférieure du Ruisseau aux Écrevisses, dont la berge est n'était pas dangereusement raide. Ils traversèrent le cours d'eau très prudemment, et Mari poussa un long soupir de soulagement lorsque Nik posa le pied sur la terre ferme.

– Tu peux trouver ton chemin à partir d'ici pour regagner la Cité, n'est-ce pas ? lui demanda-t-elle.

– Oui.

– Bien. Alors, au revoir, Nik.

Mari allait s'éloigner quand il l'arrêta en lui touchant la main.

– Mari, pourrai-je te revoir ?

– Nik, ne faisons pas de projets ni de promesses. Tu es un Compagnon. Je suis une Marcheuse de la Terre. Il ne serait pas naturel qu'on soit amis.

– Ça l'était pour ton père et ta mère.

– C'était différent. Galen aimait maman.

Mari avait parlé sans réfléchir. Elle sentit ses joues lui brûler.

– Je ne voulais pas sous-entendre quelque chose de dingue, par exemple, que tu devrais m'aimer. Je dis juste que nous sommes différents de Galen et maman, et c'est une bonne chose parce que leur relation a coûté la vie à mon père et à son Berger.

– Mais tu n'es pas seulement une Marcheuse de la Terre, objecta Nik.

– *Seulement* une Marcheuse de la Terre ? Tu vois, c'est ça le problème. Tu as peut-être arrêté de nous appeler des Creuseurs, mais tu ne nous juges pas égaux. Comment pourrais-je être amie avec quelqu'un qui considère la moitié de mes origines comme inférieure aux humains ?

– Je ne considère pas les Marcheurs de la Terre comme inférieurs aux humains. Enfin, plus maintenant que je vous ai rencontrées, Sora et toi.

– Oh, alors comme ça, tu aimes bien Sora ? répliqua Mari, en souriant malgré elle.

– Couilles de crache-sang, non ! Je n'aime pas Sora. Mais je pense qu'elle pourrait s'attaquer à un grand nombre de Guerriers de la Tribu et sans doute les vaincre.

– En réalité, elle n'est pas bagarreuse, précisa Mari. Elle déteste l'exercice physique.

– Disons alors qu'elle serait sans conteste capable de les tuer à force de les harceler.

– Là, je suis d'accord.

Les deux jeunes gens se sourirent, et Mari ne put se retenir d'ajouter :

– Nik, si jamais tu as vraiment besoin de moi, Rigel me conduira à toi.

– Tout comme il l'a fait il y a peu.

– Exactement.

Elle se surprit à ne pas avoir envie de quitter Nik. Perturbée par les étranges émotions qu'elle éprouvait, elle lui posa brutalement une question qui lui trottait dans la tête depuis plusieurs jours.

– Maintenant que tu sais que Rigel a choisi sa Compagnonne, ne vas-tu pas te lier à un autre Berger ?

– Si seulement c'était si simple ! La vérité, c'est que Rigel ne m'a pas empêché de me lier à un autre Berger, ni à un Terrier. Personne ne sait pourquoi un canin choisit son Compagnon ou sa Compagnonne, mais tout le monde sait que ce choix ne peut être modifié ou annulé. J'attends d'être fait Compagnon d'aussi loin que je m'en souvienne, mais apparemment, ce n'est pas ce que le destin a prévu pour moi.

– Que veux-tu dire ? Il y a une pénurie de jeunes canins ?

– Non, rien de tel, mais les canins choisissent leurs Compagnons parmi les membres de la Tribu ayant vu entre seize et vingt et un hivers. Il y a quelques exceptions, mais la plupart du temps, c'est parce que des Compagnons sont choisis une seconde fois après que leur canin est mort.

– Mort ? fit Mari en blêmissant.

Nik toucha légèrement l'épaule de la jeune femme pour la rassurer.

– Veillez, Rigel et toi, à absorber la lumière du soleil le plus souvent possible. Elle ne nous donne pas seulement de l'énergie, elle prolonge nos vies. Ton Rigel pourra vivre au moins trente hivers.

Trente hivers ! C'était une longue vie. Mari se détendit un peu.

– Si je comprends bien, le seul cas où un canin choisit un Compagnon âgé de plus de vingt et un hivers, c'est si cette personne a déjà été faite Compagnon ?

Nik hocha la tête et détourna son regard de Mari.

– Quel âge as-tu, Nik ?

– L'hiver dernier, c'était mon vingt-troisième. Tu vois, il ne semble pas qu'un canin va me choisir.

– Je ne le savais pas. Je suis... désolée, Nik. Sincèrement. Cela complique-t-il tes relations avec ta Tribu ?

– Oui. Le fait de ne pas être lié à un canin me place dans une situation bizarre.

– Comment ça ?

– Eh bien, par exemple, j'ai beau être le meilleur archer de la Tribu, comme aucun Berger ne m'a choisi, je n'aurai jamais le droit d'être un Chef. Donc je ne serai jamais reconnu comme Chef des Archers. Mari, je n'ai jamais dit ça à personne, mais parfois, j'ai l'impression de ne pas réellement savoir qui je suis.

– Ne peux-tu pas tout simplement être toi-même ? suggéra la jeune femme, en notant l'ironie de son conseil alors qu'elle-même n'était pas complètement sûre de savoir qui était la nouvelle Mari.

– C'est ce que j'essaie de faire, mais ce que je suis réellement ne correspond pas à ce qui est normal aux yeux de la Tribu.

– Eh bien, là, je ne peux pas t'aider. Moi-même, je ne me suis jamais sentie normale.

– C'est sans doute pour ça qu'on forme une si bonne équipe, conclut Nik avec un large sourire.

Mari le lui rendit. Ils demeurèrent tous deux plantés là, à se sourire, jusqu'à ce qu'une gêne s'installât. Alors, Mari tendit la main et, dans sa meilleure imitation de la voix sèche et pragmatique de Léda, dit :

– Tous mes vœux de santé et de bonheur, Nik. Au revoir.

Le jeune homme lui saisit la main, mais au lieu de la serrer, il la retourna doucement, la tint entre ses deux paumes, puis se pencha et embrassa son poignet, à l'endroit où l'on prend le pouls.

Lorsqu'il releva la tête, ils se fixèrent du regard.

– Pourquoi as-tu fait ça ? l'interrogea Mari, fébrile.

– Je ne sais pas trop.

Elle retira sa main et redit :

– Eh bien, au revoir.

Cette fois, il n'essaya pas de l'arrêter.

Elle traversa le ruisseau en vitesse. Arrivée sur l'autre berge, elle se retourna, s'attendant à voir Nik s'éloigner en clopinant. Mais il se tenait exactement là où elle l'avait laissé, et il la regardait. Elle lui fit un timide signe de la main.

Nik mit ses mains en porte-voix et cria :

– Je t'ai juré de te dire la vérité ; eh bien, en voilà deux ! La première : je donnerais tout mon monde pour qu'un Berger tel que Rigel me choisisse. La seconde : je te reverrai, je te le promets !

Sur ce, il tourna les talons et pénétra en boitillant dans la forêt.

Mari ne s'autorisa pas à le suivre du regard. Du moins, pas longtemps.

39

Le reste du retour fut épuisant, douloureux et beaucoup trop silencieux. Nik aurait dû être tout excité de rentrer dans la Cité, mais en réalité, plus il s'en rapprochait, plus son esprit était tiraillé.

Il avait retrouvé le jeune canin, mais il rentrait seul.

On l'avait sauvé de la rouille, mais il n'apportait pas le remède avec lui.

Et il avait retrouvé la jeune fille en feu, mais elle restait sur son territoire.

– Ouais, c'est sûr, je pourrais dire la vérité à tout le monde, réfléchit-il à voix haute. Et que se passerait-il ensuite ? La Tribu exigerait que je retrouve Mari et que je la lui ramène, avec le canin et le remède.

Nik secoua la tête.

– *Si* je la retrouvais – ce qui est très incertain, à moins que Mari ne le veuille –, elle n'accepterait pas de venir dans la Cité.

Il se renfrogna, imaginant ce que des hommes comme Thaddée feraient.

– Ils l'amèneraient à la Cité, de gré ou de force. Rigel la protégerait. Qui sait où ça mènerait ?

Il frissonna, ne se rappelant que trop bien l'épouvantable histoire de Galen et Orion. Ils avaient été tués. Tous les deux. Alors que c'étaient des membres à part entière de la Tribu, des Compagnons, respectés de tous.

– Que feraient-ils à Mari ?

Il y avait forcément une solution. La jeune femme était intelligente et pleine de compassion. Une fois qu'il aurait gagné sa confiance, lui aurait fait comprendre que son père et lui se battraient pour changer la condition des Marcheuses de la Terre captives, elle lui donnerait la recette du remède contre la rouille, il en était persuadé.

– J'ai besoin de temps. Père m'aidera. Ensemble, on trouvera un moyen.

Cela signifiait qu'il ne pourrait parler à personne d'autre qu'à Sol du don de Mari pour guérir la rouille.

– Mais alors, où étais-je passé ? Comment expliquer le fait que je ne suis pas mort ?

Nik continua à avancer en clopinant, absorbé par ses réflexions...

Il trouva les réponses à ses questions en parvenant au sommet du coteau où vivait la Tribu des Arbres. Là, reprenant son souffle et admirant la majesté de sa Cité, il comprit ce qu'il avait à faire.

Il devait dire la vérité. Ou, du moins, autant qu'il le pouvait sans mettre le monde entier de Mari en péril.

Il boitilla jusqu'à l'ascenseur et tira sur la chaîne. Très loin au-dessus, une voix appela :

– Qui veut monter ?

– Davis ?

Il y eut un long silence.

– Nik ?

– Oui ! C'est moi !

L'ascenseur descendit immédiatement. Peu après, tandis que Nik y pénétrait et entamait son ascension, il entendit les aboiements enthousiastes de Cameron. Dès que la porte de l'appareil en forme de cage s'ouvrit, un tourbillon blond se jeta sur lui en haletant.

– Cameron, ça me fait plaisir de te voir ! s'exclama Nik, qui se pencha avec raideur pour caresser le canin.

Ensuite, Davis le serra très fort dans ses bras, le faisant rire et grimacer de douleur à la fois.

– Oh, désolé ! Désolé ! Tu es blessé ? On a dit que tu avais été tué, alors, tu es forcément blessé. Navré, je n'aurais pas dû t'attraper comme ça !

Davis pressa la main de Nik plus doucement.

– Je vais bien... enfin, maintenant. Je suis très content de te voir, Davis.

– Sol va être transporté de joie quand il te verra. Viens ! Je vais te conduire à lui.

– Attends, Davis. Où est-il ?

– Oh, testicules de crache-sang ! Mais qu'est-ce qui ne va pas chez moi ? Évidemment, tu as d'abord besoin de voir les Guérisseuses. Tu tiens debout, mais on dirait que tu vas tomber d'une seconde à l'autre. Et qu'est-ce que c'est que ce vêtement ? Tu peux marcher ? Tu es gravement blessé ?

– Bon, une réponse à la fois. Je suis capable de marcher, mais plus très loin. Je peux quand même aller jusqu'à mon père. Sais-tu s'il est dans son nid ?

– Non, je crois qu'il est sur la plate-forme, en train d'absorber les derniers rayons du soleil couchant.

– Peux-tu aller le chercher pour moi ?

– Bien sûr !

– Et puis-je t'emprunter ta grande cape ?

– Pas de problème. Tu as froid ? Tu es en état de choc ? Tu as mauvaise mine, commenta Davis en retirant sa cape et en la tendant à Nik.

– Non, c'est juste que je ne veux pas que quiconque me voie avant père.

Nik enfila la capuche de la cape. S'il gardait la tête baissée, personne ne le reconnaîtrait, surtout que tout le monde le croyait mort.

– C'est logique, approuva Davis. Ça va mal, Nik. Ça va très mal depuis que les survivants de l'expédition de glanage sont revenus.

– Qui a-t-on perdu en plus de Crystal et Grace ?

– Viper est mort il y a deux jours. Monroe l'a suivi hier.

– Il s'est suicidé ? s'enquit Nik, le cœur lourd.

– Non. Il a pris une lance dans les côtes. Ça l'a tué. En seulement quelques jours.

– Et Sheena et Captain ?

– Ils tiennent bon, mais pour combien de temps encore ?

– Ils ont réussi à rentrer !

– Ouais, Captain a la patte avant cassée, expliqua Davis. Il est trop tôt pour savoir s'il va guérir. S'il meurt, Sheena ne lui survivra pas longtemps.

– A-t-elle été blessée ?

– Elle a failli se noyer, mais elle est indemne. Elle a failli être aspirée par le rapide. Captain et elle se sont cramponnés aux ruines du pont suffisamment longtemps pour que Wilkes retourne les chercher en kayak. C'est à ce moment-là que la patte de Captain est restée coincée dans une poutre en treillis et s'est brisée net. J'ignore comment Sheena a pu tenir son canin tout en s'agrippant au pont, mais elle l'a fait !

Davis marqua une pause, puis posa la main sur l'épaule de Nik en lui disant :

– Ce qui s'est passé… avec Crystal… c'était horrible, hein ?

Nik hocha la tête, n'osant parler de peur que sa voix ne se brise.

– Mais tu as fait ce qu'il fallait, en la tuant avant que ces salauds ne puissent l'emmener.

Nik acquiesça de nouveau, cligna des yeux et détourna le regard. Puis, après s'être éclairci la voix, il demanda :

– Le reste de l'équipe a-t-il réussi à rentrer ? Et Thaddée ? J'ai vu un Voleur de Peaux le faire sortir de son kayak ; j'ai tenté de l'arrêter, malheureusement, je ne pouvais pas assez bien viser pour tirer.

– Ouais, ça s'est très mal terminé. Les Voleurs de Peaux l'ont capturé avec Ulysse, et ont commencé à arracher la peau du petit Terrier.

– Testicules de crache-sang ! C'est atroce ! Je n'aimais pas Thaddée, mais jamais je n'aurais souhaité qu'on leur fasse subir, à lui et à Ulysse, de telles atrocités.

– Hé, ne sois pas si triste. Thaddée a réussi à s'échapper avec Ulysse, et maintenant, il est encore plus arrogant et encore plus bête qu'avant.

– Ulysse est vivant ?

– Oui ! Et il guérit remarquablement bien. Apparemment, quand les Voleurs de Peaux ont commencé à l'écorcher, ils ont été si distraits par la violence avec laquelle il se débattait que Thaddée en a profité pour se libérer, en tuer quelques-uns, attraper Ulysse et fuir par le fleuve.

– Je suis content d'entendre ça, et que le reste de l'équipe ait pu se sortir de cette embuscade.

– Comme le dit Wilkes, on n'en serait pas là si on t'avait écouté.

– Il est trop tard pour critiquer après coup. De toute façon, Wilkes avait une bonne raison d'agir ainsi, dit Nik en se passant une main tremblante dans les cheveux.

– Oh, merde ! Me voilà à jacasser, alors que tu es sur le point de t'écrouler. Rejoins le nid de ton père. Je vais le chercher.

– Merci, Davis.

– Nik, je suis très, très heureux que tu sois en vie et rentré parmi nous.

Laru entra en trombe dans le nid et se jeta sur Nik quelques secondes seulement avant Sol. Le jeune homme riait et grognait de douleur en demandant au canin de le laisser, lorsqu'il fut soulevé de la chaise sur laquelle il s'était assis avec précaution, et englouti dans les bras de son père.

– Père, attention ! J'ai mal au dos !

Sol desserra son étreinte, mais ne lâcha pas son fils. Ce dernier sentit son père trembler et comprit que le grand homme sanglotait. Ayant subitement l'impression d'être redevenu un petit garçon, Nik posa la tête sur l'épaule de Sol, et lui rendit son étreinte avec autant de force qu'il put.

Enfin, le Prêtre du Soleil recula en tenant Nik par les épaules. Son visage était baigné de larmes, mais son sourire resplendissait de joie.

– Tu m'as fait peur, fils. Tu m'as fait sacrément peur.

– Ce n'était pas volontaire. Et je me suis fait peur, à moi aussi.

– Je t'aime, mon garçon. Trop pour que tu refasses ça.

– Je vais essayer de ne pas frôler la mort de sitôt. Père, j'ai besoin de m'asseoir, sinon, je vais tomber.

– Bien sûr ! Bien sûr ! Laru, pousse-toi.

Avec gratitude, Nik se laissa retomber sur la chaise. Laru s'assit à ses pieds et s'appuya contre lui en gémissant doucement.

– Nik va bien, Laru, assura Sol en grondant gentiment le grand Berger.

Il s'accroupit devant son fils et l'observa attentivement.

– Tu vas bien, n'est-ce pas ?

– Oui, même si je viens de vivre une longue et folle histoire.

– Je vais te servir une grande infusion et tu vas me raconter tout ça.

– D'accord, mais aurais-tu quelque chose de plus fort ?

– Oui, heureusement !

Sol prit un gros pichet et deux tasses en bois, les remplit et en tendit une à Nik, puis prit une chaise de l'autre côté de la table pour s'asseoir près de son fils, à qui il lança :

– Bon. Dis-moi tout.

Nik sentit les doigts de son père tâter doucement la peau autour de sa blessure au dos.

– Tu as raison, commenta Sol. Il n'y a aucun signe de rouille. De toute évidence, c'est une grave blessure, mais j'ai du mal à croire qu'elle date d'à peine une semaine. La rapidité de la guérison est incroyable. Idem pour ta blessure à la jambe.

Sol recula et Nik baissa le haut de sa tunique.

– C'est vraiment incroyable, répéta Sol.

– Pourtant, la rouille s'était tellement développée que ma plaie avait commencé à suppurer et à dégager une odeur infecte.

– Ces symptômes sont généralement annonciateurs d'une mort imminente, et fulgurante, en plus, commenta Sol.

– *Étaient*.

– Mais cette fille, Mari, ne t'a pas donné le remède.

– Elle le fera, père. Je le sais. J'ai juste besoin de temps pour la convaincre de me faire confiance.

– Je te comprends, fils, et je suis d'accord avec toi, du moins autant que je puisse l'être sans avoir rencontré cette fille. D'après ta description, c'est quelqu'un que la Tribu pourrait accepter, surtout si elle apportait le fils de Laru et le remède contre la rouille. Le problème, c'est le temps. Tu n'en as pas beaucoup.

– J'aurai tout le temps nécessaire si on ne révèle pas à tout le monde que Mari est capable de traiter la rouille. Pour l'instant, contentons-nous de dire une partie de la vérité, à savoir qu'une Marcheuse de la Terre m'a trouvé et m'a sauvé la vie, et qu'elle l'a fait pour prouver son humanité. On dévoilera l'entière vérité après que j'aurai gagné la confiance de Mari et que je l'aurai ramenée ici avec Rigel. Pour moi, ça ne pose pas de problème.

– Ton plan est parfait, répondit Sol. Mais on n'a hélas pas le temps de le mettre en œuvre. Nikolas, je regrette d'avoir à t'apprendre cette nouvelle, mais O'Bryan est mourant.

– Quoi ?! Sa blessure n'était pas si grave. C'était juste…

Nik s'interrompit lorsqu'il comprit soudain de quoi il s'agissait.

– O'Bryan a la rouille, lâcha-t-il.

– Oui. Et elle progresse rapidement.

– Combien de temps lui reste-t-il à vivre ?

– C'est une question de jours. Il veut en finir. Il supplie les Guérisseuses de lui donner de l'aconit.

– Non ! Je ne le laisserai pas faire ça.

– Comment comptes-tu t'y prendre ?

Nik se frotta l'épaule, regrettant de ne pas avoir une chope de l'infusion infecte de Mari pour soulager ses douleurs.

– Je vais retrouver Mari et la persuader de soigner O'Bryan, décida-t-il. Maintenant.

– On pourrait s'adresser aux Aînés et les supplier de libérer un groupe de Creuseuses. On serait obligés de leur dire que Mari est capable de soigner la rouille ; ça suffirait pour qu'ils acceptent, même si je ne peux pas te promettre qu'ils continueront à libérer des Creuseuses une fois qu'on aura le remède.

– Père, tu dois arrêter de les appeler des « Creuseuses ». Ce sont des Marcheuses de la Terre.

Nik se redressa et poursuivit :

– Et il est inutile de recourir aux Aînés, parce que je n'ai pas besoin qu'un groupe entier de Marcheuses de la Terre soit libéré. Il ne m'en faut qu'une.

Il répondit au regard interrogateur de son père par un large sourire.

– Jenna est l'amie de Mari ! Je vais offrir à Mari la liberté de Jenna en échange de la vie d'O'Bryan. Mari ne sera pas obligée de me donner la recette de son cataplasme tout de suite, pourvu qu'elle soigne O'Bryan.

– Je ne pense pas qu'il puisse se déplacer, Nik, estima Sol. Il est très mal en point.

– Dans ce cas, j'aurai besoin de ton aide deux fois : une première, pour exfiltrer Jenna de l'Île-Ferme, et une seconde, pour faire entrer en douce Mari dans la Cité.

– Fils, je t'aiderai mille fois s'il le faut. Je te demande juste de ne pas risquer ta vie à nouveau.

– Marché conclu, père.

– Comment est la fille de Galen, réellement ? s'enquit Sol.

– Elle est intelligente et forte. Gentille, aussi, même si elle ne l'admettrait pas, je crois. Dure comme elle est, elle serait capable de se sentir insultée.

Nik se surprit à sourire en pensant à la jeune femme.

– C'est une artiste incroyable, poursuivit-il. Elle a même fait un dessin de Galen, Orion et sa mère.

– J'aimerais bien voir ça, un jour, dit Sol.

– Je te le souhaite, père.

Nik sirota sa bière, songeant toujours à Mari.

– Il y a de la tristesse en elle, confia-t-il. Chaque fois qu'elle sourit, elle donne l'impression d'avoir oublié comment faire et de ne pas être sûre de vouloir s'en souvenir.

– Eh bien, elle a perdu ses deux parents. Sa mère, récemment. Tu sais ce que c'est, fils.

– Oui, mais je pense qu'il y a autre chose. Je reconnais la tristesse que l'on éprouve quand on se sent un étranger dans son propre corps.

– Tu ne m'as jamais dit que tu te sentais comme un étranger.

– Ce n'est pas une chose facile à admettre, et je ne veux pas te décevoir plus que je l'ai déjà fait.

Sol se pencha et prit les épaules de son fils dans ses mains.

– Nikolas, tu ne me déçois pas. Tu te l'imagines, c'est tout. Ça m'est égal si tu es choisi par une douzaine de Bergers magnifiques en même temps, ou si tu ne l'es par aucun canin. Dans le premier cas, je ne t'en aimerais pas davantage, et dans le second, je ne t'en aimerais jamais moins, c'est certain.

Nik cligna de ses yeux embués de larmes, et tenta de sourire.

– Père, dis-tu ça uniquement parce que tu me croyais mort ?

– Je dis ça parce que c'est la vérité, répondit Sol, on ne peut plus sérieux. Fils, je veux que tu fasses tes propres choix, et s'ils te conduisent sur une voie que je n'aurais jamais envisagée pour toi, alors, suis-la et sache que tu auras toujours mon amour et mon respect.

– Merci, père.

Sol étreignit son fils, et pendant un moment, celui-ci demeura là, en sécurité dans les bras paternels.

Puis ils se détachèrent l'un de l'autre et s'essuyèrent les yeux. Lorsqu'ils se regardèrent de nouveau, ils rirent.

– Je suis si heureux que tu sois revenu ! s'exclama Sol. Wilkes a fait un rapport complet de ce qui s'est passé lors de l'expédition. Il a clairement expliqué que ton pressentiment s'était avéré tout à fait exact, et que si l'équipe t'avait écouté, l'issue aurait été complètement différente.

– J'ai été obligé de la tuer ; je ne pouvais pas les laisser l'emmener. Mais, père, c'est la chose la plus difficile que j'aie jamais eue à faire.

– Tu as fait preuve d'une immense bonté envers Crystal, affirma Sol.

– J'aurais préféré que cette tâche incombe à quelqu'un d'autre.

– Je sais, fils. Parfois, ce sont nos plus grands actes de bonté qui sont les plus difficiles à supporter.

– J'ai envie de voir O'Bryan.

– Fils, attends. Reste ici cette nuit. Tu as enduré tellement de souffrances ! Tu as besoin de dormir pour te rétablir totalement. À l'aube, je t'accompagnerai à l'infirmerie.

– Je ne peux pas attendre. Si j'étais moi-même sur un lit de mort, O'Bryan n'attendrait pas pour me voir non plus.

– Ta loyauté m'impressionne, fils. C'est l'une de tes plus grandes qualités. Veux-tu que j'aille avec toi ?

– Ce n'est pas nécessaire. Détends-toi, finis ta bière. Par contre, j'accepte volontiers ta proposition de rester dormir ici. Je n'ai pas envie d'être seul.

– En fait, ton retour m'a redonné goût à la vie, et j'ai quelque chose à faire.

Sol se leva, s'essuya les mains sur son pantalon. Nik vit alors des cernes sous ses yeux, et les rides sur son visage semblaient plus profondes qu'avant son départ. Néanmoins, son père lui souriait et paraissait effectivement avoir retrouvé de l'énergie.

– Je pourrais faire la moitié du chemin avec toi, proposa-t-il.

– Peux-tu me prêter des vêtements ? Je vais déjà susciter beaucoup de questions. Inutile que j'en rajoute en me montrant dans les nippes d'une Marcheuse de la Terre.

– Bien sûr !

Sol monta deux par deux les marches menant à sa chambre et revint quelques instants plus tard avec un pantalon et une tunique tissée suffisamment épaisse pour lutter contre la fraîcheur de la nuit.

– Tu vas voir Maeve, père ? demanda Nik en se changeant.

– Non… si, enfin… j'imagine qu'elle sera déjà là-bas.

– Là-bas ?

– Nous avons reçu la visite d'un membre des Mercenaires, expliqua Sol.

– Un homme-chat est là ? s'étonna Nik en plissant le front. C'est vrai ?

– Absolument. C'est intéressant, même si je dois admettre n'avoir pas été un hôte convenable. Je pleurais mon fils.

– C'est fini, maintenant ! s'exclama Nik avec un grand sourire.

– Raison pour laquelle je vais rejoindre le rassemblement organisé en son honneur, alors que, plus tôt, je m'étais excusé de ne pouvoir y assister.

– Eh bien, dis-lui de ne pas laisser son Lynx marquer le nid des visiteurs. Tu te rappelles la dernière fois qu'un Mercenaire est passé par ici et que son chat a marqué le nid ?

– Ça sentait incroyablement mauvais, commenta Sol en frissonnant. Surtout après que nos canins ont ressenti le besoin d'ajouter leurs propres marquages pour tenter de recouvrir ceux du chat. Épouvantable, tout simplement épouvantable ! Mais on n'a rien à craindre avec le Lynx d'Antreas : les femelles ne marquent pas leur territoire comme les mâles.

– Quoi ? fit Nik. Es-tu en train de me dire qu'un Mercenaire mâle s'est lié à une femelle Lynx ?

– Tout à fait.

– Je ne pensais pas que c'était possible. Les Lynx mâles choisissent un humain mâle à qui s'attacher, et les femelles choisissent une femme. Ou les histoires sur le peuple chat qu'on m'a racontées quand j'étais petit étaient-elles fausses ?

– Elles n'étaient pas fausses, affirma Sol. C'est la première fois que j'entends parler d'une paire pareille. Mais je pense que ce ne serait pas très poli d'interroger un Mercenaire à ce sujet.

– C'est sûr ! approuva Nik en souriant. Et que fait l'homme-chat ici ?

– Il cherche une partenaire.

Nik s'esclaffa.

– Dans la Tribu ? Je ne connais pas beaucoup de jeunes femmes qui voudraient échanger une vie dans le ciel, entourées de beauté et de canins, contre une vie dans un antre entourées de chats.

– Tu exagères. Vu combien les chats sont solitaires, les seuls à vivre dans l'antre d'un Mercenaire doivent être les chatons que les chattes mettent bas, et encore seulement jusqu'à ce qu'ils se lient avec leurs humains.

Secouant la tête, Nik dit :

– C'est un drôle de peuple, hein ?

– Ils sont bien assortis à leurs Compagnons animaux, comme nous. Les Lynx sont différents des canins, leur peuple aussi. Peu importe qu'ils nous semblent étranges, ces gens sont des guides et des combattants excellents.

– Tu veux dire des guides et des *assassins* excellents, nuança Nik.

– Je pense que les traiter d'assassins est aussi impoli que de les interroger sur le sexe de leurs chats, répliqua Sol en souriant à son fils. En tout cas, leur habileté avec les lames est incontestable.

– Le fait qu'elle soit à louer aussi. Ça ne m'a jamais plu, ça, père. Où est leur loyauté ?

– Ils sont loyaux entre eux et envers leurs Lynx, je crois. Ils connaissent les sentiers qui passent à travers les montagnes, ce qui me donne une raison de me réjouir qu'ils louent leur habileté.

Nik rit.

– Père, je ne peux pas imaginer que tu veuilles randonner dans les montagnes.

– Non, je n'ai plus l'âge de vagabonder ; cependant, il existe tout un autre monde au-delà des montagnes. Il paraît que là-bas, les prairies s'étendent à l'infini et sont d'une grande beauté.

– Sans oublier les Cavalières du Vent ! renchérit Nik.

Sol rit de bon cœur.

– Comment pourrais-je les oublier ? Quand tu étais petit, tu ne te lassais jamais des histoires des cavalières magiques de la prairie. Tu sais qu'un jour – tu avais environ six hivers –, tu as chevauché un bâton en faisant semblant que c'était un cheval ?

Nik sentit son visage devenir tout chaud.

– On peut changer de sujet ? lança-t-il.

– Si mes souvenirs sont bons, tu avais baptisé ce bâton Éclair, continua Sol avec un large sourire.

– Vieil homme, tu perds la tête, le taquina Nik. Partons avant que tu deviennes totalement sénile.

Sol rit de nouveau et donna à son fils une tape dans le dos.

– D'accord, d'accord. Tu es prêt ? lui demanda-t-il.

– Je ne peux pas l'être plus.

Juste avant de quitter l'intimité du nid, Sol se tourna vers Nik :

– Fils, j'applaudis ta décision de me dire autant que possible la vérité sur ce qui t'est arrivé. Mais je veux que tu sois préparé. Si tout se déroule comme on l'espère, la Tribu finira par tout savoir à propos de Mari. Je ne peux pas prévoir la réaction de notre peuple. Il pense que les Creuseurs sont des enfants arriérés, dotés d'une capacité étrange et magique à faire pousser des choses. Et qu'ils ont besoin qu'on s'occupe d'eux, comme on s'occupe de nos moutons. La perte de cette croyance changera notre monde, et je ne sais pas si la Tribu acceptera ce changement.

Sol marqua une pause avant d'ajouter :

– Mais si elle veut arrêter de mourir de la rouille, elle n'a pas vraiment le choix.

– Père, c'est exactement sur ça que je compte.

40

Nik constata avec soulagement que le rassemblement en l'honneur du Mercenaire était limité, composé principalement du Conseil des Aînés et d'un groupe de femmes célibataires encore suffisamment jeunes pour envisager de se mettre en couple, mais suffisamment âgées pour avoir peu de chances d'être choisies par un canin. « Ce qui signifie que la plupart de ces femmes ont mon âge », songea Nik en se renfrognant, tandis qu'il s'approchait du groupe avec son père.

– Nik ! Oh, Nik ! Te revoilà ! Tu es vivant !

Maeve bondit de sa place près de Cyril et se jeta dans les bras de Nik, tout en riant et en versant des larmes de bonheur.

– Bonjour, Maeve. Et Fortina. Je suis content de vous revoir, moi aussi.

Nik se libéra de l'étreinte de la femme et se pencha pour gratter les oreilles de la canine en pleine croissance, en remarquant combien elle ressemblait à Rigel, ce qui lui fit ressentir une pointe de nostalgie. Le jeune canin lui manquait. Mari également. Il demeura là, à prendre conscience de ce manque, accroupi près de Fortina.

– Nik, est-ce que ça va ? s'inquiéta Maeve. Tu n'es pas blessé ?

Nik s'arracha à ses rêveries, flatta Fortina une dernière fois, puis se releva en souriant à l'amoureuse de son père.

– Désolé, Maeve. Oui, je vais bien, très bien.

– Nikolas ! Je ne trouve pas les mots pour te dire combien je suis heureux de te voir de retour parmi nous ! s'exclama Cyril, qui serra chaleureusement la main de Nik.

– Merci, Cyril. Je l'ai échappé belle.

– Comment es-tu rentré ? l'interrogea l'Aîné. Sheena nous a dit que tu avais été mortellement blessé quand le rapide t'a aspiré.

– C'est une histoire compliquée, mon ami, déclara Sol. Nik pourra te la raconter quand il…

– Père, ça ne me dérange pas d'expliquer les choses à Cyril, le coupa Nik, en se forçant à sourire comme s'il n'avait absolument rien à cacher. Plus vite la Tribu saura ce qui m'est arrivé, mieux ça vaudra.

Nik prit une profonde inspiration et déclara :

– Sheena a raison, j'ai été mortellement blessé.

Il tourna le dos à Cyril et Maeve. Sol l'aida à soulever son tricot pour leur montrer sa plaie soigneusement bandée.

– Tu es déjà allé à l'infirmerie ? s'étonna Cyril.

Les autres personnes qui avaient quitté le Mercenaire pour rejoindre Nik échangèrent des regards perplexes qui ne le surprirent pas. Les commérages se répandaient dans la Tribu tel un incendie de forêt, l'été. S'il s'était effectivement rendu à l'infirmerie, la Tribu aurait déjà su qu'il en était revenu.

– Je vais à l'infirmerie, expliqua le jeune homme en baissant son tricot. Ma plaie a été bandée par des Guérisseuses Marcheuses de la Terre.

– Des Guérisseuses Marcheuses de la Terre ? répéta Maeve, incrédule, en regardant tour à tour Nik et Sol pour avoir une explication.

– Il veut dire des Creuseuses, intervint Thaddée d'une voix empreinte de sarcasme, à l'arrière du groupe.

Soudain, il y eut un silence total. Puis Nik fit un signe de tête à Thaddée en lui souriant comme s'il venait de lui rendre un service.

– Content de te voir vivant et en bonne santé, Thaddée, lança-t-il. Ce que tu dis est juste. Cependant, le terme « Creuseur » est une insulte. Les membres de ce peuple se font appeler « Marcheurs de la Terre ».

Thaddée aboya de rire.

– Il n'y a que Nik pour avoir peur d'insulter un Creuseur ! se moqua-t-il.

À ces mots, le sourire de Nik s'envola. Le jeune homme décocha à Thaddée un regard perçant.

– Ces deux Marcheuses de la Terre m'ont sauvé la vie, affirma-t-il.

– Mais pourquoi ont-elles voulu te sauver ? s'empressa de l'interroger Cyril, avant que Thaddée monopolisât la conversation.

– C'est l'une des premières questions que je leur ai posées, confia Nik. Et la vérité, c'est que l'une d'elles voulait me trancher la gorge et me laisser flotter avec les débris du fleuve dans lesquels elles m'avaient découvert.

– Pourquoi ne l'ont-elles pas fait ? le questionna Rebecca, une Aînée, qui l'observait attentivement.

– L'autre Guérisseuse, qui s'appelle Mari, s'y est fermement opposée. Heureusement pour moi, c'était elle, la chef. Elle a dit que si elles me tuaient, cela les rendrait aussi inhumaines que les gens de la Tribu des Arbres.

Les paroles de Nik déclenchèrent un tel tollé que d'autres membres de la Tribu sortirent la tête des nids voisins.

Sol leva les mains pour réclamer le silence.

– Nikolas ne fait que répéter ce qu'il a entendu. Vos cris n'y changeront rien. Je suis d'avis de l'écouter et de tirer des conclusions de ce qui lui est arrivé.

– Tu étais vraiment dans une tanière de Creuseuse, la semaine dernière ? demanda Rebecca.

– Dans une tanière de Marcheuse de la Terre, oui, c'est là que j'étais.

– À quoi ça ressemble ? lança une jeune femme, à l'arrière du groupe.

– Es-tu en train de dire qu'en fait, elles s'occupaient d'elles-mêmes ? demanda une autre.

Nik chercha dans la foule de plus en plus nombreuse qui avait posé la première question et répondit directement :

– Evelyn, la tanière était propre et confortable, et d'une beauté exceptionnelle. Et pour répondre à la seconde question : oui, elles s'occupaient bel et bien d'elles-mêmes, et de moi, en plus.

– Ouais, et tes réponses prouvent à quel point tu devais délirer, le railla Thaddée. Enfin, au moins, Nik sait où se trouve cette tanière. Une Guérisseuse ou deux, ça constituerait un apport intéressant à la Ferme. Peut-être qu'elles empêcheraient les autres Creuseuses de tomber raides mortes si souvent.

– Je ne sais pas où la tanière se trouve, affirma Nik. Ces femmes m'ont bandé les yeux, et même si je le savais, je ne vous conduirais pas à elles.

– Ne fais-tu plus partie de la Tribu des Arbres ? Es-tu désormais un *Marcheur de la Terre* ?

Thaddée posa cette dernière question comme s'il s'intéressait à la réponse de Nik. Or, son regard exprimait une victoire superficielle et mesquine, et ses paroles étaient chargées de colère.

Nik ignora Thaddée et se tourna vers Cyril.

– Ces deux Marcheuses de la Terre m'ont sauvé la vie, et tout ce qu'elles m'ont demandé en retour, c'est de partager mon histoire avec la Tribu. Donc, voici ce qu'il faut que vous sachiez : si les Marcheuses de la Terre qu'on garde en cage sont incapables de s'occuper d'elles-mêmes, mélancoliques, et meurent précocement, c'est parce que l'enfermement leur est toxique. Dehors, dans la nature, elles sont très différentes. Elles ne souffrent pas de dépression morbide. Elles ont des familles qu'elles aiment. Elles attachent de l'importance à la loyauté et ont un profond respect pour leurs Guérisseuses. Elles possèdent une connaissance extraordinaire des herbes et savent les utiliser en médecine. Elles apprécient l'art. Elles sont intelligentes et intéressantes. Elles sont aussi humaines que nous. Voilà ce qu'elles souhaitaient que j'explique à la Tribu. À présent, veuillez m'excuser. Je dois aller rendre visite à mon cousin à l'infirmerie.

Nik serra son père dans ses bras, puis se fraya un chemin parmi la foule qui grossissait rapidement, cognant Thaddée avec son épaule. Ayant l'impression de foncer dans un mur en pierre, il réprima un hoquet de douleur.

– Fais attention, lui dit Thaddée d'une voix mauvaise. Certains d'entre nous possèdent des atouts qui ne sont pas visibles à l'œil nu.

– C'est évident, puisque tu as réussi je ne sais comment à échapper à un gang de Voleurs de Peaux, avec pour seules blessures celles que ton canin a reçues, rétorqua Nik d'une voix non moins menaçante.

Puis il tourna le dos à Thaddée et s'éloigna.

Lorsqu'il passa devant le Mercenaire assis sur un banc en bois sculpté, Nik le salua de la tête. L'homme lui répondit de la même manière, très discrètement, le visage aussi impénétrable que le Lynx aux yeux jaunes immobile à ses côtés.

Derrière Nik, les discussions passionnées des membres de la Tribu avec son père s'estompèrent et se confondirent peu à peu avec le susurrement du vent nocturne dans les pins majestueux.

« Bon, il n'y a pas de retour en arrière possible », se dit Nik.

Et, même s'il se rendait au chevet de son meilleur ami à l'article de la mort, il eut le sentiment qu'un énorme fardeau lui avait été enlevé.

L'infirmerie se composait d'une série de simples nids construits en cercle et reliés entre eux par un système de passerelles suffisamment larges et solides pour que les malades et les infirmes puissent être transportés aisément, y compris sur une civière. Elle était utilisée pour les humains et les canins indifféremment, car les seconds étaient aussi importants que les premiers. C'est pourquoi Nik vit d'abord Sheena et Captain, seuls dans le premier nid, lorsqu'il entra pour demander à la Guérisseuse de garde où était O'Bryan.

La femme fredonnait une vieille berceuse en brossant doucement son grand Berger, qui était étendu sur le flanc, la patte avant droite emmaillotée d'un énorme bandage et éclissée. Elle leva les yeux à l'arrivée de Nik, et tout son corps se figea. Elle devint pâle comme la mort.

Il tenta de lui sourire, mais fut submergé par ses souvenirs de Crystal : son exubérance lors de l'expédition de glanage, sa gentillesse et son humour, son amour pour Sheena et, enfin, la manière dont elle s'était cramponnée au corps de sa canine morte, Grace, lorsqu'elle avait supplié Nik de mettre un terme à sa vie.

– Nik ? Est-ce vraiment toi, ou Captain et moi aussi sommes-nous morts, finalement ?

– C'est moi. Et plus personne ne va mourir, assura Nik.

Il alla s'agenouiller auprès d'elle, avant de lui demander en plongeant son regard dans le sien :

– Peux-tu me pardonner ?

Les yeux de Sheena s'embuèrent de larmes, mais elle soutint son regard.

– Le pardon n'est pas nécessaire, répondit-elle. Tu as fait ce qu'il fallait. Si on t'avait écouté, ma Crystal serait toujours ici et on se préparerait à accueillir une nouvelle portée de canins.

Ses larmes débordèrent et coulèrent sur ses joues blêmes. Captain remua, agité, et sa Compagnonne le caressa aussitôt en lui chuchotant des paroles rassurantes. Lorsqu'il se fut calmé, Sheena fit signe à Nik de la suivre de l'autre côté du nid.

– Captain n'arrivait pas à dormir, alors, on lui a donné des somnifères, lui expliqua-t-elle à voix basse, pour ne pas réveiller son canin. Moi aussi, ils m'ont droguée, mais ça ne marche pas aussi bien. Chaque fois que je ferme les yeux, je la vois sortir son couteau de sa ceinture et sauter dans ce cloaque pour tenter de rattraper Grace.

Un frisson lui parcourut le corps.

– Je ne peux pas m'empêcher de voir cette image en boucle dans ma tête, et je n'arrive pas à dormir.

– Elle m'a souri juste avant que je lui décoche une flèche, révéla Nik.

Sa voix tremblait, et il dut se forcer pour soutenir le regard torturé de Sheena.

– Elle tenait Grace, reprit-il. Elle a levé les yeux vers moi, a souri, m'a fait un signe de la tête, et quand ça a été fait, Grace et elle ont disparu sous l'eau ensemble.

Sheena attrapa la main de Nik.

– Merci de me dire ça. C'est un peu plus facile maintenant que je sais que Grace et elle étaient ensemble.

– Ni l'une ni l'autre n'a souffert. Je te le promets.

– Alors, ne souffre pas, toi non plus, Nik. Crystal ne le voudrait pas, et elle aurait enduré des souffrances atroces si tu ne l'avais pas tuée avant que ces monstres ne puissent l'emporter.

Nik acquiesça et lui pressa la main avant de la relâcher.

– Comment va Captain ? s'enquit-il. Apparemment, sa fracture est grave.

– Pour l'instant, je ne sais pas. Sa patte n'est pas infectée, mais les Guérisseuses ignorent encore s'il la gardera.

La femme secoua la tête et contempla son canin endormi.

– Il ne va pas bien sans Crystal et Grace ; moi non plus.

Nik ravala les platitudes qu'il avait si souvent entendues après la mort de sa mère : « Ce sera plus facile avec le temps, elle voudrait que tu continues à vivre et que tu sois heureux, elle se trouve à présent dans un endroit meilleur. » Aucune de ces paroles ne l'avait aidé. Pire : il avait eu l'impression qu'elles minimisaient l'immensité de sa perte. Ainsi, il dit à Sheena ce qu'il aurait souhaité entendre à l'époque :

– Captain et toi, vous avez eu Sheena et Grace pendant de nombreuses années. Votre amour était authentique et fort. Ça va être dur de vivre sans elles, mais quand ce sera vraiment intolérable, essaie de te rappeler que vous avez partagé quelque chose que certaines personnes vivent une vie entière sans connaître. Je ne sais pas si ça sera moins douloureux, mais ça rendra peut-être la situation supportable.

Sheena s'essuya le visage.

– Je m'en souviendrai, affirma-t-elle. C'est juste que je ne sais pas trop quoi faire sans elle.

– Il faut que tu avances. La vie s'occupera du reste. Captain aussi, ajouta Nik en jetant un coup d'œil au Berger. Vous êtes là l'un pour l'autre, et ça vaut la peine de vivre pour ça.

Sheena sanglota encore un peu, puis elle redressa les épaules et sécha ses larmes. Seulement alors, elle eut l'air de réellement voir Nik.

– Hé, comment se fait-il que tu sois en vie ? lui lança-t-elle.

– Je suis peut-être trop têtu pour mourir, répondit-il en souriant.

– Non, sérieusement. Que s'est-il passé ?

– Des Guérisseuses des Marcheurs de la Terre m'ont trouvé et m'ont recueilli. Sans elles, je serais mort.

Nik marqua une pause avant d'ajouter :

– Les Marcheurs de la Terre, ce sont les Creuseurs.

– Je sais. Avant que Crystal et moi, on commence à partir en expédition de glanage, j'ai passé pas mal de temps sur l'Île-Ferme, je suis assez douée pour faire pousser des trucs. C'est là-bas que j'ai découvert que les femmes se dénomment elles-mêmes « Marcheuses de la Terre ».

Sheena s'adossa contre le mur du nid et attrapa ses épaules en croisant les bras sur sa poitrine, tout en observant son canin.

– Tu as logé chez une Marcheuse de la Terre ?

– Ouais, deux même. Ces Guérisseuses ont enlevé le fer de lance enfoncé dans mon dos et m'ont recousu.

– Tu n'as pas de signe de rouille ? demanda Sheena.

– Aucun.

– Qu'as-tu pensé de ces Marcheuses de la Terre ?

– Elles m'ont surpris. Il y en avait une que j'aimais bien. L'autre voulait me tuer, alors, c'était plus difficile de l'apprécier.

– Je me suis toujours demandé comment elles étaient dans la nature, confia Sheena. Sur l'île, elles étaient si tristes ! Cependant, parfois, j'entrevoyais quelque chose de différent en elles. Au début de leur captivité, elles tissent des tapis, des paniers… tu sais, ces choses qui feraient ressembler leurs cages flottantes plus à des maisons qu'à des prisons. Mais ça ne dure pas. Elles tombent vite dans la mélancolie et arrêtent de faire quoi que ce soit, à part s'occuper des cultures dans la journée et pleurer de façon inconsolable la nuit.

Nik observa Sheena et tenta sa chance :

– Et si je te disais qu'elles sont complètement différentes dans la nature ? Que c'est la captivité qui les rend mélancoliques et les tue.

Pendant un moment, il vit une lueur d'intérêt dans les yeux remplis de désespoir de Sheena.

– Je te répondrais que ça ne m'étonne pas. Tous les membres de la Tribu ne les considèrent pas comme des idiotes impotentes, notamment pas ceux qui ont passé du temps sur l'Île-Ferme.

Sheena haussa les épaules, puis la lueur s'éteignit.

– Mais que peut-on y faire ? ajouta-t-elle. À cause de la rouille, le travail dans les champs équivaut pour nous à une condamnation à mort.

– Le changement n'est pas facile, déclara Nik, tandis que son cerveau bouillonnait de perspectives.

En le regardant attentivement, Sheena lui dit :

– Tu as changé.

Nik hocha la tête.

– En bien ou en mal ? demanda Sheena, qui paraissait réfléchir tout haut.

– Il est trop tôt pour le savoir, lui répondit-il tout de même. Je te le dirai quand j'aurai la réponse.

– Marché conclu. Hé, il faut que tu saches que Thaddée aussi est rentré transformé, même si c'est plus en mal qu'en bien, j'en suis presque certaine.

– Comment ça ?

– Bon, il n'a jamais été très sympathique, mais depuis qu'Ulysse et lui sont revenus de l'embuscade, son attitude est encore pire que d'habitude. Quoi qu'il ait vu, quoi qui se soit passé, ça lui a enlevé toute once de gentillesse. Il est méchant, et en colère. Tout le temps. Et il te hait, Nik. Méfie-toi de lui.

– Promis. Merci de m'avoir prévenu.

– Si jamais tu as besoin de quoi que ce soit, viens me voir, Nik. Je te suis redevable.

– Non, tu ne m'es pas redevable !

Posant la main sur le bras du jeune homme, Sheena insista :

– Si, Crystal et moi le sommes. Ton cousin est dans le Nid Trois. Tu es au courant qu'il est au plus mal, n'est-ce pas ?

– Oui.

– Je suis désolée, dit Sheena.

Les commissures de ses lèvres s'étirèrent très légèrement et elle ajouta :

– Le changement est difficile.

– Je confirme, dit Nik en lui souriant tristement. Sheena, essaie de lâcher cette image de Crystal, et dors. Captain a besoin de tes forces.

– Je vais tâcher de suivre tes conseils, acquiesça-t-elle.

Elle retourna d'un air las au chevet de son canin. Juste avant que Nik sortît du nid, elle lui lança :

– Je suis contente que tu sois revenu.

– Moi aussi, je suis content que tu sois revenue.

Le Nid Trois se trouvant de l'autre côté de la plate-forme, Nik y fut en quelques secondes. S'arrêtant face à l'ouverture, il respira profondément l'air de la nuit et garda à l'esprit que quoi qu'il voie à l'intérieur, quelle que soit la gravité de l'état d'O'Bryan, Mari pourrait le guérir. Mari le *guérirait*.

Il pénétra dans le nid. La puanteur fétide de la rouille avancée était si dense qu'il l'avait sur la langue. Cette odeur lui rappela les souvenirs des derniers jours douloureux de sa mère, et il dut se ressaisir pour ne pas s'enfuir ni avoir des haut-le-cœur. Au bout d'un moment qui lui parut long mais qui ne dura peut-être que quelques secondes, une Guérisseuse s'approcha de lui.

– Oui ? Comment puis-je… ?

Elle n'acheva pas sa phrase.

– Nikolas ! s'exclama-t-elle, les yeux écarquillés. Tu es rentré ! Tu es blessé ? Tu as besoin de soins ?

Nik saisit la main qu'elle lui tendait, et lui sourit chaleureusement. Kathleen était la plus âgée des Guérisseuses et, selon Nik, la plus gentille. Elle avait été aux côtés de sa mère lorsqu'elle était morte, et il lui serait éternellement reconnaissant des doux soins qu'elle lui avait prodigués.

– Kathleen, je vais bien. Je suis venu voir O'Bryan.

La vieille Guérisseuse le considéra en fronçant les sourcils, et le Terrier grisonnant qui n'était jamais loin d'elle imita son expression si parfaitement que Nik faillit en rire.

– Tu vas bien ? Comment est-ce possible ? Sheena a dit que tu avais été transpercé par une lance et aspiré par un rapide.

– C'est vrai, confirma Nik. Mais j'ai aussi été soigné par une grande Guérisseuse.

– Une Guérisseuse ? De quelle Tribu ?

– Pas d'une Tribu, d'un Clan. Ce sont des Marcheuses de la Terre qui m'ont guéri, révéla Nik, en attendant la réaction de la vieille femme.

– Des Creuseuses ? fit-elle, totalement perplexe.

– Des Marcheuses de la Terre, rectifia-t-il.

– Nik ?

En entendant son nom, le jeune homme jeta un coup d'œil derrière Kathleen et vit O'Bryan qui tentait péniblement de s'asseoir. Il se précipita vers lui.

– Cousin, comment te sens-tu ? s'enquit-il.

– Nik ! C'est bien toi. Je croyais être en train de rêver.

Kathleen tira une chaise près de la paillasse d'O'Bryan et fit signe à Nik de s'installer, avant de lui murmurer :

– Ne reste pas longtemps. Il n'a plus beaucoup de forces.

Nik acquiesça distraitement et s'assit, puis il se pencha en avant et serra son cousin dans ses bras.

Il fut choqué de sentir les os d'O'Bryan sous sa tunique, et lorsqu'il se rallongea, il constata que son visage avait pris la teinte bleue annonciatrice d'une mort effroyablement proche.

– Je n'arrive pas à croire que tu sois là, dit O'Bryan en souriant et en empoignant la main de son cousin. On disait que tu étais mort.

– J'ai failli mourir.

Nik baissa la voix, bien que Kathleen se fût déplacée à l'autre bout du vaste nid pour s'occuper des autres patients.

– Écoute-moi, O'Bryan, j'ai peu de temps pour te parler. C'est elle qui m'a trouvé. La fille en feu.

– Quoi ?!

– Chuuut ! siffla Nik. Elle s'appelle Mari. Le jeune canin était avec elle, exactement comme on le soupçonnait. Il l'a choisie.

– Comme si c'était une Compagnonne ? fit O'Bryan, les yeux brillants de fièvre, mais l'esprit toujours pénétrant.

– Elle est à moitié Compagnonne. Son père était l'un des nôtres, révéla Nik en empêchant O'Bryan de poser des questions d'un geste vif. Je t'expliquerai tout plus tard. Le plus important pour le moment, c'est de te remettre d'aplomb.

– Cousin, je suis en train de mourir. Tout le monde le sait. Il n'y a rien à faire. Mais je suis très heureux que tu sois là. Tu voudras bien rester avec moi quand je boirai l'aconit ?

– Il est hors de question que tu boives ça ! Et bientôt, tu seras complètement guéri.

Nik se pencha davantage pour qu'O'Bryan ne perde pas une miette de ce qu'il avait à lui dire.

– J'avais un fer de lance enfoncé dans le dos et une large entaille à la jambe. La rouille s'est déclarée hier.

Avec beaucoup de précautions, Nik souleva la jambe de son pantalon et écarta le bandage pour montrer à O'Bryan sa chair rose, en voie de guérison.

Perplexe, celui-ci plissa le front et dit :

– Mais il n'y a aucun signe de rouille.

– Absolument. Pourtant, hier, des ulcérations putrides recouvraient ma plaie.

– Alors, ce n'était pas la rouille, affirma O'Bryan.

– Oh, si, je te le garantis. Mari m'a guéri de la rouille. Et elle va faire la même chose pour toi.

O'Bryan considéra Nik d'un air incrédule.

– Là, je suis réellement en train de rêver, déclara-t-il.

– Laisse-moi faire, répondit Nik avec un grand sourire. Toi, contente-toi de ne parler de ça à personne ; je dis bien à *personne*. Et prépare-toi à sortir d'ici.

– Nik, je ne suis pas capable de marcher.

O'Bryan souleva la couverture qui dissimulait le bas de son corps. Sa jambe droite était surélevée et emmaillotée de bandages du genou aux orteils. Sa cuisse, jaunâtre, avait doublé de volume.

Délicatement, Nik replaça la couverture.

– C'était une bonne idée, reconnut O'Bryan, mais il est trop tard.

– Tu ne vas pas baisser les bras, parce que moi, je ne vais pas les baisser. Puisque tu ne peux pas aller à Mari, c'est Mari qui viendra à toi.

– Je sais que je n'ai plus les idées très claires… Peux-tu m'expliquer comment ?

– Je vais échanger une vie contre une vie.

41

— N'est-ce pas étrange qu'une chose aussi importante que le sommeil soit considérée comme acquise… jusqu'à ce qu'on en manque ? s'étonna Mari en posant la tête sur le côté de la tanière, avant de fermer les yeux, épuisée.

– Excuse-moi, tu as dit quelque chose ? Je dormais.

Mari entrouvrit les paupières et échangea un sourire las avec Sora.

– Tu as tout fait toute seule, cette nuit, ajouta-t-elle.

Le visage de Sora s'illumina, estompant sa fatigue et faisant resplendir sa beauté.

– J'ai été exceptionnelle, affirma-t-elle.

– Si tu le dis…

– Eh bien, puisque ça ne sort pas de ta bouche, je ne vais certainement pas me gêner.

– Tu as été bonne, ce soir, très bonne. Exceptionnelle, en effet, reconnut Mari.

Son regard se posa sur la paillasse qui avait recueilli Nik, devenue un refuge temporaire pour la petite Danita endormie.

– Son corps guérira, affirma Mari. C'est son esprit qui m'inquiète.

– Dans ses journaux, Léda explique-t-elle comment prendre en charge une chose semblable à ce qui est arrivé à Danita ?

– Ça s'appelle un viol. N'ayons pas peur des mots. Danita a été violée.

– C'est un mot horrible, commenta Sora.

– Il décrit parfaitement la réalité.

– La situation ne peut pas rester comme ça, estima Sora, en secouant la tête. Il faut qu'on agisse.

– On a déjà commencé. Le corps de Danita est en train de guérir. Tu l'as purifiée avec la lune, ce soir. Je vais relire les journaux de maman. Je suis sûre qu'il existe une plante que je pourrai faire infuser pour aider son esprit à se rétablir.

– Je ne parlais pas de Danita, mais des hommes du Clan, précisa Sora. Tu les as entendus comme moi, cette nuit. Ils sont de nouveau près. Trop près.

Mari se redressa légèrement et mit une autre bûche dans la cheminée.

– Oui, je les ai entendus.

– Ils ont besoin d'être purifiés. Il est impossible de leur faire entendre raison tant qu'ils n'ont pas été libérés de la Fièvre Nocturne.

– Non, dit Mari en regardant Sora droit dans les yeux.

– Non ? Mais qu'est-ce que tu racontes ? Bien sûr que si, ils ont besoin d'être purifiés.

– Je refuse de le faire.

– Mais, Mari...

– Tu as vu ce qu'ils ont infligé à Danita ! Ils l'ont violentée. Elle est déchirée, ensanglantée et contusionnée. Sora, *elle a des marques de morsure sur les seins et les cuisses !* Ce sont des animaux, et il faut les abattre.

– Ils sont comme ça uniquement parce que leur Femme Lune est morte ! protesta Sora. Si on les purifiait, ils redeviendraient normaux.

– Et après ? Quand ils auront retrouvé leur état normal, vont-ils simplement vivre avec ce qu'ils ont fait ?

– Peut-être faudrait-il qu'ils portent ce fardeau jusqu'à la fin de leurs jours, mais on ne devrait pas les laisser devenir de plus en plus fous, et pas seulement parce que ce doit être épouvantable pour eux.

Sora secoua la tête et poursuivit :

– Je ne comprends pas comment tu peux témoigner autant de compassion à quelqu'un comme Nik, dont le peuple nous réduit en esclavage et nous tue depuis des générations, alors que tu refuses d'aider les hommes du Clan.

– Je suis à la fois Compagnonne et Marcheuse de la Terre. Sora, je fais de mon mieux pour essayer de savoir où est ma place. Peut-être ai-je tort, mais ce qu'ils ont fait à Danita est si atroce que je n'ai pas la moindre envie de les aider.

– Je comprends. Oui, les hommes sont dangereux ; n'empêche qu'ils ne semblent pas avoir l'intention de partir d'ici comme les femmes du Clan. Il faut s'occuper d'eux. Est-ce que tu envisages de les pister et de les tuer ?

– Pas vraiment, non, répondit Mari en grimaçant.

– Bien. Donc, puisqu'on a la capacité de les aider, aidons-les.

– Tu es prête, tu sais. Tu es assez forte, désormais, pour les purifier toute seule.

– J'ai peur d'eux, avoua Sora en fixant Mari du regard. S'il te plaît, tu veux bien venir avec moi ? Pour m'aider à les aider ?

– Sora, je ne veux pas être Femme Lune, moi, rappela Mari.

– Pourtant, tu l'es !

– Non !

Elles jetèrent un coup d'œil à la paillasse, mais Danita, exténuée, avait sombré dans un sommeil profond ; elle ne tressaillit même pas.

– Je ne suis pas une Femme Lune, insista Mari en baissant la voix.

– Pourquoi détestes-tu autant le Clan ? lui demanda Sora de but en blanc.

Mari ouvrit la bouche pour nier, mais demeura finalement muette. Puis, lentement, en réfléchissant à voix haute, elle tenta d'apporter à Sora une réponse honnête :

– Parce que je n'ai jamais réellement fait partie du Clan ; je n'ai jamais été acceptée par le Clan. Maman était obligée de m'en tenir éloignée. Sora, d'aussi loin que je m'en souvienne, j'ai caché qui je suis vraiment. Et j'ai toujours su que si je ne me cachais pas, si je ne mentais pas, maman et moi pourrions le payer de nos vies.

Sora se tourna vers elle.

– Aujourd'hui, Danita t'a acceptée sans aucun problème. Elle a même caressé ton monstre et affirmé que le pelage de son cou était aussi doux que celui d'un lapin, ce que je trouve difficile à croire, mais c'était gentil de sa part. N'as-tu jamais pensé que Léda et toi aviez peut-être accordé trop d'importance à tes différences, et pas assez à tes ressemblances avec le Clan ?

– Ne dis rien contre maman, s'il te plaît.

– Ce n'est pas ce que je fais, assura Sora en touchant doucement le bras de Mari. Jamais je ne me permettrai une telle chose. Léda a fait ce qu'elle croyait être le mieux. Elle t'a protégée. Tout ce que je veux dire, c'est qu'elle t'a peut-être *surprotégée*. Moi, je t'ai acceptée. Danita t'a acceptée. Selon moi, tous les autres membres du Clan t'accepteraient aussi, surtout s'ils savaient que tu es encore plus douée que ta mère.

– Je ne suis certainement pas plus douée que Léda.

Haussant un sourcil d'un air moqueur, Sora lâcha :

– Je suis au courant pour l'incendie.

– Hein ?

– C'est toi qui l'as provoqué. Le jour où Léda est morte. Tu as fait ça en utilisant ton pouvoir du soleil.

Devant l'absence de réaction de Mari, Sora insista :

– Hé, tu sais que tu peux me dire la vérité. J'ai raison, n'est-ce pas ?

– Ouais, admit doucement Mari.

– Comment tu t'y es prise, exactement ?

– Je n'en ai aucune idée. Nik m'avait dit qu'il pourrait m'aider sur ce point, mais il est parti trop tôt.

– Eh bien, pour ça, tu n'as pas à t'inquiéter. Ce mâle-là reviendra, c'est sûr, affirma Sora.

Mari s'abstint de tout commentaire.

– Et quand il reviendra, il pourra t'expliquer comment te servir de ton pouvoir du soleil. Ensuite, si les hommes du Clan tentent quoi que ce soit, tu n'auras qu'à leur balancer un petit incendie ! Je pense que ça devrait régler la question de ton acceptation, conclut Sora avec un sourire de satisfaction.

– Je crois qu'il y a une différence entre être acceptée et intimider, objecta Mari.

– Une petite différence. Mais qu'importe, si tu obtiens ce que tu veux ?

– Et qu'est-ce que je veux, d'après toi ?

– Faire partie du Clan sans être tenue à l'écart et jugée, répondit Sora.

Mari sentit ses yeux se remplir de larmes. Honteuse, elle battit rapidement des paupières et se tourna vers la cheminée.

– Je vais faire de la camomille, annonça-t-elle. Tu en veux ?

– Pas si c'est toi qui la prépares.

Sora prit les herbes des mains de Mari et la força à la regarder dans les yeux.

– Tu es une excellente Femme Lune, mais tu es épouvantable en cuisine, et même en tisanes ! Et tu n'as pas à avoir honte de vouloir être acceptée. C'est un souhait qu'on a tous.

– Vraiment ?

– Bien sûr. Sèche tes larmes. Je m'occupe de l'infusion. Il reste du pain, aussi.

À cet instant, Rigel leva la tête et s'approcha à pas feutrés de Sora. Il s'assit devant elle et gémit doucement.

– Je n'aurais jamais dû te donner à manger, à toi, lui dit Sora. Maintenant, tu ne me laisseras plus jamais tranquille.

– Le fait qu'il comprennne déjà le mot « pain » est un compliment sur ta cuisine, commenta Mari.

– Je suppose que tu as raison.

Sora coupa une extrémité du pain long et mince et la lança à Rigel, qui l'attrapa habilement. Elle fendit le reste en deux et en tendit une moitié à Mari.

– Alors, tu m'aideras ? lui demanda-t-elle.

– On reparle des hommes du Clan, là ?

– Oui.

– Laisse-moi y réfléchir, dit Mari.

– Garde à l'esprit que tu appartiens aux deux mondes, à la Tribu et au Clan. Je pense que tu devrais utiliser tes pouvoirs pour de bon, et pour le bien des deux.

Mari écarquilla les yeux de surprise.

– Ça signifie que tu es d'accord pour que j'aide la Tribu ; tu t'en rends compte, n'est-ce pas ?

– Si tu aides aussi le Clan, alors, c'est équitable, répondit Sora. *Si* ta précieuse Tribu ne te fait pas prisonnière ou ne te tue pas parce que tu es à moitié Creuseuse.

– Oui, ce risque existe, c'est sûr, reconnut Mari.

– Sans doute pourras-tu en parler avec ton Compagnon quand il reviendra te chercher.

– Tu es bien sûre de toi.

– Tu sais guérir la rouille qui tue son peuple depuis des années. Il reviendra, assura Sora.

Elle donna un petit coup dans l'épaule de Mari et ajouta :

– Hé ! Il y a aussi la manière dont il te regarde. Ça aussi, ça le fera revenir.

– Il aime Rigel, également, rappela Mari.

– C'est indéniable. Mais il ne regarde pas Rigel comme il te regarde toi.

– Heureusement ! Ça serait effrayant.

– Bois ton infusion et essaie d'avoir des pensées positives à propos de ton Clan. Tu m'entends, Mari ? *Ton* Clan.

– Oh, je t'entends parfaitement, Sora. Et les membres de *mon* Clan qui n'ont pas fui sont devenus complètement fous et sauvages.

– Ça reste *ton* Clan, Femme Lune, conclut Sora avec un sourire.

– Père, réveille-toi ! dit Nik en secouant l'épaule de Sol.

Laru, qui dormait près de son Compagnon, leva sa tête grisonnante et donna à Nik quelques coups de queue ensommeillés.

– Père, c'est important. Il faut que tu te réveilles.

Sol cligna des yeux plusieurs fois, reconnut son fils et se réveilla immédiatement.

– Qu'y a-t-il ? Que s'est-il passé ? s'enquit-il.

– Je dois retrouver Mari. Maintenant. O'Bryan n'a plus longtemps à vivre. Il est peut-être déjà trop tard.

– Quelle heure est-il ?

– On vient de faire sonner la cloche de minuit, déclara Nik.

Sol se rassit et enfila ses vêtements.

– Voici ce que tu vas faire, indiqua-t-il à son fils. Tu vas dormir quelques heures ; ensuite…

– Dormir ? Couilles de crache-sang ! Père, tu ne m'as pas entendu ? Je n'ai pas le temps de dormir.

– Tu n'as pas le temps de *ne pas* dormir. Jusqu'où irais-tu, seul dans la forêt, en pleine nuit, avec tes blessures et dans ton état d'épuisement, d'après toi ?

– Je ne peux pas dormir alors que mon cousin est en train de mourir ! rétorqua Nik.

– Nik, même si tu étais indemne et reposé, tu ne pourrais pas traîner la captive dans la forêt à cette heure-ci. Tu as besoin de la lumière du jour pour trouver ton chemin jusqu'à Mari. Voici ce que je te propose : tu dors quelques heures ; juste avant l'aurore, tu iras du côté du Channel qui donne sur l'île, près du pont. Je ferai en sorte qu'un kayak t'attende là-bas. Tu le prendras pour rejoindre les maisons flottantes. Trouve la captive et fais-la monter dans le kayak ; ensuite, je veux que tu l'échoues aussi près que possible du poste d'affût.

– Mais, père, le guetteur me verra certainement.

– N'importe quel autre jour, oui. Mais tout à l'heure, il sera en train de prier avec son Prêtre du Soleil et d'absorber les rayons de l'astre levant. Je m'assurerai qu'il se concentre pleinement sur ses prières, parce que je surveillerai l'île à sa place.

– Si la Tribu découvre que tu m'as aidé à voler une Marcheuse de la Terre de l'Île-Ferme, tu risques de perdre ta position de Prêtre du Soleil, avertit Nik.

– La Tribu peut me remplacer par un autre Chef. Cependant, elle ne pourra jamais m'enlever mon pouvoir d'invoquer le soleil. Donc, tu échoueras le kayak près du poste d'affût, et tu prendras le chemin le plus direct pour pénétrer dans la forêt.

– Je contournerai la Cité et me dirigerai tout droit vers le territoire des Marcheurs de la Terre.

– Sais-tu comment retrouver Mari ?

Nik se passa une main dans les cheveux.

– J'espère que Jenna pourra m'aider, mais si ce n'est pas possible, je crois savoir dans quelle zone, grosso modo, est la tanière de Mari. La vérité, c'est que je compte sur l'aide de Rigel.

– Le jeune canin ? fit Sol. Tu crois qu'il mènera Mari à toi, comme il l'a fait précédemment ?

– Je l'espère, dit Nik en hochant la tête.

– D'accord, bon, supposons que tu retrouves Mari et que tu parviennes à la convaincre d'échanger la vie de Jenna contre celle de ton cousin. Et après ?

– Je l'amène ici pour qu'elle guérisse O'Bryan, à condition que je puisse lui garantir un passage en toute sécurité. Peux-tu m'y aider ?

– Elle est liée à un Berger. Son père faisait partie de notre Tribu. La violence envers un membre de la Tribu est taboue. Nos lois devraient la protéger, sinon, je suis prêt à la prendre sous ma protection. C'est le moins que je puisse faire pour son défunt père.

– Que feras-tu quand la Tribu découvrira que c'est la fille de Galen ? Mari ignore que c'est toi qui l'as tué ; en revanche, elle sait qu'il a été tué par la Tribu.

– Cyril ne sera sans doute pas d'accord avec moi, c'est pourquoi je ne vais pas lui demander conseil, ni la permission, sur ce sujet. Je crois qu'il est temps que la vérité éclate.

– Les choses risquent de mal tourner pour toi, père.

– Ce ne sera pas pire que de garder ce terrible secret depuis toutes ces années.

– Tu es un homme remarquable, père. Je t'aime.

– Que dit le vieux proverbe, déjà ? La pomme ne tombe jamais loin du pin ? récita Sol en souriant à son fils. Dors quelques heures. Je vais te préparer un kayak et des provisions. J'enverrai Laru te réveiller avant l'aube. As-tu un plan pour amener cette fille, et son Rigel, je suppose, jusqu'à l'infirmerie ?

– Non, je pensais avoir plus de temps pour y réfléchir.

Songeur, Sol se caressa le menton et dit :

– Je pense que je peux t'apporter mon aide, là aussi. Prévois de rentrer au crépuscule, ou juste après, et rends-toi à la vieille plate-forme de méditation, à l'est. Tu vois de laquelle je parle ?

– Celle où mère passait tant de temps à sculpter ?

– Exactement. Elle est rarement fréquentée après le milieu de la soirée car elle est éloignée de la Cité. Je veillerai à ce qu'il y ait là-bas une bougie et une boîte d'amadou. Tu allumeras la bougie et la placeras sur la balustrade. Lorsque je la verrai, je saurai que tu es revenu avec Mari. Attends là-bas encore un moment après que les lumières du dîner auront été éteintes. Puis conduis Mari au pied des arbres de l'infirmerie, là où sont situés le pavillon des urgences et le palan. Je serai au-dessus, prêt à vous hisser tous les trois.

– C'est un plan idéal, même si je pressens qu'on va s'attirer beaucoup d'ennuis, estima Nik en considérant son père avec un respect renouvelé.

– Ça fait des décennies que je n'ai pas été dans de sales draps ; ça me rajeunira !

Nik sourit à Sol et secoua la tête.

– Dire que c'est moi qu'on traite de fauteur de troubles !

– Et encore, les gens s'efforcent de rester polis !!

Les deux hommes gloussèrent. Puis Sol frappa dans ses mains, alors, Laru remua la queue, et se mit à trotter autour de son Compagnon en attendant la suite des évènements.

– Ha ! Ça rajeunit Laru, aussi, visiblement, commenta le Prêtre du Soleil.

Puis il redevint sérieux et attira son fils contre lui pour l'étreindre brièvement.

– Nikolas, essaie de ne pas frôler la mort une fois de plus, lui conseilla-t-il. C'est mauvais pour mon cœur.

– Je ferai de mon mieux, père.

Sur ce, Nik se traîna jusqu'à la paillasse chauffée par son père et son Berger, et s'endormit avant qu'ils quittent le nid.

Il lui sembla qu'il ne s'était écoulé que quelques minutes lorsque Laru fourra son museau froid dans son cou et lui lécha le visage.

– D'accord, Laru ; c'est bon. Je suis réveillé ! Je suis réveillé !

Le grand Berger lui donna un dernier coup de langue, puis quitta le nid à toute vitesse. Nik aurait voulu l'imiter, mais tout son corps lui faisait mal. L'espace d'un instant, il eut un nœud à l'estomac tandis qu'il ôtait en hâte le bandage sur sa jambe, certain que le pus, les ulcérations et la rouille étaient revenus. Lorsqu'il constata que ce n'était pas le cas, il en éprouva un tel soulagement qu'il se laissa tomber lourdement sur la paillasse.

Sa plaie, sensible, nécessitait simplement du repos. Il s'approcha du seau de son père et s'aspergea le visage et le torse avec l'eau fraîche et propre. À présent complètement réveillé, il sortit rapidement de la chambre et vit que Sol lui avait laissé une arbalète neuve et un carquois rempli de flèches, ainsi qu'une note écrite de sa main : *Reviens-moi sain et sauf*.

Nik sourit, attrapa une paire d'épais gants en cuir de son père, enfila la cape – capuche comprise – que Davis lui avait prêtée et sortit en trombe.

Il ne se rendit pas à l'ascenseur. Le risque était trop grand qu'un autre membre de la Tribu le vît et lui demandât où il partait de si bonne heure, surtout qu'à présent, tout le monde savait qu'il revenait d'entre les morts.

La Cité dans les Arbres avait été conçue avec une myriade de voies afin que la Tribu pût accéder rapidement et en toute sécurité au sol de la forêt ; Nik prit la plus facile d'entre elles. Non loin du nid de son père était située l'une des nombreuses stations fixes de descente en rappel que les membres de la Tribu pouvaient utiliser en cas d'urgence. Tous, dès leur plus jeune âge, s'initiaient à cette technique. Ce fut donc le plus naturellement du monde que Nik retira sa cape, passa les gants et enfila le harnais en cuir, puis descendit promptement et en silence jusqu'au sol de la forêt.

Il aurait voulu dévaler le coteau jusqu'au Channel, mais son corps meurtri lui permit uniquement de boitiller. Il serra les dents de douleur et de frustration. O'Bryan n'avait pas le temps d'attendre !

Lorsque, enfin, il atteignit, en sueur, l'asphalte défoncé de l'ancienne route, le ciel commençait à prendre la couleur gris clair annonçant l'aurore.

Il trouva le kayak facilement. Comme prévu, son père l'avait laissé près du pont de l'Île-Ferme. Nik ne s'autorisa pas à regarder l'édifice. Il ne pensa pas à la frayeur que l'eau lui inspirait. Il se concentra sur sa tâche, d'autant plus difficile qu'il était blessé. D'abord, il examina le kayak. La pagaie était fixée à l'intérieur, ainsi qu'un panier rempli de nourriture et d'eau, avec, calée au centre, une chope de thé encore chaude. Nik sourit et remercia mentalement son père, puis il avala le breuvage d'un trait. Fort et sucré, celui-ci lui donna un véritable coup de fouet, ce dont il eut bien besoin pour tirer la petite embarcation dans l'eau, lorsque ses blessures se rappelèrent douloureusement à lui. Quand, enfin, il put sauter dans le bateau et commencer à pagayer vers les maisons flottantes, il sentit un filet de sang chaud couler dans son dos.

« Encore du travail pour Mari », songea-t-il, refusant de laisser ses plaies lui prendre davantage de temps. « Elles ne sont rien comparées à ce que mon cousin est en train d'endurer – rien. »

Le courant du Channel était imprévisible et parfois difficile à traverser, mais comme il n'avait pas plu depuis presque une semaine, le niveau du fleuve était bas et son débit, lent. Nik atteignit rapidement les quais, où il attacha le kayak, avant de se précipiter vers la première des maisons flottantes.

À l'intérieur, tout paraissait sombre et tranquille. Nik jeta un coup d'œil à la grosse barre qui bloquait la porte de l'extérieur. Non, il ne l'ouvrirait pas sans savoir si Jenna se trouvait là. Il alla à la fenêtre et regarda à travers les barreaux.

Il s'était trompé : à l'intérieur, tout était sombre, mais *pas* tranquille. De près, il entendait des sanglots légers, des gémissements sourds et des lamentations étouffées qui semblaient aussi incessants que le vent.

– Jenna ? Jenna, tu es là ? appela Nik.

Des bruits précipités lui parvinrent en même temps que les tas sur le sol bougèrent et que des silhouettes en émergèrent. Des visages livides teintés d'argent se tournèrent dans sa direction.

– Jenna ! Y a-t-il une Jenna ici ? redemanda-t-il.

– Va-t'en ! lui répondit une voix furieuse.

– Je cherche une Marcheuse de la Terre qui s'appelle Jenna. Il faut que je la trouve. S'il vous plaît, c'est urgent.

Les femmes lui tournèrent le dos et les bruits sourds reprirent. Nik allait s'éloigner de la fenêtre lorsqu'un murmure l'arrêta :

– Est-ce que tu vas lui faire du mal ?

Nik empoigna les barreaux et, scrutant l'obscurité, il vit le petit visage rond d'une fille qui le regardait de ses yeux gris.

– Non, répondit-il doucement. Je ne ferai pas de mal à Jenna. J'ai besoin de son aide.

– Tiens-tu parole ?

– J'essaie. Comment t'appelles-tu ?

– Isabel. Et toi ?

– Nik, répondit le jeune homme en souriant. Isabel, je te donne ma parole que je ne ferai pas de mal à Jenna, et que je ne laisserai personne lui en faire.

– Je me souviendrai de toi, Nik. Si tu manques à ta parole, la Terre Mère le saura.

– C'est normal, approuva Nik.

– Elle est dans la dernière maison.

– Merci !

Avant de s'en aller, il tendit la main à travers les barreaux à la fille, qui la prit dans sa petite paume maigre.

– Les choses vont changer pour vous, lui annonça-t-il. Ça aussi, je te le promets.

Isabel lui adressa un sourire triste et incrédule. Puis, en silence, elle s'allongea et se pelotonna.

Nik descendit en clopinant le quai jusqu'à la dernière habitation. Il ôta la barre de la porte et entra. Des visages se tournèrent vers lui. Il parla rapidement, avec autorité :

– Jenna ! C'est Nik. Où es-tu ?

Il y eut un bruissement, un tas de couvertures bougea, et Jenna leva la tête vers lui en clignant les yeux.

– Nik ?

Il se précipita vers elle, enjambant ou contournant prudemment les corps éparpillés des femmes éplorées.

– Viens avec moi, lui dit-il.

Elle n'hésita qu'un instant, puis leva la main. Nik l'attrapa, aida Jenna à se mettre debout et, lui prenant le coude, la guida à travers la pièce.

Ils étaient presque arrivés à la porte lorsque des mains essayèrent de retenir Nik en tirant sur son pantalon. Des cris s'élevèrent tout autour de lui.

– Non !

– Ne l'emmène pas !

– Arrête-toi !

Nik poussa Jenna à l'extérieur et fit face aux autres femmes.

– Je ne lui ferai aucun mal, leur assura-t-il. Je vous en donne ma parole.

Elles poussèrent des lamentations et s'éloignèrent de lui. Le cœur lourd, il sortit de la maison et remit la barre à la porte. Il mena la silencieuse Jenna au kayak. Elle ne résista pas lorsqu'il l'aida à s'y asseoir. À mesure qu'il pagayait vers la rive du Channel et le poste d'affût, le ciel échangea son gris contre les jaunes pâles et les roses pêche du lever du soleil. Nik continua à pagayer de toutes ses forces malgré sa douleur cuisante au dos.

– Jenna, on va sortir de ce kayak dans quelques minutes ; ensuite, on devra faire très vite. Il faut qu'on débarque sans que quiconque nous voie. Tu comprends ?

N'obtenant pas de réponse, il regarda Jenna. Le buste entouré de ses bras, elle se balançait lentement d'avant en arrière. Tandis que le soleil montait au-dessus de l'horizon, la peau de Jenna perdait sa teinte gris argenté, mais ses yeux écarquillés n'exprimaient qu'une tristesse diffuse.

Lorsqu'ils atteignirent la côte, juste sous le poste d'affût, Nik enfonça le kayak dans le sol sableux et jeta le panier sur la terre ferme. Puis, sans hésiter, il saisit Jenna par la taille et réussit tantôt à la porter, tantôt à la traîner jusqu'au bord. Là, il ramassa le panier, prit la petite main de Jenna dans la sienne, et, fixant ses yeux gris, lui parla rapidement et avec sérieux :

– On doit se dépêcher et être très silencieux jusqu'à ce qu'on quitte le territoire de la Tribu. Tiens-moi bien la main, je vais te guider. Une fois qu'on sera en sécurité, je t'expliquerai ce qui se passe. Pour le moment, est-ce que tu peux juste me faire confiance ?

Jenna cligna des yeux comme si elle remontait à la surface de l'eau après une longue plongée.

– Personne ne nous a tués, dit-elle.

– Personne ne va nous tuer, affirma Nik. Pas aujourd'hui.

– Nik ? Ah, c'est bien toi.

Elle esquissa un très bref sourire.

– Ouais, c'est moi. Bon, reste près de moi.

Il voulut avancer, mais Jenna le retint en lui tirant sur la main.

– Où m'emmènes-tu ? l'interrogea-t-elle.

– Chez toi, répondit Nik en lui souriant. Jenna, je te ramène chez toi.

42

Bien que le soleil fût encore loin de son zénith, il faisait déjà exceptionnellement chaud lorsque Nik décida qu'ils s'étaient assez éloignés du territoire de la Tribu pour faire une pause. Il s'assit sur un rondin moussu, essuya la sueur de son visage avec sa manche, tendit l'outre à Jenna et fouilla dans le panier, à la recherche des sandwiches que Sol lui avait préparés.

– Merci, père, murmura Nik avec gratitude, en mordant goulûment dans le premier. Tiens, il y en a plein, dit-il à Jenna, la bouche pleine, en lui présentant le panier.

Délicatement, elle prit un sandwich et le grignota. Nik l'observa, se demandant comment alimenter la conversation. Jusque-là, ils avaient voyagé dans un silence qui n'avait été interrompu que par lui. S'il posait une question à Jenna, elle lui répondait par monosyllabes. Jamais elle n'engageait la discussion ou ne lui demandait quoi que ce fût.

Après avoir avalé une bouchée, Nik s'éclaircit la gorge.

– Comment ça va, Jenna... depuis... la dernière fois que je t'ai vue... ?

– À ton avis ? répliqua la jeune fille en le regardant dans les yeux.

Il l'étudia attentivement. Ses cheveux bruns étaient emmêlés. Elle était si maigre qu'elle paraissait avoir vieilli de plusieurs années depuis leur première « rencontre ». Quand était-ce, d'ailleurs ? Un mois auparavant ? Deux mois ? Elle était si blême que les cercles noirs sous ses yeux créaient un contraste saisissant.

– Je pense que c'est dur, dit-il.

– Oui.

Jenna se remit à manger du bout des dents son sandwich. Comme si elle parlait à ce dernier et non à Nik, elle poursuivit :

– Merci de m'avoir libérée. Est-ce ici que tu me laisses ?

– Non, s'empressa-t-il de la rassurer. Non, je veux te laisser avec Mari.

Tels des oiseaux pris au piège et affolés, les yeux de Jenna se posèrent fugitivement et nerveusement dans les siens, puis allèrent dans toutes les directions, avant de revenir sur lui.

– Je... je ne connais pas de Mari.

– Bien sûr que si. Mari m'a dit que vous étiez amies.

Elle le fixa, muette.

– Mari m'a sauvé la vie, lui révéla Nik. J'étais grièvement blessé, j'ai failli mourir. Elle m'a découvert et m'a guéri. Maintenant, il faut que je la retrouve parce que je veux qu'elle guérisse mon cousin O'Bryan. Tu te souviens d'O'Bryan ? Il était là, le soir où tu as été capturée.

Jenna secoua la tête, mais Nik ne sut si c'était parce qu'elle ne le croyait pas ou simplement parce qu'elle ne se souvenait pas d'O'Bryan.

– J'ai passé presque une semaine dans la tanière de Mari, avec Sora, poursuivit-il. Évidemment, elles m'ont bandé les yeux pour que je ne voie pas où elles habitent. J'espérais que tu pourrais me conduire assez près de la tanière pour que l'une d'elles me trouve.

Nik prit soin de ne pas parler de Rigel. Il était clair que Mari menait une vie hors du commun, en se cachant, et que Rigel était un nouveau venu dans cette vie. Combien de Marcheurs de la Terre avaient connaissance de l'existence même du jeune canin ?

– Ensuite, je demanderai à Mari d'échanger ta vie contre celle de mon cousin, ajouta-t-il.

Secouant de nouveau la tête, Jenna demanda :

– Tu as dit Mari et *Sora* ?

– Ouais, mais je n'aime pas beaucoup Sora.

– Ça... ça n'a pas de sens, commenta Jenna. Et...

Elle s'interrompit en comprimant ses lèvres l'une contre l'autre et en resta là.

– Voulais-tu me poser une question sur la mère de Mari, Léda ? l'encouragea Nik.

Le visage livide de Jenna devint rouge de stupéfaction.

– C-comment connais-tu son nom ? bredouilla-t-elle.

– Je te le répète : Mari m'a soigné, j'étais dans sa tanière.

Nik fit une pause, puis de sa voix la plus douce, il lâcha :

– Léda est morte.

Aussitôt, les larmes remplirent les yeux de Jenna et tracèrent des sortes de balafres blanches sur son visage sale.

– Non, murmura-t-elle d'une voix entrecoupée. Léda ne peut pas être morte.

– Je suis désolé. Je suis tellement désolé.

Jenna pencha la tête en avant et sanglota. Nik la regarda, impuissant, tendit timidement la main et lui caressa doucement le dos. Lorsque les sanglots de la jeune fille se réduisirent à de petits hoquets, et qu'elle se fut essuyé le visage avec le bord de sa chemise, Nik lui présenta de nouveau l'outre. Elle la saisit de ses mains tremblantes et but à grands traits.

– Jenna, tu veux bien m'aider ? lui demanda Nik.

Elle posa sur lui ses yeux rougis et bouffis.

– Personne n'a le droit de savoir où Mari habite, déclara-t-elle.

– Je ne le répéterai à personne. Je t'en donne ma parole.

– Non, tu ne comprends pas, fit Jenna en secouant la tête. Même moi, je ne sais pas exactement où elle habite.

Nik se passa une main dans les cheveux.

– Peux-tu me rapprocher de sa tanière ?

Jenna haussa les épaules avec nervosité et répondit :

– Peut-être.

– Je te promets que je n'essaie pas de vous rouler, ni toi ni Mari. J'ai juste besoin que tu me conduises le plus près possible de sa tanière. Ensuite, on attendra qu'elle me trouve. Alors, elle pourra choisir.

– Choisir ?

– De m'aider ou pas.

– Mais tu m'as dit que tu échangerais ma vie contre celle de ton cousin, rappela Jenna. Si Mari refuse…

– Si Mari refuse, tu resteras libre, l'interrompit Nik. Tu ne retourneras pas sur l'Île-Ferme, quoi qu'il arrive.

– Pourquoi fais-tu ça ? L'autre soir, tu n'as pas voulu me libérer. Pourquoi me libères-tu maintenant ?

– Tout est différent, à présent, affirma Nik, avant d'ajouter, avec un petit sourire : De toute façon, je connais Mari, je suis convaincu qu'elle fera le bon choix.

Jenna le dévisagea pendant si longtemps que Nik crut qu'elle ne dirait rien de plus. Cependant, juste au moment où il se demandait quel autre argument il pourrait avancer pour persuader cette fille de l'aider, elle sourit et lui dit :

– En effet, tu connais Mari ! Je vais t'aider.

– Je peux aller relever les pièges, si tu veux. Je sais combien tu détestes ça. En plus, j'ai fait une sieste et…

Mari ne put achever sa phrase, car elle fut prise d'un énorme bâillement. Sora s'étrangla de rire. Les cernes bleuâtres de Mari témoignaient de son épuisement. Sora était presque sûre qu'elle n'avait pas dormi pendant une nuit entière depuis une semaine.

– Oh, oui, je constate à quel point tu es reposée ! Est-ce que je déteste vérifier s'il y a des lapins dans les pièges ? Oui. Mais tu as veillé presque toute la nuit avec Danita.

Jetant un coup d'œil à la paillasse, Sora ajouta :

– Elle dort enfin, et tu devrais en faire autant. Je vais relever les pièges aujourd'hui. Ce sera ton tour demain.

– Vraiment ? Ça ne te dérange pas ?

– Si, ça me dérange, mais tant pis. Ainsi, tu seras fraîche et dispose ; tu pourras donc veiller Danita encore la nuit prochaine si elle refait des cauchemars.

Sora frissonna et murmura :

– J'ai cru qu'elle allait vomir à force de pleurer.

– Oui, c'était horrible, mais j'ai trouvé la recette de maman pour un sommeil paisible. Quand tu seras dehors, pourras-tu en profiter pour cueillir de la lavande ? Dans son journal, maman conseille d'en utiliser contre les troubles du sommeil. Il me faudrait aussi de l'aloès frais pour ses blessures. Traverse le ruisseau près de l'endroit où on a posé les pièges et grimpe sur la berge rocailleuse, tu en trouveras là-bas.

– D'accord. Allez, retourne te coucher. J'en ai peut-être pour un moment. J'ai envie de récolter des tubercules de *wapato* pour le dîner, et je suis certaine d'en avoir vu près du cresson de fontaine.

Après avoir de nouveau bâillé, Mari dit :

– Chaque fois que tu parles de ce que tu vas cuisiner, tu me donnes faim.

– C'est parfait, répondit Sora avec un sourire. Bon, autant que tu aies une idée précise de ce que tu vas manger ce soir. Je vais faire une purée de tubercules de *wapato*, avec de l'ail, des champignons et un peu de ce précieux sel que tu aimes stocker. Cela accompagnera des lanières de lapin roulées dans des graines de lin moulu et frites. Après ça, je pense que tu seras rassasiée.

– Tu sais, parfois, ça ne me dérange pas que tu habites ici, lui confia Mari en souriant.

Sora songea qu'elle avait désormais, parfois, l'air véritablement heureuse. Lorsque Mari se rallongea à côté de Rigel – le paresseux avait à peine bougé durant leur conversation – et ferma les yeux, elle souriait toujours.

– Ouais, je sais ! répondit Sora en prenant son bâton de marche posé près de la porte.

Puis elle embrassa les extrémités de ses doigts et les pressa contre l'idole sculptée dans le chambranle en voûte.

Bien que relever les pièges lui répugnât, Sora se fraya un chemin, le cœur léger, dans le dédale de ronces avec une assurance grandissante. Elle tourna vers le nord et prit la direction du petit ruisseau auprès duquel les lapins se reproduisaient.

En dépit de l'heure matinale, il faisait déjà chaud, et Sora se surprit à souhaiter qu'il pleuve. C'était vraiment agréable, au printemps, lorsque la pluie donnait l'impression que tout avait été lavé et était d'un vert éclatant. Bientôt, les gros poivrons seraient mûrs. Sora croisa mentalement les doigts pour que les hommes fous du Clan ne le fussent pas assez pour envisager de détruire les cultures. Puisqu'ils n'avaient pas touché au jardin d'herbes aromatiques près de la tanière d'accouchement, peut-être ne fallait-il pas s'inquiéter.

Sautillant presque, Sora gravit le coteau au-delà duquel se trouvait la clairière. Tout à sa joie de concocter les prochains repas pour Mari, et Danita maintenant, elle accéléra le pas et, en un rien de temps, descendit la pente en glissant, impatiente d'enlever ses chaussures et de traverser le ruisseau à gué.

« Relève les pièges d'abord, ainsi tu seras débarrassée », se dit-elle.

Elle se rendit donc à ces dispositifs, et poussa des cris de joie en découvrant qu'ils contenaient tous deux un lapin.

– Il va falloir que je vous entasse dans une seule cage pour vous ramener à la maison, mais Mari sera très contente !

Elle s'approcha ensuite de ce qu'elle croyait être les pièges tueurs. Elle leva les mains devant ses yeux et jeta un coup d'œil entre ses doigts. Deux étaient vides, mais le troisième avait pris une grosse dinde. Enchantée, Sora ôta ses chaussures d'un coup de pied et entra dans le ruisseau paresseux en exécutant une petite danse joyeuse. Elle se pencha, aspergea d'eau son visage en sueur, songeant à se déshabiller et à prendre un vrai bain dans l'eau fraîche avant de se mettre à fouiller la berge marécageuse à la recherche des savoureux tubercules de *wapato*.

Sora, absorbée par la façon dont elle cuisinerait la belle dinde, ne s'aperçut que pratiquement encerclée de la présence des hommes.

– Jolie Sora. Jolie, jolie Sora.

Elle pivota brusquement et, à seulement quelques pas, vit Jaxom, debout, qui la fixait d'un regard si intense qu'il la brûlait presque. De la forêt derrière lui émergèrent deux autres hommes. Sora reconnut Bradon et Joshua – qui étaient plus âgés que Jaxom de quelques hivers –, mais ils offraient un triste spectacle. Depuis la mort de Léda, quelques semaines plus tôt, ils avaient changé radicalement. Leur démarche voûtée, bestiale, rappelait à Sora les histoires que le Clan racontait au sujet des Voleurs de Peaux qui venaient chercher les méchants enfants, en particulier ceux qui refusaient de dormir quand on les mettait au lit. À travers leurs vêtements en loques, Sora aperçut d'étranges plaies et des lambeaux de peau arrachée qui laissaient voir leur chair à vif et suintante.

Elle songea à s'enfuir ; elle aurait peut-être pu les semer ; mais son corps refusa d'obéir à son esprit. On eût dit que ces hommes lui avaient enfoncé des clous dans les pieds, l'immobilisant sur place.

– Que voulez-vous ? leur demanda-t-elle.

Elle essaya d'adopter un ton assuré, et raisonnablement agacé ; toutefois, elle dut fermer les poings pour empêcher ses mains de trembler.

– Purifie-nous ! exigea Bradon, la voix rauque, comme s'il avait perdu l'habitude de parler.

– Je ne suis pas une Femme Lune. Tu le sais bien. Je n'ai même pas eu le temps d'être formée avant que Léda meure.

– Purifie-nous ! cria Joshua en pénétrant avec Bradon dans la clairière.

– Je vous répète que c'est impossible ! De toute façon, on est en pleine journée, on ne voit pas la lune. Même Léda ne pourrait pas vous purifier là, tout de suite. Allez-vous-en. Je ne peux pas vous aider.

– La jolie Sora doit nous purifier ! exigea de nouveau Jaxom, en faisant un pas de plus vers elle.

La jeune fille constata qu'il était moins voûté et sauvage que les deux autres hommes ; en revanche, son regard était fixé sur ses seins, trop visibles sous sa tunique.

– Non ! Ne t'approche pas de moi ! cria Sora en se penchant pour attraper un gros caillou dans le lit du ruisseau, qu'elle brandit de façon menaçante. Jaxom, j'aimerais pouvoir vous aider, mais je ne le peux pas. Si vous partez maintenant, je te promets de m'entraîner à invoquer la lune et de vous retrouver ici, dans cette clairière, la nuit de la prochaine pleine lune. Je devrais alors pouvoir vous purifier.

– Tu vas nous purifier ! lui ordonna Bradon.

– Purifie-nous ! répéta Joshua.

La jeune fille lança des regards affolés autour d'elle, à la recherche d'une arme. Pourquoi n'avait-elle pas demandé à Mari de lui apprendre à manier son lance-pierres ? L'esprit en ébullition, elle se souvint du couteau à creuser qu'elle avait mis dans sa sacoche… qui gisait sur la berge, aux pieds de Jaxom.

Bradon et Joshua rejoignirent ce dernier ; ensuite, tout alla très vite.

– Si tu ne peux pas nous purifier, alors, tu feras d'autres choses pour nous ! décida Joshua.

Avec un rugissement furieux de prédateur, il se jeta sur Sora et lui attrapa le poignet, qu'il tordit si violemment qu'elle hurla et lâcha son caillou.

Il la tira hors du ruisseau. Elle se débattit, lui donna des coups de pied, de poing, même si elle avait l'impression de lutter contre un arbre, vu le peu d'effet que cela avait sur lui. Elle tomba, et Bradon lui empoigna l'autre poignet, la clouant au sol.

– Jaxom ! Aide-moi ! Tu te rappelles qu'on était amis, avant ? Tu m'aimais bien !

– Jolie Sora doit rester avec nous. Jolie Sora peut nous faire du bien, dit Jaxom, les yeux brillants de désir.

Puis, tandis qu'elle continuait à donner des coups de pied, il saisit ses chevilles et lui écarta les jambes.

Sora se mit à hurler.

43

Nik soupçonnait la fille de le faire littéralement tourner en rond. Il comprenait que c'était sa façon de se montrer loyale envers Mari et de respecter des règles secrètes de son Clan, mais lui, il manquait de temps, de patience et d'énergie.

– Jenna, on est encore loin, tu penses ?

– Non, plus tellement, et près d'ici, il y a un joli ruisseau et une clairière. Je me disais qu'on pourrait attendre là-bas. Il fera sans doute plus frais au bord de l'eau, dit Jenna en lui adressant un timide sourire en coin.

– Merci. Ça me semble être une bonne idée. Cette partie de la forêt est belle, même s'il n'y a aucun de nos pins, dit Nik en lui souriant à son tour. Je suppose que c'est exprès si les Marcheurs de la Terre ne construisent pas leurs tanières près des pinèdes de la Tribu.

Jenna s'apprêtait à lui répondre, lorsque Nik hésita, puis s'arrêta. Il leva la main, lui intimant le silence.

– Tu as entendu ? lui demanda-t-il. On aurait dit une voix.

Jenna inclina la tête et tendit l'oreille. Un hurlement de terreur et de douleur transperça la sérénité de la forêt.

– Reste derrière moi, ordonna Nik à Jenna. Si je te dis de t'enfuir, cours chercher Mari. Dis-lui que j'ai besoin d'elle. Et qu'elle sait qui peut me trouver.

Les yeux exorbités par la peur, Jenna acquiesça. Nik arma son arbalète et tint trois flèches supplémentaires prêtes entre ses doigts. Serrant les dents pour lutter contre la douleur qu'il ressentait dans la jambe, il se mit à courir vers les hurlements.

Parvenu au sommet de la côte, Jenna sur les talons, il découvrit, plus bas, une petite clairière traversée en son centre par un ruisseau, à côté duquel Sora était étendue, les bras et les jambes écartés par trois Creuseurs mâles. Celui qui était entre ses jambes était occupé à lui déchirer les vêtements tandis que les deux autres, penchés au-dessus d'elle, les lèvres retroussées, lui léchaient et lui mordaient les bras et les seins. La jeune fille hurlait et se débattait.

Horrifié, Nik visa et cria :

– Laissez-la tranquille, espèces d'animaux !

Les individus réagirent exactement comme il l'avait espéré. Ils levèrent la tête, cherchant d'où venait la voix.

Clac ! Clac !

Les deux hommes qui tenaient les bras de Sora étaient des cibles faciles ; les flèches s'enfoncèrent jusqu'aux plumes dans leurs fronts.

L'autre traversa la clairière en courant, voûté, mais à une vitesse surhumaine. Nik visa, puis tira, et jura quand sa flèche se planta dans son épaule. Le Creuseur tomba à genoux, mais il se remit sur pied incroyablement vite, et avant que Nik eût pu viser de nouveau, il repartit à quatre pattes et disparut dans la forêt.

– Reste près de moi ! commanda Nik à Jenna.

Il s'élança vers la clairière en glissant le long de la pente et traversa le ruisseau en courant pour rejoindre Sora.

– Non ! Non ! Non ! hurla-t-elle lorsqu'il fut près d'elle.

Elle recula avec peine, passant sur l'un des deux corps. Ses yeux écarquillés étaient aveuglés par la panique.

– Sora ! Sora ! appela Jenna, arrivée près d'elle. C'est moi : Jenna.

– Oh, déesse ! Oh, déesse ! Jenna ? Enfuis-toi ! Ils vont te faire du mal ! Vite !

– Je vais voir dans la forêt s'il y a d'autres hommes, annonça Nik à Jenna. Essaie de calmer Sora.

Arrivé à la limite des arbres, il repéra une trace de sang laissée par le Creuseur blessé, mais n'aperçut aucun signe indiquant la présence d'autres hommes. Détectant une odeur rance, il renifla l'air et son regard se reporta sur la trace de sang au sol. Il se pencha, toucha une goutte du liquide avec son index et le renifla. L'odeur lui arracha une grimace de dégoût. C'était le sang qui sentait mauvais ! Sa puanteur lui rappela une carcasse d'animal mort depuis longtemps. Il essuya sa main sur un épais carré de mousse, puis, l'œil toujours fixé sur la forêt apparemment déserte, il rejoignit Sora et Jenna à reculons.

Jenna lissait les vêtements déchirés de Sora et tentait d'en recouvrir son corps. Lorsque Nik s'approcha d'elle, Sora leva vers lui des yeux remplis d'effroi.

– C'est juste moi, Nik, précisa-t-il. Je ne vais pas te faire de mal, tu le sais bien.

– Nik, tu m'as sauvée ! s'écria-t-elle.

Puis son visage se tordit et elle fut prise de sanglots si violents que tout son corps trembla.

Jenna la prit dans ses bras et lui chuchota :

– Tu es en sécurité, maintenant.

Nik s'accroupit près des deux filles, sondant toujours la forêt environnante.

– Y en avait-il plus que trois ?

– Je… je ne crois pas, répondit Sora entre deux sanglots.

– D'accord. Bon, on va te ramener chez Mari, maintenant, annonça Nik.

Il voulut aider Sora à se lever, mais elle s'écarta brusquement. Nik croisa le regard de Jenna, qui hocha la tête, comprenant son message muet.

– Viens, Sora, lui dit-elle. Je vais t'aider à te mettre debout.

Nik ramassa la sacoche qui gisait non loin.

– C'est par où ? demanda-t-il à Sora.

– Je n'ai pas le droit de te le dire.

Elle ne sanglotait plus, mais ses larmes ne s'étaient pas taries, et elles se mêlaient au sang qui coulait d'une coupure sur sa lèvre inférieure.

– Il faut que tu me le dises, insista Nik. Il pourrait y avoir d'autres hommes dans les parages.

– Je ne peux pas, Nik ! maintint la jeune fille, les épaules tremblantes.

– Sora, je te donne ma parole, sur la vie de Rigel, que je ne répéterai jamais à personne de la Tribu où est la tanière de Mari. Tu peux… tu dois me faire confiance.

– C'est lui qui m'a délivrée de l'île, révéla Jenna d'une voix douce et mélodieuse. Je pense que c'est un homme bon, même si c'est un Compagnon.

Sora finit par hocher la tête et indiqua :

– Il faut aller vers le sud-est.

Nik commença à les conduire hors de la clairière lorsque Sora l'arrêta.

– Il faut qu'on rapporte les lapins, dit-elle. Et la dinde. Je dois aussi cueillir des *wapato* et de la lavande. Pour Mari. Elle en a besoin.

– Sora, on n'a pas le temps, répondit Nik. Je n'ai pas tué le troisième homme, et s'il revient avec du renfort, je ne pourrai pas les tenir à distance.

– Je vais chercher la dinde, décida Jenna avec le pragmatisme d'une femme beaucoup plus âgée que la petite fille pâle que Nik avait délivrée de l'île. Je vais tordre le cou aux lapins et les rapporter aussi, ajouta-t-elle.

– Non ! On a besoin des lapins vivants, précisa Sora en croisant le regard de Nik. Mari les élève.

Nik faillit dire à Sora que Mari serait obligée de revenir les prendre elle-même, mais soudain, il comprit. Mari élevait des lapins parce que Rigel avait constamment besoin de viande fraîche.

Il soupira.

– Bon, Jenna, va récupérer la dinde, céda-t-il. Moi, je m'occupe des lapins.

Il se dirigea en vitesse vers les pièges, attrapa l'un des animaux par les oreilles et le fourra dans la cage de l'autre. Après avoir coincé celle-ci sous son bras, il se tourna vers Sora et lui dit :

– Par contre, on ne va pas aller creuser la terre pour arracher des racines, ni cueillir de la lavande. On te ramène chez toi. Tout de suite. Restez toutes les deux juste derrière moi, et ne faites pas de bruit.

Sora ne discuta pas. S'agrippant à la main libre de Jenna, elle suivit Nik dans la forêt.

Mari rêvait d'innombrables tubercules de *wapato* rôtis, assaisonnés de toutes sortes d'herbes aromatiques et de sel – beaucoup, beaucoup de précieux sel – lorsque Rigel la réveilla en sursaut. Elle se rassit et se frotta les yeux, désorientée et inquiète. Le jeune canin aboyait comme un fou devant la porte.

– Que se passe-t-il ? Aide-moi, Mari !

Assise sur sa paillasse, Danita se cramponnait à une couverture qu'elle avait remontée jusqu'à son menton, et fixait la porte de ses yeux paniqués.

– Tout va bien, la rassura Mari. Personne ne peut nous trouver ici, Danita.

Rigel n'aboyait plus, mais il gémissait et grattait à la porte.

– D'accord, j'arrive, lui dit Mari. Une seconde.

En hâte, elle jeta sur son épaule le sac contenant sa fronde. Elle prit plusieurs poignées de pierres parmi celles, choisies avec soin, qu'elle stockait en quantité près de la cheminée, et les fourra dans son sac.

– Reste ici, dit-elle à Danita. Remets la barre à la porte derrière moi et n'ouvre pas à moins que Sora ou moi ne te le demandions.

– Non, Mari ! cria la fille. Ne me laisse pas toute seule ici !

– Tu es plus en sécurité dans la tanière que n'importe où dans la forêt, lui garantit Mari.

– Et si Sora et toi ne revenez pas ?

Mari faillit lui promettre qu'elles reviendraient, mais elle pensa à Léda, qu'elle avait perdue prématurément.

– Si on ne revient pas, reste ici jusqu'à ce que tu aies repris des forces, répondit-elle. Il y a des vivres dans le garde-manger, assez pour tenir plusieurs jours si tu fais attention. Ensuite, tu devras rejoindre les autres femmes du Clan sur la côte ou aller au sud dans le Clan des Meuniers. Tu devras voyager uniquement pendant la journée, et trouver un grand arbre dans lequel te cacher, la nuit. Tu comprends ?

Danita hocha la tête.

– Replace bien la barre derrière moi, répéta Mari.

Sur ce, elle ouvrit la porte, et Sora lui tomba dans les bras, en sanglotant et en s'exprimant de façon presque hystérique.

– Je suis désolée ! Je suis tellement désolée ! J'ai été obligée de l'amener ici. Les hommes sont dans la forêt. Ils m'ont attaquée. Je suis tellement désolée, Mari !

Totalement déconcertée, Mari vit alors Nik derrière Sora. Il tenait une arbalète dans une main et un piège à lapins plein dans l'autre. Il était sale, pâle et trempé de sueur, mais le cœur de Mari fit une étrange petite danse – quoique hésitante – de bonheur lorsqu'il lui sourit. Puis il s'écarta d'un pas, laissant voir Jenna.

– Surprise ! s'exclama-t-il.

Incapable de parler à travers les larmes qui lui vinrent soudain, Mari tendit un bras pour inviter Jenna à se blottir contre elle. Elle demeura là, à étreindre les deux jeunes filles tandis que Nik lui souriait, pendant ce qui lui parut être un très long moment.

Elle ne put le quitter du regard que lorsqu'il s'accroupit pour accueillir Rigel.

– Hé, je suis content de te revoir, mon grand bonhomme ! dit-il en grattant le canin frétillant derrière les oreilles. Très content.

Mari regarda Sora et ce n'est qu'à ce moment-là qu'elle la vit véritablement : son visage sillonné de larmes, sa lèvre ensanglantée, ses vêtements déchirés.

– Tu es blessée ! s'exclama-t-elle, retrouvant enfin la voix.

Elle se libéra de l'étreinte des deux filles et, examinant plus attentivement Sora, elle ajouta à la liste de ses blessures des morsures qui saignaient et des ecchymoses sur ses bras.

– Que s'est-il passé ? demanda-t-elle. Dis-le-moi.

Nik pénétra dans la tanière et referma la porte derrière lui. Danita se mit alors à hurler.

– Va auprès d'elle. Moi, je vais bien, dit Sora à Mari.

Cette dernière se précipita vers Danita et lui prit le visage entre ses mains.

– Danita, tu n'as absolument rien à craindre, lui garantit-elle. Nik est notre ami. Ce n'est pas un Marcheur de la Terre, donc, il n'a pas la Fièvre Nocturne.

– C'est un Compagnon ! s'écria Danita. Il va nous enlever ou nous tuer !

– Non, Nik est différent, affirma Jenna en rejoignant Mari. Il vient de m'aider à échapper aux Compagnons.

– Jenna, emmène Danita dans la chambre du fond et mets-la au lit, dit Mari.

Mais avant que Jenna fît ce qu'elle lui demandait, Mari la serra fort dans ses bras et ajouta :

– Je suis si heureuse que tu sois revenue !

– Moi aussi, Mari, répondit Jenna.

Elle s'écarta un peu et observa son amie.

– Qu'est-il arrivé à tes cheveux ?

– Sora.

Jenna gloussa, puis reprit une expression sérieuse.

– Nik m'a mise au courant pour Léda, déclara-t-elle. Je suis vraiment très triste.

– Je sais, ma chérie, je sais, répondit Mari en l'étreignant une fois de plus.

Lorsqu'elle la lâcha, la jeune fille l'embrassa sur la joue, puis prit Danita par la main et la conduisit dans l'autre pièce.

Alors, Mari s'approcha de Sora. Elle versait de l'eau dans la bouilloire pour le thé, mais ses mains tremblaient tant qu'elle en mettait plus à côté que dedans.

– Laisse-moi faire, lui dit Mari. Va t'asseoir.

Sora s'écroula à sa place habituelle près de la cheminée et contempla le feu. Mari lança un regard à Nik. Assis sur la chaise devant le bureau, il caressait Rigel, qui n'arrêtait pas de battre de la queue.

– Tu es blessé ? le questionna-t-elle.

– Oh, rien de nouveau. Mais je crois que ma plaie dans le dos s'est rouverte.

– C'est grave ?

Nik secoua la tête.

– Occupe-toi d'abord de Sora, dit-il. Elle a besoin de toi.

– Que s'est-il passé ? demanda Mari à la jeune fille. Et où es-tu blessée ?

– J'ai... j'ai mal aux bras, et aux seins, murmura-t-elle, avant de hausser soudainement la voix : Mon visage ! Qu'est-ce que j'ai au visage ?

Portant la main à sa lèvre en sang, Sora considéra Mari d'un air affolé.

Celle-ci lui enleva doucement la main.

– Ta lèvre est coupée, mais c'est superficiel. Ta joue est en train d'enfler et est déjà couverte de bleus.

Hésitant avant de retirer les vêtements en loques de Sora, elle demanda au jeune homme :

– Nik, tu veux bien sortir de la tanière ? Attends simplement dehors. J'ai besoin d'examiner Sora.

Nik se levait avec raideur lorsque Sora intervint :

– Il n'est pas obligé de partir. C'est lui qui m'a sauvée. Mais peut-il juste se retourner ?

– Bien sûr, Sora, accepta Nik, en faisant pivoter sa chaise afin de tourner le dos aux deux jeunes femmes.

– Très bien, raconte-moi tout, dit Mari en commençant à ôter les habits déchirés du corps meurtri de Sora.

– Je me trouvais dans la clairière. J'étais tellement contente que je pataugeais dans le ruisseau à gué en songeant au merveilleux repas que j'allais cuisiner avec la dinde qu'on avait prise au piège. J'étais si heureuse.

Sora s'était remise à pleurer. Mari hocha la tête en émettant un son approbateur, sans cesser d'examiner les vilaines morsures à ses bras.

– Jaxom, Bradon et Joshua sont sortis de la forêt, continua la jeune fille. Quand je me suis rendu compte de leur présence, il était déjà trop tard. J'ai tenté de leur faire entendre raison, mais ils sont complètement fous, dans un état épouvantable, pire que quand ils ont la Fièvre Nocturne. Je n'ai jamais vu une chose pareille. Ils voulaient que je les purifie alors qu'on est en pleine journée… Et quand je leur ai dit que ce n'était pas possible, ils m'ont tirée de l'eau et… et ils m'ont attaquée.

Les larmes ruisselaient sur ses joues.

– Ils m'ont plaquée à terre, reprit-elle. Même Jaxom. Il allait me violer. Ils allaient tous me violer.

Ses épaules commencèrent à trembler.

– Ensuite, Nik est arrivé. Il… il a tué Bradon et Joshua, et il a tiré sur Jaxom, mais il s'est enfui.

– Nik, tu crois qu'il va s'en sortir ? s'enquit Mari en jetant un coup d'œil sur le dos du jeune homme.

– Ce n'est pas sûr. La flèche s'est plantée dans son épaule. Si j'ai touché le bon endroit, il se videra de son sang. Sinon, je suppose qu'il mourra lentement d'une infection. Sora a raison : ces hommes sont dans un état effroyable.

– Avant, Jaxom et moi, on était amis, révéla Sora en sanglotant. On avait même parlé de se mettre en couple.

– Est-ce qu'il t'a violée ? s'enquit doucement Mari.

– Non, répondit Sora en secouant la tête. Grâce à Nik.

Mari poussa un long soupir de soulagement.

– Tant mieux, fit-elle. Bon, je vais préparer une solution pour nettoyer tes plaies. Ta peau n'est écorchée qu'en quelques endroits, mais tu vas avoir des bleus énormes. Je vais te faire une infusion qui va soulager tes douleurs et te faire dormir.

– Je n'ai pas envie de dormir. Lave mes blessures, mais le sommeil n'arrangera rien. Et j'ai une dinde à rôtir. Je suis désolée pour les *wapatos* et la lavande. J'aurais dû les cueillir avant de batifoler dans le ruisseau. J'aurais dû...

Sora cacha son visage dans ses mains et se mit à sangloter. Mari enlaça son amie et la serra fort.

– Rien de tout ça n'est ta faute, lui assura-t-elle. Rien du tout.

– En plus, j'ai... j'ai amené Nik ici. Je suis désolée, ajouta Sora d'une voix entrecoupée.

– Il le fallait, Mari, intervint l'intéressé. On ignorait s'il y avait d'autres hommes dans la forêt. Et celui que j'ai blessé aurait pu revenir. Mari, j'ai juré de ne jamais révéler à personne l'emplacement de ta tanière. Je suis sincère. Je ne trahirai pas ton secret. Tu peux compter sur moi.

– D'accord, d'accord. Je te crois, Nik. Le plus important, c'est qu'on soit tous ici, en sécurité. On décidera quoi faire plus tard.

– Il a ramené Jenna chez nous, déclara Sora en levant son visage sillonné de larmes vers Nik.

Mari cligna des yeux plusieurs fois pour refouler des larmes de joie.

– Ce qui signifie que tu as deux bouches de plus à nourrir, dit-elle.

– Heureusement que la dinde est grosse et grasse, commenta Sora avec un sourire timide.

– Heureusement qu'on est tous réunis, à l'abri, renchérit Mari en la serrant dans ses bras. Penses-tu pouvoir nous préparer une tisane pendant que je regarde le dos de Nik et que j'écrase du sceau d'or ?

Sora acquiesça, puis demanda :

– Il te faudra plus d'eau bouillante pour la solution, non ?

– Oui.

Mari alla prendre sur la paillasse vide une couverture, qu'elle donna à Sora pour qu'elle s'enveloppe dedans. Puis, tandis que celle-ci choisissait des herbes pour l'infusion et remplissait la bouilloire, Mari s'approcha de Nik et lui tendit la main.

– Bonjour, Nik. Contente de te revoir.

Il leva les yeux vers elle, un grand sourire aux lèvres, prit sa main, la retourna, et, comme s'il faisait ce geste tous les jours, embrassa l'endroit où palpitait son pouls.

– Bonjour, Mari. Content de te revoir, également.

Bien qu'elle eût les joues en feu, Mari réussit à parler calmement, comme si elle avait l'habitude que Nik l'embrasse.

– Il faut que tu enlèves ta chemise pour que je voie à quel point tu as gâché mon travail.

– Je suis navré, mais libérer Jenna et arriver jusqu'ici a été un peu plus compliqué que je l'avais prévu, se justifia Nik, en se déshabillant.

Mari passa derrière lui et examina la plaie en fronçant les sourcils.

– Bon, il n'y a pas de signe d'infection, et les points de suture n'ont pas entièrement sauté. Je vais nettoyer la plaie et te refaire un bandage assez serré pour qu'elle puisse continuer à guérir, mais elle laissera une vilaine cicatrice.

– Les cicatrices, ça fait viril, affirma Nik.

En entendant Sora s'étrangler de rire depuis la cheminée, Mari sourit. La jeune fille se remettrait vite de son agression.

– Détends-toi pendant que je vais chercher ce dont j'ai besoin pour vous deux, conseilla Mari à Nik, avant de marquer une pause et d'ajouter : Jenna est blessée, elle aussi ?

– Non, lui répondit-il. Elle était assez mal en point cette nuit, quand je l'ai fait sortir de l'île, mais plus on s'approchait d'ici, mieux elle se portait.

– Ah, ça fait plaisir à entendre, commenta Mari avec un sourire de soulagement.

Elle nota dans un coin de sa tête de purifier Jenna dès que possible après le lever de la lune. Puis elle posa une main sur l'épaule de Nik, plongea son regard dans ses yeux verts et lui dit :

– Merci d'avoir sauvé Sora.

– N'importe qui aurait fait la même chose.

– C'est faux, contesta Sora.

Mari et Nik se tournèrent vers la jeune fille enveloppée dans une couverture, debout près de la cheminée.

– Le jour où on t'a trouvé, si ça n'avait tenu qu'à moi, je t'aurais tué et laissé aux cafards, déclara-t-elle. Tu le savais, mais tu m'as quand même sauvée. Je me suis trompée sur ton compte. Je te demande de me pardonner, Nik.

– Je te pardonne volontiers, Sora.

Elle cligna des yeux, essuya de nouvelles larmes sur ses joues et se retourna vers l'âtre.

– Et merci aussi d'avoir délivré Jenna, ajouta Mari. Apparemment, on doit te remercier pour plein de choses, aujourd'hui.

Nik prit la main qu'elle avait posée sur son épaule et la tint avec douceur.

– Avant que tu me considères comme un héros, il faut que je te dise pour quelle raison, exactement, j'ai délivré Jenna, déclara-t-il.

– Très bien, je t'écoute.

– J'ai un cousin qui est comme un frère pour moi. Il s'appelle O'Bryan. Il a été blessé par une horde d'hommes de ton Clan. Pendant que j'étais chez toi, il a contracté la rouille. Il est mourant, Mari ; il n'en a plus pour longtemps. J'ai délivré Jenna pour échanger une vie contre une vie : la sienne contre celle de mon cousin. S'il te plaît, viens avec moi dans ma Tribu et guéris mon cousin.

44

Mari eut l'impression que Nik lui avait envoyé un coup de poing dans l'estomac. Elle lui reprit sa main.

– Tu avais raison, dit-elle. Tu n'as rien d'un héros.

– Non, Mari, ne dis pas ça.

La jeune femme leva la tête et vit Jenna debout dans l'embrasure de la porte.

– Il aurait pu m'attacher et me traîner jusque sur notre territoire, puis me retenir en otage jusqu'à ce que tu acceptes de l'aider, mais il ne l'a pas fait, expliqua-t-elle. Au contraire, il a été gentil, très gentil. Il a même tenté de m'aider le soir où père a été tué. Il n'est peut-être pas le héros que tu voudrais, mais ce n'est certainement pas un méchant.

Son regard se posant sur Rigel, Jenna demanda :

– Mari, pourquoi y a-t-il un grand Berger dans ta tanière ? Il est à Nik ?

– Non ! s'exclamèrent d'une seule voix Mari et Nik.

– Il est à moi, expliqua Mari. Il s'appelle Rigel, et c'est lui qui m'a trouvée. Jenna, mon père était un Compagnon de la Tribu de Nik, lâcha-t-elle soudain. Voilà pourquoi j'ai ce physique, et pourquoi Rigel s'est lié à moi.

– Est-ce que ton père a violé Léda, comme ces hommes voulaient le faire avec Sora ?

– Non. Il aimait énormément maman.

– Où est-il ? s'enquit Jenna.

– Il est mort quand j'étais bébé.

– Oh. Et ça explique pourquoi tu as toujours été si différente. Danita dit qu'elle mangerait bien quelque chose... moi aussi. J'ai envie de commencer à plumer la dinde.

– Ça serait gentil, dit Sora. Merci, Jenna. Je vais faire bouillir de l'eau.

– D'accord, appelle-moi quand ce sera prêt, répondit la jeune fille. Je reste avec Danita en attendant.

Lorsqu'elle fut partie, Mari secoua la tête.

– Je pensais que ce serait beaucoup plus difficile que ça.

– Quoi ? la questionna Nik.

– Révéler aux gens qui elle est réellement, intervint Sora qui, dos à eux, commençait à préparer le dîner. Tu vois, Nik, notre Mari croit que le Clan la haïrait et la bannirait parce qu'elle est à moitié Compagnonne.

– Il se peut que j'aie raison, maintint Mari. Que seuls mes amis soient prêts à m'accepter telle que je suis.

– Selon moi, on ne doit pas perdre son temps avec les gens qui ne sont pas nos amis, déclara Sora, en faisant s'entrechoquer des casseroles, avant de remplir des chopes de la fumante infusion.

– Moi, je suis ton ami, affirma Nik. Je t'accepte exactement pour qui et ce que tu es.

– D'accord, d'accord ! s'exclama Mari en le regardant. Va chercher ton cousin. Je vais le guérir.

– C'était ce que j'envisageais au départ, mais quand je l'ai vu hier soir, j'ai compris qu'il n'était pas en état de marcher. Mari, tu dois venir avec moi dans ma Tribu.

– Non, répliqua Sora. Je suis tout à fait pour qu'elle t'aide, surtout après ce que tu viens de faire pour moi, mais elle ne peut pas aller là-bas.

– Il le faut, insista Nik en s'adressant directement à Mari. Je t'en prie. Il mourra si tu ne viens pas.

– Et si elle le guérit de cette horrible rouille ? Tu veux nous faire croire qu'ensuite, ta Tribu va laisser Mari repartir ?

– Non, admit Nik. Je veux vous convaincre que mon père et moi nous assurerons qu'elle peut venir dans la Cité et en repartir en toute sécurité.

– Qu'est-ce que ton père a à voir là-dedans ? l'interrogea Mari.

– C'est notre Prêtre du Soleil, le Chef de la Tribu.

Un silence stupéfait s'installa. Sora le rompit la première.

– C'est moi qui irai avec toi, et je guérirai ton cousin. Tu as dit une vie contre une vie. Tu as sauvé la mienne. Je sauverai celle de ton cousin en échange.

– Elle en est capable ? demanda Nik à Mari.

– Sans doute, mais elle n'aura pas à le faire. Je vais y aller.

– Non, Mari ! refusa Sora. Tu es la seule vraie Femme Lune que nous ayons. Tu ne peux pas partir.

– Toi aussi, tu es une vraie Femme Lune, assura Mari à Sora en la rejoignant. S'il m'arrive quelque chose, tu as les journaux de maman. Cette tanière sera à toi. Tu prendras soin de Jenna, tu formeras Danita, tu iras chez les Meuniers et les Pêcheurs et tu ramèneras nos femmes chez nous. Tu seras celle que Léda pensait que tu pouvais devenir.

– Je serai celle que *tu* penses que je peux être, répondit Sora en essuyant ses larmes.

– Je te la ramènerai saine et sauve. Je te le promets, dit Nik.

Sora attira Mari contre elle et la serra fort. Par-dessus l'épaule de la jeune femme, elle avertit le jeune homme :

– Tu as intérêt, sinon, on ira la chercher nous-mêmes.

Mari et Nik partirent après que Sora leur eut préparé un rapide repas composé de restes de ragoût et de pain. Pendant tout ce temps, elle se plaignit qu'ils allaient rater le festin de dinde qu'elle était en train d'élaborer, mais Mari partageait l'avis de Nik. Les symptômes qu'il lui avait décrits indiquaient qu'O'Bryan était dans un état très critique ; il mourrait. Les journaux de Léda le confirmaient.

Tandis qu'ils marchaient sous la chaleur, Mari réfléchissait aux « remèdes drastiques » qu'elle allait devoir employer, alors que, selon les notes de sa mère, il n'était nullement garanti qu'un individu aussi gravement atteint eût des chances de guérir.

– Tu as l'air inquiète, fit remarquer Nik.

– Je pense à ton cousin. Tu comprends qu'il est peut-être trop malade pour que je puisse le sauver, n'est-ce pas ?

– C'est l'une des premières choses que j'ai pensées quand je l'ai vu hier soir. Voilà pourquoi je suis reparti aussitôt, même si je savais que ça pourrait être mauvais pour mes propres blessures. Mari, est-ce que je risque d'avoir encore la rouille, un jour ?

– Je n'ai rien lu dans les journaux de maman sur une possible rechute. Ses notes ne portaient pas sur les Compagnons, bien sûr, mais tu as réagi immédiatement au traitement. Je pense que tu es définitivement guéri, Nik.

– Je suis heureux d'entendre ça.

– De toute façon, tu sais où je vis. Si tes plaies recommencent à t'embêter, viens dans ma tanière, je les examinerai.

– Je suis encore plus heureux d'entendre ça, déclara Nik, radieux. Mais suis-je obligé de souffrir pour te voir ?

– Pour quelle autre raison voudrais-tu me voir ?

– Parce que je t'aime bien ! Et j'aime bien Rigel. Et maintenant que Sora n'a plus envie de me tuer, elle aussi, je l'apprécie.

– Je ne sais pas si on peut être amis, douta Mari, surprise de constater combien il lui était difficile de rejeter Nik.

– Je pensais qu'on était déjà amis.

– Eh bien, oui, on l'est. Mais ça ne signifie pas qu'on puisse continuer à se voir. Nik, mon père a été tué à cause de sa relation avec une Marcheuse de la Terre. Je ne veux pas qu'il t'arrive la même chose.

– Le monde est différent de ce qu'il était il y a toutes ces années.

Fixant Nik du regard, Mari lui dit :

– Tu vas devoir me le prouver quand on arrivera dans ta Tribu.

Un écureuil surgit sur le chemin devant eux ; Rigel se lança à sa poursuite en aboyant de joie et d'excitation.

– Tu es sûr que je ne devrais pas le renvoyer dans la tanière ? demanda Mari à Nik. Sora le traite de monstre, mais je sais qu'en son for intérieur, elle l'aime bien. Au moins, il serait en sécurité, là-bas.

– La Tribu ne séparerait jamais un Compagnon de son canin. Je te l'ai déjà dit.

– Je ne suis qu'à moitié Compagnonne, rappela Mari.

– Non, tu es la Compagnonne de Rigel – son choix pour la vie – et c'est plus fort que ce que tu as dans le sang. Fais-moi confiance, Mari. Je ne permettrai pas qu'on vous fasse du mal, ni à toi ni à Rigel.

Ils avancèrent en silence pendant un petit moment, jusqu'à ce que Mari ne pût contenir sa curiosité.

– Donc, ton père est Chef de ta Tribu *et* prêtre ? lança-t-elle.

– Un prêtre, ou une prêtresse, est toujours Chef. Il y a aussi un Conseil d'Aînés qui gère les affaires de la Tribu, fait respecter les lois, ce genre de choses.

Après une pause, Nik ajouta :

– Alors, « Femme Lune », c'est le nom que vous donnez à une Guérisseuse de votre Clan ?

Mari s'était dit qu'elle était prête à répondre aux questions de Nik. Il avait entendu assez de choses pour que sa curiosité en fût aiguisée. Avant leur départ, Sora l'avait prise à part pour lui rappeler avec véhémence qu'*aucun* membre de la Tribu ne devait connaître l'étendue des pouvoirs d'une Femme Lune. Mari était d'accord, néanmoins, elle n'avait pas envie de mentir à Nik. Elle s'était promis de lui dire la vérité ; mais pas toute la vérité.

– Mari ?

– Oh, excuse-moi. Oui, une Femme Lune est une Guérisseuse, mais c'est plus compliqué que ça. Comme je te l'ai déjà expliqué, normalement il y a une seule Guérisseuse par Clan, et elle vit toujours à l'écart.

– Pourquoi ?

– Pour sa sécurité.

Mari adressa à Nik un regard qui sous-entendait que c'était de sa Tribu et de ses Chasseurs que les Femmes Lune devaient se tenir éloignées.

– Oh, je vois, répondit-il en détournant les yeux. Je suis désolé.

– Ne le sois pas. Ce n'est pas ta faute. Notre monde est ainsi.

– Parfois, je pense que notre monde a besoin de changer.

Mari imita le ricanement sarcastique de Sora.

– Parfois, seulement ? demanda-t-elle à Nik.

– Ouais. Parce que certains moments que je viens de vivre ne me donnent pas envie que le monde change. Par exemple, quand Sora nous grondait parce qu'on ne restait pas pour son festin, lorsque Jenna jouait à ce drôle de jeu de cartes avec la petite Danita, et quand toi, tu t'activais entre la pièce principale et le placard à pharmacie en chargeant ton sac médical. Tout ça était très agréable.

Mari le dévisagea, sans savoir quoi dire.

– Toutes vos Guérisseuses ont-elles les yeux gris ? s'enquit-il.

Mari, prise au dépourvu, répondit par une question pour ne pas avoir à lui mentir.

– Pourquoi veux-tu le savoir ?

– Tes yeux sont gris, comme ceux de Sora. Vous êtes des Femmes Lune. Cette nouvelle fille, Danita, a les yeux gris, elle aussi. Et cette nuit, la seule Marcheuse de la Terre qui a accepté de me dire où Jenna était retenue captive avait la même couleur d'yeux.

– Elle t'a dit son nom ?

– Oui : Isabel.

La nouvelle que l'une des filles que Léda avait failli choisir comme apprentie était emprisonnée révolta Mari.

« Que ferait maman ? Que ferait maman ? »

– Mari, il y a quelque chose qui ne va pas ?

– Je la connais. Isabel était une... une amie de maman.

– J'ai l'impression que tu connais un grand nombre des Marcheuses de la Terre de l'Île-Ferme, commenta Nik.

Mari hocha la tête.

– Je ne sais pas quoi dire, avoua Nik.

– Tu pourrais promettre de m'aider à trouver un moyen de les libérer, lâcha-t-elle, en le considérant avec une telle intensité et une telle franchise qu'elle en fut elle-même surprise.

– Tes amies ?

– Toutes les prisonnières, Nik. Mes amies et celles que je ne connais pas.

– Je pense que c'est toi, la solution à cette situation, déclara le jeune homme.

– Moi ? répéta Mari, stupéfaite.

– Absolument. Écoute-moi, sans m'interrompre. Tu ne connais pas ma Tribu, mon peuple, mais ce ne sont pas des monstres. Ce ne sont pas des tueurs ni des esclavagistes. Ce sont juste des personnes, comme Sora, Jenna et toi. Ils justifient l'asservissement des Marcheuses de la Terre en invoquant cette maudite rouille. Cultiver les champs – planter, désherber, irriguer et cueillir –, c'est une condamnation à mort pour des gens qui ne peuvent survivre à une simple égratignure. Mais, toi, tu peux soigner la rouille ! Si tu partages ton traitement avec ma Tribu, elle n'aura plus de raison de s'en prendre à ton peuple.

Mari fixa Nik du regard. Était-il réellement si naïf, ou essayait-il d'obtenir par la ruse le remède ? Bien sûr, l'ironie de la chose, c'était cette note que Léda avait ajoutée dans son journal médical : *L'infection a été guérie, grâce toutefois au pouvoir de la lune...* Mari pourrait lui fournir la recette du cataplasme à l'indigotier. Rien ne serait plus simple. Cependant, sans une Femme Lune pour attirer le pouvoir de l'astre nocturne, elle serait aussi inefficace que tout ce que les Guérisseuses de la Tribu avaient utilisé jusqu'à ce jour.

Elle ne pouvait pas dire au jeune homme l'entière vérité. Si ?

– Nik, guérir la rouille n'est pas aussi facile que tu le crois. Il y a des choses sur les Femmes Lune, et sur mon peuple, que tu ignores. C'est... c'est complexe, éluda-t-elle.

– Oh, je sais ! Oui, je me souviens. Tu as besoin du clair de lune aussi. Heureusement pour nous, on en jouit d'un magnifique, en haut des arbres.

– Ah, parfait ! s'exclama Mari. Mais, Nik, ce n'est pas tout.

– Bon, je comprends. Tu ne veux pas donner le remède à la Tribu. Pourquoi le ferais-tu, d'ailleurs ?

Mari détesta la tristesse qu'elle lut dans les yeux du jeune homme.

– Nik, peut-on se mettre d'accord pour reparler de ça plus tard ?

– Bien sûr. Pour le moment, concentrons-nous sur la guérison d'O'Bryan. Tout le reste peut attendre.

– Ça me semble être une bonne idée, approuva Mari.

À ce moment-là, Rigel passa devant eux à toute vitesse, en aboyant furieusement sur un autre écureuil. Les deux jeunes gens éclatèrent de rire.

– Donc, le canin de ton père est le père de Rigel ? enchaîna Mari.

– Oui, il s'appelle Laru. Ils se ressemblent beaucoup, commenta Nik, qui sourit en voyant Rigel tenter de grimper à un arbre pour poursuivre l'écureuil. Et ils ont presque le même comportement. Du moins, Rigel se comporte comme Laru quand il était jeune. Aujourd'hui, Laru est plus mûr – il fait semblant de l'être, en tout cas –, mais tu remarqueras certainement leurs ressemblances.

– Je vais voir Laru ?

– Évidemment ! Il est toujours avec mon père.

– Parce que je vais rencontrer ton père ? s'étonna Mari, prise d'un léger vertige.

– Il n'aurait pas toléré qu'il en soit autrement. En plus, tu seras en sécurité avec lui. Moi, je peux te promettre de te protéger du danger, mais père, lui, a le pouvoir de te garantir un trajet aller-retour en toute sécurité.

– Il me connaît ? Il sait qui je suis réellement ?

– Oui.

– Et il m'accepte ?

– Complètement, affirma Nik. Il m'a aidé à délivrer Jenna de l'île. Il sait tout, Mari. Tu peux faire confiance à mon père aussi sûrement que tu peux me faire confiance.

La jeune femme adressa un sourire nerveux à Nik. Puis, une pensée lui traversant l'esprit, elle demanda :

– Toute la Tribu est-elle au courant que j'arrive ?

– Non ! Juste père et moi. Et O'Bryan, bien entendu.

Mari observa Nik de biais.

– Tu vas t'attirer des ennuis pour avoir libéré Jenna, n'est-ce pas ?

– Je ne sais pas, répondit Nik. Je ne pense pas que quelqu'un ait jamais libéré une Creus… enfin, une Marcheuse de la Terre, avant moi.

– Tu vas bel et bien avoir des problèmes.

– C'est très probable, reconnut Nik.

Comme cette perspective ne semblait pas le perturber, Mari le taquina :

– Eh bien, tu pourras toujours venir te cacher dans ma tanière !

Il s'arrêta et la regarda en souriant.

– Je me souviendrai de ta proposition, promit-il.

Éprouvant à présent une drôle de sensation dans le ventre, Mari changea de sujet :

– Mmh… c'est encore loin ?

– Non. On arrivera peu après le coucher du soleil.

Mari jeta un coup d'œil au ciel qui s'assombrissait et essuya ses paumes moites sur sa tunique.

– Inutile d'être nerveuse, lui conseilla Nik. Tu vas juste rencontrer père et O'Bryan. Oh, et Laru, bien sûr.

– Nik, est-ce que tu as eu l'impression de *juste* rencontrer Sora, Rigel et moi ? rétorqua Mari.

– Non ! admit-il en riant. C'était comme si on m'avait balancé la tête à l'envers dans un monde complètement nouveau.

– Bon, d'accord. Alors, j'ai le droit d'être nerveuse.

Avec un très grand sourire, Nik affirma :

– Tu vas être fabuleuse.

45

Avec le coucher du soleil en toile de fond, la Cité dans les Arbres apparut à Mari comme un tableau magique réalisé par les dieux du ciel. Après avoir gravi le coteau plus rapidement qu'il ne l'avait espéré, Nik conduisit Mari à un pin situé à plusieurs centaines de mètres de la Cité. De larges et solides marches étaient façonnées dans le tronc de l'arbre, de sorte qu'il fut facile à Rigel de suivre Mari et Nik jusqu'à une magnifique plate-forme en bois, recouverte de sable doux et entourée d'une balustrade à fleurs et oiseaux chanteurs.

– C'est quoi, ici ? s'enquit Mari, qui passa la main sur ces complexes sculptures ornementales en contemplant la Cité dans les Arbres, à l'ouest.

– C'est un espace de méditation privé, qui a été construit il y a longtemps. C'est pour ça qu'il est séparé de la Cité. C'est aussi pour cette raison que mon père savait qu'il serait désert à cette heure-ci. Il est trop éloigné pour être fréquenté après la tombée de la nuit.

– Attends… Pourquoi parles-tu de ton père ?

– C'est lui qui a eu l'idée que je t'amène ici, révéla Nik avec un sourire.

Il se mit à chercher sous les bancs en bois construits sur la circonférence de l'arbre et en retira une boîte d'amadou.

– Ça aussi, c'était son idée, ajouta-t-il.

Il ouvrit la boîte et en sortit une grosse bougie cylindrique en cire d'abeille.

– Père guettera ça, expliqua-t-il. On va rester ici jusqu'à ce qu'il fasse complètement noir ; ensuite, avec son aide, je te conduirai à O'Bryan.

Nik alluma la bougie et la plaça sur la large balustrade, face à l'ouest.

– Et voilà. Maintenant, on n'a plus qu'à patienter.

Nik embrassa d'un grand geste l'ensemble des pins majestueux et la Cité qu'ils abritaient.

– Mon idée à moi, c'était que tu puisses avoir une vue d'ensemble de la Cité avant d'y entrer.

– C'est incroyable, commenta Mari. Je ne savais pas qu'elle était si grande.

Puis, reportant son regard sur les décorations de la balustrade que ses doigts étaient en train de suivre, elle ajouta :

– Tout est si beau. Ces oiseaux et ces fleurs sculptés ont l'air si réels que je m'attends presque à les voir s'envoler et à sentir une odeur de jasmin.

– C'est ma mère qui les a faits, l'informa Nik.

– C'est vrai ? Elle était très douée, affirma Mari. Tu avais quel âge, déjà, quand elle est morte ?

– Je venais de connaître mon dixième hiver.

Il y eut un silence, puis Mari demanda :

– Est-ce plus facile, avec le temps, d'être sans elle ?

– Oui et non. Le chagrin s'estompe. Mais son absence reste douloureuse. Parfois, elle me revient en pleine figure lorsque je m'y attends le moins. Par exemple, quand, tout simplement, je choisis une nouvelle couverture pour mon nid. Soudain, sa voix est là, dans mon esprit, en train de me dire que ce bleu en particulier lui fait penser à un ciel d'été.

Il marqua une pause et s'éclaircit la voix avant de continuer.

– Dans un cas comme celui-là, elle me manque tant que j'ai du mal à respirer pendant un moment.

Mari hocha la tête avec compassion.

– Moi, il m'arrive de tendre la main pour prendre quelque chose, et tout à coup, ma main ressemble exactement à celle de maman, confia-t-elle. C'est très bizarre, car ça me réconforte et ça me rend triste à la fois.

– Au moins, toi, tu l'as dessinée. Tu n'oublieras pas son visage.

– Tu n'as aucun dessin de ta mère ?

– Si, mais ils ne sont pas aussi bons que les tiens. Tu as un talent impressionnant.

– Je pourrais essayer de la dessiner, un jour, proposa Mari.

– Comment procéderais-tu ?

– Eh bien, tu pourrais me montrer un dessin d'elle, et tu me la décrirais plus en détail, pas seulement sur le plan physique. Il faudrait que tu me parles des choses qu'elle adorait et de celles qu'elle n'aimait pas. À quoi ressemblait un jour normal pour elle ? Quelles étaient les choses que vous adoriez faire ensemble ? L'expression du visage est importante pour réaliser un bon portrait, et elle est déterminée par ce que la personne aime et n'aime pas.

– Ce serait un magnifique cadeau pour mon père et moi.

– Je serais heureuse de vous l'offrir. Quand je dessine, j'ai l'impression de voyager dans un autre monde, confia Mari.

– Tu détestes ce monde tant que ça ?

– Avant, oui, répondit Mari en regardant Nik dans les yeux.

– Et maintenant ?

– Je n'en suis plus si sûre. Il y a beaucoup de choses dont j'étais sûre avant, et dont je doute maintenant.

– Moi, c'est pareil, approuva Nik.

Rigel les rejoignit à pas feutrés et s'allongea entre eux, à moitié sur leurs pieds.

– On fait une drôle d'équipe, commenta Nik avec un large sourire.

– Ce n'est certainement pas moi qui vais te contredire ! renchérit Mari en riant.

– J'aurais voulu que tu rencontres ma mère. Tu lui aurais plu.

Mari se sentit rougir d'une joie inattendue.

– C'est gentil de dire ça, répondit-elle. Merci.

– C'est simplement la vérité, mais de rien. Merci d'être venue avec moi dans ma Tribu.

Ils demeurèrent assis côte à côte sur l'élégante plate-forme pendant un long moment, avant que le monde les rattrape. Ils admirèrent le ciel pendant qu'il s'obscurcissait et se pailletait d'une poussière d'étoiles cristalline. La lune apparut ensuite sous la forme d'un épais croissant, si brillant que Mari dut plisser les yeux. Enfin, les lueurs vacillantes des braseros et des flambeaux s'éteignirent les unes après les autres, et la Tribu s'endormit peu à peu.

– Tu es prête ? demanda Nik à Mari.

– Oui, mentit-elle d'un ton ferme. Mais comment vas-tu te débrouiller pour me conduire jusque là-bas en cachette ?

– Eh bien, Mari, ça va être une grande aventure pour toi. Mmh, tu n'as rien dit tout à l'heure, mais es-tu sujette au vertige ?

– Ma réponse a-t-elle une importance ?

– Uniquement si tu hurles ou si tu t'évanouis quand tu as peur, précisa Nik.

– Je sais qu'on n'est pas aussi haut ici que le reste de la Cité, mais ça ne m'a pas dérangée du tout de monter jusqu'à cette plate-forme. Je ne pense pas que ça va me poser de problème de grimper encore plus haut.

– Oh, tu ne vas pas grimper : tu vas voler.

Nik gloussa et fit signe à Mari de redescendre les marches après lui. Déconcertée, mais intriguée, elle lui emboîta le pas.

– On dirait une civière transformée en une cage bizarre, qui se soulève, commenta Mari en s'accroupissant près de l'engin auquel Nik les avait conduits.

– Tout ce que vous avez à faire, Rigel et toi, c'est monter dedans.

Mari leva les yeux. Elle sentit soudain une boule dans son ventre.

– Tout va bien ? s'enquit Nik.

– Oui. Je me faisais juste la réflexion que c'est vraiment très loin du sol, là-haut. Tu es certain que ce truc n'est pas dangereux ?

– C'est moins dangereux que de traîner ici, la nuit, avec un type aux blessures non cicatrisées, affirma Nik.

– Tu marques un point. Et Rigel, faut-il l'attacher ?

– Rigel, on monte ! ordonna Nik avec un large sourire, en montrant la civière du doigt.

Sans hésiter une seule seconde, le canin bondit et s'y allongea, la gueule ouverte comme s'il riait, et remuant la queue.

– Il a l'habitude de l'altitude, tu te rappelles ? fit Nik.

Mari soupira. Elle monta après Rigel, cala sa sacoche médicale sur ses genoux et s'imagina ailleurs ; n'importe où, mais pas là.

– Prête ? lui demanda Nik en se plaçant derrière elle.

– Absolument pas, mais allons-y quand même.

Nik gloussa une fois de plus et agita une grosse corde de chanvre. Quand l'espèce d'ascenseur s'éleva par à-coups, Mari hoqueta de surprise et, battant l'air de ses bras, chercha à se cramponner à quelque chose.

Aussitôt, Nik posa les mains sur ses épaules.

– Détends-toi, lui conseilla-t-il à l'oreille. On utilise ça pour les blessés graves qui ne peuvent pas se rendre aux nids de l'infirmerie avec les grands ascenseurs répartis dans la Cité. Donc, tu dois être convaincue que celui-ci est parfaitement sûr. Et ouvre les yeux.

– Comment sais-tu qu'ils sont fermés ?

– Facile à deviner ! Ouvre-les.

Mari s'exécuta, et s'aventura à regarder autour d'elle tandis qu'ils montaient vers le ciel. Les arbres étaient très imposants, et magnifiques, avec leurs draperies de mousse et de fougères. À mesure de leur ascension, tout commença à scintiller autour d'eux ; alors, Mari se rendit compte que la Cité entière était décorée de cristaux, de miroirs, de perles et de rubans. Ensuite, des tintements musicaux retentirent, en rythme avec la brise qui se levait.

– Quelle est cette musique ? demanda-t-elle à Nik. On dirait que le vent *joue* du verre et des clochettes. Comment est-ce possible ?

– Oui, le vent *joue* du verre et des clochettes ; et des perles, des coquillages, des roseaux creux et toutes sortes de choses précieuses qui sont suspendues aux branches de nos pins.

– Waouh. Maman aurait adoré voir ça.

Quelques instants plus tard, la civière fut tirée sur une large plate-forme par un homme qui était le sosie plus âgé de Nik. À ses côtés se tenait un énorme Berger dont la tête était étrangement familière à Mari. Rigel sauta de la civière pour le saluer.

Nik prit Mari par la main et l'aida à passer sur la plate-forme. Puis, avec une joie qu'elle trouva contagieuse, il la présenta à son père.

– Père, voici mon amie, Mari. Tu connais déjà son Berger, Rigel. Mari, je te présente mon père, Sol, Chef et Prêtre du Soleil de la Tribu des Arbres.

Mari regretta de ne pas avoir réfléchi à ce qu'elle devrait faire lorsqu'elle rencontrerait le père de Nik. Ou plutôt, elle regretta de ne pas avoir demandé à Nik quelle attitude elle était censée adopter. Cependant, elle n'eut pas une seconde de plus pour se sentir nerveuse, car Sol l'étreignit chaleureusement.

– Bienvenue, Mari ! Je te souhaite très sincèrement la bienvenue, lui dit-il.

Puis, la tenant à bout de bras, il la regarda dans les yeux et ajouta :

– Merci d'avoir sauvé la vie à mon fils. C'est un cadeau que je ne pourrai jamais te payer de retour, même si je vais essayer, Mari. Je te promets que je vais essayer.

La jeune femme leva la tête et lui sourit timidement. Il était si grand ! Pourtant, lorsqu'elle jeta un coup d'œil à Nik, elle se rendit compte que celui-ci était en réalité plus grand que son père.

– Je t'en prie, Prêtre du Soleil, dit-elle, gênée. Je suis contente que Rigel m'ait conduite à Nik.

– S'il te plaît, appelle-moi Sol. Et voici le géniteur de Rigel, Laru.

Mari tendit la main vers l'énorme Berger, qui la renifla, puis la lécha en remuant gaiement la queue.

– Qu'est-ce que tu es beau ! le complimenta-t-elle. Et Rigel te ressemble tellement ! Deviendra-t-il aussi grand ? interrogea-t-elle Nik.

– Peut-être même plus. Tu ne crois pas, père ?

– Ton Rigel est déjà plus grand que Laru à son âge, déclara Sol en souriant. Il a bonne mine, Mari. Tu t'es bien occupée de lui.

– Merci… J'espère pouvoir aider le cousin de Nik.

Le sourire de Sol s'évanouit.

– Moi aussi. Mais je crains qu'il ne soit trop tard. O'Bryan s'est endormi vers midi et on n'arrive pas à le réveiller.

– Alors, on doit aller le voir tout de suite, décida Nik, qui commença à se diriger en hâte vers l'un des nids voisins.

– Il n'est pas là, fils, l'informa Sol, qui l'arrêta en l'attrapant par le bras. Il a été transporté au Nid de Transition.

– Il a bu l'aconit ?!

– Nikolas, baisse la voix si tu ne veux pas qu'on nous découvre et ruiner les dernières chances de survie d'O'Bryan.

– Sol, Nik, je ne peux pas guérir quelqu'un qui a ingéré de l'aconit. Il est impossible de neutraliser ce poison.

– O'Bryan n'a pas bu d'aconit, s'empressa de préciser Sol. Il s'est simplement endormi et ne se réveille plus.

– Conduisez-moi à lui, fit Mari.

– Enfile ça d'abord, dit Sol en lui tendant une longue cape à capuche. Bien qu'il soit tard, et qu'il n'y ait qu'une Guérisseuse de garde, on doit être très prudents. Nikolas, j'ai dû faire appel à Maeve.

– Maeve ? répéta Mari.

– Une amie intime, expliqua Sol.

– C'est son amoureuse, précisa Nik.

– Bon, j'ai bien dit « intime ». Maeve et moi avons réussi à convaincre mon frère et sa femme de quitter le chevet d'O'Bryan, où ils étaient depuis que son état s'est détérioré en milieu de journée. On les a envoyés dans leur nid pour qu'ils mangent et essaient de dormir un peu. Je leur ai promis qu'on irait les chercher si les choses évoluaient. J'espère que lorsque je le ferai, ce sera pour leur apporter une bonne nouvelle, pas une mauvaise. En ce moment, Maeve est avec O'Bryan. Tu es prête, mon enfant ?

– Oui, confirma Mari.

– Alors, suis-moi.

Ils traversèrent tous les trois la vaste plate-forme en bois qui s'étendait entre quatre immenses pins. Dans ces arbres étaient construites des habitations qui auraient pu être des nids pour d'énormes oiseaux. Celle devant laquelle le trio s'arrêta était la plus magnifique d'entre toutes. Elle était enveloppée d'un tissu diaphane qui voletait gracieusement au vent. Des objets étincelants – Mari distingua des coquillages, des cristaux et des fragments de miroir – se balançaient, enfilés comme des perles, aux branches qui soutenaient cette drôle de maison.

Depuis la plate-forme, on accédait à ce nid par une petite marche. Une fois à l'intérieur, Mari fut enveloppée de lueurs douces et dansantes projetées par des bougies qui oscillaient dans des boîtes en verre accrochées au plafond. L'air était imprégné d'une odeur de cire d'abeille et de chair en putréfaction que Mari identifia immédiatement : c'était celle de la rouille.

Assise au chevet de l'unique patient du nid, une femme de l'âge de Sol se leva et se précipita vers eux, mais l'attention de Mari fut captée par la femelle Berger à ses côtés, qui fonça accueillir Rigel avec un tel enthousiasme qu'elle le renversa.

– Du calme, Fortina ! Pas ici. Pas maintenant.

Le Berger se sépara immédiatement de Rigel et, l'air dépité, retourna vers sa Compagnonne en bondissant.

Rigel rejoignit Mari à pas feutrés et s'assit à ses pieds. La jeune femme sentit son bonheur et son excitation rejaillir sur elle.

– Mari, voici Maeve. Maeve, voici Mari et son Rigel, que tu connais déjà puisque c'est le frère de Fortina, dit Sol.

– Bonjour, Mari. J'avais hâte de te rencontrer, déclara Maeve en serrant brièvement la main de la jeune femme, avec moins de chaleur que Sol. Rigel a l'air en pleine forme.

Très émue, Mari se reconcentra sur la seule chose qu'elle maîtrisait : guérir un nouveau patient.

– Bonjour, Maeve. Merci. Ce doit être O'Bryan, devina-t-elle en regardant, par-dessus l'épaule de la femme, le corps immobile d'un jeune homme étendu sur un lit étroit.

– Oui, c'est mon cousin, confirma Nik en la menant au lit. Dis-moi de quoi tu as besoin, on te l'apportera.

Mari ouvrit sa sacoche et en sortit une pochette tissée pleine d'herbes.

– Il faut faire macérer ça dans du thé très fort, indiqua-t-elle.

– Mais, Mari, O'Bryan n'est pas réveillé, rappela Nik.

– Il le sera bientôt, et alors, il aura besoin de ce thé, répondit Mari en le regardant.

– Je me charge de préparer ce breuvage, proposa Maeve, qui prit la pochette des mains de Nik et sortit du nid à la hâte.

Mari reporta son attention sur son patient. Lorsqu'elle ôta la fine couverture posée sur lui, elle fut obligée de retenir sa respiration à cause de l'infecte puanteur. La blessure fut facile à localiser. Toute la jambe droite d'O'Bryan était noire et enflée. Doucement, Mari défit le bandage autour de son mollet. Quelque part derrière elle, Sol eut un haut-le-cœur, mais elle n'en tint pas compte. Tout son univers s'était réduit à l'homme allongé devant elle.

Mari n'avait jamais vu de blessure semblable. Celle-ci était ulcérée ; du pus et du sang décoloré en suintaient. Des stries violettes et jaunâtres s'étendaient depuis la plaie sur toute la jambe.

Mari souleva la tunique d'O'Bryan et vit qu'elles montaient jusqu'à sa taille, et que de fines bandes noires atteignaient même son buste. Et là où sa peau n'était pas abîmée par la maladie, elle était chaude et humide.

« Il est en train de mourir, rapidement. Il risque de s'arrêter de respirer à tout moment. »

Mari redressa les épaules et prit dans sa sacoche le petit panier contenant le cataplasme à l'indigotier.

– J'ai besoin d'eau pour rincer la plaie, dit-elle.

Quelques instants plus tard, Nik lui tendit un seau ainsi qu'une louche et une serviette. Avec rapidité et efficacité, elle rinça la plaie, et y appliqua le cataplasme.

– Il me faut des compresses propres.

Quelqu'un en déposa dans ses mains et elle les enroula autour de la plaie. Puis elle se releva et se tourna face à Nik et Sol.

– Est-ce que tu pourras le sauver ? l'interrogea Sol.

– Je vais essayer. Nik, tu m'as dit qu'on jouissait d'un magnifique clair de lune, ici, en haut des arbres.

Le jeune homme confirma d'un signe de tête.

– Il faut que tu nous y exposes, ton cousin et moi, maintenant.

– Qu'il vous y expose ? répéta Sol. Tu veux dire qu'on doit sortir O'Bryan du nid et le transporter sur la plate-forme ?

– Non, sur la plate-forme, les arbres empêchent le clair de lune de passer complètement. J'ai besoin d'un endroit où il n'y a rien entre la lune et nous, à part le ciel.

– Est-ce vraiment nécessaire ? s'enquit Sol. Ne devrions-nous pas attendre que ton cataplasme ait commencé à agir ? Déplacer O'Bryan maintenant risque de le tuer.

– S'il reste ici, c'est la rouille qui le tuera, affirma Mari.

– Mais… ton cataplasme ?

– Mon cataplasme n'est qu'un élément du traitement. J'ai besoin d'une exposition au clair de lune, et la faible lumière qui filtre par ces fenêtres ne me suffit pas.

Mari indiqua du menton les ouvertures hautes et circulaires du nid.

– Sans l'énergie totale d'un clair de lune direct, O'Bryan n'a aucune chance de guérir, insista-t-elle.

– La plate-forme des prières, réfléchit Nik. C'est le lieu le plus élevé de la Cité. Il n'y a rien au-dessus excepté le soleil, la lune et le ciel.

– Est-ce réellement la seule solution ? redemanda Sol à Mari.

– Oui.

– Très bien, accepta-t-il en hochant la tête d'un air grave. Fils, emmenons ton cousin là-haut.

Promptement, les deux hommes enveloppèrent O'Bryan dans une couverture légère.

– Maeve, tu restes ici, recommanda Sol. Si la Guérisseuse ou qui que ce soit d'autre vient voir O'Bryan, dis-leur…

Il chercha ses mots.

– Dis-leur que votre Prêtre du Soleil l'a emmené plus haut afin de prier pour qu'il guérisse, intervint Mari.

Lorsqu'ils la dévisagèrent tous les trois, elle s'alarma.

– Ai-je dit quelque chose de mal ? Mon Clan va dehors pour adresser des prières à notre Terre Mère. Ne feriez-vous pas la même chose avec le Soleil, sous un ciel dégagé ?

– Si ; d'ailleurs, c'est le cas, répondit Sol.

– Tu n'as pas commis d'impair, la rassura Nik. Ton idée est brillante.

– Je passe devant, décida Sol. Restez dans mon ombre et n'avancez que lorsque je vous ferai signe que la voie est libre. Laru, garde Fortina et Rigel ici.

– Non !

Ce mot jaillit des entrailles de Mari avant qu'elle s'en rendît compte.

– Je ne veux pas être séparée de Rigel, expliqua-t-elle. Même pas pendant un court instant. Nik m'avait dit que Rigel pourrait rester avec moi.

– Rigel ne quitte jamais Mari d'une semelle, confirma Nik.

– Entendu. Il peut venir, mais il doit être discret. Toute la Tribu le reconnaîtrait, et on n'a pas besoin d'attirer l'attention en ce moment.

Mari hocha la tête, puis s'accroupit devant son jeune Berger.

– Reste avec moi et ne fais pas le moindre bruit, Rigel, lui ordonna-t-elle. Comme si on se cachait, comme si on était rentrés au Clan.

Dans son esprit, Mari dessina une image d'eux deux, aussi muets que des ombres. Rigel lui lécha le visage et donna un petit coup de queue joyeux, avant de devenir parfaitement silencieux.

Mari lui embrassa le museau et se releva en disant :

– Il a compris. On est prêts.

Nik prit O'Bryan dans ses bras comme si c'était un petit garçon endormi qu'il fallait mettre au lit.

– Il est tellement léger ! déplora-t-il d'un ton grave. On dirait qu'il ne reste plus rien de son corps.

Sol ferma les yeux, inclina la tête en avant et Mari vit ses lèvres murmurer une prière silencieuse.

– Suivez-moi.

Le trajet jusqu'à la plate-forme du Prêtre du Soleil ne fut pas long, mais plus tard, Mari s'en souviendrait avec une espèce d'émerveillement distrait. Elle franchit des ponts qui oscillaient doucement dans la brise et reliaient des groupes de maisons exotiques et incroyablement ravissantes, toutes identiques par la forme, mais pourtant uniques.

Juste avant d'arriver aux marches donnant accès à la plate-forme, ils traversèrent une immense terrasse. Au centre se dressaient six pins majestueux, qui avaient poussé si près les uns des autres, et depuis si longtemps, qu'ils s'étaient rejoints et formaient un cœur. Et au milieu poussait, à même l'écorce, un énorme bouquet de fougères, dont une seule fronde pouvait recouvrir Nik de la tête aux pieds.

Tandis que les jeunes gens, tapis dans l'obscurité, attendaient le signal de Sol, Mari demanda tout bas à Nik :

– Qu'est-ce que c'est ?

– Des Arbres Mères, murmura-t-il. Et ce qui pousse dessus, ce sont les Plantes Mères. Je t'expliquerai plus tard.

– Je sais ce que c'est, répondit-elle doucement. Ce sont elles qui ont coûté la vie à mon père.

Avant que Nik eût pu répondre, Sol leur fit signe, et ils se hâtèrent de traverser la terrasse.

L'artiste en Mari avait envie de s'arrêter et de tout admirer : la myriade de nids, de nacelles et le réseau labyrinthique de ponts et de plates-formes qui soutenaient l'ensemble, afin de le reproduire plus tard sur le papier.

La femme du Clan en elle avait envie de trouver l'issue de secours la plus rapide et de prendre ses jambes à son cou.

Et qu'avait envie de faire la femme de la Tribu ? Mari jeta un coup d'œil à Rigel. Elle n'avait pas besoin du lien spécial qui les unissait pour s'apercevoir combien il était détendu et à l'aise. Son regard coula sur le dos large et puissant de Nik qui portait son cousin dans ses bras avec une telle douceur que sa propre vie, semblait-il, était en jeu.

« La femme de la Tribu a envie d'avoir sa place ici, songea Mari. Et, pour une fois, c'est exactement ce dont la femme du Clan a envie, elle aussi. »

Ils parvinrent à la plate-forme de Sol sans croiser personne. Les marches circulaires étaient étroites et raides, mais les pas de Nik assurés, et ses bras fiables. Une fois sur la terrasse, Mari avança jusqu'à la balustrade et s'orienta rapidement.

– Pose-le ici, face au nord, indiqua-t-elle à Nik.

Sol aida son fils à allonger O'Bryan par terre avec précaution. Celui-ci ne se réveilla pas. Il n'émit même pas le moindre bruit.

– Maintenant, vous devez me laisser seule, annonça Mari. Ce qui va se passer ne regarde que le Clan.

– Mais on ne veut pas..., commença Sol, avant que Nik l'interrompe en posant la main sur son bras.

– On sera en dessous, décida le jeune homme. Envoie Rigel nous chercher quand tu auras fini.

Mari hocha la tête. Elle soutint le regard de Nik, dans l'espoir qu'il voie combien sa confiance en elle la touchait, car elle ne sut trouver les mots pour le lui dire.

Les deux hommes s'en allaient lorsque O'Bryan se mit à se tordre dans tous les sens, pris d'une violente crise d'épilepsie. Mari se précipita vers lui et le mit sur le côté afin qu'il ne s'étouffe pas si jamais il vomissait.

– Il me faut un bout de bois pour l'empêcher d'avaler sa langue ! cria-t-elle.

Dans le ciel nocturne, sa voix résonna étrangement comme celle de Léda. Des bruits de pas s'estompèrent, puis se firent entendre de nouveau, et on lui tendit un bâton. Elle ouvrit la bouche d'O'Bryan en faisant levier, plaça le morceau de bois entre ses dents, comme elle avait vu Léda le faire, et le maintint là en soutenant la tête du mourant inconscient à qui elle murmura des paroles réconfortantes. « Maman, que ferais-tu maintenant ? J'ai besoin de toi ! J'ai besoin d'aide ! »

– Si tu as besoin de quoi que ce soit, je suis là, déclara Nik en s'agenouillant près d'elle.

Elle le regarda et lui dit :

– J'ai besoin que tu tiennes O'Bryan comme je le fais pour qu'il ne se blesse pas – mais, théoriquement, tu n'as pas le droit d'être ici, Nik. Tu n'es pas autorisé à voir ce que je vais faire.

– Mari, je jure sur mon amour pour ma mère que je ne trahirai pas tes secrets. Fais-moi confiance. Je t'en prie, fais-moi confiance.

« Je sais ce que maman ferait. Elle ferait confiance à cet homme et sauverait O'Bryan. »

– Il faut que Sol descende, insista-t-elle.

– Je m'en vais, annonça ce dernier en joignant le geste à la parole.

– Tu ne devras jamais parler de ce qui va se passer, ordonna Mari à Nik. La vie de mon Clan dépend de ton silence.

– Je te fais le serment de toujours rester muet.

– Tiens O'Bryan, exactement comme ça. Veille à bien le maintenir sur le côté. Parle-lui doucement. Apaise ses peurs. Ne le laisse pas partir. Dis-lui que l'heure de la transition n'est pas encore venue pour lui.

Nik acquiesça d'un signe de tête et prit la place de Mari.

Celle-ci se tourna de façon que la lumière argentée du croissant de lune éclairât son visage. Elle tenta de se concentrer. Elle tenta de dessiner mentalement une scène qui attirerait l'énergie vitale de la lune en elle et la ferait pénétrer dans O'Bryan ; hélas, elle ne sentit absolument aucune connexion.

Elle ferma les yeux, se concentra davantage, ralentit et approfondit sa respiration, à l'inspiration, à l'expiration, en essayant d'entrer en contact avec la terre pour trouver son centre, son ancrage.

Mais la terre était trop loin en dessous. Elle ne pouvait pas trouver Mari, et Mari ne savait pas comment l'atteindre.

– Qu'y a-t-il ? Qu'est-ce qui ne va pas ? s'enquit Nik.

– Cet endroit m'est tellement étranger, Nik ! Je ne peux pas me trouver ici ! Et si je ne peux pas me trouver moi-même, comment le clair de lune, lui, me reconnaîtra-t-il ?

– Tu es la même, Mari, assura Nik en posant les mains sur ses épaules. L'endroit où tu es n'a pas d'importance, ni ce que tu fais. Ce qui compte, c'est la personne que tu es. Connais-toi toi-même, et je crois que la lune te reconnaîtra.

– Oh, Nik ! Oui, c'est ça ! Je n'ai pas changé, en effet ; tout ce que je dois faire, c'est me présenter à nouveau.

Avec une assurance grandissante, Mari se leva et écarta grand les bras. Elle perçut la voix de sa mère dans la musique qui se mêlait au vent dans les arbres. « Ma chérie, souviens-toi d'être remplie de joie ! De joie ! Et, cette nuit, Mari, tu dois garder une partie du pouvoir de la lune pour toi-même. »

À cet écho des paroles de Léda, un sourire se répandit sur le visage de Mari et parut remplir son corps. « Je t'entends, maman. Pour une fois, je vais faire exactement ce que tu me dis. »

Afin que la terre et la lune puissent la reconnaître, Mari, débordante de joie, commença à danser son prénom au cœur de la Cité dans les Arbres.

46

Tenant son cousin agonisant qui se tordait dans des convulsions et luttait pour respirer, Nik attendait impatiemment que Mari fasse quelque chose – n'importe quoi – pour le sauver. Ce à quoi il ne s'attendait pas, c'était qu'elle danse. Or, les bras grands ouverts, les mains ondulant et les doigts voletant comme pour accompagner le tintement des innombrables guirlandes de cristaux, de verre, de perles et de coquillages qui décoraient les arbres, Mari se mit à danser. Elle se déplaça autour de Nik en traçant un motif avec ses pas. Son visage – ce mélange unique de Tribu et de Clan – était illuminé de joie et de clair de lune, et caressé par ses cheveux blonds bouclés.

Nik pensa que c'était la femme la plus exquise qu'il eût jamais vue.

Lorsqu'elle commença à parler, ce fut d'une voix hésitante et chantante qui lui évoqua celle d'une conteuse.

Femme Lune je proclame que je suis
Avec mes grands dons, je me présente à toi.
Terre Mère, de ta vue magique aide-moi
Sous cette lune, ta force donne-moi.

Alors qu'elle continuait à danser autour de lui, sa voix devint plus forte et pleine d'assurance.

Lumièr' d'argent, remplis-moi plus qu'entièr'ment
Ainsi ta guérison, les miens connaîtront.

À cet instant, elle s'immobilisa devant la jambe blessée d'O'Bryan et se laissa tomber à genoux avec grâce près de lui. Délicatement, elle posa une main sur son mollet, juste sur la plaie. Elle leva l'autre au-dessus de sa tête, écarta complètement les doigts, la paume ouverte vers le clair de lune. Puis, d'une voix puissante, elle prononça la fin de son invocation.

En vertu de mon sang et de ma naissance
Je te prie de vers moi canaliser
Ce que la Terre Mère proclame ma destinée !

Jusqu'à la fin de ses jours, Nik se rappellerait cette image de Mari, la main et le visage levés vers la lune, ses yeux jetant de vifs éclats gris. Elle sembla devenir une espèce de phare éclairé par le clair de lune qui se déversa sur elle, l'illuminant soudain, ainsi qu'O'Bryan et même Nik. Ce dernier sentit le corps de son cousin se contracter, comme si Mari lui avait injecté un produit. Nik, également, fut touché. Il sentit l'énergie froide du clair de lune, avec l'impression d'avoir pagayé trop près d'une cascade. Les élancements douloureux de sa blessure au dos, en rythme avec les battements de son cœur, surtout depuis qu'il avait transporté O'Bryan, disparurent soudain. Ainsi que sa douleur à la cuisse, la brûlure et les tiraillements constants.

Tout à coup, le jeune homme se rendit compte qu'O'Bryan n'avait plus de convulsions. Son corps s'était totalement relâché. Sa respiration, très difficile quelques instants plus tôt, était à présent profonde et régulière. Il paraissait réellement dormir.

Nik ne pouvait s'arrêter de contempler Mari. Dans le clair de lune, c'était une déesse descendue sur terre : puissante, séduisante et mystérieuse.

À ce moment-là, elle tourna la tête pour le regarder. Il vit ses yeux perdre peu à peu leur feu argenté et retrouver leur couleur grise habituelle, mais le visage de Mari conserva sa joie.

– J'ai réussi ! J'ai invoqué la lune ! s'exclama-t-elle en laissant échapper un petit rire. Je n'étais pas sûre d'en être capable, mais finalement je l'ai fait ! Nik, O'Bryan va s'en sortir. Il est guéri.

– Qu'est-ce que tu es ? l'interrogea Nik d'une voix étouffée, pleine de déférence.

– Tu l'as dit toi-même, je suis juste moi, répondit-elle avec un sourire.

– Non, tu es tellement plus que ça. Tu es...

Il fut interrompu par O'Bryan qui toussa, cracha son bâton, puis s'essuya la bouche. Il cligna des yeux plusieurs fois avant de fixer son regard sur Nik.

– Cousin ? Où suis-je ? demanda-t-il.

Submergé de bonheur, Nik lui adressa un sourire radieux tout en versant des larmes de joie.

– Tu es avec Mari et moi. Ça va aller, maintenant, O'Bryan. Tu vas vivre !

O'Bryan jeta des coups d'œil autour de lui en plissant le front et vit Mari agenouillée près de sa jambe, la main toujours posée sur son mollet.

– Bonjour, lui dit-il timidement. J'ai beaucoup entendu parler de toi. Ça me fait plaisir de te rencontrer, la fille en feu.

– Contente de faire ta connaissance, moi aussi, O'Bryan, répondit Mari, dont les joues se creusèrent de deux fossettes. Laisse-moi examiner rapidement cette plaie.

Avec dextérité, elle défit le bandage et Nik observa, émerveillé, la jambe de son cousin. Elle était toujours enflée, mais les stries disparaissaient déjà. Mari ôta le pansement de chanvre qui maintenait le cataplasme en place.

– Les ulcères sont partis ! constata Nik, estomaqué.

– Ainsi que cette odeur épouvantable, renchérit Mari. Je suis vraiment contente que ça s'en aille vite.

En s'appuyant sur Nik, O'Bryan rassembla ses forces pour s'asseoir et regarda sa jambe. Lorsqu'il posa ensuite les yeux sur Mari, des larmes ruisselaient sur ses joues.

– Comment est-ce possible ? la questionna-t-il.

– C'est grâce à la magie de la lune et au fait que Nik ne se laisse pas décourager par une réponse négative, lui répondit Mari en remettant un pansement sur sa blessure.

O'Bryan lui prit la main et lui dit :

– Je te dois la vie.

– Alors, fais-en quelque chose de bien. Sois gentil. Honnête. Et surtout, ne fais jamais de mal à un Marcheur de la Terre.

– Je te donne ma parole sur ce dernier point, affirma O'Bryan, avant d'ajouter, un large sourire aux lèvres et redevenant complètement lui-même : Nik ne m'avait pas dit que tu étais si jolie.

Les joues de Mari rosirent. Puis Rigel rejoignit doucement les jeunes gens et fourra sa truffe contre le visage d'O'Bryan, ce qui les fit tous rire.

– Mais c'est le petit canin ! s'écria O'Bryan. Quel plaisir de le revoir !

– Il s'appelle Rigel, l'informa Mari en chassant gentiment l'animal.

Puis elle regarda Nik et lui dit :

– Tu devrais porter ton cousin chez lui, maintenant. Il va avoir besoin de beaucoup de repos.

– Me porter, moi ? Devant une fille aussi jolie que toi ? Je ne suis pas assez mort pour accepter ça, ou du moins, je ne le suis plus. Nik, aide-moi à me lever.

– Cousin, je ne pense pas…

– Bon, je sais que tu ne penses pas toujours, mais tu devrais peut-être t'efforcer de le cacher à Mari pendant un petit temps encore, le taquina O'Bryan, ce qui fit rire Mari doucement.

Nik lui jeta un regard exagérément mauvais, mais son cœur était rempli de bonheur.

– Comme tu voudras, répondit-il. C'est ta jambe, ta douleur. Mais tu sais que si tu te casses la figure dans cet escalier, et la jambe, il faudra que je te remonte ici dans mes bras, sous les yeux de Mari, pour qu'elle te rafistole encore.

– Arrête de t'inquiéter autant !

Nik et Mari aidèrent le convalescent, qui, s'appuyant lourdement sur Nik, descendit les marches, lentement et avec précaution, Mari et Rigel à sa suite.

– O'Bryan, par la gloire du soleil, tu es vivant ! s'exclama Sol en se précipitant vers eux, avant d'étreindre le jeune homme.

Sol, Nik et son cousin bien-aimé demeurèrent là, liés par le toucher, l'amour et la gratitude, grâce à une fille qui n'aurait pas dû naître. Tandis qu'il contemplait Mari, Nik sentit son monde bouger, s'élargir et se transformer irrévocablement.

– Il faut qu'il s'allonge, recommanda Mari avec douceur, rompant le charme qui les entourait tous les quatre.

– Bien sûr, bien sûr, approuva Sol. Je vous ouvre la voie, comme à l'aller.

Nik hocha la tête et s'empressa d'informer O'Bryan :

– On a amené Mari ici en douce. On n'avait pas le temps de répondre aux questions de la Tribu. On était à deux doigts de te perdre.

– Testicules de crache-sang ! J'ai bien failli mourir, hein ? dit O'Bryan d'un ton excité.

Nik secoua la tête et échangea un regard avec Mari, qui leva les yeux au ciel.

– Oui, tu as bien failli mourir, confirma-t-elle. Nik devrait vraiment te porter.

– Comme d'habitude, Mari a raison, insista Nik.

– Pas question, cousin, rétorqua O'Bryan en s'étranglant de rire.

– Bon, arrêtez donc de discuter, vous trois, et suivez-moi, ordonna Sol.

Réprimant à peine des rires de soulagement, le trio obéit au Prêtre du Soleil.

Aucun d'eux ne remarqua la silhouette dans l'obscurité qui, furtivement, leur emboîta le pas.

Mari s'assura que la capuche de sa cape lui couvrait bien le visage et que Rigel restait près d'elle, en silence, mais elle ne pouvait s'empêcher de se sentir légère et presque étourdie de bonheur alors qu'elle patientait dans une alcôve sombre, à l'extérieur du Nid de Transition, pendant que Nik, Sol et Maeve y réinstallaient O'Bryan. La Guérisseuse de la Tribu n'était pas revenue, mais il était prévu qu'elle reprenne bientôt ses tournées ; c'est pourquoi Mari demeurait dehors. Et elle en était ravie. La Cité dans les Arbres la fascinait. Elle aurait aimé qu'il fît jour, afin de tout voir, tout explorer. Durant ce court instant, elle s'autorisa à imaginer ce que cela ferait de vivre dans le ciel, au milieu de toute cette beauté, d'être acceptée comme

Chef et de mener une vie sans lutte et délivrée de la Fièvre Nocturne. Elle revit le regard de Nik sur elle lorsqu'elle avait dansé son nom et attiré la lune. Elle avait eu l'impression qu'il avait vu en elle, et aperçu son esprit.

Le vent, qui s'était levé, soufflait fort autour d'elle, la faisant frissonner alors qu'elle écoutait avec enchantement le tintement des carillons et des clochettes en rythme avec les éléments.

En plus de cette délicate musique, Mari perçut bientôt un autre bruit. Assis à ses pieds, Rigel remua et considéra sa Compagnonne avec l'air d'attendre quelque chose.

– Rigel, tu ne vas *nulle part* ! lui chuchota-t-elle sévèrement.

Il gémit plaintivement, puis fit le tour du Nid de Transition en trottinant.

– Rigel ! siffla presque Mari en courant pour le rattraper.

Lorsqu'elle tourna sur le côté du Nid de Transition, Mari en découvrit un autre, plus petit, situé tout près. Une femme était assise devant l'entrée. Le visage dans les mains, elle sanglotait.

Rigel s'approcha d'elle et la toucha avec son museau. La femme sursauta, puis leva son visage ravagé par le chagrin.

– Qui es-tu ? lui demanda-t-elle d'une voix remplie de larmes. Attends… je te connais…

Mari hésita, ne sachant pas si elle devait s'avancer ou au contraire retourner en hâte au Nid de Transition pour chercher Nik. Heureusement, à cet instant précis, une main se posa sur son épaule.

– Je vais le récupérer, lui dit Nik. Ne t'inquiète pas. Reste ici.

Il se dirigea à grands pas vers la femme et Rigel. Mari s'avança le plus possible sans sortir de l'obscurité, et tendit l'oreille.

La femme leva la tête vers Nik et s'essuya les yeux.

– Nik ! s'exclama-t-elle. N'est-ce pas le petit de Laru ? Celui que tu cherchais depuis si longtemps ?

– Bonjour, Sheena. Oui, c'est lui.

Mari le vit hésiter, cherchant manifestement une explication à fournir à son interlocutrice, mais il n'en eut pas besoin, car celle-ci fut à nouveau prise de violents sanglots. Nik s'assit près d'elle et passa un bras autour de ses épaules.

– Excuse-moi, Nik. Je suis désolée. C'est Captain. Il s'affaiblit. Il ne veut pas lutter. On dirait que son cœur s'est brisé en même temps que sa jambe. Il veut suivre Crystal et Grace. Je le sens. Je ne peux pas le lui reprocher. Moi aussi, j'ai envie de les rejoindre.

– Non, ne dis pas ça, Sheena. Les Bergers sont résistants, mais tu dois être forte pour lui.

– J'ai essayé, mais il souffre trop. Sa jambe… elle est infectée. Il est en train de mourir, Nik.

Là, Rigel se faufila sous la main de Nik et galopa jusqu'à Mari. Il s'assit devant elle, gémit et poussa un petit aboiement d'encouragement. Dans ses yeux couleur ambre, Mari lut l'urgence et sa confiance en elle.

– D'accord, accepta-t-elle. Mais j'espère que tu sais ce que tu fais.

Elle quitta sa cachette et s'approcha de Nik et de Sheena.

– Je peux l'aider, proposa-t-elle.

– Qui es-tu ? l'interrogea Sheena.

– C'est mon amie, répondit Nik. Et la Compagnonne du jeune canin. Elle est aussi Guérisseuse.

– Les Guérisseuses ont renoncé, dit-elle en secouant la tête. Elles affirment ne rien pouvoir faire.

– Mari, peux-tu aider Captain ? s'enquit Nik.

– Rigel a l'air de penser que oui. Puis-je essayer ? demanda-t-elle à Sheena.

– Je t'en prie. Surtout, ne fais rien qui risque de lui causer d'autres douleurs.

– Promis.

Sheena entra dans le petit nid, suivie de Mari, Nik et Rigel. Près de la cheminée, sur une épaisse paillasse, était étendu un grand Berger mâle. Sa patte avant droite était éclissée et emmaillotée de bandages. Sheena s'agenouilla près de sa tête et la caressa en murmurant son nom. Le Berger ouvrit les yeux, posa le museau contre sa Compagnonne, puis les referma.

– Je peux le toucher ? demanda Mari.

Sheena acquiesça, en essuyant les larmes qui coulaient toujours sur ses joues.

Mari s'accroupit à côté du grand canin. Elle l'effleura de ses mains, sentant la chaleur anormale qui se dégageait de son corps envahi par l'infection. Malgré l'éclisse et les pansements, elle vit à quel point sa patte était enflée, mais le Berger ne semblait pas être blessé ailleurs.

– C'est juste sa patte ? demanda-t-elle néanmoins à Sheena.

– Sa patte et son cœur, la renseigna la femme d'une voix douce, en caressant toujours le canin.

– La compagne de Sheena, Crystal, et son Berger, Grace, ont été tués le jour où les Voleurs de Peaux nous ont tendu une embuscade, expliqua Nik.

– J'en suis navrée, dit Mari.

Sheena se contenta de hocher la tête.

– Peux-tu l'aider ? s'enquit Nik.

– Oui.

– Tu veux que je le porte dehors ?

Sheena allait protester, mais Mari lui toucha doucement le bras en souriant.

– Non, je n'ai pas besoin que Nik emmène ton canin où que ce soit ; en revanche, j'ai besoin d'être seule avec lui pendant un moment. Je te donne ma parole que je ne lui ferai aucun mal.

Sheena considéra tour à tour Mari, Nik, Rigel, et encore Nik.

– Tu peux lui faire confiance, assura ce dernier.

Sheena poussa un long soupir, en se voûtant d'un air malheureux.

– Je vais me chercher une chope de bière, annonça-t-elle, avant de se pencher et d'embrasser Captain sur le museau en lui murmurant : Je reviens tout de suite. Je t'aime.

Puis, se mouvant avec lenteur et raideur, telle une femme trois fois plus âgée, elle se leva et sortit du nid en traînant les pieds.

– Tu n'as vraiment pas besoin que je t'emporte Captain jusqu'à la plate-forme de père ? redemanda Nik à Mari. Je veux bien le faire, tu sais, même si c'est douloureux pour lui.

Un sourire aux lèvres, Mari lui expliqua :

– D'habitude, quand j'invoque la lune, je suis seulement un intermédiaire entre elle et son énergie. Elle ne reste pas en moi, elle me traverse. Or, ce soir, j'ai eu… je vais appeler ça une prémonition, et j'ai gardé un peu de clair de lune pour moi. Maintenant, je sais qu'en réalité, il était destiné à Captain.

Sur ce, elle ferma les yeux et posa les deux mains sur la jambe éclissée du canin. Cette fois-ci, elle trouva facilement son ancrage ; ensuite, elle dessina dans son esprit une image de ses mains qui flamboyaient et dont l'éclat se répandait sur Captain. Pas uniquement sur sa jambe, mais dans sa tête, son corps et son cœur ; surtout son cœur.

Lorsqu'elle le sentit remuer sous ses mains, Mari ajouta rapidement à son image le portrait souriant de Sheena. Puis elle rouvrit les yeux et vit que le Berger avait levé la tête et qu'il la fixait.

– Bonjour, Captain, le salua-t-elle avec un sourire.

Le grand canin battit l'air de sa queue, d'abord de façon hésitante, ensuite avec plus d'enthousiasme, car Sheena, de retour dans le nid, accourait près de lui. Il l'accueillit en lui léchant le visage et essaya de grimper sur ses genoux. Riant et pleurant à la fois, Sheena le serra contre elle et lui dit à quel point elle l'aimait, combien il était fort, courageux et merveilleux.

Doucement, Mari se leva. Nik lui prit la main et ils quittèrent le nid ensemble. Ils marquèrent une pause à l'extérieur. Pleine de gratitude, Mari tourna le visage vers les grosses branches des grands arbres vigilants, à travers lesquelles la lune jetait des coups d'œil furtifs. Nik demeura près d'elle en silence, lui tenant toujours la main.

– Nik, Mari ! Vous voilà ! s'exclama Sol en se précipitant vers eux. Qu'est-ce que vous faites ici ? Vous étiez censés rester...

– Attendez ! Ne partez pas déjà !

Ils se retournèrent tous les trois et virent Sheena qui courait vers Mari. Arrivée à sa hauteur, elle lui prit les mains et les tint fermement dans les siennes.

– Je ne te remercierai jamais assez de ce que tu as fait pour moi, lui dit-elle.

– Que s'est-il passé ? s'enquit Sol.

Sheena tourna son visage mouillé de larmes vers lui.

– Tu sais que Captain était mourant ?

– Oui, confirma-t-il, le regard assombri par la peine. Je suis tellement désolé, Sheena.

À cet instant, le regard de Sol fut attiré par un bruissement dans l'entrée du nid, derrière eux. Quand l'homme écarquilla les yeux, Mari devina ce qu'il avait vu.

En effet, Captain se tenait dans l'embrasure de la porte. Il tanguait un peu, mais ses yeux étaient brillants et sa gueule était ouverte, comme s'il souriait. Lentement, il rejoignit Sheena en boitant et s'appuya contre elle. Aussitôt, elle lâcha les mains de Mari, s'accroupit près de lui et passa ses bras autour de son cou.

– Il marche ! s'écria Sol, qui tourna vivement la tête vers Mari. C'est toi qui as fait ça ?

– Oui, c'est elle, confirma Sheena. J'ignore comment elle s'est débrouillée, mais elle a bel et bien rétabli mon Captain. En plus, elle n'a pas seulement guéri sa jambe, elle a aussi guéri son cœur, et par conséquent, le mien.

Sheena reporta son regard sur Mari et lui demanda :

– Qui es-tu ?

– Elle est un miracle, affirma Sol.

– Elle est une déesse, renchérit Nik.

Un flot d'émotions submergea complètement Mari. Lorsqu'elle s'exprima, c'est la voix de sa mère mêlée à la sienne qu'elle entendit.

– Je ne suis pas un miracle, ni une déesse. Je suis une Femme Lune.

– C'est quelle tribu, ça ? l'interrogea Sheena.

– C'est compliqué, répondirent Nik et Sol d'une même voix.

Le Prêtre du Soleil prit les mains de Mari.

– Te remercier mille fois ne suffirait pas, mais je te remercie quand même du fond du cœur – d'avoir sauvé la vie de mon fils, celle de mon neveu, et maintenant, celle de deux autres précieux membres de notre Tribu. Si tu as besoin de quoi que ce soit, si tu désires quoi que ce soit, demande-le-moi, ma chère. Si cela est en mon pouvoir, je te le donnerai.

Autour de Mari, tout se figea, et dans cette immobilité, elle sut ce qu'elle devait demander. D'une voix qui résonnait de l'autorité de générations de Femmes Lune, Mari déclara :

– Je souhaite que tu m'emmènes sur l'Île-Ferme.

47

— Non, Mari !

Attrapant la jeune femme par les épaules, Nik la força à le regarder dans les yeux.

– Je me fiche de ce que tu souhaites, je ne te laisserai pas aller là-bas, reprit-il. Je ne te laisserai pas te transformer en l'ombre triste de toi-même.

– Ça ne m'arrivera pas, assura Mari en posant les mains sur les siennes. C'est impossible. Je suis une Femme Lune, Nik. C'est différent pour moi.

– Pourquoi veux-tu te rendre sur l'Île-Ferme ? la questionna Sol.

– Je peux aider mon peuple.

– Je refuse que tu restes là-bas, insista Nik.

Mari lui répondit sans cesser de regarder Sol :

– Ce n'est pas à toi d'en décider. Mais à moi.

– En fait, c'est à moi de le décider, affirma Sol.

– Pas si tu tiens ta parole, rétorqua Mari. Tu viens de me proposer de m'accorder tout ce que je voulais si c'était en ton pouvoir de me le donner.

– C'est en mon pouvoir de t'emmener sur l'Île-Ferme. C'est même en mon pouvoir de te permettre d'y rester, si tel est ton désir. En revanche, il n'est pas en mon pouvoir de parler au nom de la Tribu et de libérer les Marcheuses de la Terre.

– Je ne te demande pas de libérer mon peuple. Ni de m'enfermer avec lui.

– Alors, que veux-tu faire là-bas ? demanda Nik à Mari.

– Ce qu'il faut. Je vais guérir mon peuple, exactement comme je vous ai guéris, toi, O'Bryan, Sheena et son Captain. Sol, acceptes-tu de me conduire sur l'Île-Ferme, oui ou non ?

Un silence s'installa, durant lequel Sol observa son fils. Puis, après avoir poussé un long soupir, le Prêtre du Soleil répondit à Mari :

– J'accepte de te conduire sur l'Île-Ferme.

– Pas sans moi, déclara Nik.

Mari jeta un coup d'œil au ciel.

– On doit se dépêcher. La lune décroît.

– Puisqu'il est tard, presque toute la Tribu dort, dit Sol. Remets ta capuche et suis-moi de près. On va prendre l'ascenseur le plus proche.

Mari acquiesça, se couvrit la tête et, Nik à ses côtés, emboîta vivement le pas à Sol.

Thaddée attendit que Sheena et Captain fussent rentrés dans le nid avant de partir à toute vitesse, aussi rapide qu'un Terrier. La tête lui tournait après la scène à laquelle il venait d'assister. Il avait toujours su qu'il y avait quelque chose chez Nik qu'il détestait, en plus du fait que tout était trop facile pour lui. « Enfin, sauf en ce qui concerne ses relations avec les canins », se reprit-il avec suffisance en contemplant le Terrier près de lui. « Même s'il est parvenu à en dégoter un, d'une façon tordue et perverse par rapport à celle dont un véritable Compagnon est choisi. »

La fille était une mutante, même s'il ne comprenait pas comment cette mutation s'était produite. Son visage était un mélange bizarrement fascinant de Compagnon et de Creuseur. Il était absolument évident à ses yeux qu'elle avait été envoyée à la Tribu comme tentation. Et la tentation, Thaddée connaissait. Depuis qu'il était revenu de l'embuscade, son corps avait continué à changer et à se fortifier. Son esprit avait commencé à se transformer, lui aussi. Tout lui semblait plus net, plus clair. Il découvrait tant de problèmes découlant du système de Lois archaïques de la Tribu. Pourquoi les Terriers étaient-ils inférieurs aux Bergers ? Cela n'avait pas de sens, et ce n'était qu'une Loi parmi d'autres que Thaddée trouvait absurdes ou dépassées.

Ulysse était complètement guéri ; il paraissait même plus fort qu'avant que les Voleurs de Peaux le blessent, partagent sa chair avec Thaddée, transformant ainsi radicalement leurs vies à tous les deux. Leur lien était aussi plus intime. Le Terrier était devenu plus sérieux et plus irritable. Au début, Thaddée s'était inquiété de son changement, mais après réflexion, il avait estimé qu'en réalité, le canin n'avait pas tant changé que cela. Depuis toujours, il était soupe au lait, et, avec ses crocs pointus, forçait les autres Terriers à rester concentrés durant les Chasses. En outre, Thaddée appréciait son bon sens. Il n'y avait pas de raison qu'un Terrier fût moins féroce qu'un Berger, pas plus qu'il n'y avait de raison que le Compagnon d'un Terrier eût moins de titres à être chef que celui d'un Berger.

Thaddée sentit sa colère monter, son corps chauffer, son sang palpiter dans ses veines. Il serra les poings, luttant contre l'envie de cogner sur quelque chose, n'importe quoi. Ulysse, qui trottait devant lui d'un pas ferme et résolu, se retourna et glapit avec impatience.

– Tu as raison, lui dit Thaddée. Une chose à la fois. D'abord, se débarrasser de Nik et du Prêtre du Soleil. C'est le début de la fin des vieilles méthodes !

Satisfait, Ulysse reprit sa course, suivi de Thaddée. Tout ce qui comptait réellement, c'était qu'ils étaient forts, unis et sûrs des bonnes perspectives annoncées par leur aventure. Le reste suivrait. Thaddée en était persuadé.

Cependant, ce changement hantait toutes ses nuits. Chacun de ses rêves était rempli d'étranges visions, aussi inquiétantes que séduisantes. Dans chacun d'eux prédominait l'image d'une fille dépourvue d'yeux qui lui faisait un signe d'une main douce et lisse.

Jusque-là, Thaddée avait résisté à l'attrait de cette main envoûtante, bien que, pendant la journée, il fantasmât continuellement sur un retour secret à Port City et au Temple de la Faucheuse. Grâce à l'incroyable développement de sa force, de sa vue et de son odorat, il était certain de réussir à voler la fille aveugle.

La seule pensée de la revoir, la toucher, la posséder, fit trembler ses mains et son estomac se noua d'excitation.

« Non ! s'interdit-il d'un ton ferme. Je ne succomberai pas à cette tentation. Pas maintenant. Pas avant d'en savoir plus sur ce qui m'arrive. »

Nik, lui, avait bien entendu cédé facilement au charme de la mutante. Cela n'étonnait pas Thaddée. Nik avait toujours voulu trouver sa place à tout prix. En revanche, ce qui le choquait, c'était la facilité avec laquelle le Prêtre du Soleil avait succombé, même si ce n'était pas étonnant, au fond. Sol avait toujours été trop large d'esprit, trop tolérant vis-à-vis des personnes excentriques. Sa défunte épouse en était le parfait exemple. Elle était belle et talentueuse, mais il y avait quelque chose qui clochait chez elle : une espèce d'étrangeté intérieure qui empêchait tout canin de la choisir.

Eh bien, si Thaddée continuait à avoir de la chance, après ce soir, il ne serait plus obligé d'éviter Sol et son fils en manque d'affection. Il y avait encore des Compagnons à qui l'on pouvait faire entendre raison, des Compagnons désireux de rendre la Tribu plus forte et plus stable.

Parvenu au nid qu'il cherchait, il frappa au chambranle de la porte. Il n'obtint pas de réponse. Il frappa avec plus d'insistance.

Il entendit une démarche traînante, puis le museau grisonnant d'un vieux Berger passa par le rideau accroché dans l'embrasure. Le canin leva les yeux vers lui et gronda doucement.

– Argos ! Qui est là ? fit une voix tout aussi vieille, à l'intérieur.

– Je suis désolé de te déranger dans ton sommeil, Aîné, s'excusa Thaddée. Mais je dois t'informer de quelque chose.

Le rideau s'écarta légèrement et Cyril, échevelé, le regarda en fronçant les sourcils.

– Thaddée, qu'y a-t-il de si important qui ne puisse attendre le lever du soleil ?

– Eh bien, Aîné, laisse-moi te faire part de ce dont j'ai été témoin cette nuit.

Avec une inquiétude croissante, Cyril écouta Thaddée lui décrire la femme mutante, le jeune canin qui était réapparu, et le rôle que le Prêtre du Soleil et Nik jouaient dans leur infiltration. Le vieil homme finit par ouvrir le rideau en grand et fit signe à Thaddée d'entrer.

– Tu as eu raison de me réveiller, déclara-t-il. Il faut mettre un terme à ces agissements.

Thaddée pénétra dans le nid du Chef des Aînés avec un sourire victorieux et attendit patiemment que le vieil homme s'habillât.

Pour Mari, le court trajet jusqu'à l'Île-Ferme s'effectua dans une sorte de brouillard. Son cerveau bouillonnait. Elle devait purifier les femmes. Sa conscience ne l'autoriserait pas à partir – à retourner dans sa confortable tanière, auprès de ses amies – en sachant que des Marcheuses de la Terre souffraient et qu'elle pouvait les soulager, ne fût-ce que pendant un petit moment.

Tandis qu'ils descendaient rapidement le coteau en direction de l'île, qui, tel un joyau de verdure, était enserrée entre le Channel et le puissant fleuve, Mari observait Sol.

Il ne faisait aucun doute que Nik était un homme bon. Il le lui avait prouvé à maintes reprises, alors qu'elle ne le connaissait que depuis peu de temps. Mais son père possédait-il la même qualité ? Ou son pouvoir et sa popularité l'avaient-ils corrompu ?

Mari se dit qu'elle le découvrirait cette nuit-là.

Ils approchaient du dernier pin immense avant les vestiges d'une vieille route et la berge qui longeait le bord ouest du Channel lorsque Sol leur dit :

– C'est moi qui vais parler. Quand j'avancerai, suivez-moi vite.

Il s'arrêta au pied de l'arbre, mit ses mains en porte-voix et cria :

– Holà ! Poste de guet ! C'est Sol. J'entre avec un groupe dans l'île.

Mari leva la tête et vit un homme, accompagné d'un Terrier, sortir de son poste, s'avancer jusqu'au bord de la petite plate-forme et regarder en bas. Sol lui fit un geste de la main. La sentinelle lui rendit son salut et cria :

– Tu peux y aller, Sol !

– C'est Davis, tant mieux, chuchota Nik à son père.

– Merci, Davis ! répondit Sol.

– Tu m'as l'air de travailler beaucoup, dernièrement ! lança Nik au guetteur.

– Nik ! Content de te voir rétabli ! On ira boire un verre plus tard pour se donner des nouvelles.

Percevant un sourire dans la voix du guetteur, Mari sentit son nœud à l'estomac se desserrer.

– D'accord, Davis !

Après avoir adressé un dernier signe à la sentinelle, Sol s'engagea à grandes enjambées sur l'asphalte déformé et crevassé. Mari et Rigel le suivirent avec précaution. La jeune femme observa l'ancienne route devant et derrière elle. On eût dit qu'une grande couleuvre sortie de l'eau avait ondulé au milieu en défonçant l'asphalte.

– Ça va ? lui demanda Nik en lui prenant le coude.

Elle hocha la tête et lut dans son regard qu'il était inquiet, mais aussi en colère.

– Il faut que je le fasse, Nik, même si ça te rend furieux, déclara-t-elle.

– Je ne suis pas en colère. J'ai peur pour toi. Pour moi aussi, d'ailleurs. Je n'ai pas envie de te perdre, Mari. Je viens juste de te trouver.

– Moi aussi, j'ai peur, reconnut Mari avec un doux sourire. Et je vais m'arranger pour que tu ne me perdes pas. Mais les choses doivent changer pour les Marcheurs de la Terre ; tu le sais.

Nik passa un bras sous le sien et ils marchèrent côte à côte jusqu'à la carcasse rouillée du pont de l'Île-Ferme.

– Alors, promets-moi de ne pas te mettre en danger si tu peux l'éviter, insista le jeune homme.

– Nik, je n'ai pas du tout l'intention de me mettre en danger. Je n'ai pas envie d'être blessée. Je ne suis pas folle ! Je dois juste faire ce qu'il faut, même si je me suis rendu compte récemment que ça semble parfois insensé à ceux qui ne souhaitent pas le changement.

– Bon, restez près de moi, recommanda Sol aux deux jeunes gens qui le rattrapèrent juste avant le pont.

Il prit un flambeau dans son support à l'entrée du pont et le leva bien haut.

– Ce pont est tellement rouillé et troué de partout qu'on dirait de la dentelle. Tiens bien Mari, Nik.

– Avec plaisir, répondit celui-ci, en prenant la main de la jeune femme tandis qu'ils avançaient avec précaution.

Au centre du pont, Mari s'arrêta et regarda à sa gauche. À l'approche de l'aurore, le vent avait commencé à souffler très fort, faisant filer à toute allure des amoncellements de nuages devant la lune. Le gros croissant brillant qui perçait ce voile houleux donnait à l'eau boueuse du Channel une teinte argentée limpide, et éclairait une rangée de maisons reliées entre elles par un long quai qui semblait flotter au milieu.

– C'est ici que les femmes sont retenues, n'est-ce pas ? devina Mari.

– Oui, confirma Nik, qui s'arrêta à ses côtés.

Elle observa la zone, puis hocha la tête d'un air satisfait.

– La lune n'aura certainement aucun mal à me trouver là-bas.

– Tu seras prudente ?

La jeune femme sonda le visage de Nik. Elle sentit quelque chose en elle se détacher et se retourner. Cet homme, qui au début lui avait paru si étrange, voire dangereux, avait maintenant tout à fait sa place près d'elle. Il lui semblait être quelqu'un de sûr. Comme un membre de sa famille. Alors, Mari prit une profonde inspiration, et prononça les mots qui allaient changer sa vie à jamais.

– Tu n'as pas de raison de t'inquiéter. Les Marcheuses de la Terre ne sont pas violentes. Elles sont simplement tristes. C'est seulement nos hommes qui deviennent violents quand ils n'ont pas une Femme Lune pour les purifier de la Fièvre Nocturne.

– Tu veux dire que leur tristesse n'est pas due à leur captivité ?

– De manière indirecte, si. C'est parce qu'elles sont prisonnières qu'elles ne peuvent pas aller voir une Femme Lune. Sans Femme Lune pour les purifier de la Fièvre Nocturne, les Marcheuses de la Terre tombent dans une dépression terrible et finissent par se laisser mourir. Avec les hommes, le problème n'est pas la dépression, mais la violence.

– Pourtant, ceux qui ont attaqué Sora n'étaient pas captifs, fit remarquer Nik. Ils avaient des contacts avec toi, mais ils étaient quand même violents.

– C'est parce que je n'ai pas purifié le Clan. Nik, ce n'était pas moi, la Femme Lune. C'était maman. Sora était son apprentie. Moi, j'étais juste sa fille.

– *Juste* sa fille ? répéta le jeune homme en lui touchant le visage. Il me semble au contraire que tu étais tout pour elle.

– Et elle était tout pour moi. Jusqu'à ce qu'il y ait Rigel. Et Sora. Et toi, avoua Mari en déplaçant son regard vers les prisons flottantes.

– Et aujourd'hui, tu as Jenna, Danita, père, O'Bryan, et aussi Sheena et son Captain.

– Nik, votre présence dans ma vie m'a appris à être la Femme Lune que maman espérait me voir devenir.

Elle le dévisagea ; elle voulait qu'il comprenne, mais ne savait pas exactement comment lui expliquer les choses.

– C'est pour ça que tu dois aller voir ces femmes, n'est-ce pas ? dit Nik. C'est ce que ta mère aurait voulu que tu fasses.

– Hier, j'aurais dit oui, je fais ça pour maman. Mais aujourd'hui, c'est différent. Ton peuple m'a changée. Aujourd'hui, je fais ça pour mon Clan. Nous sommes tout aussi humains que ta

Tribu, et je crois que si Sol – si ta Tribu – le comprend, ce sera le début du changement de notre monde.

– Et notre monde a effectivement besoin de changer, affirma Nik.

– Donc, tu es d'accord avec moi ?

– Oui, Mari. Tu peux compter sur moi. Je te défends. Je te défendrai toujours.

Mari entendit dans les paroles de Nik celles-là mêmes que Léda et elle avaient échangées. Les yeux noyés de larmes, elle s'avança et se blottit dans les bras du jeune homme, qui se pencha et pressa ses lèvres contre les siennes. Mari lui rendit son baiser – d'abord timidement –, puis, faisant glisser ses mains sur ses puissantes épaules, elle l'enlaça étroitement, et tout son corps fut parcouru de sensations excitantes.

– Nik, Mari ! Venez ! appela Sol de l'extrémité du pont, contre l'île. Remettez ça à plus tard, vous aurez le temps ! Le soleil va bientôt se lever !

Les deux jeunes gens s'arrachèrent à leur étreinte. Mari, le visage rouge et gênée par les sentiments nouveaux qui s'éveillaient en elle, voulut s'écarter complètement de Nik, mais il lui attrapa la main et l'attira tout près de lui.

– Excuse-moi si je suis allé trop vite, dit-il, en lui touchant le visage avec douceur avant d'enlever une boucle blonde de sa joue.

– Tu n'es pas allé trop vite. C'est juste que... je n'avais encore jamais embrassé personne, lâcha Mari.

– Tu ne regrettes pas, alors ?

– Non. Jamais je ne regretterai, assura Mari en fixant les yeux couleur ambre de Nik. Cela m'a plu. Beaucoup. Je... j'aimerais t'embrasser encore, mais je suis d'accord avec ton père : on aura le temps plus tard. Je l'espère, conclut-elle en lui adressant un sourire nerveux.

– Ma magnifique Femme Lune, c'est exactement ce que j'espère, moi aussi. Mais commençons par changer notre monde.

Avec un large sourire, Nik montra du doigt la maison flottante la plus proche.

– Tu trouveras Isabel dans cette maison. On va accoster tout près.

– Bien, je suis prête, annonça Mari.

Main dans la main, Mari et Nik franchirent le pont pour aller sur l'Île-Ferme.

Mari se prépara en longeant le Channel. Elle respira profondément l'odeur des champs fertiles, éprouvant un respect mêlé d'admiration à la vue des hectares de plantations qui s'étendaient sur toute la largeur de l'île émeraude. Elle s'ancra dans la terre, gardant à l'esprit que même si son peuple avait été forcé de labourer cette terre, de la planter et de la moissonner pour la Tribu, elle avait reçu l'empreinte du labeur des Marcheuses de la Terre. La Terre le saurait. La Lune s'en souviendrait.

Ils parvinrent au niveau de l'eau en descendant des marches façonnées dans la berge. Là, un petit canot les attendait. Nik aida Mari à monter à bord, et Sol et lui ramèrent énergiquement jusqu'aux maisons flottantes.

Tout était calme lorsqu'ils grimpèrent sur le quai. Mari contempla la première de la douzaine de maisons, se demandant ce qu'elle devait faire maintenant.

Elle vit alors la grosse barre sur la porte, et les épais barreaux en bois aux fenêtres ; tout cela pour qu'une fois à l'intérieur, les femmes ne puissent plus ressortir. C'est à cet instant qu'elle sut quoi faire.

Elle s'approcha de la première maison, ôta la barre et voulut ouvrir la porte. Mais, surgissant de derrière elle, la main de Sol appuya contre le battant en bois.

La jeune femme se tourna vers le Prêtre du Soleil et lui demanda :

– Ne vas-tu pas tenir parole ?

– Si. J'ai tenu parole. Je t'ai amenée ici, mais je t'ai déjà dit que je n'avais pas l'autorité pour libérer ton peuple.

À ce moment, Nik vint aux côtés de son père et lui enleva doucement la main de la porte.

– Mon père m'a appris à ne pas laisser les autres contrôler mes actes, surtout si je sais que je fais ce qu'il convient de faire, déclara-t-il. Par conséquent, au lieu d'attendre que la Tribu agisse, qu'elle décide de faire ce qu'il convient de faire, je vais passer à l'action. C'est ce que mon père souhaiterait que je fasse.

Sol dévisagea son fils. Puis, lentement, il plaça le flambeau qu'il portait sur le support près de la maison et s'écarta délibérément de la porte.

– Quand es-tu devenu si sage ? lui demanda-t-il.

Le jeune homme pressa l'épaule de son père, mais posa son regard sur Mari.

– Quand j'ai arrêté de vouloir que le monde change et que j'ai décidé de provoquer ce changement moi-même.

Sur ce, Nik ouvrit grand la porte, puis recula de quelques pas avec son père, pour laisser seule Mari, dont la silhouette se découpait dans l'embrasure.

La jeune femme ne s'autorisa pas une seconde d'hésitation.

– Isabel ! appela-t-elle. Isabel, tu es là ?

Elle perçut des mouvements à l'intérieur, ainsi qu'un gémissement sourd et des sanglots saccadés. Peu après, un visage blême émergea des tas formés par les femmes. Mari vit alors Isabel cligner les yeux, puis les écarquiller de stupéfaction.

– Mari ?

Celle-ci tendit la main à la captive, qui se précipita vers elle et la serra fort.

– Oh, Mari ! C'est bien toi ! Où est Léda ? Que fais-tu ici ?

Lorsque Isabel posa ses grands yeux gris interloqués sur Sol et Nik, elle voulut se replier à l'intérieur. Mari lui serra plus fort la main.

– Léda est morte, annonça-t-elle.

Des hoquets de stupeur et des cris de désespoir s'élevèrent dans la maison, et Mari dut hausser la voix pour se faire entendre :

– Je suis la Femme Lune du Clan ; je suis venue vous purifier.

Immédiatement, tous les bruits cessèrent. L'une après l'autre, les femmes se levèrent.

– Femme Lune… Notre Femme Lune est ici.

À mesure que la nouvelle se répandait, les murmures cédèrent la place à des cris.

– Femme Lune ! Purifie-nous, Femme Lune ! Sauve-nous !

Mari tira Isabel dehors et lui dit :

– Reste près de moi. Je vais avoir besoin de ton aide.

Elle reporta son attention sur la masse des femmes qui se pressaient dans l'embrasure de la porte. Elles ne sortirent pas de la maison. L'on eût dit qu'une barricade invisible les retenait.

– Venez au clair de lune, entrez dans un monde nouveau ! cria Mari, avant de lancer à Nik : Aide-moi à ouvrir toutes les portes !

Ensemble, ils allèrent en courant jusqu'au bout du quai, débarrant et ouvrant grand les portes. Alors, les femmes se mirent à sortir des maisons en criant :

– Femme Lune ! Notre Femme Lune !

Puis elles entourèrent Mari, qui eut l'impression que mille mains se tendaient vers elle tandis qu'autant de voix lui criaient sans discontinuer de les purifier, de les sauver. C'était comme si chaque femme voulait un morceau d'elle, et soudain, Mari crut qu'elles allaient réellement l'écarteler.

Elle tenta de reculer. De leur faire entendre raison :

– Attendez, non. Je vais vous aider. Il faut juste que...

Mais ses paroles furent noyées sous le raz-de-marée de leur avidité, soudain libérée.

Alors, Nik apparut ; ses bras puissants la tirèrent et son corps la protégea des mains rapaces des femmes.

– Nik ! Mari ! appela Sol. Servez-vous de ça !

Lorsque Mari leva les yeux, elle vit qu'il tenait un grand abreuvoir en bois qu'il avait pris dans l'une des maisons. Le traînant derrière lui, il gagna à grandes enjambées le centre de la partie la plus large du quai, et retourna le récipient. Puis il tendit la main vers Mari.

Nik réussit à extraire la jeune femme de la foule et ils coururent tous deux jusqu'à Sol, qui aida Mari à monter sur l'abreuvoir. Ainsi perchée, elle se tourna face à la multitude des femmes déconcertées et excitées qui voulaient grimper avec elle sur le récipient.

– Formez un cercle autour de moi ! Donnez-vous la main ! Toutes !

En cherchant du regard Isabel, Mari s'aperçut qu'elle se tenait toujours près de la porte de la première maison.

– Isabel, viens prendre ma main !

La fille accourut aussitôt.

– Faites comme Isabel ! Donnez-vous toutes la main !

Réprimant à peine leurs cris hystériques, les femmes s'élancèrent, puis se répartirent autour de Mari, sur tout le quai. La première d'entre elles saisit la main d'Isabel. Une deuxième s'avança pour prendre celle de Mari ; puis, à l'instar des ondes concentriques qui se propagent dans l'eau, toutes les femmes se donnèrent la main les unes après les autres.

Mari inclina la tête en arrière pour capter ce qui restait du pouvoir du clair de lune. Elle ferma les yeux et se mit à tracer dans son esprit le dessin le plus beau, le plus complexe qu'elle eût jamais réalisé. Elle imagina que l'énergie du clair de lune était une espèce de pluie. Elle la représenta tombant du ciel telle une magnifique averse qui remplissait chaque femme en dessous, et la purifiait de toute tristesse.

Mari sentit le vent cingler l'air autour d'elle, soulever ses cheveux et caresser son corps comme pour l'encourager. Conservant fermement cette image dans son esprit, elle prononça l'invocation à la lune.

En vertu de mon sang et de ma naissance
Je te prie de vers moi canaliser
Ce que la Terre Mère proclame ma destinée !

Une énergie telle qu'elle n'en avait jamais reçu inonda Mari, la remplit jusqu'à déborder et se répandit dans les femmes qui attendaient, les purifiant et emportant le désespoir qui leur collait à la peau comme une odeur rance tenace.

Lorsque le pouvoir de la lune l'eut totalement traversée, Mari rouvrit les yeux. Tous les regards étaient braqués sur elle. Le silence était assourdissant.

Une femme qui avait disparu depuis si longtemps que Mari avait oublié son nom lâcha la main de sa voisine et s'avança, le visage rayonnant de joie.

– Merci, Femme Lune, dit-elle d'une voix posée, avant de s'incliner avec déférence.

Toutes les femmes l'imitèrent. Chacune vint exprimer sa gratitude à Mari, avant de lui rendre hommage en se prosternant devant elle.

Debout sur le podium improvisé, le visage baigné de larmes de bonheur, Mari accepta leurs remerciements aussi simplement que sa mère l'aurait fait.

Soudain, une femme ouvrit grand les bras tandis que le vent redoublait. En riant, elle se mit à danser, ses pieds frappant un rythme joyeux et rapide. D'autres se joignirent à sa danse, au point que leur martèlement musical vibra sur tout le quai, s'élevant avec leurs rires dans le vent.

Mari chercha Nik du regard. Lorsqu'elle le repéra, elle eut l'impression que ses yeux la caressaient. Il sourit, hocha la tête et articula en silence : « Bravo, Femme Lune ! »

– Rentrez immédiatement dans vos maisons et personne ne sera blessé !

Mari virevolta en entendant ce cri. Des kayaks remplis de Compagnons et de leurs canins encerclaient les maisons flottantes. Tous les hommes visaient de leurs arbalètes les femmes qui dansaient.

Se frayant un chemin dans la foule, Sol se dirigea immédiatement vers le côté opposé du quai, face à la multitude de bateaux. Nik rejoignit Mari en hâte, tandis que les femmes cessaient leur danse et commençaient à former de petits groupes.

– Wilkes, c'est moi qui commande ici ! tonna Sol, dont la voix grave fit taire celles des femmes effrayées derrière lui. Ces captives qu'on appelle des Creuseuses, qui sont en réalité des Marcheuses de la Terre, sont maltraitées par la Tribu depuis des générations. Leur mélancolie, qui les tue à petit feu, est due seulement à leur captivité. C'est injuste et inhumain. En tant que Chef choisi de la Tribu et Prêtre du Soleil, je ne peux pas, en mon âme et conscience, permettre que ces mauvais traitements perdurent.

– Donc, à la place, tu veux condamner ton propre peuple à mort ?

Sol chercha dans les visages devant lui celui de Cyril, dont il avait reconnu la voix.

– Non, mon vieil ami. Contre cette maltraitance, je veux demander à mon peuple de faire ce qu'il convient de faire.

– Conduis-moi près de ton père, demanda Mari à Nik.

Sans lui poser de question, le jeune homme se hâta de la mener à travers les petits groupes de femmes. Puis ils se placèrent tous deux près de Sol, flanqués de Rigel et de Laru. Mari se tourna vers le vieil homme qui s'était exprimé et parla d'une voix forte afin de couvrir le vent et de se faire entendre des Compagnons.

– Je peux soigner votre rouille.

S'éleva aussitôt une clameur incrédule, qui fut soudain dominée par une voix haineuse.

– C'est elle ! La mutante qui ne fait pas partie de la Tribu, mais qui a attiré un canin à elle par la ruse !

– Ah ! Ce groupe est donc ici à cause de ton venin, Thaddée, répliqua Nik. J'aurais dû m'en douter.

– Ce groupe est ici parce que Thaddée a eu la présence d'esprit de venir me voir quand il a découvert que ton père et toi aviez permis à une intruse de pénétrer dans la Cité ; une intruse dont le but est de nous voler nos Creuseuses ! cria Cyril.

– Ce sont des Marcheuses de la Terre ! rectifia Mari. Et ce sont des personnes, pas des objets. Elles ne peuvent pas vous appartenir.

– Jeune femme, tu devrais apprendre à rester à ta place et ne pas répondre à tes aînés, rétorqua le vieil homme.

– C'est de cette manière que vous gouvernez, dans la Tribu ? Par l'intimidation et l'ignorance ?

– Ça suffit ! Faites taire cette créature et rentrer les Creuseuses dans leurs maisons, ordonna Cyril.

– Cyril, Mari est ici sur mon invitation et sous ma protection, déclara Sol.

– Donc, tu la choisis elle, plutôt que ton peuple ! le railla Thaddée. Je comprends d'où viennent les tendances tordues de ton fils.

– En choisissant de protéger Mari, je choisis bel et bien mon propre peuple, affirma Sol. C'est une Marcheuse de la Terre *et* une Compagnonne. Elle est les deux à la fois. Cyril, tu sais que je dis la vérité, et pourquoi c'est la vérité, même si tu refuses de l'admettre. En plus, Mari peut guérir la rouille. J'en ai été témoin.

– Si tout ça est vrai, pourquoi Nik et toi nous cachiez cette fille ?

Au bout de quelques secondes, Nik repéra Wilkes parmi les nombreux Compagnons, mais avant qu'il pût répondre au Chef des Guerriers, Mari intervint :

– Parce que je les avais prévenus que s'ils ne me cachaient pas, je ne viendrais pas, et donc, je ne guérirais pas O'Bryan de la rouille. Il y a un tel passé de violence et de défiance entre nos peuples que je n'avais pas envie de vous faire bénéficier du remède.

– C'est cruel ! cria un Compagnon.

– Plus cruel que de réduire les femmes de mon Clan en esclavage et de massacrer nos hommes ? riposta Mari.

– Que propose-t-elle ? demanda Cyril à Sol.

– Elle peut répondre elle-même.

Mari leva le menton et regarda le vieil homme droit dans les yeux.

– Je ne *propose* rien. Il n'y a qu'une vérité, ici, et elle est simple. Si vous voulez que la rouille qui infecte la Tribu soit traitée, vous laisserez les Marcheuses de la Terre libres, et jurerez de ne plus jamais les réduire en esclavage. Sinon, la rouille pourra continuer à vous tuer et je dirai « bon débarras » à un peuple qui est tellement guidé par son égoïsme qu'il mérite d'être éliminé de la surface de la terre ! cria-t-elle.

– Voici une autre vérité, répliqua Cyril d'un ton implacable. On ne te laissera pas détruire notre monde. Tuez-la et remettez ces Creuseuses dans leurs cages !

– Cyril, tu dois agir honorablement, dit Sol. Nous ne sommes pas des monstres ! Nous ne pouvons pas continuer à…

Dans un mouvement d'une rapidité si surhumaine qu'il en fut presque imperceptible, Thaddée leva son arbalète et tira. Le Prêtre du Soleil se jeta sur Mari, la faisant tomber par terre, et la flèche destinée à la jeune femme lui transperça la poitrine.

– Non !! hurla Nik en s'écroulant à genoux près de Sol. Non ! Père ! Père !

Les hommes et les canins embarqués dans les kayaks bondirent sur le quai.

Soudain, Laru et Rigel se placèrent devant les femmes, Mari, Nik et Sol. Montrant les crocs, leurs poils du cou hérissés, ils formèrent un mur entre eux et les Compagnons, qui hésitèrent, car même le plus furieux des Guerriers ne pouvait envisager de faire du mal à un canin.

À présent à quatre pattes, Mari regarda avec horreur la panique se répandre parmi les Marcheuses de la Terre, qui criaient. Elles tentèrent d'échapper aux Compagnons, et au milieu de leur hystérie, le flambeau fut renversé par terre. Mari le vit rouler dans une maison au sol tapissé de paille qui, dans un mugissement, prit feu.

Le cœur battant à tout rompre, elle reporta son attention sur Nik, qui sanglotait au-dessus de son père.

Elle rampa jusqu'à ce dernier, tâta son pouls, même si, étant donné la flèche qui lui avait transpercé le corps, et le cœur, elle devinait qu'elle ne le sentirait pas.

– Réveille-toi ! Il faut que tu te réveilles, père ! ordonnait le jeune homme à Sol en le secouant.

– Nik ! appela Mari en lui prenant le visage entre ses mains pour qu'il la regarde. Il n'est plus des nôtres.

Nik la fixa, d'abord sans la voir, puis sa vision s'ajusta.

– Sauve-le, Mari ! Je t'en supplie, sauve-le ! sanglota-t-il.

– Je ne peux pas, Nik. Ton père est mort. Je ne peux pas plus le sauver que je n'ai pu sauver maman.

Derrière eux, une explosion ébranla le quai, tandis que la première maison était engloutie par les flammes. Le toit s'effondra à l'intérieur, et les murs commencèrent à flamber, mettant le feu à la maison voisine. La suivante, et celle d'après, s'enflammèrent dans un rugissement.

La chaleur était épouvantable. Elle obligea les Compagnons à battre en retraite sur le Channel et les femmes, affolées, se réfugièrent sur les bords du quai.

Mari se releva et cria pour couvrir le grondement de l'incendie :

– Marcheuses de la Terre ! Fuyez ! Allez vous réfugier dans les tanières !

Les femmes n'eurent pas besoin de plus de conseils. Elles sautèrent dans le Channel et nagèrent vers l'autre bord.

– Espèce de garce ! C'est toi qui as provoqué tout ça !

Mari vit le Compagnon dénommé Thaddée debout dans son kayak, qui la visait avec son arbalète.

À cet instant, Laru et Rigel reculèrent vers elle en grondant férocement, la protégeant de leurs corps.

Thaddée tira, mais le jeune Compagnon qui dirigeait le kayak, et dont le Terrier blond aboyait violemment sur le tireur, dévia le bateau juste à temps. La flèche vola au-dessus des têtes des deux canins.

– Thaddée ! Qu'est-ce qui te prend ? Tu n'as pas le droit de tuer des Bergers ! lui cria le jeune homme.

Thaddée l'ignora. Il voulait à tout prix toucher Mari.

– Un jour, tu devras te lever et nous faire face, et alors, je te tuerai ! la menaça-t-il.

D'autres maisons implosèrent, et l'énorme souffle d'air chaud força Thaddée et les autres Compagnons à s'éloigner du quai en flammes.

– Il faut décamper, Nik, dit Mari, en le tirant par le bras. Viens avec moi dans le bateau !

Une fois de plus, Nik la regarda sans la voir.

Derrière lui, le vent tourbillonna soudain avec une violence presque douée de conscience qui attisa les flammes voraces, les entretint, les encouragea pour finalement faire monter très, très haut leurs étincelles, qui s'immobilisèrent dans l'air et flottèrent, puis formèrent la silhouette voluptueuse d'une femme magnifique. Les Compagnons comme les Marcheuses de la Terre observaient cet étrange spectacle bouche bée. Alors, dans un soupir, la silhouette se déplaça au-dessus du Channel, et se reconstitua sous la forme de feu. Tous les yeux suivirent cette colonne de flammes jusqu'à ce qu'elle arrive au-dessus de la berge. Après une pause de mauvais augure, celle-ci s'embrasa et les flammes s'élevèrent encore, enveloppant le premier des majestueux pins, puis un deuxième, et un troisième... Tel un être vivant, le feu se dirigea vers la Cité dans les Arbres.

– Allez ! Allez ! Allez ! cria Cyril. Retournons chez nous ! On doit éteindre cet incendie !

– Nik, écoute-moi ! dit Mari. On va brûler si on reste sur ce quai. Et Laru et Rigel mourront avec nous.

Lorsque le jeune homme posa enfin les yeux sur elle, Mari fut touchée par la profondeur du désespoir qu'elle y lut et son cœur se brisa pour lui. Alors, elle lui dit la seule chose qui, selon elle, pouvait l'atteindre :

– Ton père voudrait que tu vives.

– Vas-y, répondit-il avec raideur. Je te suis.

– Rigel, viens ! appela Mari en traversant le quai à toute vitesse.

Elle dénoua la corde à laquelle le petit bateau était attaché. Rigel sauta dedans et Mari fit de même.

Nik était toujours accroupi près du corps de son père, Laru à ses côtés. Une nouvelle explosion retentit, et le quai trembla. Avant de s'enflammer à son tour.

– Nik ! Sauve-toi !

Les flammes commençant à lui lécher les pieds, Nik se mit à courir et sauta dans le bateau où il atterrit en dérapant. Quasiment pliée en deux, Mari rama de toutes ses forces afin de mettre le plus de distance possible entre l'enfer du quai et eux.

– Laru ! appela Nik. Ici !

Le grand Berger se tenait près de Sol, entièrement cerné par les flammes. Il pencha la tête, toucha la joue de son Compagnon avec son museau et ferma les yeux. Mari vit les extrémités de ses poils noirs commencer à se recourber et à brûler légèrement, puis elle détourna le regard, incapable d'assister à la fin du fidèle canin.

– Laru, je ne veux pas te perdre en plus de père ! Je t'en supplie, choisis de vivre ! Viens avec moi !

La voix de Nik qui hurlait ressemblait tant à celle de Sol que Mari en eut la chair de poule.

Le Berger rouvrit les yeux. Puis il prit de l'élan, bondit comme s'il avait été lancé par une arbalète à travers les flammes, courut sur le quai et plongea dans l'eau. Remontant à la surface au bout de quelques secondes, il nagea en direction du bateau.

Une flèche tomba dans l'eau quelques dizaines de centimètres devant eux. Après que Nik eut entouré Laru de ses bras et l'eut hissé à bord, Mari vit Thaddée.

Tous les autres Compagnons pagayaient frénétiquement vers le rivage, déterminés à arriver dans leur Cité avant le feu pour sauver leurs familles. Mais Thaddée, lui, était debout dans son kayak, face à la direction opposée. Bien que son jeune partenaire dirigeât leur petite embarcation vers le bord, Thaddée continuait inlassablement à décocher des flèches vers Mari, maintenant hors de sa portée. La jeune femme constata que son visage était rouge de rage, et son expression si déformée par la haine qu'il ressemblait davantage à un monstre qu'à un humain.

– Attends, laisse-moi nous sortir d'ici, dit Nik en prenant la place de Mari.

Il les propulsa sur le Channel, les éloignant des Compagnons et de la forêt en feu.

– Ce n'est pas fini ! leur hurla Thaddée, furieux. Je vous traquerai et je vous tuerai ! Je le jure sur la vie de mon propre canin !

Puis une épaisse fumée noire se propagea sur le Channel, les protégeant de son venin.

Nik continua à ramer, courbé sur les longues barres de bois avec lesquelles il semblait attaquer l'eau. Mari rejoignit Laru, palpa son corps afin de vérifier s'il était blessé. N'ayant rien trouvé hormis des poils roussis, elle s'écroula au fond du bateau, tremblant de soulagement, et serra fort Rigel contre elle.

Nik rama encore pendant de nombreuses minutes, ou peut-être des heures. Ils étaient seuls sur l'eau. Mari tourna la tête vers l'est. Là où aurait dû se lever le soleil se dressait un mur de flammes.

Laru se mit debout et, les pattes flageolantes, s'approcha de Nik. Celui-ci lâcha les rames et attira le Berger dans ses bras en lui disant :

– Je sais que ton choix n'est pas le même que quand tu t'es lié à père, mais merci d'avoir répondu à mon appel et de m'avoir rejoint. Laru, je t'accepte et je jure de t'aimer et de prendre soin de toi jusqu'à ce que le destin nous sépare par la mort.

Le Berger posa la tête sur le torse de Nik, soupira, ferma les yeux et se blottit le plus possible contre son nouveau Compagnon.

Mari vit Nik détacher son regard de Laru et le diriger vers le quai, qui était entièrement en feu, avant d'observer le coteau enflammé. Sentant ses yeux sur lui, il tourna la tête vers elle.

– Mon monde est en train de brûler, dit-il.

Elle se pencha et prit ses mains dans les siennes.

– Construisons un monde nouveau, lui répondit-elle. Ensemble. Un monde dans lequel chacun sera accepté, chacun aura sa place.

– Je ne sais pas si c'est possible, avoua Nik.

Mari les réconforta, lui et son grand Berger, en les serrant fort dans ses bras. Rigel se joignit à eux, complétant leur cercle d'amour et de loyauté.

– Alors, je vais y croire suffisamment pour nous deux jusqu'à ce que tu y croies toi-même. Fais-moi confiance, Nik. Je te défends. Je te défendrai toujours.

Colombe réveilla Œil Mort en prononçant une phrase déterminante :

– Il se passe quelque chose.

Il se réveilla aussitôt, l'esprit vif.

– Qu'est-ce que c'est ? s'enquit-il.

– Je ne sais pas trop. Je perçois un changement. Est-ce que tu sens ce que je sens ? L'air a une étrange odeur. Mon Champion, on doit aller au balcon. Il faut que tu sois mes yeux.

– Je le serai toujours, lui garantit-il en lui prenant la main.

Ils quittèrent leur paillasse et traversèrent rapidement la chambre jusqu'au balcon de la divinité. Après l'avoir aidée à monter avec lui sur le rebord, il contempla le ciel matinal en se tournant instinctivement vers le nord-ouest.

Au début, il lui sembla qu'il y avait quelque chose d'anormal dans les nuages. Il eut l'impression qu'ils se formaient dans la lointaine forêt et non dans le ciel. Déconcerté, il les observa attentivement. Puis le vent tourna, ce qui lui permit de distinguer une colonne de fumée noire avec une lueur orange au centre des volutes blanches des nuages. Épaisse et menaçante, elle s'étendait, obscurcissant le ciel azuréen parfait. Œil Mort était très excité.

– Que vois-tu, mon Champion ?

– Notre avenir ! Je vois notre avenir !

Avec la grâce et la force d'un cerf, il souleva Colombe, pressant son corps nu contre le sien, et la fit tournoyer longuement. Ils riaient tous les deux joyeusement sous la silencieuse Faucheuse dressée derrière eux. Son regard de cuivre était fixé sur la forêt lointaine comme si elle aussi contemplait leur avenir. Son expression figée ne manifestait nulle joie, nulle colère ; elle traduisait seulement une attente et une vigilance calmes terrifiantes à voir.

FIN. POUR LE MOMENT.

Épilogue

Ce fut uniquement grâce à Bastet, son Lynx, qu'Antreas ne fut pas pris au piège des flammes. La grande féline le sauva une fois de plus. Ce soir-là, elle le pétrit de ses énormes coussinets avec tant d'insistance qu'elle fit peur à la pulpeuse femme de la Tribu qu'il avait convaincue de le rejoindre dans le nid des visiteurs pour un rafraîchissement en privé. Bastet agaça tellement Antreas que, sans s'en rendre compte, celui-ci reprit le comportement normal qu'il avait dans son antre. Il siffla sur le Lynx, à la suite de quoi la fille s'enfuit du nid en leur adressant des regards horrifiés et disparut dans la nuit.

– Je suppose que tu es contente de toi, Bastet, marmonna-t-il. Ce n'est pas avec cette fille que je me mettrai en couple !

Bastet se frotta contre lui, se faufila plusieurs fois entre ses jambes en ronronnant, avant d'aller à la porte à pas feutrés et de se retourner vers son Compagnon avec l'air d'attendre quelque chose.

– D'accord, dit Antreas en soupirant. Autant aller chasser avec toi, puisque mes espoirs de faire une autre sorte d'exercice physique ce soir se sont envolés. Honnêtement, Bastet, quand cette fille aura raconté à tout le monde ce qui s'est passé, j'aurai de la chance si une autre femme de la Tribu accepte de rester seule avec moi.

Bastet se contenta de gratter à la porte et d'émettre son toussotement caractéristique en signe d'impatience.

Antreas soupira de plus belle et suivit sa féline.

Comme il était tard, le Lynx et son Compagnon ne virent personne avant d'atteindre l'ascenseur principal.

Antreas n'eut pas besoin de frapper à la porte du nid pour attirer l'attention du guetteur. Le grondement sourd de son Berger, à l'intérieur, l'avait déjà prévenu.

– Oh, c'est toi, fit l'homme en sortant du nid, avec une moue renfrognée et dédaigneuse.

Le Mercenaire garda une expression placide, bien que l'arrogance du peuple aux chiens commençât à lui taper sur les nerfs.

– Bastet a besoin de chasser, expliqua-t-il. Je te serais reconnaissant de bien vouloir nous faire descendre.

– C'est peut-être différent dans les montagnes, et par « différent », j'entends « plus facile », mais ici, ce n'est pas une bonne idée de se promener dans la forêt après la tombée de la nuit.

– J'en suis conscient. Mais Bastet et moi savons nous défendre, assura Antreas.

Au lieu d'aller aux commandes de l'ascenseur, l'homme pencha la tête et observa le Mercenaire.

– Est-il vrai que vous pouvez grimper aux arbres ? l'interrogea-t-il.

– Oui.

La sentinelle afficha un sourire moqueur.

– Alors pourquoi as-tu besoin de l'ascenseur ? Est-ce parce que, une fois dans l'arbre, vous ne savez plus comment redescendre ?

À ce moment, Bastet siffla. L'homme au chien écarquilla les yeux tout en regardant tour à tour la grande féline et son

Compagnon. Sachant ce que son interlocuteur voyait, Antreas sentit les commissures de sa bouche s'étirer lentement en un sourire de satisfaction.

Dans la langue ancienne, *lynx* signifiait *lumière*. Les grands chats avaient été appelés ainsi en raison du pouvoir réfléchissant de leurs yeux surnaturellement perçants, pouvoir transmis à l'humain qui était choisi par un Lynx, et qui, selon les étrangers, lui donnait une apparence pareillement mystérieuse et démoniaque.

– On peut grimper aux arbres *et* en redescendre de la même manière. On peut faire beaucoup de choses dont ta Tribu parle – et qu'elle ignore –, mais chez moi, dans mon peuple, on considère qu'il est impoli de poser de telles questions à un invité. Cela n'est-il pas le cas chez le peuple aux chiens de la Tribu des Arbres ?

Le guetteur écarquilla les yeux. Sa stupéfaction se mua rapidement en une expression d'indifférence feinte.

– Monte dans l'ascenseur, dit-il. Et agite le flambeau quand tu voudras remonter.

Antreas et Bastet entrèrent et refermèrent la porte. Avec un sourire railleur, mais en se forçant à conserver un ton neutre, Antreas dit à la sentinelle :

– Merci de ton hospitalité.

Alors qu'ils étaient encore bien loin du sol, Bastet ouvrit la porte de la cabine avec ses griffes et bondit dehors avant d'atterrir délicatement sur ses larges pattes. Un sourire féroce aux lèvres, Antreas fit de même, si félin dans ses mouvements que lui aussi paraissait défier la pesanteur.

Ensuite, il courut à toute vitesse dans la forêt, suivant l'éclair argenté qu'était Bastet. Après lui avoir adressé un regard taquin par-dessus son épaule, le grand Lynx sauta sur les branches basses d'un jeune pin et resta tapi là, appelant son Compagnon d'un long miaulement grave. Antreas jaillit lestement d'un rondin voisin et monta à toute allure le long de l'arbre où Bastet était perchée, s'y agrippant aisément en enfonçant dans l'épaisse écorce les pointes qui dépassaient du bout de ses bottes. D'un petit mouvement rapide et expert des poignets, il fit apparaître dix longues griffes au bout de ses doigts, à l'aspect normal par ailleurs. Alors, avec un grognement de satisfaction, il les planta dans l'écorce de l'arbre et demeura accroché là comme Bastet, l'air plus félin qu'humain.

– Le peuple aux chiens n'est pas capable de faire ça, hein ! cria Antreas.

Le grand Lynx montra les dents en un sourire félin féroce, puis miaula pour signifier son approbation. La femelle prit de l'élan et bondit sur un autre arbre, sans même tourner la tête vers Antreas. Elle savait qu'il la suivrait : il la suivait toujours.

– Ah, c'est faire la course, que tu veux, pas chasser ! D'accord, alors, c'est parti !

L'humain et la féline se déplacèrent d'arbre en arbre avec une grâce et à une vitesse dont cette forêt était rarement témoin.

Lorsqu'ils atteignirent le bas du coteau, Antreas était en sueur et riait, ayant retrouvé sa bonne humeur après cette poursuite. Haletant, il se laissa tomber sur le sol recouvert de mousse, près de Bastet, et rentra soigneusement ses griffes. Puis il essuya son visage humide avec son bras.

L'aurore était proche et le vent s'était levé, faisant tourbillonner les nuages dans le ciel agité.

– On dirait qu'un orage se prépare, commenta Antreas, qui s'assit près de Bastet et frotta le pelage argenté soyeux à la base de ses oreilles touffues.

Au lieu de se détendre et de ronronner, la féline se crispa soudainement. Tous les poils de son dos se hérissèrent et elle contempla le ciel en émettant un grondement étouffé.

– Hé, Bastet, ne t'inquiète pas. Je ne vais pas laisser un orage nous forcer à rester ici plus longtemps que…

Antreas n'acheva pas sa phrase, car il avait suivi le regard de sa féline. Haut dans le ciel, un mur de flammes se déplaçait en tournoyant, et prenait la forme d'un corps de femme. Cette silhouette fut soudain dispersée par une violente rafale, avant de se reconstituer et de descendre sur le coteau.

Le premier pin fut englouti en seulement quelques secondes.

Il y eut un bruit menaçant, qui parut provenir d'une source consciente, et les flammes commencèrent à dévorer l'arbre suivant.

– Par tous les Royaumes des Dieux ! s'exclama Antreas. La Cité dans les Arbres va être détruite !

Il se leva et eut envie de courir au fleuve, afin de s'éloigner le plus possible du feu.

Il commença à reculer, même si les flammes étaient manifestement en train de consumer la forêt et ne se dirigeaient pas vers lui.

Mais, constatant l'absence de Bastet à ses côtés, il s'arrêta.

La grande féline n'avait pas bougé d'un pouce. Elle regardait toujours fixement la Cité dans les Arbres.

– Bastet, on devrait s'en aller. On ne peut rien faire pour stopper cet incendie. Ni nous ni personne. Si on ne décampe pas d'ici, la seule chose qui arrivera, c'est qu'on mourra avec ce pauvre peuple aux chiens.

Bastet tourna lentement la tête pour croiser son regard. Antreas y lut sa tristesse, et il l'aima d'autant plus.

– Je sais, ma féline. Moi aussi, je suis désolé pour eux, déclara Antreas en lui faisant signe de le rejoindre.

Lentement, tristement, l'humain et la féline traversèrent côte à côte la forêt et parvinrent à la berge du Channel qui longeait l'île de la Tribu. Là, le Lynx s'arrêta et se retourna pour regarder le coteau en feu.

– Bastet, je ne pense pas que ce soit une bonne idée de rester ici. Si le vent tourne, on risque de se retrouver dans la même situation que la Tribu : pris au piège d'un mur de flammes.

Mais Bastet refusa de continuer. Fixant toujours la Cité dans les Arbres, elle se mit en boule sur un large rocher plat.

Antreas reconnut l'entêtement de sa féline à la position de ses oreilles. Il la connaissait si bien qu'il n'avait pas besoin du lien psychique qui les unissait pour comprendre son choix.

– Si on n'a pas trouvé ma partenaire jusque-là, commença-t-il en désignant la forêt en feu, ce n'est certainement pas maintenant qu'on la trouvera. Pas ici, en tout cas.

Lorsque Bastet donna un petit coup d'oreille en arrière, Antreas eut la certitude que sa féline allait camper sur ses positions.

Il sut qu'il était vaincu. Bastet avait décidé, et à moins qu'Antreas ne fût disposé à la ligoter et à la traîner derrière lui, elle serait impossible à déloger.

Avec un soupir qui fut couvert par le rugissement assourdissant du vent et du lointain incendie, Antreas retourna s'asseoir près d'elle.

Comme toujours, il adopterait la même attitude que Bastet, et attendrait qu'elle comprenne et mette en relation, grâce à ses capacités surnaturelles, les fluctuations du temps et des évènements. Il attendrait que lui apparaissent plus clairs les besoins de son Lynx, ses souhaits, ses attentes.

– D'accord, on reste ici afin de voir ce qu'on pourra faire pour les aider à reconstruire leur Cité, annonça Antreas.

Et, comme toujours, tandis qu'il patientait, assis près de Bastet, il se demanda vers quel complet bouleversement de sa vie son Lynx le mènerait cette fois-ci.

Remerciements

Je suis profondément redevable à mon agent et amie Meredith Bernstein. Merci pour la confiance indéfectible que tu as en moi, pour ton intégrité et ton amitié.

Merci à mon père, Dick Cast, et à mon frère, Kevin Cast, pour leur aide dans les domaines de la biologie et de la botanique. Je ne le dis pas assez, mais votre ardeur à inventer mes mondes me touche beaucoup ! Il est très pratique d'avoir des experts dans la famille ! Bugs vous embrasse !

Je suis très reconnaissante à mon amie Hilary Costello ! Merci pour ton talent extraordinaire, ton amitié et tes connaissances incroyables en homéopathie. Les éventuelles erreurs de Mari seraient les miennes propres.

Merci, Christine Zika, de m'avoir aidée à poser les bases d'une autre série !

Mille mercis à ma famille éditoriale de St. Martin Press ! C'est un vrai cadeau d'avoir une maison d'édition qui me donne la liberté d'écouter mon cœur. Sally Richardson, Monique Patterson, Anne Marie Talberg, Jennifer Enderlin, Steven Cohen et le reste de l'Équipe Cast sont les meilleurs !

Mes lecteurs sont les fans les plus intelligents, les plus cool et les plus fidèles au monde. Merci de m'accompagner dans cette nouvelle aventure. Je vous ♥ !

Enfin, merci à celle qui occupe la première place dans mon cœur : ma meilleure amie et fille, Kristin Cast. Tu crois toujours en moi. Tu es constamment à mes côtés, même quand je perds mon chemin et que je tâtonne dans le désert. Lorsque je n'arrive pas à entendre ma voix, c'est la tienne qui me rappelle que je peux avoir confiance en moi. Je t'aime, Ja ! Maintenant, allons déjeuner !

CHRONIQUES D'UN AUTRE MONDE

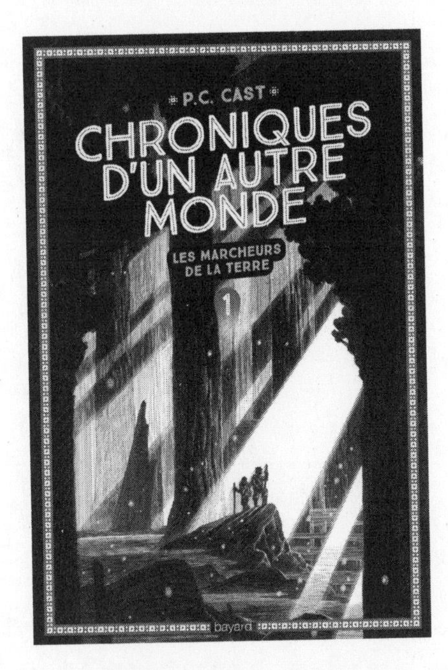

Cet ouvrage a été mis en pages
par DV Arts Graphiques à La Rochelle

Impression réalisée par
ROTOLITO S.p.A.
en mai 2018
pour le compte des Éditions Bayard

Imprimé en Italie